*prometida*

# CARINA RISSI

# prometida
### Uma longa jornada para casa

UM LIVRO DA SÉRIE
## perdida

8ª edição

Rio de Janeiro-RJ / Campinas-SP, 2021

VERUS
EDITORA

**Editora executiva:** Raïssa Castro
**Coordenação editorial:** Ana Paula Gomes
**Copidesque:** Lígia Alves
**Revisão:** Cleide Salme
**Capa e projeto gráfico:** André S. Tavares da Silva
**Foto da capa:** © Lee Avison / Trevillion Images

ISBN: 978-85-7686-460-8

Copyright © Verus Editora, 2016

Direitos reservados em língua portuguesa, no Brasil, por Verus Editora. Nenhuma parte desta obra pode ser reproduzida ou transmitida por qualquer forma e/ou quaisquer meios (eletrônico ou mecânico, incluindo fotocópia e gravação) ou arquivada em qualquer sistema ou banco de dados sem permissão escrita da editora.

**Verus Editora Ltda.**
Rua Benedicto Aristides Ribeiro, 41, Jd. Santa Genebra II, Campinas/SP, 13084-753
Fone/Fax: (19) 3249-0001 | www.veruseditora.com.br

CIP-BRASIL. CATALOGAÇÃO NA FONTE
SINDICATO NACIONAL DOS EDITORES DE LIVROS, RJ

R483p

Rissi, Carina
  Prometida : uma longa jornada para casa / Carina Rissi. - 8. ed. - Campinas, SP: Verus, 2021.
  ; 23 cm.

  ISBN 978-85-7686-460-8

  1. Romance brasileiro. I. Título.

16-35730
CDD: 869.3
CDU: 821.134.3(81)-3

Revisado conforme o novo acordo ortográfico

*Para Adri e Lalá*

> Nos encontramos em segredo —
> Atormento-me calado
> Que teu coração possa ter esquecido,
> Teu espírito se enganado.
> Se eu vier a encontrar-te
> Após um longo tempo,
> Como devo saudar-te? —
> Com lágrimas e silêncio.
>
> Lord Byron, "When we two parted"
> (Tradução de Carina Rissi)

# 1

### Junho, 1835

— Uma jovem de vinte anos deveria ter um guarda-roupa mais colorido — resmunguei ao examinar meu armário, sem conseguir decidir qual dos vestidos escolher: o rosa-claro, o azul-claro, o amarelo-claro, o verde-claro? Ou será que eu deveria optar por um creme? Quem sabe um dos inúmeros e sempre iguais brancos?

Já fazia mais de dois quartos de hora que eu estava ali abraçada aos joelhos, sentada ao pé da cama sobre os lençóis brancos com bordados cor-de-rosa, sem chegar a conclusão alguma.

— O que acha, Bartô? Algum deles parece interessante?

O gato preto ergueu para mim os olhos amarelos desalinhados e começou a lamber a pata.

— Eu concordo. — Soltei um suspiro.

Todos eles eram semelhantes. Foi por isso que não me dei o trabalho de ir ao ateliê de madame Georgette e encomendar mais um vestido pálido para a festa daquela noite. Pensando bem, assim como meu quarto rosado e branco, eles combinavam com minha vida sem graça.

Não que eu estivesse me queixando. Apenas gostaria de que, de vez em quando, o ponto alto do meu dia não fosse um chá da tarde. Claro que a ironia não me passou despercebida, já que eu estava justamente contemplando minhas opções para um baile.

Eu não me sentia inclinada a ir. Fazia muito tempo que eventos como aquele tinham deixado de me empolgar. Entretanto, era o aniversário da sra. Moura, e ela decidira oferecer um baile de máscaras para comemorar. Eu até havia ajudado na escolha do cardápio e na decoração. Como poderia recusar o convite da mãe da minha melhor amiga sem ofendê-la?

Eu me estiquei para pegar a caixa com a máscara, sobre a mesa de cabeceira laqueada, e a analisei: branca, forrada de uma renda delicada e com minúsculas pérolas bordadas aqui e ali.

— Um dos vestidos brancos, então.

Separei o traje que eu usara para ir à ópera no mês anterior — um com mangas curtas diáfanas e pérolas diminutas formando desenhos florais na barra da saia — e, em um ataque de rebeldia, decidi prender apenas parte do cabelo, permitindo que as delicadas e espessas ondas negras me caíssem nas costas.

Minha nossa. Como eu podia ter uma vida tão enfadonha, a ponto de o simples fato de não prender o cabelo poder ser considerado uma *rebeldia*?

Está bem. Talvez eu estivesse me queixando um pouco. É que parecia que algo importante estava acontecendo na vida de todo mundo. Exceto na minha.

Sofia, minha cunhada — que eu preferia chamar de irmã, tamanha minha afeição por ela —, enfrentava diariamente um novo desafio em sua fábrica de cosméticos, além de cuidar das filhas e da administração da casa. Meu irmão, Ian, estava sempre imerso em documentos, ou no estábulo, ou então entretendo minhas sobrinhas. Já não lhe sobrava tempo para se dedicar aos pincéis. Até mesmo Teodora tinha o que fazer: além de administrar a própria casa, minha melhor amiga tinha o pequeno Thomas para ocupar seus dias.

Quanto a mim? Ah, eu bordava muito bem, pintava demais — a ponto de já não sentir prazer algum em me sentar diante da tela — e lia. Lia tanto que me flagrei pensando em qual dos mundos eu passava mais tempo: o real ou o imaginário. Ah, sim! Eu também tocava piano e harpa. Ultimamente eu escolhia as composições mais complexas, apenas para ter um desafio e fazer o tempo correr mais depressa.

Por muito tempo eu administrei a residência da família. Ian e eu perdemos nossos pais muito cedo e ficamos por conta própria. Cuidávamos um do outro desde que eu tinha nove anos. Então, nós crescemos, Ian e Sofia se conheceram, se apaixonaram e, depois de alguns contratempos, se casaram. Ela relutou em assumir seu papel de senhora da casa, mas acabou cedendo, se acostumando e se saindo muito bem. Fazia tempo que ela já não precisava de minha ajuda nesse departamento. De início, pensei que fosse gostar de ter um pouco de tempo livre, levar uma vida sem tantas responsabilidades, como a maioria de minhas amigas. Mas a verdade é que não demorou muito para que eu ficasse entediada.

Às vezes eu sentia que não tinha exatamente uma vida. Eu respirava, meu coração batia — apenas isso. Eu queria mais! Queria poder ser de alguma importância para alguém, fazer a diferença no mundo, deixar ao menos uma marca nele. Eu duvidava de que, quando meu nome fosse mencionado ao longo da história, alguém dissesse: "A srta. Elisa Clarke? Oh, sim! Que grande dama! Sabe arrematar um bordado como ninguém!"

Sendo justa, algo realmente surpreendente acontecera comigo três anos e meio atrás. Uma experiência tão incomum e extraordinária quanto pertubadora: viajei para a cidade de Sofia. Por acidente, conheci aquele mundo confuso e maravilhoso. Tive a chance de vislumbrar o futuro, e aquilo ficará gravado em mim enquanto eu viver. Tudo o que eu vi e vivenciei naquele lugar alterou minhas crenças e minha vida para sempre.

Mas, nos últimos tempos, meus dias eram exatamente iguais. Eu tinha que encontrar um propósito na vida, só não fazia ideia de onde ele poderia estar escondido. Já havia revirado minhas ideias, e nenhuma delas parecia nem remotamente excitante.

Deixei as divagações de lado e terminei de me vestir. Assim que fiquei pronta, abri a porta. O gato passou tão rápido que minhas saias balançaram.

Ao chegar à sala de estar, encontrei meu irmão e Sofia já prontos, à minha espera.

— Pensei que tivesse desistido, Elisa — Ian reclamou. — Até Sofia ficou pronta antes de você.

— Ei! Isso não é justo. — Sofia, lindíssima em um vestido verde profundo brilhante que destacava ainda mais seus fios dourados, revirou os olhos. — Eu sempre demoro pra me arrumar porque *você* fica me atrasando.

Um canto da boca de Ian se ergueu, ao passo que um olhar que eu já deveria ter me habituado a ver — mas que ainda me fazia corar — reluziu em seus olhos negros como ônix. Não fui a única mulher naquela sala a ficar com o rosto vermelho.

— Desculpe, Ian. — Ajeitei as luvas para poder desviar o olhar e assim dar a eles um pouco de privacidade. — Tive problemas com o guarda-roupa.

— O que aconteceu? Uma das portas emperrou?

— Não é desse tipo de problema que ela tá falando. — Sofia me avaliou de cima a baixo, um largo sorriso lhe curvando a boca. — Você está um arraso, Elisa.

Minha irmã às vezes dizia coisas assim, que pareciam sem sentido. Não fazia tanto tempo que eu descobrira a verdadeira razão disso.

— Obrigada, Sofia. Você também está linda.

Foi nesse instante que o sr. Gomes entrou na sala, apressado, uma carta sobre a bandeja de prata.

— O mensageiro acabou de entregar.

Minha pulsação ameaçou enlouquecer conforme ele se aproximava. Era sempre assim. Toda vez que uma carta chegava, meu coração entrava em colapso. Foi com muito custo que o obriguei a se manter estável. Ora, era ridículo ficar toda alvoroçada com uma simples correspondência, que, na maioria das vezes, não continha mais de duas linhas.

Entretanto, a carta não era para mim. Ian a abriu e começou a ler enquanto o mordomo se retirava, com muita elegância, levando a bandeja sob um dos braços.

Ao terminar a leitura, Ian dobrou a carta e a guardou no bolso de seu traje preto, bufando feito um dos cavalos ariscos que domava.

— O que foi? — Sofia tocou seu braço. — Más notícias?

— O sr. Albuquerque mudou de ideia — contou ele.

— Eles não vão mais se mudar? — arfei.

— Não, Elisa. Perdoe-me. Não foi o que eu quis dizer. O sr. Albuquerque não mudou de ideia quanto a isso, mas com relação à venda da casa. Eu pretendia comprá-la, mas, como Walter falara primeiro com o advogado a respeito dos trâmites, o sr. Andrada já tinha um comprador em vista e fechou o negócio antes que eu pudesse fazer a oferta.

— Ah. — Minha esperança se esvaiu. Sacudi a cabeça. — Ainda não acredito que Valentina vai se mudar. Os Albuquerque já estavam ali quando vovô comprou a nossa propriedade.

Apesar de Valentina ser dois anos mais velha, ela e eu crescemos praticamente juntas. Minha amiga sempre esteve a dez minutos e duas cercas de distância. Agora iria para longe, e eu a veria apenas uma ou duas vezes ao ano, com sorte.

— Também não entendo o que levou o sr. Albuquerque a tomar tal decisão — comentou meu irmão. — A propriedade é produtiva. A casa, uma das melhores da região. De fato, não compreendo.

Mas eu sabia que ele estava mentindo. Todos na vila conheciam o motivo pelo qual o sr. Walter de Albuquerque decidira mudar de ares. Miranda, sua nova mulher, não conseguira o respeito dos empregados, que tratavam Valentina como patroa. Miranda se enfurecera a ponto de esbofetear uma das camareiras, que tinha se atrevido a consultar minha amiga a respeito da compra de talco para as damas da residência. Miranda anunciara ao marido que iria embora e levaria

Félix, o filho do casal. Em vez de contratar uma nova equipe de empregados — que a respeitasse, e não a Valentina —, Walter preferiu levar a nova esposa para viver em outra parte do país, onde a memória de Adelaide, sua falecida primeira mulher, não os assombrasse. Valentina ainda não sabia para onde iriam, e não estava nem um pouco feliz com o arranjo.

Nem eu. Nada seria como antes sem ela por perto.

Eu acabava de colocar a capa sobre os ombros quando nossa governanta apareceu na sala.

— Oh, como estão bonitos! — Madalena colocou a mão sobre o coração. — Srta. Elisa, parece um anjo de tão linda! Mas por que não me disse que pretendia usar este vestido? Eu teria engomado as saias!

A sra. Madalena — desde 1832, sra. Gomes — estava conosco havia muitos anos, antes até de Ian e eu nascermos. A mulher de baixa estatura e formas arredondadas era mais que uma simples criada para mim. Ela estivera a meu lado, me consolando de todas as maneiras que podia, depois que mamãe partiu deste mundo sem aviso. E fizera o mesmo quando a pneumonia levou papai, pouco tempo depois. Ela e seu marido, o sr. Gomes, eram parte da família.

— Obrigada, sra. Gomes. Me decidi ainda agora. Estão engomadas o suficiente.

— As meninas já estão na cama? — Sofia perguntou a ela.

— Não. — Madalena piscou, sem entender. — Pensei que estivessem aqui, sra. Clarke. Foi por isso que vim. Para ficar com elas.

Sofia e Ian se entreolharam. Meu irmão soltou um profundo suspiro e se manteve calado por alguns segundos.

— Estão escutando isso? — questionou, um tempo depois.

— Não ouço nada — respondi. — A casa está silenciosa.

— Exatamente! — Sofia ergueu as saias e saiu correndo.

Como Ian a seguiu a passos largos, achei melhor ir ver o que estava acontecendo. Eles abriram e fecharam portas, examinando cômodo por cômodo, até que meu irmão se deteve em seu escritório.

— Meu... Deus... — E soltou uma pesada respiração.

— O que foi? — Sofia passou pelo batente sem hesitar. — Ai, meu Deus!

— Elas estão bem? — perguntei, me apressando. Assim que entrei no aposento e pude dar uma olhada no que estava acontecendo, compreendi a perplexidade de ambos. — Oh, meu bom Deus!

— Minha nossa! — ouvi Madalena arfar mais atrás. — Acho melhor... colocar água para ferver.

— Creio que seja uma boa ideia — falei, os olhos presos na cena. — Vamos precisar de muita água e paciência para limpar essas duas.

Marina e Ana Laura estavam sentadas no tapete usando suas roupas de dormir. O pote de nanquim tombado entre elas criara uma imensa mancha viscosa sobre a tapeçaria. Nina, do alto de seus quatro anos e meio, tinha uma pena na mão, com a qual rabiscava diversos papéis. Pela expressão horrorizada de meu irmão, suspeitei de que fossem documentos importantes. Laura, de quase três, cantarolava baixinho e preferia usar as mãozinhas como carimbo, estampando os documentos, as próprias roupas e as da irmã. Bartolomeu as observava do sofá de couro negro, parecendo não se importar com a bagunça.

Minha sobrinha mais nova foi a primeira a perceber nossa presença.

— Eu *pintanu*! — Laura afastou os cabelos claros dos olhos. Uma larga faixa preta se formou em sua testa.

— Eu tô escrevendo uma carta — contou Marina. — Que nem a mamãe faz.

— Nos contratos dos arrendatários. — Ian se agachou ao lado dela, examinando um dos documentos.

— Quanto você está furioso? — Sofia cochichou, tentando ajudá-lo a salvar alguns poucos papéis.

— Essa daí é pra mamãe — contou Marina. — Mas essa é pra você. Diz "O papai é o melhor do mundo".

Ian esfregou a testa, meio rindo, meio gemendo, os olhos ainda no contrato, agora arruinado por uma profusão de pingos, riscos e marcas de dedos.

— Menos do que eu deveria — Ian disse a Sofia, então fitou sua primogênita.
— É uma carta muito bonita, Marina. Obrigado. Mas... da próxima vez você deve perguntar se pode usar um dos meus papéis. Estes eram muito importantes.

Nina ergueu os enormes olhos castanhos para ele, soltando a pena imediatamente.

— Foi ideia do Bartô. — Esfregou as mãos na camisola de dormir, arruinando-a de vez.

— Meu Deus! — Cobri a boca com a mão, tentando abafar o riso. Sofia também estava tendo problemas para manter a expressão séria.

— Baitô. Baitô. Baitôôôôô... — cantarolou Laura, continuando a empapar as mãos na tinta e a pressioná-las nos contratos.

Analu — como Marina chamava Ana Laura desde o instante em que a vira pela primeira vez — era apaixonada pela irmã, sendo plenamente correspondida, e seguia Nina pela casa o dia todo. Nina, por sua vez, adorava fazer explorações e meter as duas em encrenca.

Elas eram muito parecidas e, ao mesmo tempo, tão diferentes. Os traços eram semelhantes, uma mistura perfeita de Ian e Sofia. Mas Nina tinha os cabelos escuros como os do pai e tão selvagens quanto os de Sofia. Era inquieta, destemida e adorava estar sobre um cavalo. Analu, com seus fios claros formando delicados anéis nas pontas e os olhos azuis no mesmo tom dos meus, tinha um ar mais angelical, era doce e tímida. Não existiam crianças mais inteligentes, lindas, bem-educadas e carinhosas em todo o mundo, disso eu estava certa.

Ora, é claro que eu era louca por elas. Minhas sobrinhas eram tudo para mim. Ambas tinham meu coração em suas mãozinhas. Eu faria tudo por aquelas duas. Sacrificaria qualquer coisa — até mesmo minha felicidade — para mantê-las a salvo e felizes. E, de certa maneira, era isso que eu andava fazendo nos últimos três anos, não era?

Laura olhou para mim e sorriu, fazendo as covinhas em suas bochechas se acentuarem.

— Pare, Analu — fiz com os lábios.

— *Poi* quê? — Ela inclinou a cabeça para o lado.

Ao ouvir sua voz, o gato pulou no tapete e veio se esfregar no cotovelo dela. Ana Laura era a preferida de Bartolomeu. O gato dormia aninhado a ela todas as noites. Tecnicamente ele era meu, mas desde o nascimento de Laura eu o perdera para a menina. E não o condenava. Era impossível não se apaixonar pela doçura de Analu. Antes que o animal subisse no colo dela, eu o peguei pelo dorso e o coloquei para fora do escritório. Tudo de que não precisávamos era que ele sujasse as patas e saísse redecorando a casa.

— Nós sabemos que não foi ideia do Bartolomeu — repreendeu Ian. — O que vocês fizeram foi errado. E o mais importante é que existem coisas muito perigosas neste escritório. — Meu irmão relanceou a prateleira mais alta da estante, onde guardava a caixa de pistolas. — Que vão para o cofre imediatamente.

— Vocês poderiam ter se machucado. Isso seria muito ruim — explicou Sofia, esfregando a testa da caçula. O risco preto se transformou em um sombreado. — Acho que vou ter que deixar vocês duas de molho na banheira. De novo!

— Prometam que não vão mais entrar no meu escritório quando estiverem sozinhas — insistiu Ian.

— A gente prometemos. — Nina suspirou. — Desculpa, papai.

— É *nós* prometemos — ajudei. Marina andava tendo problemas com a concordância. — Bem, então está tudo resolvido. Não é necessário deixá-las de castigo, é? Porque não seria nem um pouco justo. Elas não sabiam que não podiam brincar aqui, não fizeram por mal. E estão muito arrependidas, não é verdade? — perguntei às meninas.

Nina assentiu com firmeza. Analu, muito pequena para compreender o que estava acontecendo, olhou para mim, indecisa. Eu a incentivei, balançando a cabeça afirmativamente. Ela imitou o gesto.

— Aí está! — sorri. — Podemos esquecer esse assunto.

Os olhos negros de Ian se estreitaram em minha direção. Não me permiti desviar o olhar. Ora, ele podia dizer o que quisesse, mas não era certo castigar as meninas se elas não foram informadas de todas as regras.

— E depois dizem que são as avós que estragam as crianças... — murmurou Sofia. Pelo canto do olho, eu a vi morder o lábio para conter o riso enquanto apanhava um calhamaço de documentos que pingavam tinta.

— Pra você. — Marina pegou uma das folhas rabiscadas e entregou para a mãe. — Tá escrito "A melhor mamãe do mundo é...".

— "... a mamãe!" — completou Laura, se virando e segurando o rosto dela entre as mãos para sapecar um beijo estalado em seu nariz. As marcas perfeitas da palma da menina estamparam as bochechas de Sofia, como asas de borboleta.

Ian e eu acabamos rindo.

— Bem, está claro que não poderemos comparecer ao aniversário da sra. Moura. — Meu irmão tirou o paletó, o jogou no sofá e começou a enrolar as mangas da camisa. Eu estava quase suspirando de contentamento quando ele acrescentou: — Você terá que representar a família, Elisa.

Oh, quanta alegria ir ao baile sozinha...

Aquela noite ficava cada vez menos atraente.

— Por favor, se desculpe com os Moura, Elisa. Explique que tivemos dois *pequenos* contratempos. — Ian brincou com os cabelos de sua primogênita.

— Farei isso. Não devo chegar muito tarde.

— Tia Elisa, espera! — Marina se levantou, um contrato pressionado contra o peito. — Vem, Analu. — Estendeu a mão para a irmã e a ajudou a ficar de pé. As duas pararam diante de mim. — Essa é pra você, tia.

O documento estava coberto por uma porção de linhas incompreensíveis. Mas ao centro, no ponto em que dezenas delas se entrelaçavam, uma forma ficou muito nítida. Um coração.

— Diz... — começou.

— Eu sei. Nina e Analu amam a tia Elisa — sussurrei, emocionada. — E eu amo vocês. Muito!

— Quase acertou. Tá escrito "A Nina e a Analu amam *muito...*"

— "... a tia Liiiiiisa!" — completou Analu, pulando sobre mim. Ian foi mais rápido e a pegou no ar, antes que as mãozinhas encharcadas de tinta alcançassem meu vestido branco. Pensando que se tratasse de uma brincadeira, a menina gritou de alegria. — *Qué bincá* de pega-pega, papai?

Ian deu risada, ajeitando-a no colo.

— Talvez mais tarde, meu amorzinho. Quando você e sua irmã não estiverem mais parecendo um mata-borrão.

Sofia ficou de pé, colocando sobre a mesa do marido os papéis que tinha amontoado, e olhou para mim.

— Você não parece muito animada — comentou, depois de uma rápida avaliação.

— E não estou. Já não estava empolgada antes, quando pensei que vocês iriam. Imagine agora. Se não fosse aniversário da sra. Moura, acho que iria inventar um mal-estar qualquer.

— Eu sou a última pessoa a querer defender um baile. — Recostando os quadris na mesa, ela apoiou as mãos no tampo. — Mas, Elisa, você só tem vinte anos. Sei que não é exatamente a melhor das baladas, mas tente se divertir mesmo assim. Você anda muito quietinha nos últimos dias. Tô ficando preocupada.

— Não fique, Sofia. Só estou perturbada com a partida de Valentina.

Seu rosto foi encoberto por uma sombra.

— Até eu estou. E sei exatamente como é fo... go ter que se separar de uma amiga. É como se um pedaço da gente ficasse com ela. Mas, por mais que a distância seja dolorosa, não é o fim. A amizade verdadeira sobrevive a tudo, Elisa. A distância não é capaz de destruir o amor. Acredite em mim. — Ela olhou para Ian, as íris castanhas cintilando.

Como se pressentisse o rumo que os pensamentos dela tomavam, Ian a encarou. Algo profundo e muito íntimo se passou entre eles, e eu tive que desviar o olhar.

Sofia entrara em nossa vida cinco anos antes, no fim do verão de 1830. Ela e meu irmão se apaixonaram instantaneamente. No entanto, após pouco mais de uma semana, ela desapareceu da mesma maneira misteriosa que surgiu. Na época eu não sabia que ela tinha retornado para o tempo em que vivia, quase duzentos anos à frente do nosso. Nenhum dos dois conseguiu lidar muito bem com a separação, porém, e a distância de dois séculos só fez os sentimentos crescerem ainda mais. Depois de ter visto o mundo dela com meus próprios olhos, sua decisão de escolher Ian e abandonar tudo o que conhecia para viver no pacato e nem um pouco moderno século em que eu nasci ganhara ainda mais significado. E me emocionava profundamente. Meu irmão a pediu em casamento na noite em que ela retornou para o nosso tempo, e desde então — entre um problema e outro — eles viviam plenamente aquele amor, interligados de uma maneira que eu jamais imaginei possível.

Sempre que presenciava a interação entre eles — como se um fosse capaz de ler os pensamentos do outro —, eu me pegava avaliando minha vida amorosa, e então uma tristeza imensa me invadia. Eu nunca experimentaria um amor como aquele. Não mais. Não depois de tudo o que acontecera.

— Bom, as coisas logo vão se ajeitar — Sofia piscou, como se saísse de um transe, se endireitando. — Aposto que a última coisa que Valentina quer agora é que você fique triste por causa dela. Promete que vai tentar se divertir esta noite?

— Prometo, Sofia.

Satisfeita com a resposta, ela voltou a recolher a bagunça, tomando cuidado para não manchar o vestido. Como eu já estava atrasada, me despedi e corri para a entrada da casa. No meio do caminho, entretanto, ouvi as botas de meu irmão batendo no assoalho de madeira, então o esperei.

— Elisa, eu sei que você ama as minhas filhas. — Ele coçou a testa. — E isso me deixa muito feliz. Honestamente! Mas como eu e Sofia poderemos educá-las se você intercede por elas toda vez que as duas aprontam alguma travessura?

— E de que me adianta ser tia se não for para mimá-las? — devolvi, fazendo-o apertar os lábios; se para deter o riso ou uma imprecação, não tive certeza. — Não se preocupe, Ian. Você e Sofia estão fazendo um trabalho maravilhoso com elas.

— O meu escritório discorda — brincou. No entanto, ele rapidamente se recompôs, assumindo uma postura grave. — E quanto a você?

— O que quer dizer? — perguntei, cautelosa.

— Não parece muito contente, Elisa.

Diante do meu histórico em bailes nos últimos anos, não era assim tão surpreendente que eu não me sentisse feliz. Além do mais, eu estava um pouco cansada do falatório, de ter que responder sempre as mesmas perguntas.

E existia um terceiro motivo para minha falta de entusiasmo. O mais importante e também o que mais me afligia. Apenas pensar em seu nome me lançava em um turbilhão de emoções. Por isso eu evitava a todo custo qualquer conversa na qual seu nome pudesse ser proferido. Doía demais ouvi-lo. Em um baile, me esquivar do assunto se tornava praticamente impossível.

Para não trazer ainda mais preocupações a meu irmão, forcei um sorriso e disse parte da verdade:

— Não se preocupe comigo, Ian. Só estou triste com a partida de Valentina, e, infelizmente, não há nada que você possa fazer.

Se houvesse algo, ele faria. Eu não podia imaginar que existisse um irmão mais cuidadoso ou dedicado que o meu. Eu o amava de todo o coração. Seis anos mais velho que eu, Ian tinha herdado de papai muito mais que a altura e os cabelos escuros: assumira as rédeas da propriedade e a responsabilidade pela nossa família quando não passava de um garoto. Ocupara todos os postos antes comandados por John Clarke, criando e treinando os cavalos — sua grande paixão —, cuidando do estábulo, das terras onde vivíamos e das arrendadas, de minha educação, de mim. Sobretudo de mim! Ele teve que crescer muito cedo.

— Eu sei. E lamento muito — falou em voz baixa — Mas tente se divertir esta noite. Ficar abatida não vai fazer o sr. Albuquerque mudar de ideia.

— Sei disso. E já prometi para a Sofia que vou tentar me divertir. Mas creio que será um esforço árduo. Desconfio que será mais um baile enfadonho, em que nada de novo acontece.

A propriedade dos Moura fazia divisa com a nossa, e eu a conhecia tão bem quanto Teodora conhecia a de minha família. Naquela noite, tudo na residência exalava alegria. Sobretudo a sra. Moura. Se por conta da felicidade de receber os amigos ou das várias taças de vinho que havia tomado, não tive certeza. Eu estava lhe explicando a ausência de minha família quando um pequeno grupo de mulheres se formou ao nosso redor, e subitamente a conversa enveredou para suas tarefas cotidianas. Sem muito a dizer, pedi licença e me afastei.

Conferi se minha máscara estava bem amarrada enquanto esticava o pescoço à procura de minhas amigas na ampla sala. As taças de champanhe reluziam na mão dos convidados, rivalizando com as joias que as mulheres usavam. Os grandes arranjos dispostos sobre aparadores e algumas bases de mármore quase passavam despercebidos em meio ao colorido dos vestidos. Ainda não tinha encontrado Teodora quando fui abordada por cavalheiros impacientes, aos quais prometi algumas danças sem prestar atenção ao que fazia. Assim que me vi sozinha de novo, avistei uma delicada máscara dourada em meio a uma profusão de cachos ruivos, do outro lado da sala. Acenei para minha melhor amiga enquanto me desviava das pessoas, me dirigindo até ela.

— Elisa! Você demorou tanto. — Teodora me pegou pela mão. — Pensei que não viesse.

— Tivemos um incidente. — Contei rapidamente a última traquinagem de minhas sobrinhas.

Meu primo começou a rir antes que eu terminasse a história.

— E você reclamando de um pouco de terra nos lençóis do pequeno Thomas, Teodora — ele disse para a esposa, rindo, o que fez sacudir sua máscara branca com um nariz longo e pontudo.

Minha melhor amiga e meu primo tinham se casado fazia alguns anos, e do amor deles nascera Thomas Clarke III, um menino grande e robusto que adorava correr atrás dos filhos dos empregados, para desespero de tia Cassandra.

— Francamente, não sei o que há com essas crianças — riu Teodora. — Deve ser o sangue dos Clarke que as deixa tão terríveis.

— Mas eu sou uma Clarke. — Olhei para minha amiga, arqueando as sobrancelhas. — E sempre fui uma menina bem-comportada.

— E deve ter sido a única criança da família a não se meter em problemas — ela zombou.

Thomas revirou os olhos.

— Mas compensou essa falha ao chegar à adolesc... *urf!* — ele gemeu quando o cotovelo da esposa acertou suas costelas. — Eu só estava brincando, Teodora!

— Está tudo bem. — Manejei um sorriso. — Não posso fingir que não me meti em problemas quando fiquei mais velha. — Não que eu tivesse culpa. Fui sequestrada por minha tia. Acabei noiva quando fui beijada pela primeira vez. Depois fui novamente sequestrada, por assim dizer, por um artefato de metal do tamanho de uma cigarreira, e desde então minha vida se tornou uma sucessão de desastres.

— *Grandes* problem... *urf!* — arfou Thomas.

— Estou com sede, Thomas. — Teodora piscou as pestanas para ele. — Por favor, poderia pegar uma bebida para mim?

— Acho que é mais seguro para minhas costelas... — Massageando o local atingido, ele desapareceu por entre os convidados.

— Desculpe, Elisa — começou ela assim que ficamos sozinhas. — Thomas não falou por mal. Ele só é incapaz de mentir.

Acabei rindo.

— Você não deveria enxergar isso como um defeito, Teodora.

— Não enxergo. Na maior parte do tempo, pelo menos — acrescentou, estudando o salão. — Ah. O sr. Matias está tentando atrair sua atenção.

— Deve estar à procura de Valentina. — O charmoso sr. Diógenes Matias andava flertando com minha amiga, e, como ela não parecia se dar conta disso, não desencorajava seus avanços. — Ela não vem mesmo, Teodora?

— Receio que não. No bilhete que me enviou esta tarde, disse que não queria estragar a festa com sua melancolia. Ainda não consigo acreditar que ela vai embora, Elisa. — Teodora voltou a admirar o salão. Um minúsculo sorriso (que eu conhecia bem demais) lhe ergueu os cantos da boca. — Mas, sabe, minha querida amiga, não estou certa de que o sr. Matias procura mesmo por Valentina. Ele pede para dançar com ela tanto quanto pede a sua mão nos bailes.

— Não acredito que acabou de dizer isso — falei, enrubescendo.

— Ele está vindo. — Ela virou o rosto para mim. — Sorria, Elis...

— Srta. Elisa, que prazer revê-la! — o rapaz me cumprimentou, com uma elegante reverência. Sua máscara quadriculada se desencaixou do rosto. Ele a pegou pela alça antes que chegasse ao chão.

— Sr. Matias — devolvi a cortesia.

— Sra. Clarke, que festa esplêndida. Já deixei minhas congratulações à sua adorável mãe, mas as reforce, por favor. Nunca vi um salão mais bem decorado ou tão boa comida.

— Obrigada. — Teodora piscou, com afetação. — Mas acredito que Elisa é que mereça o elogio, já que foi ela quem escolheu o cardápio e os arranjos.

Lancei um olhar para Teodora. *O que está fazendo?*

— Sorria — fez ela com os lábios.

— Ora, é mesmo? — Matias me estudou por tanto tempo que senti as bochechas ganharem cor de novo. — Não que isso seja surpresa. Seu bom gosto é notável, srta. Elisa.

— Imagine que sorte terá o homem que se casar com ela! — Teodora bateu com o leque no braço do rapaz, para atrair sua atenção. — Uma casa belamente decorada, boa comida para entreter os convidados. Além da música, é claro. Elisa é uma *excelente* intérprete!

A essa altura, meu rosto pegava fogo. Teodora não teria sido mais explícita em sua intenção nem mesmo se pendurasse uma placa em meu pescoço com os dizeres "VENDE-SE". Apesar de ela e todos naquele salão saberem que eu não estava disponível.

— Teodora — tentei sorrir —, acho que Thomas está procurando por você.

— Tenho certeza de que se enganou, querida Elisa. Como eu ia dizendo, sr. Matias, Elisa é uma moça muito preparada. E o bom nome da família Clarke é apenas um detalhe. Creio que dificilmente exista uma dama mais refinada que Elisa.

Desejei poder afundar o rosto entre as mãos. Ou chutar a canela de Teodora.

— De fato, ela é um tesouro. — Os lábios de Matias se esticaram sobre os dentes brancos e alinhados, enquanto seus olhos se tornavam calorosos. — E essa é uma das razões pelas quais tomei a liberdade de vir até aqui pedir uma dança. Por favor, srta. Elisa, não parta meu coração.

Eu já tinha prometido algumas danças. Sendo noiva, não ficava bem dançar a noite toda, apenas três ou quatro vezes. Mas eu tinha que me livrar do sr. Matias. E rápido.

— Claro que aceito, sr. Matias. Já prometi três delas, mas a quarta será sua — concordei, na esperança de que ele ficasse satisfeito com a resposta e assim fosse procurar outras parceiras, ficando bem longe de Teodora.

Foi o que ele fez, depois de encaixar a máscara no rosto. Assim que voltei a ficar sozinha com minha amiga, olhei para ela, exasperada.

— O que pretendia, me oferecendo dessa maneira para o sr. Matias? Está parecendo uma matrona casamenteira, Teodora! Você sabe que eu estou... — engoli em seco — ... noiva. E o sr. Matias também sabe.

— Eu estava apenas garantindo que você tenha alternativas. Não fique irritada comigo. Você deveria era estar aborrecida com o seu noivo ausente! Onde ele está agora? — ela exigiu, ultrajada.

Um estremecimento me fez encolher os ombros. Meu noivo era a última coisa em que eu queria pensar naquele momento. Ou em qualquer outro.

— Por isso, querida Elisa, trate de aproveitar a companhia do atraente sr Matias. — Seus olhos reluziram conforme seus lábios se curvavam selvagemente e ela tocava meu queixo com a ponta do leque, antes de sair balançando as saias de cetim vermelho.

Teodora devia ter perdido o juízo. Ou bebido tanto champanhe quanto sua mãe.

Minha irritação não tinha relação alguma com o sr. Matias. Ao contrário, eu o achava agradável e cortês, mas a última coisa que queria era ser cortejada.

Estava ajeitando as luvas, um tanto indignada, quando dr. Almeida passou por mim. Esperei que não me reconhecesse por trás da máscara, mas não tive tanta sorte.

— Por Deus, minha cara Elisa! Por um momento pensei estar diante de Laura Bittencourt Clarke! A cada dia que passa você está mais parecida com sua mãe, minha querida. — Ele pegou minha mão e a levou aos lábios. — Herdou do pai o tom escuro do cabelo, mas todo o restante é de Laura.

— Obrigada, doutor.

Almeida já era amigo de minha família muito antes de eu existir. Ele era presença constante em nossa vida, fosse em almoços ou cuidando da saúde dos

Clarke. Eu o adorava. Mas nos últimos tempos o andava evitando, porque, sempre que nos encontrávamos, ele começava a discorrer sobre os talentos de seu jovem discípulo, que, ao que parecia, lhe escrevia *longas e belas* cartas.

Seu olhar atento me avaliou por um instante.

— Por que o semblante tão tristonho, minha cara?

— Imagino que seja culpa da máscara — arrisquei.

Suas bastas sobrancelhas se abaixaram.

— Elisa, não esqueça de que eu a conheço desde que nasceu. Já faz um tempo que tenho notado certo desânimo em seu rosto. E creio que saiba o motivo. Está sentindo falta dele, não é? Lucas escreveu recentemente? Teve alguma notícia, querida?

*E lá vamos nós.*

— Não recebo nada desde o mês passado. E o senhor, doutor? — perguntei, hesitante.

— Também não recebi nada nas últimas semanas. Imagino que ele esteja enfiado em suas pesquisas. — Estalou a língua. — E na última carta ele avisou que estava sendo consumido pelo trabalho no hospital. Detalhou cada atendimento com a mesma precisão com que opera. Que rapaz dedicado, Elisa. E tão talentoso! Eu não poderia ter sido mais abençoado do que quando Lucas me escolheu como mentor.

Tentei sorrir. Foi por meio do dr. Almeida que eu soube que seu pupilo — e meu noivo — estava trabalhando em um hospital na região da Lombardia, na Itália. Lucas não se dera o trabalho de me contar. Achara mais importante dizer que tinha chovido duas vezes no mês de abril.

— Mas não se preocupe com a falta de notícias — prosseguiu Almeida. — Ele logo vai escrever. E, antes do que possa esperar, minha cara, ele estará de volta ao Brasil. — Ele olhou em volta e arqueou a sobrancelha, como que se lembrando de algo importante. — Ah, sr. Moura! Preciso lhe falar sobre aquele tônico em que ficou interessado. — Voltando-se para mim, emendou: — Com licença, querida.

Eu me despedi com uma vagarosa reverência, tentando recompor as emoções enquanto o observava atravessar o salão e se juntar ao pai de Teodora para uma animada conversa.

Se o bom doutor soubesse que sua intenção de me consolar só me causara mais aflição... Mas ele — assim como qualquer outra pessoa naquele salão — não sabia o que acontecera entre mim e Lucas antes da partida dele para a Europa. Nem mesmo Teodora. Ela estava furiosa com meu noivo por sua demora em retornar ao Brasil, o que fazia de mim alvo frequente das mexeriqueiras. Minha amiga estava apenas tentando me proteger do falatório.

Mas ninguém, nem mesmo minha família, sabia o que havia acontecido em nossa despedida, naquela noite turbulenta, três anos antes, quando fui obrigada a abrir mão do único homem que já amei na vida e a matar qualquer sentimento que Lucas Guimarães tivesse por mim.

No entanto, nada saiu como eu planejara, e, por consequência — ou talvez castigo divino —, eu continuava noiva, agora de um homem que me desprezava. Passei os braços ao redor do corpo para reprimir um tremor.

"Eu não o farei feliz", eu dissera a Lucas naquela noite fatídica. "Tampouco você me fará feliz. Por que continuar com esse compromisso?"

"Você acabou de dizer o motivo, Elisa. Porque eu não a farei feliz. Nos casaremos assim que eu me estabelecer e voltar da Itália", avisara ele, pouco antes de sair de meu quarto e desparecer pela janela. Desde então, eu sofria com a agonizante espera, temendo o momento em que receberia uma carta anunciando seu retorno ao Brasil.

— Senhorita. Creio que esta seja a nossa dança.

Eu me virei e encontrei o sorriso do sr. Lacerda, um jovem cuja testa já começava a ficar mais longa e que nunca se cansava de falar de si mesmo ou de tentar rimar meu nome com coisas como pitonisa, camisa e coriza. Mas era exatamente o tipo de distração de que eu precisava naquele instante. Eu tinha prometido a Sofia que tentaria me divertir, não é mesmo? Pensar em Lucas não me deixaria cumprir a promessa.

— Claro, sr. Lacerda. — Coloquei a mão na dele, aceitando que me conduzisse até o centro do salão, e jurei que não voltaria a pensar em meu noivo pelo restante da noite. Na verdade, eu ficaria muito feliz se jamais tornasse a vê-lo.

# 3

Lucas pôs a cabeça para fora assim que a carruagem adentrou a vila. Ficou surpreso que nada tivesse se modificado. Ele passara por tantas mudanças ao longo dos últimos anos que, de certa maneira, esperava que o mundo todo houvesse se alterado também. Pouco mais de três anos não era tanto tempo assim, mas ele teve esperança de ver ao menos uma casa cuja fachada tivesse sofrido uma reforma ou em que uma planta nova tivesse sido adicionada ao jardim. Mas não. Tudo permanecia exatamente como ele havia deixado.

O veículo parou diante da casa onde Lucas vivera por alguns bons meses, e ele esperou que o cocheiro da caleche descesse sua bagagem. Admirou o sobrado de paredes claras, as janelas abobadadas e iluminadas do primeiro andar, antecipando o momento em que reencontraria seu caro amigo e mentor.

Lucas conhecera o dr. Alberto Almeida por acaso. Tinha planejado voltar para casa depois de um ano exaustivo na escola de medicina. Na época ele vivia na cidade, em um pequeno apartamento que dividia com outros dois estudantes: Henrique Bastos, um rapaz rico que resolvera trilhar os caminhos da ciência apenas para se livrar do encargo de administrar os bens da família, e Júlio Almeida, que, pouco depois das aulas práticas começarem, desistira de se tornar médico para se aventurar na política. Júlio era sobrinho de Almeida e escrevera ao tio contando sua decisão. Tinha incumbido Lucas de levar a carta, já que o colega passaria perto da vila quando tomasse o rumo de casa. Mas, ao conhecer o cirurgião de sorriso amável e olhos inteligentes, Lucas vira nele um amigo. Depois de uma conversa apaixonada sobre a arte que era a medicina, encontrara seu mentor. Sempre seria grato a Júlio por ter escrito aquela carta.

E sempre o amaldiçoaria também. Porque fora naquela viagem, cinco anos antes, que ele conhecera Eli...

Balançou a cabeça, interrompendo o pensamento.

— Este é o último, doutor — avisou o cocheiro, colocando na calçada o baú que continha seus equipamentos de pesquisa.

Pegando moedas no bolso do paletó, Lucas agradeceu e deu o dinheiro ao homem. Assim que a carruagem se foi, abriu o portão e subiu os três degraus. Deteve-se por um instante para ajeitar o traje e passar as mãos nos cabelos antes de bater. Não queria assustar a sra. Letícia aparecendo àquela hora da noite com o aspecto de um indigente.

A porta se abriu e o mordomo de cinquenta e poucos anos, com cabelos escuros tão fartos que as raízes se eriçavam para o alto, o saudou sem demonstrar reconhecimento.

— Pois não?

— Como é bom ver você, Horácio. — Lucas abriu um largo sorriso. — Aquela sua dor nas costas anda lhe dando sossego?

— Meu bom Deus! — Ele arregalou os olhos. — Dr. Guimarães! Que alegria vê-lo! O dr. Almeida não me contou que o senhor chegaria. Vamos, entre!

— Enviei uma carta avisando que estava a caminho, mas, pelo que vejo, cheguei antes dela. O navio cancelou algumas paradas na América Central, por isso aportamos uma semana antes. Almeida está em casa?

— Infelizmente, não. — Horácio foi até a calçada e pegou um dos baús, levando-o para dentro. — Ele e a sra. Letícia estão na casa dos Moura. O senhor fez boa viagem?

Enquanto o homem trazia suas coisas e lhe fazia perguntas sobre a saúde, a estadia na Europa e se chegara a ver um dos lendários monstros marinhos que habitavam o Atlântico, Lucas observou o pórtico, sentiu o aroma da casa — tão familiar — e espiou a sala. Ali estava o par de poltronas claras, formando conjunto com o sofá, e a mesinha oval sobre o tapete vermelho. O relógio alto ainda tiquetaqueava dentro da caixa de madeira escura. A lareira que Lucas nunca vira acesa tinha uma pilha de gravetos, e sobre a cornija ainda estavam empilhados alguns volumes que, ele tinha certeza, Almeida esquecera de terminar de ler. Acima deles, a moldura acobreada do retrato de Letícia, feito um mês depois do casamento, se destacava na parede amarela. Ele sorriu ao constatar que nada havia mudado ali também.

— Gostaria de comer alguma coisa? — Horácio fechou a porta depois de passar com o último baú.

— Não. Tudo o que eu quero agora é dormir um pouco. Estou exausto.
— Devo levar a bagagem para o seu antigo quarto?

Lucas se virou para o mordomo, as mãos enfiadas nos bolsos da calça, um tanto sem graça.

— Suponho que Almeida não vá se importar...?
— Se importar? Não, senhor! Eu e a sra. Letícia não aguentamos mais ouvir o doutor falar do senhor. Com todo o respeito — se apressou, ruborizando. — Mas tudo o que o dr. Almeida faz quando está de folga é resmungar sobre a sua demora para escrever, sobre a falta de detalhes em relação ao seu regresso.

Lucas deu risada, acompanhando o mordomo até a sala.

— Onde disse que ele está?
— Na propriedade dos Moura — respondeu Horácio, servindo uma taça generosa de vinho do porto e a entregando a Lucas, que imediatamente lavou a poeira da garganta. — Estão comemorando o aniversário da sra. Moura. Pelo que ouvi, será um belo baile. A sra. Letícia não parava de dizer que seria assim porque quem ajudou na decoração e na organização do cardápio foi a srta. Elisa. Imagino que vão voltar bem tarde. Mas posso enviar um mensageiro para avisar de seu retorno.

Lucas estava a meio caminho de ocupar a poltrona, mas se deteve, olhando para o mordomo com as sobrancelhas erguidas.

— Mais vinho, senhor? — ofereceu Horácio.
— A srta. Elisa Clarke?

Normalmente, Horácio era um homem rápido e eficiente. Lucas não se lembrava de precisar lhe questionar qualquer coisa, já que em geral Horácio dava as respostas antes. Talvez a surpresa por vê-lo ali tenha deixado o homem desnorteado. Devia ser isso mesmo, pois nem a pergunta pareceu trazer algum reconhecimento ao rosto dele.

— Sim, ela mesma. Não que a sra. Almeida não confie no bom gosto da sra. Moura, mas ninguém tem mais requinte que a srta. Elisa. Ou educação. Eu lembro que ela vinha até esta casa acompanhada do pai. Sempre foi uma menina muito doce e obediente... — E então, enfim, se deu conta de sobre quem falava e para quem falava. O rosto dele ficou vermelho de novo. — Ah, por Deus, doutor! Esqueci que ela é sua noiva!

Infelizmente, Lucas não podia dizer o mesmo.

— Então Elisa estará no baile?
— Bem, suponho que sim, se ajudou a sra. Moura a organizá-lo. — Ajeitou as pontas do paletó, como que para recobrar a eficiência. — Sim, atrevo-me a

dizer que ela estará lá. Vou levar sua bagagem para cima e preparar o quarto Em menos de meia hora poderá esticar o corpo.

— Tome cuidado com aquele baú marrom. Está cheio de vidraria. — Deixou a taça sobre a mesa de centro. — Mas mudei de ideia, Horácio. Vou me encontrar com Almeida. Eu irei ao baile.

Se alguém tivesse visto Lucas entrar na casa e a novidade chegasse aos ouvidos de seu antigo tutor, isso arruinaria a noite dele e de sua esposa, pois Alberto viria correndo encontrá-lo antes que alguém pudesse impedi-lo. Isso não tinha relação alguma com o desejo de reencontrar Elisa, garantiu a si mesmo. Ela já não tinha nenhum poder sobre ele. Lucas havia se encantado com sua ingenuidade, se deixado cegar por sua beleza. Um erro que eclipsara seu julgamento e, por consequência, terminara por destruir seu coração.

Houve momentos em que pensou que não seria capaz de esquecê-la. Mas a esqueceu. Claro que foram necessárias quantidades exorbitantes de bebida, algumas mulheres e muito trabalho para realizar essa façanha. Agora que tinha conseguido, se fechara para o amor. E jamais voltaria a permitir que mulher alguma se aproximasse de seu coração. Muito menos Elisa Clarke. Lucas a veria agora com olhos desapaixonados, e estava certo de que a única coisa que ela poderia despertar nele seria a indiferença.

Ao subir as escadas para trocar de roupa, seguido de perto pelo fiel Horácio, o rapaz sacudiu a cabeça, pois um sussurro sorrateiro teimava em serpentear por sua mente. Ele já havia aprendido a lidar com aquilo. Tudo o que precisava fazer para que aquele zumbido se calasse era lhe dar um pouco de conhaque.

— ... uma máscara, doutor? — A voz de Horácio lhe chegou aos ouvidos.

— Humm?

— Para o baile. O senhor vai precisar de uma. É um baile de máscaras.

Lucas deixou escapar uma gargalhada — o que resultou em um arquear de sobrancelhas do mordomo. Mas era realmente engraçado. E um tanto trágico. Nada poderia ser mais apropriado para aquele reencontro do que máscaras, já que Elisa as usava desde o primeiro instante em que a vira. Ao menos agora estariam em pé de igualdade.

Enquanto entrava no quarto e se livrava das roupas empoeiradas da viagem, se pegou pensando que a vida às vezes tinha um senso de humor dos diabos.

Eu estava perto da bandeja onde uma dezena de taças se empilhava quando reconheci o cavalheiro a poucos passos de mim. Abaixei um pouco o rosto e dei meia-volta. No entanto, ele me viu antes.

— Srta. Elisa! É você mesmo?

Reprimindo um gemido, obriguei-me a colocar um sorriso no rosto enquanto me virava para ele.

— Como vai, sr. Prachedes?

— Achei que fosse a senhora! — Deu uma boa olhada em mim. Sua testa se franziu como se não entendesse o que via.

Eu mudara um pouco desde a última vez em que nos vimos, três anos atrás, antes de ele deixar a vila com o pretexto de ir para o seminário. Meu corpo havia se desenvolvido por completo; eu ganhara curvas que antes não tinha e meu rosto perdera um pouco do arredondado tão característico da puberdade.

— Sr. Prachedes? — chamei, na esperança de que ele interrompesse aquela análise pouco cavalheiresca.

Ele pareceu entender, pois seu rosto adquiriu um suave rosado.

— Humm... continua... hã... encantadora. — Mas essa constatação o desagradou. E muito! — Gostaria de apresentá-la a minha esposa. Onde ela... — Esticou o pescoço, procurando, e então seu rosto se iluminou. — Ah, está dançando com meu tio. Vê? A bela jovem de salmão? — Apontou para o casal.

A mulher, pálida dos pés aos cabelos quase brancos, tinha uma beleza suave, que harmonizava com as roupas claras que vestia. Parecia que Prachedes conseguira encontrar a esposa com a qual sempre sonhara, enfim uma que combinasse com suas cortinas.

Um arrepio inesperado me subiu pela nuca. Levei a mão ao pescoço, tentando deter a sensação que havia muito tempo eu não experimentava. Foi então que percebi que um cavalheiro me encarava fixamente do outro lado da sala. Eu podia ver pouco dele. Estava ao lado de um dos grandes arranjos que ajudei a sra. Moura a compor, de modo que as sombras, a máscara preta e um belo cavanhaque ocultavam seu rosto quase que por completo. Era bem alto, com os cabelos em um tom claro como areia que me lembrou os de Lucas. No entanto, esse homem tinha madeixas mais longas, levemente onduladas, quase lhe tocando os ombros.

— Que tal se fizermos o mesmo? Pelos velhos tempos? — A voz de Prachedes me chegou aos ouvidos.

— O quê? — Olhei para ele, confusa. — Ah, a dança. Lamento, sr. Prachedes, não me sinto muito disposta a dançar esta noite. Acho que torci o pé na última quadrilha. Até mais ver. — Comecei a fazer uma mesura, mas ele continuou falando.

— Como vai o sr. Clarke? E a sua cunhada?

— Todos estão muito bem, senhor. Agora, se me der...

— Fico feliz em ouvir isso. E o seu marido?

Reprimi uma careta.

— Eu não tenho marido, sr. Prachedes.

— Não? — Seus olhos se alargaram, ficando do tamanho de um pires. — Mas, pelo que bem me lembro, a senhorita estava noiva. Não me diga que o noivado foi desfeito!

Pressionei os lábios com força. Aquele era um assunto que eu preferia não discutir. Sobretudo com Prachedes! Ora bolas, como eu poderia cumprir a promessa que fizera a Sofia e me divertir, se as pessoas continuavam a perguntar por Lucas?

— Não foi cancelado — falei por fim. — Ainda estamos noivos. Mas ele está na Europa.

Prachedes demostrou um horror teatral, mas os cantos de sua boca teimaram em subir.

— Ainda? Que situação mais chocante, srta. Elisa! Já faz quanto tempo desde que o compromisso foi firmado? Dois anos?

— Três anos e meio. — E três anos desde que Lucas partira para a Europa. Ele me escrevia com certa frequência, mas as poucas linhas que chegavam deixavam clara a falta de entusiasmo do autor. Ninguém além de mim sabia que as cartas de Lucas já não continham palavras bonitas.

Prachedes estalou a língua.

— Três anos e meio! Que constrangedor, srta. Elisa. Um noivado tão longo assim não é bem-visto. Nem um pouco. Fico muito triste em ouvir tais novidades. — Mas ele parecia tudo, exceto triste.

Eu gostaria de ter tido uma criação diferente. Uma que me permitisse esbofetear Prachedes sem me sentir mal depois.

— Entretanto — prosseguiu —, foi o que a senhorita escolheu, não? Preferiu ser ludibriada por esse sujeito a aceitar uma proposta mais vantajosa. Eu avisei que iria se arrepender da escolha que fez.

Eu preferiria ser trancafiada em uma torre repleta de ratos e jamais voltar a ver a luz do sol a ter aceitado o pedido de Prachedes.

— Foi um prazer revê-lo — falei, com pouca cortesia. — Passar bem, senhor.

Prachedes se curvou, ainda mantendo o sorriso satisfeito no rosto. Eu apertei o passo, me esquivando dos convidados, em busca de um pouco de ar enquanto mentalmente amaldiçoava aquele homem. E Lucas, pois parte do que Elias Prachedes dissera era verdade. Um noivado tão longo como o nosso era malvisto, e só naquela noite tive de explicar para oito pessoas a razão da ausência de Lucas.

Acabei de frente para as portas que davam para o balcão. Passei por elas sem olhar para os lados e tirei a máscara, apoiando-a no parapeito da balaustrada. Assim que senti diminuir a vontade de enfiar a cabeça de Prachedes na tigela de ponche, soltei um suspiro desolado.

Por mais que odiasse admitir, eu não podia culpar Lucas por se manter afastado, considerando a maneira como nos separamos.

Eu sabia muito pouco sobre ele agora; Lucas estava na Itália, trabalhando em um hospital renomado e acompanhando um pesquisador que estudava bichos-da-seda havia décadas. Eu não tinha certeza se ele estava avançando ou não. Lucas não me contava nada relevante. Por isso secretamente eu nutria a esperança de que ele ainda estivesse longe de concluir suas investigações e que levaria muito, muito tempo para retornar ao Brasil.

O mais irônico era admitir que eu o amei de verdade. Houve um tempo em que eu teria jurado por tudo que me era mais sagrado que Lucas Guimarães seria a pessoa que poderia preencher aqueles hiatos em minha alma. Mas tudo não passou de um sonho juvenil.

Então, no fim das contas, a viagem à Europa fora uma dádiva. Esse tempo afastada dele me ajudou a esquecê-lo. Eu estava certa de que Lucas não exerceria qualquer efeito sobre mim agora. Quando eu fosse cumprir minha palavra e entrar na igreja para recebê-lo como marido, seria apenas uma tarefa a desempenhar, sem qualquer sentimento envolvido além do medo do que viria depois.

Mais de uma vez me passou pela cabeça cancelar o noivado. Preocupava-me pensar no que ele pretendia fazer comigo depois que nos casássemos. Essa incerteza me fizera pegar a pena diversas vezes e me sentar à mesa para lhe escrever. Mas eu sempre acabava desistindo. Eu era uma Clarke, ora bolas! Não ia fugir de minhas responsabilidades por algo tão pequeno como me casar com um homem que me odiava. Era preciso mais que isso para que eu batesse em retirada.

Senti aquele arrepio novamente, como se dedos invisíveis tocassem meu pescoço. Eu me virei e deparei com o grandalhão que andara me observando dentro do salão. Estava me encarando de novo. Havia uma aura em torno dele que parecia dizer perigo — ou talvez a culpa fosse daquela máscara negra que, com o cavanhaque, lhe ocultava quase todo o rosto.

Ele veio em minha direção.

Achei prudente entrar.

— Nenhum problema com os seus sapatos desta vez, Elisa? — ele perguntou.

A voz macia e levemente rouca acariciou meus ouvidos, intensificando o arrepio na nuca.

Eu o encarei. Sua aparência não condizia com minha lembrança, mas aqueles olhos iridescentes — castanhos naquela noite — eram os mesmos de que eu me lembrava. Meu coração começou a bater tão forte, meu sangue a correr tão rápido, que temi desmaiar.

— Lucas! — arfei.

Não era possível. Não podia ser ele. Eu devia estar vendo coisas. Falar com Prachedes me trouxera recordações que eu raramente me permitia acessar, e agora meu maior medo se materializava bem diante dos meus olhos. Ele não passava de uma alucinação. Uma fantasia — bastante máscula e atraente — que minha cabeça criara como defesa. Porque eu precisava me preparar para reencontrá-lo um dia. Sim, podia ser isso!

Justamente quando eu estava quase convencida de que ele não passava de uma fabricação de minha mente ansiosa, o homem levou a mão a sua máscara e a tirou, revelando o belo rosto.

Meus joelhos cederam e eu comecei a tombar para a frente. No entanto, mãos fortes se prenderam em minha cintura, de modo que colidi em cheio com uma muralha de músculos.

A proximidade e a parca iluminação do balcão foram suficientes para que eu pudesse ver cada detalhe dele. Havia algumas mudanças. A mais óbvia era o cabelo. Tinha crescido e ele não o aparara — se por falta de tempo ou mero desleixo, eu não sabia. Caía em ondas suaves sobre sua testa, ocultando as orelhas. O cavanhaque que recobria o queixo bem desenhado lhe emprestava gravidade e ao mesmo tempo sugeria sensibilidade intelectual. Seus olhos ainda continham aquelas manchas verdes ao redor das íris castanhas, mas agora exibiam uma frieza que eu não conhecia.

Um calor silencioso percorreu meu corpo, concentrando-se em minhas bochechas e no baixo-ventre.

Era a surpresa. Sim, com certeza era a surpresa que me fazia corar, o estômago revirar e o coração galopar feito um dos cavalos de meu irmão. Não tinha relação alguma com sentimentos do passado. Nenhuma!

Percebi, com certo atraso, que ele também me examinava com atenção. Pelo franzir das sobrancelhas, deduzi que também ficou surpreso com os efeitos que os últimos três anos tiveram sobre mim. E eu juro: por um instante, pensei ter visto uma faísca em seu olhar.

— Como vai, Elisa?

Oh, aquela voz! Pensei que tivesse esquecido o tom grave ou a maneira aveludada como me chegava aos ouvidos. Mas bastou que dissesse meu nome para que eu me recordasse dela e... de momentos em que estivemos tão juntos que eu a sentira vibrar em minha pele.

— O que foi? — Arqueou uma sobrancelha, escarnecendo. — Perdeu a fala ou apenas os bons modos?

Engolindo em seco, elevei o queixo. Eu tinha um papel a desempenhar.

— Que surpresa vê-lo, doutor. Como tem passado? — Fiz o melhor que pude para minha voz não deixar transparecer o tumulto dentro de mim.

— Sacolejando em um navio por dois meses. E você?

— Nunca sacolejei em um navio.

Seus lábios se esticaram sobre os dentes brancos, alinhados à perfeição. Oh, aquele sorriso! Havia me esquecido das palpitações que ele me causava. Mas ali estavam elas, fortes e impacientes.

— Eu esperava surpreendê-la, Elisa, mas não imaginei que seria a ponto de fazê-la perder a linha de raciocínio.

— Eu não perdi o raciocínio. — Objetei, e, infelizmente, não pude fazer nada quanto ao rubor que me subiu pelo rosto. — Apenas lhe contei que nunca estive em um navio, por isso não sei como é a sensação de sacolejar em alto-mar. Parece que é o senhor quem está com problemas de raciocínio.

Seu sorriso ampliou.

— Não sei se posso contradizê-la. É muito difícil para um homem manter alguma coerência quando tem uma bela mulher pressionada contra seu corpo. — Aqueles olhos castanhos percorreram meu rosto, meu pescoço, meu colo e se prenderam no decote do meu vestido.

Foi então que percebi que ele ainda tinha as mãos em minha cintura e que meus dedos tinham se fechado nas lapelas de seu paletó escuro. Absurdamente envergonhada, eu me aprumei. Lucas pareceu satisfeito com meu constrangimento, o canto da boca se erguendo em um sorriso torto irritante, repleto de cinismo.

— Por que não avisou que estava voltando ao Brasil? — eu exigi saber. — Ou seria uma consideração dispensável para com sua própria noiva?

— Eu escrevi, Elisa. O navio cancelou duas paradas na América Central, por isso chegamos uma semana antes.

Ele colocou as mãos nos bolsos da calça, caminhando calmamente pelo balcão até parar diante da balaustrada. Imitei sua postura, olhando para o jardim. Ele ficou quieto por tanto tempo que o nervosismo ameaçou tomar conta de mim.

— O senhor teve uma boa estadia na Itália? — questionei.

— Sim.

— E fez amigos por lá?

— Alguns.

*Ah, minha nossa. Como estamos falantes, não?*

— Conseguiu ter êxito em sua pesquisa? — insisti.

Ele virou o rosto, uma emoção sombria enevoando seu olhar.

— Não faça isso, Elisa.

— Fazer o quê? — perguntei, sem entender.

— Fingir que se importa comigo.

— Eu estava apenas tentando ser educada!

Um sorriso que era puro cinismo lhe contorceu os cantos da boca.

— Ah. Perdoe-me. Creio que não esteja desempenhando meu papel adequadamente, então. Como tem passado, minha querida? O que fez desde a última vez que nos falamos? Espero que não tenha tentado colocar fogo na casa outra vez.

Lancei a ele um olhar aborrecido.

— Não fiz nada além do que relatei nas cartas. — Ao contrário dele, eu escrevia páginas e mais páginas. Está bem, eram repletas de nada. Na última, utilizei seis delas para descrever um beija-flor que tinha avistado no jardim. Mesmo assim, ao menos eu dedicava algumas horas a lhe escrever. Devia valer para alguma coisa. — E eu nunca tentei colocar fogo na casa. Se o senhor não tivesse me surpreendido de maneira tão pouco civilizada naquela noite, nada daquilo teria acontecido.

— Permita-me discordar. — Sua voz baixou algumas oitavas. Com seus olhos cravados nos meus, achei tão difícil respirar...

— O que quer dizer com isso?

Ele piscou uma vez, e voltou a examinar o jardim. Se Lucas chegou a me ouvir, não deixou transparecer. Aproveitei que ele olhava para a frente e dei uma boa examinada em seu perfil. Ainda era tão belo quanto eu me lembrava, o nariz retilíneo, os lábios cheios, a mandíbula bem desenhada ainda mais proeminente com a adição daquele cavanhaque de aspecto sedoso...

— Eu soube que sua vida social continua agitada — ele comentou sem se virar. — Recebeu mais alguma proposta de casamento nesse período? Era isso que Prachedes fazia ainda agora?

Ele mantinha a expressão desinteressada, quase como se estivesse entediado, mas vislumbrei uma pontinha de interesse na maneira como apertou o maxilar.

— Ele apenas me pediu uma dança. Recebi uma proposta de casamento enquanto esteve ausente, mas não do sr. Prachedes.

Espalmando as mãos no mármore, ele se inclinou para a frente, os olhos estreitos como os de Bartolomeu.

— E qual foi a sua resposta?

Como ele podia me fazer essa pergunta? Estávamos noivos, ora bolas! Ele se esquecera desse detalhe?

— Bem, imagino que o senhor saiba quanto eu aprecio um bom escritor — respondi, irritada. — E ele escreveu uma ode à minha pessoa...

— Uma ode? — Voltou o rosto para mim, uma veia saltando em sua têmpora.

— Sim. "A magnífica Elisa". Bastante lisonjeiro, não? — Se se ignorasse a parte segundo a qual meus cabelos eram "tão brilhantes quanto as penas de uma galinha-d'angola" e a que dizia que meu olhar "tinha tanta intensidade que quase causava hematomas". Lucas não precisava saber desses pormenores.

A julgar pela maneira como cerrou os punhos e tensionou a mandíbula, ele não apreciou a novidade. Nem um pouco.

Um sorriso teimou em se insinuar em meu rosto. Irritá-lo me agradava. Ora, isso era uma surpresa.

— E posso saber quem foi o mald... o feliz poeta apaixonado? — escarneceu, embora o brilho em seu olhar sugerisse outra coisa.

— Foi o sr. Lacerda, o afilhado do sr. Domingos. Imagino que se lembre dele. Dançamos ainda agora. O senhor não viu?

— Cheguei faz pouco tempo. Você já estava falando com Prachedes. — Seus olhos se estreitaram de leve. — Mas eu me lembro de um sujeito com sérios problemas capilares e péssimo senso crítico.

Então ele conhecia o sr. Lacerda.

— É um ótimo rapaz — provoquei.

— Aceitou o pedido, Elisa? — Disparou um olhar impaciente.

— Ah, não pude. Como bem sabe, já estou noiva. Mas aceitei a ode. Achei que seria rude recusar.

Ele se virou, rápido e majestoso feito um felino, uma sombra lhe turvando o olhar, como se uma tormenta estivesse a caminho.

— Se está tentando me aborrecer com esta conversa sobre Lacerda, saiba que está perdendo seu tempo.

— Não é a impressão que eu tenho agora.

Aquilo era uma pontinha de diversão? Ali, no canto da boca e ao redor dos olhos?

— Não me lembrava dessa sua língua afiada, Elisa.

Para ser franca, eu também não. Mas o Lucas que estava a minha frente parecia despertar o pior em mim. Libertava-me das amarras às quais fui ensinada a me agarrar. Bem... não era a primeira vez que aquilo acontecia, era?

— O senhor não foi o único a mudar nesse período em que estivemos em continentes separados.

— Não. — Ele escrutinou meu rosto demoradamente. Então, seus olhos desceram sem pressa pelo meu corpo. — Não fui o único.

Eu me empertiguei. E enrubesci. Algo na maneira como ele me examinava me deu a sensação de intimidade. Seu olhar era tão intenso que senti como se realmente me tocasse, como se a ponta de seus dedos estivessem percorrendo meu rosto, meu pescoço, a pele sensível do meu ombro. Meu sangue fervilhou nas veias, um arrepio subiu pela minha nuca e... algo bastante constrangedor aconteceu dentro das taças do meu espartilho.

*Oh, meu Deus. Que ele não perceba.*

Por garantia, cruzei os braços sobre os seios. O movimento o fez despertar, e, quando seus olhos se voltaram para os meus, refletiam uma frieza vazia.

— Ainda não desistiu da ideia de manter nosso compromisso? — ele quis saber.

— O senhor desistiu?

— Não. Eu lhe disse na época. Serei seu por honra. Mas você não passava de uma menina quando assinamos o contrato de noivado.

E as circunstâncias permaneciam as mesmas. Se eu ainda tinha uma reputação com a qual me preocupar, era graças àquele noivado. Eu não podia rompê-lo. Mas Lucas podia.

— Minha palavra também foi dada, doutor, e eu pretendo cumpri-la. Se deseja se livrar de sua promessa, é melhor encontrar outra maneira. Sinto dizer que terei de processá-lo por me abandonar, porque é o que se espera que uma moça faça, mas será apenas para cumprir uma convenção social. Não quero nada que venha de você. Estou certa de que, dependendo de sua alegação, sairá do julgamento sem qualquer prejuízo. Poderia dizer que se apaixonou por uma bela italiana... — Eu me interrompi, piscando conforme uma fisgada me atingia o peito.

Ele recostou os quadris no peitoril, rindo. Estava tão perto que seu perfume me envolveu em um abraço cheio de saudade. Era o mesmo de que eu me lembrava, e isso me confundia. O Lucas que eu amei e aquele diante de mim não eram a mesma pessoa, mas o seu cheiro... ah, aquele delicioso aroma amadeirado, levemente salgado... era exatamente igual.

— Você não era tão direta. — Cruzou os braços. — Nem tão tola.

Eu me empertiguei, o sangue rugindo nas veias.

— Se o senhor pretende me ofender...

— O que eu pretendo — atravessou — é saber se vai honrar sua palavra, agora que é adulta. Eu não penso em cancelar esse compromisso.

— Por que não? — questionei, um tanto frustrada. — Por que insistir com essa vingança? Sei que o magoei no passado, mas você já me castigou o suficiente com esse noivado ridiculamente longo. Até onde pretende ir para me ferir?

Suas sobrancelhas arquearam, como se estivesse surpreso. Com o quê? Minha franqueza?

— Não tenho o desejo de feri-la, Elisa — murmurou.

— Não? — *Então, por que continua com isso?*

— Não. Não cheguei a concluir minhas pesquisas, apenas uma parte. Voltei pela promessa de que, assim que tivesse me estabelecido, nós nos casaríamos. E isso aconteceu. — O olhar fixo em meu rosto não devolvia nada. — Pretendo honrar minha palavra. Vamos viver na mesma casa durante um período aceitável. Acredito que um mês deva ser o suficiente. E então eu vou voltar para a Europa.

Meu coração batia tão alto em meus ouvidos que tive de piscar uma vez, me perguntando se eu tinha entendido direito.

— O senhor está me dizendo que...

— Estamos a sós, Elisa. Podemos deixar a formalidade de lado.

— ... provavelmente irá viver na Itália?

Oh! O milagre que eu tanto esperava! Lucas poderia passar anos fora. Quem sabe a vida toda! E eu ficaria bem ali, longe dele, sem precisar fingir ser alguém que não era.

— Devia ao menos se esforçar um pouco para não parecer tão contente com a notícia. — Mais uma daquelas risadas cínicas lhe escapou.

— Bem, acredito que, diante das circunstâncias, pareça o arranjo perfeito.

Uma parte de mim estava tão contente que mal consegui me manter parada. Mas outra parte, que com muito custo eu mantinha enterrada nos confins da alma, queria chorar de desespero.

— Foi isso que sonhou? — Encrespou a testa.

Não. Claro que não. Em meus sonhos, nós nunca teríamos nos desentendido. E, quando ele me pedisse em casamento, diria palavras tão belas que deixariam marcas profundas em mim. Em meus sonhos ele não me odiava. Em meus sonhos, ele nunca teria desejado ficar longe de mim, a ponto de colocar um oceano entre nós.

Mas a verdade é que sonhos são apenas isto: fantasias que nos ajudam a tolerar a realidade. Ele nunca olharia para mim como eu fantasiava. Da maneira como eu via Ian olhar para Sofia, como se estivesse admirando o mais belo pôr do sol de toda a história do mundo.

Mas estava tudo bem. Eu não seria a primeira mulher a me casar por contrato, nem seria a última. Estava tudo bem. Honestamente.

— O que eu sonhei não tem mais importância. — Fitei a máscara em minhas mãos. — Tudo não passou de aspiração de uma jovem tola que vira muito pouco do mundo. Faz tempo que deixei de sonhar.

Lucas soltou um pesado suspiro, me obrigando a olhá-lo.

— Não devia ser assim. — Ele descruzou os braços, apoiando as mãos na balaustrada, o olhar voltado para o bico de seus sapatos lustrosos.

Pela primeira vez desde que entrara naquele balcão, ele soou como o Lucas por quem eu havia me apaixonado.

Porém tão rápido quanto surgiu, o velho Lucas desapareceu.

— Muito bem — falou, por fim, e se endireitou, ficando uma cabeça e um pescoço mais alto que eu. — Se está decidida a ir até o fim, então devemos entrar.

— Por quê? — perguntei, cautelosa.

Seus lábios se esticaram, selvagens, sobre os dentes perfeitos.

— Estive ausente por muito tempo, Elisa. Será necessário fazer um pequeno espetáculo para aplacar os mexericos

Não tive certeza se compreendi o que ele pretendia — embora aquele sorriso jocoso me desse uma ideia —, mas não vi alternativa para que as pessoas parassem de zombar de mim. Por isso assenti, encaixando a máscara no rosto.

— Não. Não precisamos desta. Usaremos máscaras mais convenientes. — Com um movimento ágil, ele a apanhou dos meus dedos e a deslizou para dentro do bolso do paletó. Então, franziu o cenho. — Ah, quase me esqueço. Tenho algo para você. — E me estendeu um saquinho de cetim azul.

— Não devia ter se incomodado. — Surpresa, com os dedos um tanto instáveis, eu o peguei.

— Não se anime. Não é grande coisa. — Ele ergueu os ombros. — É apenas uma bugiganga que comprei no cais, para ajudar um velho senhor faminto que perdeu o braço durante a guerra.

Pisquei, atordoada, mirando o pacotinho conforme meu coração ameaçava parar. Ele me dissera algo parecido anos antes, em uma época em que meus sentimentos e os deles eram tão, tão diferentes dos de agora. Ele tinha dito aquilo de propósito, apenas para me machucar?

Comecei a desfazer o laço do saquinho, tentando ocultar minhas emoções. Ao virá-lo de boca para baixo, uma delicada pulseira caiu em minha palma. Era dourada, fina como um fio de espaguete, tecida em um trabalho intrincado e muito delicado que lembrava renda.

Antes que eu pudesse dizer qualquer coisa, Lucas pegou a pulseira, tomando cuidado para que seus dedos não tocassem minha pele e, com mãos treinadas para a precisão, fechou o adorno ao redor do meu pulso. Em contraste com a luva branca, o dourado da peça reluziu ainda mais.

— É... é linda. Obrigada. — Ergui os olhos para agradecê-lo, mas ele estava mais perto do que eu havia me dado conta.

Lucas não disse nada. Apenas continuou ali, os olhos atrelados aos meus, uma pequena chama se inflamando naquelas íris castanhas que agora ganhavam nuances esverdeadas. Minha respiração perdeu a cadência, voando de tal maneira que minhas costelas se comprimiram dolorosamente contra o espartilho.

O ruído, como o estilhaçar de um cristal, me sobressaltou. Lucas também olhou para dentro, em direção à algazarra que eu não vi, já que não conseguia desgrudar os olhos dele. Ao voltar o rosto para o meu, notei que o calor que eu pensava ter visto antes se fora.

— É melhor entrarmos. — Me ofereceu o braço.

Esperei que Lucas não notasse a maneira como meus dedos tremiam quando os pousei na dobra de seu cotovelo. Mas ele percebeu, e interpretou de outra maneira — graças aos céus —, pois avisou:

— Não se preocupe, Elisa. Não faremos nada muito escandaloso. Você vai ficar bem.

Mas eu não estava tão convicta disso. Porque, no instante em que ficamos tão perto, ele me olhando da maneira como o antigo Lucas uma vez olhara, algo dentro de mim se agitou. E estava tentando se libertar.

# 5

Não era comum Lucas se distrair tão facilmente. Desde pequeno ele prestava atenção a quem quer que estivesse falando, mesmo que a conversa não fosse com ele. Isso o ajudara no período em que cursou a escola de medicina, sobretudo nas aulas de patologia. Naquela noite, no entanto, ele estava tão concentrado quanto um filhote de cachorro. E a culpa era da jovem dançando no centro do salão, balançando lentamente, feito um sino, as saias do vestido branco. A sensação na cabeça de Lucas era semelhante. Sinetas estridentes repicavam tão alto por seus pensamentos que ele não conseguia se concentrar em nada.

— Lucas! Está me ouvindo? — perguntou Alberto Almeida.

— Humm? — Obrigando-se a olhar para o rosto fino do homem que lhe ajudara a conseguir o diploma, Lucas levou a taça à boca, esperando que o álcool o ajudasse a recobrar a concentração. A ironia não lhe passou despercebida. — Perdoe-me, Almeida. Eu me distraí. Onde estávamos?

— Falando de Bassi. O que descobriu sobre os tais micro-organismos? Acha que essas entidades realmente são a causa da doença das lagartas? Bassi conseguiu convencê-lo?

— Estou absolutamente convencido, doutor. Trouxe uma cópia da publicação para que o senhor a compreenda melhor. Mal posso esperar para lhe mostrar tudo o que vi e aprendi. É realmente maravilhoso. E adianto que deve se preparar. A medicina que nós conhecemos está prestes a ser superada.

— Meu querido Lucas, sinto que este velho coração precisará de tempo para receber tal notícia. Ele quase não suportou o seu regresso.

Almeida não mudara nada nos últimos dois anos, exceto, talvez, que o número de fios em sua cabeça tenha diminuído um pouco.

Assim que ele e Elisa pisaram no salão, quase trombaram com o mentor de Lucas. A princípio, o homem lançara para a jovem um olhar que era puro espanto. O bom doutor não o reconhecera de imediato. Devia ter pensado só Deus sabe o que ao flagrar a noiva do pupilo deixando o balcão de braços dados com um cavalheiro. Então ela sorrira para Almeida, exibindo as adoráveis covinhas em sua bochecha — embora o sorriso não chegasse àqueles olhos, os mais azuis que Lucas já tinha visto. Alberto voltara sua atenção para Lucas imediatamente. O rapaz assistira o reconhecimento se assentar aos poucos na expressão do homem.

Só podia ser culpa do cabelo. Muitas tarefas acabaram por tomar quase todo o seu tempo, e sua vaidade fora esquecida. Um pequeno preço a pagar, ponderou, diante de tudo o que havia conseguido na Europa.

— Meus olhos e o sorriso de sua noiva afirmam que você está aqui — dissera Almeida —, mas não sei se posso confiar em nenhum dos dois

— Seus olhos estão funcionando tão bem quanto deveriam, meu amigo.

Eles se cumprimentaram de maneira entusiasmada, como os dois velhos amigos que eram, trocando tapinhas nas costas e partilhando uma risada de alegria que atraíra olhares um tanto reprovadores, mas que Lucas decidira ignorar. Alberto também.

Almeida sempre fora muito presente na vida do rapaz, mesmo quando esteve na Europa. Lucas escrevia a seu tutor com frequência, atualizando-o sobre seus avanços na Itália, pedindo conselhos quando sentia que não progredia e o desânimo o compelia a desistir, ou apenas relatando a saudade de casa. Nunca mencionava sua noiva, claro. Mas sempre esperava por notícias dela nas cartas do amigo. Não que se preocupasse com Elisa. Apenas... ficava curioso, dizia a si mesmo. Por sorte, seu mentor nunca o decepcionava.

Depois dos cumprimentos, Almeida disparara tantas perguntas sem nem ao menos tomar fôlego que Lucas chegara a ficar tonto. O mentor queria saber sobre sua saúde, quando chegara ao Brasil, se a viagem tinha sido tranquila, em quais portos ancoraram, como encontrara o clima na Europa e tantas outras questões que mesmo Elisa, que até então mantivera a máscara de noiva feliz, sorrira de verdade.

— Vou lhe contar tudo, doutor. — Lucas prometera ao homem mais velho. — Mas antes acho melhor pegar uma bebida para o senhor.

— Por Deus, me desculpe se pareço surpreso demais. É que eu realmente *estou* surpreso demais. — Ele rira. — Mal posso acreditar que esteja aqui, Lucas. Por que não avisou que estava voltando?

— Eu escrevi, mas...

— Srta. Elisa? — alguém chamara.

Um rapaz alto, de rosto bronzeado, cabelos fartos e roupas caras, exibia os dentes feito um cavalo para ela. Lucas não tinha ideia de quem era, mas não gostara do sujeito.

— Nossa dança, lembra-se? — Foi tudo o que proferira ao estender a mão para a jovem.

— Oh, sim. Claro, sr. Matias. E permita-me lhe apresentar meu noivo, o dr. Lucas Guimarães, que acaba de voltar de viagem, para minha eterna... alegria.

Lucas não deixara de notar a ironia distorcendo a voz da noiva, mas aparentemente fora o único. E se vira obrigado a trocar um breve cumprimento com o recém-chegado sorridente.

Soltando o braço de Lucas, Elisa levara a mão enluvada à do ansioso Matias. Ela devia ter notado que a situação não agradara a Lucas, pois dissera, com uma petulância disfarçada de amabilidade:

— Já estava prometida.

— Quantas mais você prometeu? — Lucas exigira.

— Nenhuma. Esta é a última. — As sobrancelhas de Elisa se abaixaram, e, se estivessem sozinhos, Lucas não teve dúvidas de que ela teria feito algum comentário sarcástico.

— Pois não prometa mais nenhuma. Serão todas minhas.

Os olhos dela se estreitaram imperceptivelmente em direção a ele.

— Está ordenando ou pedindo, doutor?

*Ah. Não precisavam estar sozinhos, afinal*, pensara, reprimindo um sorriso.

— Pedindo. É claro.

— Pois bem. — Com um gracioso cumprimento a ele e a Almeida, ela permitira que o jovem ansioso a conduzisse para o coração do salão.

— Quem é esse sujeito? — Lucas se voltara para Alberto.

— Ah, é o sr. Diógenes Matias. Creio que se lembra dele. Ele trabalhava na confeitaria. Mas já tem uns dois anos que mudou sua posição social. Um parente deixou-lhe uma grande herança. O rapaz sempre teve excelente educação. E é frequentemente convidado para jantar na casa de lady Romanov. O que, acredito, facilitou seu acesso à alta sociedade. — Alberto pousara a mão em seu ombro. — Precisamos comemorar seu retorno, meu caro.

Lucas concordara, e ficou contente quando um garçom passou com uma bandeja repleta de taças. Teria preferido conhaque a vinho, mas não reclamou e brindou com seu velho tutor.

Então, ele contara a Almeida tudo de que tinha conseguido se lembrar em um primeiro momento, mas seu olhar começara a vagar constantemente para a jovem de vestido branco valsando no salão, como acontecia agora.

Ela ainda flutua, Lucas pensou, ao ver Elisa rodopiar.

Guardara secretamente a esperança de que ela tivesse padecido de alguma doença desfigurativa — uma que não colocasse sua vida em risco, claro — que talvez a tivesse deixado só um pouquinho menos bonita. Mas, por todos os infernos, ela estava ainda mais linda do que se lembrava.

De certa maneira, Lucas havia passado todos aqueles anos na Europa se preparando para reencontrá-la. Sua beleza mexera com ele antes. Seria inteligente imaginar que ela voltaria a despertar seu desejo. No entanto, nada — absolutamente nada! — poderia ter preparado o rapaz para o que encontrou.

Quando entrara no salão, os olhos dele imediatamente foram atraídos para a jovem, como se ela fosse um ímã, e sentira aquele aperto no peito como se olhasse para algo sagrado. Elisa continuava linda a ponto de comovê-lo. Ela não parecia pertencer àquele plano. Ninguém com aquela aparência poderia.

Então, ele a observara por um longo tempo antes que ela o notasse. Não fora a saudade, dissera a si mesmo, mas a surpresa que o fizera acompanhá-la com os olhos por mais de dez minutos. Mesmo àquela distância, ele fora capaz de apontar cada uma das pequenas mudanças que ocorreram em sua ausência. Elisa estava mais curvilínea, tinha o rosto mais fino e um olhar mais duro do que ele se lembrava. Também havia certa melancolia em seu semblante em vez de alegria. Em vez de essa constatação satisfazer o orgulho ferido de Lucas, apenas o entristeceu. A primeira visão daquelas adoráveis covinhas, no entanto, lhe trouxera calor ao peito. Seria uma pena se elas tivessem desaparecido. Os fios negros que um dia o hipnotizaram continuavam a reluzir como veludo. A boca ainda era pequena e cheia.

Não era de espantar que Prachedes se pavoneasse perto dela.

Quando Lucas a seguira até o balcão, pretendia apenas anunciar sua presença e observar a reação dela. Fora muito pretensioso, porém, e quase a fizera desmaiar. Como punição, teve de passar pelo tormento de tê-la nos braços por muito mais tempo do que poderia tolerar. Por muito menos tempo do que poderia suportar. Estar tão próximo dela trouxera lembranças da última vez que estiveram assim tão juntos, no quarto de Elisa, com os cabelos negros lhe caindo graciosamente sobre os ombros e os olhos azuis enganosamente doces o encarando. Aquela imagem ainda o perseguia em sonhos. E mesmo neles Lucas não conseguia alcançá-la. Ela sempre esteve e sempre estaria fora de seu alcance. Não fora isso que ela dera a entender naquela noite, três anos antes, enquanto lhe estilhaçara o coração e zombara de seus sentimentos?

Ao deixar a casa de Almeida, não tinha ocorrido a Lucas dar a Elisa uma chance de colocar um ponto-final no noivado. Mas algo no semblante dela o forçara a oferecer uma saída. O rapaz nutria a esperança de que ela o impedisse de seguir adiante com aquela loucura. Mas Elisa era teimosa o bastante para não recuar. E, com isso, não restara a ele nenhuma alternativa além de casar-se com ela e depois se afastar.

Não mentiria dizendo que não ficou ofendido ao ver o alívio estampar o rosto dela quando contou que viveriam separados. A presença de Elisa, depois de tanto tempo longe, devia estar afetando seus miolos, pois Lucas estava muito ciente de que aquele casamento seria marcado por tudo, exceto sentimentos. E era melhor assim, pois, mesmo que a beleza dela o estivesse confundindo agora, o coração do rapaz estava a salvo. Totalmente a salvo.

— ... uma palavra do que eu acabei de dizer, ouviu? — era a voz de Almeida, penetrando seus pensamentos.

Lucas se obrigou a tirar os olhos de Elisa e encarar o amigo.

— Perdoe-me, Almeida. Não ouvi. Acho que estou mais cansado do que me dei conta.

— Não precisa fingir para mim. Eu sei que o que está lhe distraindo dessa maneira está bem ali. — Indicou a fileira de casais no centro da sala.

— Lucas? — alguém chamou.

Ao se virar, ele se viu diante da bela Letícia.

— Como vai, sra. Almeida? — Cruzou os braços nas costas e a cumprimentou com elegância.

No instante seguinte, ela apertava os braços ao redor de Lucas.

— Meu querido! Ah, que alegria poder abraçá-lo outra vez! Por que não nos escreveu para avisar que estava chegando? Alberto, por que não mandou me chamar assim que o viu?

— Mas eu acabei de encontrá-lo, querida!

Ela se acalmou quando Lucas confirmou o ocorrido, mas lhe fez tantas perguntas quanto o marido. Lucas se esforçou para responder a todas elas, mas percebeu que os olhos dela se tornaram vagos enquanto o ouvia.

— Perdão. — Ele riu. — Estou entediando a senhora.

— Oh, não. Me perdoe, querido. — Ela piscou, enrubescendo. — É que você está tão bonito! Sempre o achei um cavalheiro muito atraente, mas você está diferente. Tão adulto!

— Creio que seja a palavra correta para me descrever, sra. Almeida. Eu me sinto muito adulto.

Depois de sua passagem pelo Ospedale Maggiore di Lodi, Lucas endurecera. As pragas, ferimentos e desmembramentos que vira naquele hospital faziam seu estômago, geralmente forte, embrulhar. Mas não podia reclamar. Além de ter juntado uma boa fortuna, adquirira uma experiência que, aos vinte e cinco anos, jamais teria conseguido se continuasse a fazer atendimentos domiciliares, como acontecia antes de ir para a Europa.

— Está com fome? — Letícia perguntou, sem realmente esperar uma resposta.

— É claro que está. Vou pegar um prato para você.

— Não se incomode, senhora. Eu terei de deixá-la agora, pois minha noiva me prometeu a próxima dança.

— Oh, sim! — Levou a mão enluvada ao rosto. — Elisa deve estar felicíssima com o seu regresso.

Analisando a careta que a noiva fez ao vê-lo atravessar o salão e encurtar a distância entre eles, Lucas pensou que *felicíssima* não era exatamente a palavra para descrever Elisa naquele momento.

— Não parece tão entusiasmada com a dança — ele a provocou.

— Na verdade, não estou entusiasmada com o parceiro.

Lucas tentou, mas não conseguiu esconder o aborrecimento.

— Que tal fazermos um acordo, Elisa? A partir de agora e durante o restante desta noite, esqueceremos nossas desavenças e mágoas. E pela manhã você pode voltar a me desprezar.

— Mas eu não... — Ela se deteve. A respiração dele também. Depois de abrir e fechar a boca algumas vezes, Elisa pareceu encontrar as palavras que procurava. — ... posso esperar pela manhã. Seria tempo demais.

— Está bem. — Lucas abriu um sorriso cínico, enquanto se amaldiçoava pela estupidez. Nunca poderia baixar a guarda perto dela. Quando iria aprender? — Pode me desprezar assim que o baile terminar. Que tal?

— Parece mais tolerável.

Pousando a mão naquela cintura fina, Lucas a trouxe para mais perto — até não restar nenhum espaço entre eles — e encarou aqueles lindos e assustados olhos turquesa.

— Agora me permita amenizar um falatório criando outro mais interessante. — E começou a valsar.

— Quatro danças consecutivas! — esbravejou Madalena, ajeitando o vaso de flores sobre o aparador da sala. — *Quatro*! Valsando como se estivessem costurados pelas roupas de tão juntinhos! É isso que estão dizendo por toda a vila esta manhã! Sei que ele é seu noivo, senhorita, mas não pode permitir que ele a trate dessa maneira em público! Tenho apreço por tudo o que ele fez pela sra. Clarke. O dr. Guimarães está sempre em minhas orações, por tê-la salvado da pneumonia. Mas ele não é um bom noivo. Ah, isso ele não é!

Eu não poderia discordar. Lucas era um péssimo noivo.

Minha querida irmã andava pela sala, atormentada entre a esperança e a incerteza. Ian, sentado na poltrona, me estudava com o semblante sério. Ele não havia dito uma palavra enquanto eu contava sobre o retorno de Lucas. Ou quando Madalena mencionou que estivemos "costurados pelas roupas" — embora nesse momento ele tivesse trincado o maxilar.

— Será que não seria melhor esperar um pouco mais, Elisa? — sugeriu Sofia. — Sei lá, até vocês se reaproximarem? Ele ficou fora por muito tempo.

— Ora, pelo amor de Deus, sra. Clarke. Se fizer isso, a menina estará perdida para sempre. Não ouviu o que eu disse? *Quatro* danças! — Madalena indicou com os dedos.

O silêncio de Ian me deixou apreensiva. Ele não estava feliz, isso era nítido. Se pelo retorno de Lucas ou pelo novo burburinho que se espalhava pela vila, eu não tinha certeza.

Lucas e eu havíamos dançado escandalosamente juntos na noite passada. Ele me fizera rir algumas vezes, e rira de alguma resposta afiada que lhe dei. De longe, devíamos mesmo parecer um casal apaixonado. Mas, ao nos separarmos, aquela frieza retornara a seu rosto conforme ele me ajudava a entrar na carruagem.

— Avise seu irmão que irei falar com ele amanhã à tarde — ele dissera, sem qualquer emoção.

E isso foi tudo. Ele nem mesmo me desejara boa-noite antes de voltar para dentro.

— Não preciso de mais tempo — eu assegurei às duas. — Tomei minha decisão três anos atrás e ela continua inabalável.

— Mas, Elisa — Sofia se agachou diante de mim, apoiando as mãos em meus joelhos —, e se as coisas entre vocês esfriaram? Muita coisa pode ter mudado. Você mudou.

Se ela ao menos soubesse...

— Pensei que meu futuro já estivesse bem delineado. — Coloquei um sorriso no rosto.

Quando Sofia voltou para o tempo em que nascera pela primeira vez, ela procurou por nós. Acabara encontrando algumas informações preciosas. O meu destino, por exemplo. E esse destino envolvia Lucas... Ou era Lucas. Eu não estava certa. O fato é que ela tinha tanta certeza de que ficaríamos juntos que acabei me deixando convencer também. Quando estive em seu século — talvez porque minha cabeça falhasse a todo instante, ou porque eu não soubesse onde procurar —, não encontrei nada, mas mesmo assim continuei a acreditar em Sofia. Ao que parecia, eu a interpretara errado pensando que "juntos para sempre" significava o mesmo que "felizes para sempre".

— E está! — Sofia apertou meus joelhos. — Ou eu acho que estava. De todo jeito, você devia esperar um pouco mais. Ter certeza de que ainda ama o Lucas. Não dá pra casar com alguém só porque você prometeu quando ainda era uma menina. — Fez uma careta. — Quer dizer, você ainda é uma menina, Elisa. Devia estar indo pra balada curtir uns carinhas, depois beber até cair, acordar com uma baita ressaca e jurar que nunca mais vai botar uma gota de álcool na boca, e na semana seguinte fazer tudo de novo. Não devia estar aqui, se preocupando com casamento.

Madalena ergueu as sobrancelhas diante do comentário, como se tivesse ouvido o maior absurdo de sua vida. E provavelmente tinha mesmo. Sofia tinha uma mente avançada demais para aquele tempo. Além disso, eu nunca tomava mais de uma taça de champanhe ou vinho.

— Não fique preocupada, Sofia. — Coloquei a mão sobre a dela. — Lucas é um bom homem.

— E mesmo estando tão longe escreveu para a menina e enviou todos aqueles belos presentes. — Madalena fez questão de lembrar.

— De que lado você está, Madalena? — Sofia olhou enviesado para ela.

Ian ainda mantinha o rosto impassível ao se inclinar para a frente, os olhos cravados nos meus, e finalmente abriu a boca.

— Só tenho uma pergunta, Elisa. Ele a fará feliz?

— Eu não me casaria com ele se não confiasse nisso, Ian. Creio que terei de procurar madame Georgette em breve. — Mantive a expressão alegre.

Eu não podia mudar de ideia. Já havia feito um belo papel aos olhos de toda a vila. Desmanchar um noivado de mais de três anos? Ora, Madalena estava certa. Não seria apenas o meu fim. Seria o fim da família Clarke.

Ian assentiu, com gravidade.

— Se é assim, então eu só posso ficar feliz por você. — Mas a última coisa que meu irmão parecia era contente. Se alguém colocasse uma castanha entre seus dentes, ele a abriria em um instante, tamanha a força com que cerrava a mandíbula.

— Ok. — Sofia ficou de pé. — Eu prometi que não ia mais interferir. Se é o que você quer, então eu também fico feliz. O Lucas falou em data? Você já pensou no vestido?

— Ele não mencionou uma data. — Mas Lucas parecera bastante resolvido na noite anterior. — Acho que pretende discutir isso com Ian, mais tarde. E, sim, eu pensei em um vestido. Gostaria de vê-lo?

— Você já tem vestido? Por que não me chamou pra ir com você ao ateliê? — Ela tentou esconder a mágoa, mas aquele V entre suas sobrancelhas a denunciou.

— Eu não mandei fazer um vestido de noiva, Sofia. Pensei em usar o da mamãe. Se Ian não se opuser. — Olhei para ele com expectativa.

— Oh, senhorita, que ideia maravilhosa! — Madalena bateu palmas.

Recostando-se na poltrona, meu irmão arqueou uma sobrancelha.

— Suspeito que seda não combine muito com os meus olhos.

— E você por acaso sabe se é de seda? — Sofia deu risada.

— Naturalmente que não.

— Logo se percebe — comentou Madalena. — O vestido da sra. Laura é de uma finíssima musselina.

— Que pena. Musselina não me cai bem. — Ele estalou a língua e Sofia riu ainda mais. —É melhor que Elisa o use.

— Obrigada, Ian — murmurei.

— Devo tirá-lo da caixa para arejar? — Madalena quis saber.
— Obrigada, sra. Gomes. Eu mesma farei isso.

* * *

Sofia me acompanhou até o quarto e me ajudou a abrir o baú. Enquanto eu o investigava, à procura do pacote, ela se divertia com as coisas que encontrava. Assim que apanhei a caixa forrada de tecido, ela me ajudou a retirá-la de dentro do baú. Fomos até a cama. Bartolomeu, que dormia ali, despertou e ergueu a cabeça, interessado.

Fazia muito tempo que eu não abria aquela caixa. Inspirando fundo, removi a tampa, afastei as pontas do pano que protegia o vestido e, com muito cuidado, o suspendi. A delicada musselina perolada se desenrolou com fluidez, quase como uma cascata, revelando a beleza da peça. O busto de cetim forrado de renda era todo bordado em branco, pérola e ocre, e as minúsculas pedras criavam um efeito encantador no decote, nas mangas curtas e retas e nas costas. A saia drapeada começava logo abaixo do busto, tão na moda no início dos anos 1800, quando papai e mamãe se casaram.

— Uau! Acho que nunca vi nada tão bonito! — Sofia examinou o bordado.
— Você vai experimentar, né?

Toquei a musselina com delicadeza, como se pudesse tocar minha mãe outra vez.

— Me ajude com os botões.

Ela me ajudou a sair de um vestido e entrar no outro. Conforme a musselina me envolveu, inspirei fundo, buscando qualquer vestígio do perfume de mamãe. Não havia nada além do aroma de roupa guardada e poeira. Mesmo assim, o tecido que me cobria o corpo parecia me abraçar, e essa era a razão pela qual eu precisaria dele. Ia necessitar de toda a ajuda que pudesse para entrar na igreja e dizer "sim" a Lucas.

— Está um pouco apertado no busto — comentou Sofia, tentando, em vão, fechar os últimos botões. — Mas acho que dá pra arrumar. Vai, vira aí, deixa eu te... Ah, Elisa! — Ela levou a mão ao peito, os olhos brilhando. — Você tá tão perfeita! Parece que saiu de um livro da Jane Austen.

— Estou? Verdade?

— Veja você mesma. — Pegando-me pelos ombros, ela me fez girar até eu estar de frente para o espelho da penteadeira.

Eu me espantei com a semelhança entre mim e mamãe. Além dos cabelos — os dela eram claros como ouro —, a única diferença que encontrei foi o fato de meus olhos não terem a alegria que nunca faltou aos dela. Nos meus havia medo.

Um mês. Eu precisaria suportar apenas um mês, e então estaria livre daquele pesadelo de uma vez por todas.

Eu devia me sentir contente com isso. Lucas me dera uma alternativa razoável. Eu devia me sentir feliz. Mas ali, encarando meu reflexo no espelho, usando o vestido de mamãe, tudo o que pude sentir foi uma profunda tristeza.

— Quer que eu vá com você até o ateliê? — ofereceu Sofia.

Quase caí de alívio ao ouvir aquilo. Lucas iria aparecer em algum momento daquela tarde e eu não desejava me encontrar com ele de novo.

— Seria ótimo, Sofia. Obrigada.

Depois de me despir, dobrei o vestido com cuidado e fui colocá-lo de volta na caixa. No entanto, ela já estava ocupada. Bartolomeu parecia muito contente dentro dela, todo contorcido e exibindo a pança. Acabei rindo. Sofia também.

— Gatinhos e caixas. — Acariciou sua barriga macia. — Um eterno caso de amor.

Uma batida na porta nos sobressaltou.

— A srta. Valentina acaba de chegar, srta. Elisa — anunciou Gomes.

Pensei que Valentina tivesse ouvido o falatório sobre "costurados pelas roupas" e por isso decidira passar o dia comigo. No entanto, ao chegar à sala, descobri que sua visita tinha outra finalidade.

— Eu vim me despedir. — Ela se sentou no sofá, os olhos levemente inchados e vermelhos.

— Mas... pensei que levaria mais tempo para arrumar toda a mudança.

— Não levaremos muita coisa. — Ela desviou os olhos para a luva desgastada. — Miranda não quer nada que pertenceu a mamãe. Exceto o marido e o dinheiro, é claro — escarneceu.

Eu me sentei junto a ela, passando o braço por seus ombros.

— Eu sinto muito, Valentina.

— Está tudo bem. Carrego dentro de mim tudo o que realmente importa. Ainda não sei quando partiremos, mas, conhecendo Miranda, não me surpreenderia se fosse nesta madrugada. E eu não suportaria ir embora sem me despedir de você, minha querida amiga. — Ela engoliu em seco, tentando deter as lágrimas.

— Valentina, tem certeza de que não quer aceitar a minha oferta e ficar conosco por uns tempos? — perguntei esperançosa. Odiava vê-la tão triste.

Ela puxou uma linha do vestido bastante usado.

— Sim, tenho. Obrigada, mas não posso. Cogitei aceitar a oferta de tia Doroteia, mas temo que, se me afastar agora, nunca mais terei direito a qualquer coisa que já tenha pertencido a papai. Miranda faz dele gato e sapato. Papai só tem olhos para Miranda e Félix agora. Ele é o herdeiro com o qual meu pai sonhou a vida toda. E eu... bem... a última vez que comprei um vestido novo, mamãe ainda estava viva. — Riu sem qualquer humor. — Já tenho quase vinte e três anos. Estou passando da idade de me casar. Que chances tenho de sair deste inferno, Elisa? Minha única alternativa é ir com eles e tentar manter o que resta do meu patrimônio.

— Ah, Valentina... Se existisse qualquer coisa que eu pudesse fazer...

— Eu sei. Você faria. — Com um esforço surpreendente, ela sorriu para mim, então olhou ao redor da sala. — Lembra-se de quando nós duas estávamos brincando de casinha e um rato apareceu e entrou debaixo do seu vestido?

— Claro que me lembro. Tenho horror a ratos até hoje. Ainda sinto as patinhas na minha perna. — Estremeci.

— E quando tive dificuldade para aprender francês e nós inventamos o jogo *Oui, madame* e só respondíamos assim para todo mundo?

— Madalena ficou bastante zangada nesse dia.

— E quando minhas regras vieram pela primeira vez? Você ainda não tinha tido as suas, nós pensamos que eu estivesse morrendo! — Ela gargalhou.

— Eu corri para chamar o dr. Almeida, que estava de visita, e foi muito embaraçoso explicar que você estava sangrando, bem... ali embaixo. — Acabei dando risada.

Com o olhar perdido em lembranças, ela apoiou a cabeça em meu ombro. Senti um aperto na garganta e os olhos lacrimejarem.

— Vou sentir a sua falta, Valentina. Todo dia — sussurrei.

— Eu também.

Tentei encontrar mais palavras, aquelas certas que poderiam consolá-la, mas não fui capaz. Eu também precisava de consolo.

— Ah, quase me esqueço! — disse ela, se aprumando. — Eu soube que seu noivo regressou. E que tiveram uma noite bastante animada ontem. — Meio riu, meio fungou.

— Valentina... — Se ao menos eu pudesse contar tudo a ela... a qualquer pessoa...

— Como eu queria estar presente nesse dia tão feliz, Elisa. Mas saiba que mesmo de longe estarei pensando em você. — Sua voz falhou.

Ah, Valentina...

— Gostaria de ver meu vestido de noiva? — perguntei, querendo distrair a nós duas, ou acabaríamos aos prantos.

O novo assunto trouxe um pouco de cor ao seu semblante pálido.

— Oh, sim. Por favor! Me mostre tudo o que já tem.

Valentina ficou até a hora do almoço. Comeu conosco e pareceu se divertir com as travessuras de Marina e Laura à mesa — coisa que meu irmão e Sofia tentaram impedir, é claro. Ela se despediu das meninas e de Ian. Com Sofia foi um pouco mais afetuosa. No fim das contas, elas haviam aprendido a gostar e admirar uma à outra.

Foi com o coração apertado que acompanhei minha amiga até a sala. Paramos diante da porta. A carruagem dos Albuquerque já a esperava.

— Valentina — coloquei a mão sobre a dela e a apertei —, eu sei que uma mudança dessas pode deixá-la desnorteada. É assustador ir para um lugar onde não se conhece ninguém, os costumes e... — Acabei estremecendo ao pensar naquele período em que estive na cidade de Sofia. — Mas você é forte e inteligente, vai conseguir se sair muito bem. E, se precisar de mim, para qualquer coisa, estarei sempre aqui. Sabe disso, não é?

— Claro que eu sei, Elisa. E agradeço. Tenho que ir agora. Vou me despedir de Teodora também. — Ela então me abraçou com força. — Vou escrever para você toda semana. Prometo.

— Eu também, Valentina. — Falei em seu ombro, cerrando os olhos. — Não me deixe sem notícias, por favor.

Permanecemos abraçadas por um longo tempo. Quando nos soltamos, ambas estávamos chorando.

— Olhe para nós! Parecemos duas bobas! — brinquei. — Não é como se nunca mais fôssemos nos ver.

— Realmente. — Ela secou o rosto, tentando se recompor, e riu também. — Por isso não vou lhe dizer adeus, apenas até breve, querida Elisa.

Ela desceu as escadas, mas se deteve antes de entrar na carruagem. Acenou, exibindo um sorriso corajoso, antes de subir no veículo e Eustáquio, o cocheiro dos Albuquerque, fechar a porta.

— Boa sorte, minha amiga — murmurei, enquanto acompanhava a carruagem se afastar.

Mesmo quando ele desapareceu de vista eu fiquei ali, até que a mão suave de Sofia pousou carinhosa em meu ombro, e foi o que bastou para que eu perdesse o controle. Eu me virei para ela, abraçando-a pela cintura e afundando a cabeça em seu peito. Ela não disse nada: apenas passou os braços ao meu redor, me apertando com força, como se com isso dissesse "Eu estou aqui. Eu estou aqui por você", e me deixou ensopar seu vestido. Eu chorava por minha amiga, pelo medo que vi em seus olhos, pela distância que haveria entre nós, a preocupação com o que aquela mudança faria a ela. Mas eu também chorava por mim. Meu coração estava despedaçado pela partida de minha amiga. E repleto de medo pela chegada de Lucas, pelo que eu tinha pela frente. Valentina e eu estávamos diante de um futuro desconhecido, nossa vida sendo alterada à revelia, e não havia nada que nenhuma de nós pudesse fazer.

# 7

Não foi difícil convencer Sofia a me deixar no ateliê. Como eu não teria de escolher um vestido, mas apenas tirar medidas para a reforma, ela não precisaria abandonar seu trabalho por causa disso. Ela viria me pegar em algumas horas, tempo suficiente para que Lucas e Ian se resolvessem e eu pudesse voltar para casa sem encontrá-lo.

Dobrar madame Georgette, por outro lado...

— Non! Não aceitarrei uma desfeita destas. — A costureira sacudiu as saias e começou a zanzar, indignada, pelo ateliê atulhado de tecidos, fitas, botões e agulhas. Seu rosto naturalmente rosado estava ainda mais vermelho. — Eu esperro por este momento há anos. O dia em que mademoiselle Elisa Clarrke entrrará na igreja com uma crriação minha. Não farrei o que me pede. É um insulto! *Je suis une artiste*, não uma reles costureira. *Une artiste!*

— Eu sei disso, madame Georgette. — Comecei a andar atrás dela. — Seus vestidos são fabulosos!

— Então por que não os quer? — choramingou.

— Eu quero! A senhora vai confeccionar todo o meu enxoval! Mas eu gostaria que compreendesse que preciso ter algo de minha mãe por perto neste momento tão... especial — improvisei. — O vestido é tudo o que me sobrou dela. Por favor, madame, diga que vai reformá-lo!

— Sentimentalismo não irrá me comoverr. — Ela bufou, continuando a andar de um lado para o outro.

Soltei um suspiro, abrindo os braços.

— E se eu lhe pedisse para acrescentar mais algumas peças ao meu enxoval?

Ela se deteve, me olhando por sobre o ombro, uma fina sobrancelha arqueada.

— Que tipo de peça? Vestidos, porr exemplo? Eu terria liberrdade parra crriá-los da maneirra que eu quisesse?

Eu estava certa de que iria me arrepender disso, mas acabei concordando com a cabeça.

— Bem... — Ela lutou para ocultar o sorriso. — Já que é assim, eu reforrmo o vestido de sua mãe. De fato, é *très magnifique!* Vamos tirar suas medidas? Não quero errar um único centímetrro nas crriações que estou idealizando parra você, *chérie*. Enquanto isso, conte-me tudo sobre o retorrno do seu *fiancé*. Soube que ontem estiverram tão juntos que parreciam costurrados pelas roupas! — Deixou escapar uma risadinha que me fez engolir um gemido.

Uma hora mais tarde, nos despedimos. Eu já não aguentava mais ouvir madame Georgette falar o nome de Lucas, então resolvi passear pela vila. Quem sabe fazer uma visita a padre Antônio. Talvez ele precise de ajuda com alguma coisa. Algo que me mantivesse ocupada à tarde. Enquanto seguia pela rua principal, percebi que o clima estava mudando. O vento soprava com força, dobrando a aba do meu boné, embora estivesse razoavelmente quente para um dia de inverno. Percebi que as pessoas passavam por mim disparando olhares curiosos, reprovadores ou divertidos — uma senhora chegou a cobrir a boca para esconder o riso.

— Lucas! — bufei.

Por que permiti que ele me conduzisse daquela maneira tão íntima na noite passada? Por que não o obriguei a manter distância, como pede o decoro?

Segurei a aba do boné, ocultando o rosto tanto quanto possível, tentando passar despercebida. Por isso não vi quando uma coisinha de pouco mais de um metro afundou em minha saia.

O rosto sujo do menino apareceu nas dobras do tecido. Ele se afastou e estendeu as mãos em direção ao meu vestido, para ajeitar o amassado. Deteve-se no último instante, olhando para os dedos sujos.

— Ah, desculpa, senhorita. — A criança esfregou as mãos nas calças, que não lhe cobriam os tornozelos. — Eu não te vi. Por favor, não me bate.

— E por que eu faria uma coisa dessas?

Ele ergueu os olhos escuros. Pareciam grandes demais naquele rosto magro.

— As madama costumam bater nos menino levado que nem eu.

— Mas você não foi levado. Apenas distraído. Você se machucou?

— Ah, não. A sua saia não é dura que nem outras. A sua é macia.

— E você costuma trombar nas saias das damas? — perguntei, achando graça.

— De vez em quando. — Ergueu os ombros magros. — E, quando vejo, uma madama já tá me esquentando as oreia. Elas sempre acham que eu quero surrupiar alguma coisa.

Ouvi um ganido, que a princípio pensei pertencer a um cachorro pequeno, mas depois me dei conta de que vinha do menino de cabelos escuros e encaracolados. Sua barriga estava roncando.

— Como se chama? — eu quis saber.

— Samuel de Castro.

— É um bonito nome, Samuel. Quantos anos tem?

— Eu vou fazê dez no final do ano. — Estufou o peito, tentando parecer maior.

Fiquei surpresa. Ele era tão pequeno e magro... Pela grossura de seu pulso, a maneira como as roupas dançavam ao redor da pequena caixa torácica, as bochechas encovadas, devia estar subnutrido.

— Samuel, eu... gostaria que pudesse me fazer um grande favor. Preciso comprar pães. Será que poderia ir até a banca do sr. Manuel, por gentileza? E pode escolher o que quiser para você.

— O que eu quisé? — Seus olhos castanhos se alargaram tanto que seu rosto pareceu ainda mais esquálido.

— Qualquer coisa. Você tem irmãos? — Apanhei a bolsinha que trazia no bolso do vestido e separei algumas moedas. — Pode escolher algo para eles também.

Ele se virou, fitando a barraca do padeiro, no fim da rua.

— Eu posso escolher um pão doce? Aquele que tem cobertura amarela? Eu sempre quis saber que gosto tem.

Um nó na garganta me impediu de falar, por isso assenti com vigor e estendi as moedas a ele.

O menino estava quase aceitando, mas mudou de ideia em um instante, saltando para trás.

— Desculpa, moça. Não vou podê pegar seu pão hoje. Já perdi tempo demais.
— Ele estava correndo antes que eu pudesse abrir a boca.

— Espere! — Levantei a barra da saia, pronta para ir atrás dele, mas alguém me chamou.

— Srta. Elisa!

— Bom dia, sr. Matias. — Fiz um cumprimento apressado. — Perdoe-me, senhor, mas preciso ir atrás do garoto que estava aqui ainda agora.

— Está falando de Samuel?

Eu me detive ao ouvir o nome do garotinho.

— O senhor o conhece?

— Só de vista. Mas por que está atrás dele? Não me diga que ele roubou algo da senhorita.

— Oh, não. Eu apenas queria lhe comprar alguns pães. O senhor sabe como posso encontrá-lo? Onde a família dele mora? Eu adoraria poder fazer uma visita.

Matias arqueou as sobrancelhas, surpreso.

— Pelo que sei, o menino não tem ninguém. Vive se escondendo nas ruas. Ele aparece quando dá nas ventas e desaparece com a mesma facilidade.

Então era muito pior do que eu havia imaginado.

— O senhor poderia me fazer um grande favor? Na próxima vez em que o vir, diga que eu desejo falar com ele e... — Eu me interrompi. Samuel parecera alarmado depois de trombar em mim. Se soubesse que eu estava atrás dele... — Isso pode assustá-lo, não é?

— Eu diria que sim. — Matias segurou o chapéu quando o vento ameaçou levá-lo embora. — O moleque é arisco feito um javali.

— É melhor não dizer nada, então. Mas eu ficaria imensamente grata se pudesse me enviar uma mensagem quando ele aparecer.

— Será um prazer ajudar. — Ele me mostrou um sorriso caloroso. — Eu lhe escreverei assim que...

— Elisa.

Eu não precisava olhar para trás para saber a quem aquela voz pertencia. Os arrepios que me subiram pela nuca o delatavam. Ainda assim, eu me virei. Lucas, sobre um cavalo, parecendo mais atraente do que nunca, me fitava, de cara amarrada.

Bem, eu também não estava feliz em vê-lo ali.

— Dr. Guimarães. — Fiz um cumprimento — Pensei que tivesse uma reunião esta tarde.

— E tenho. Estou indo até a sua casa agora. — Ele saltou do cavalo, mantendo as rédeas na mão e os olhos pouco calorosos em Matias.

— Tenho certeza de que o senhor se lembra do sr. Matias.

Lucas anuiu uma vez, e, matando-me de constrangimento, limitou-se a olhar para o rapaz, mudo feito uma vassoura.

— Eu... — começou Diógenes, sem graça. — Acabo de me lembrar que estou atrasado para um compromisso. Se me derem licença. — Ele se inclinou, galante. — Espero revê-la em breve, senhorita.

Assim que ele partiu, Lucas pareceu encontrar sua língua.

— O que fazia conversando com aquele sujeito? — ele quis saber. — Você dançou com ele ontem, não?

— Eu dancei com alguns cavalheiros ontem. Infelizmente, nem todos foram tão agradáveis quanto o sr. Matias. — Comecei a andar.

Lucas decidiu me acompanhar.

— Pelo que vejo, nossa trégua acabou. — Sua boca se curvou para cima. Mas o sorriso não lhe chegava aos olhos. — Já voltou a me desprezar.

— Eu não o desprezo. — As palavras saíram antes que eu pudesse detê-las. Mas que porcaria! — Mas não alimento qualquer sentimento pelo senhor — adicionei, depressa.

— Ouvir isso alegra meu coração, Elisa. — Passou a rédea para a outra mão, assim seu cavalo podia nos acompanhar sem ter que subir no passeio público. — Mas tenho uma dúvida. Por que está irritada comigo?

Eu me detive por um instante.

— Como pode me fazer essa pergunta? — questionei, baixinho. — Por acaso ainda não ouviu a história sobre "estarmos costurados pelas roupas"? Não percebeu que somos motivo de curiosidade e que as pessoas pararam para nos observar, como se fôssemos dois macacos adestrados?

— E não era essa a intenção? — Abriu um meio sorriso presunçoso.

— Não! — gemi. — Pensei que o senhor se comportaria como um cavalheiro na noite passada e não como um... um...

— Homem apaixonado que acabou de chegar de uma longa e extenuante viagem e não pôde esperar sequer nem mais um dia para correr para os braços da noiva?

— Exatamente! — respondi. Então realmente compreendi o que ele tinha dito. — Quero dizer, não!

Ele estava me distraindo de propósito. E, francamente, devia se livrar daquele cavanhaque. Algumas pessoas podiam achá-lo muito... perturbador e ficar fantasiando como seria sentir aqueles pelos contra o queixo, roçando de leve no pescoço, bem pertinho da orelha... humm...

— Você poderia ter me afastado, Elisa — falou, calmamente. — Poderia ter imposto algum limite. Isso teria me detido. Mas você não disse nada.

— Ora, eu... — *fiquei um pouco confusa com toda aquela proximidade e esse seu cavanhaque ridiculamente atraente.* — ... imaginei que não fosse necessário. E não seria, se o senhor fosse um cavalheiro de verdade! — Retomei o passo, tentando lembrar onde Isaac havia estacionado a carruagem.

— Para onde está indo? — perguntou, logo atrás.

— Não é da sua conta.

— Minha querida srta. Elisa, estou chocado. Nunca imaginei que um dia iria vê-la ser grosseira com alguém em público.

Parei bruscamente. Minhas saias continuaram em movimento, produzindo um vusssh suave conforme raspavam nas pedras do calçamento.

— Não tenho a intenção de ser grosseira, por mais que o senhor mereça. Peço desculpas. Mas no momento estou furiosa demais por ter permitido que meu nome voltasse à boca do povo. Então, se me der licença... — Fiz uma mesura e me apressei em direção à praça.

Não cheguei a olhar para trás, mas sabia que ele me seguia. Aqueles arrepios em minha nuca não cessavam.

Ao chegar ao local onde minha carruagem deveria estar, olhei em volta, me perguntando por que Isaac não...

Aaaaaah. Eu tinha ido para a vila no faetonte de Sofia. Porcaria!

— Seu cocheiro foi embora? — perguntou Lucas, bem atrás de mim. — Não se preocupe. Estou indo para a sua casa. Vou acompanhá-la.

— E assim alimentar ainda mais as fofocas? — Eu me virei para ele. O vento fez as fitas do meu chapéu se sacudirem. Eu as afastei do rosto com um safanão. — Não, obrigada. Vou esperar por Sofia.

Ele olhou para o alto, fechando um dos olhos para evitar a claridade.

— Debaixo deste sol?

— Meu boné é bastante resistente.

Ele bufou, impaciente.

— Elisa, eu sou seu noivo, o homem com quem se casará em uma semana. Acompanhá-la até em casa, em plena luz do dia, é perfeitamente aceitável. Nem mesmo a pessoa mais moralista se oporia a algo tão inocente.

Meu coração pareceu afundar no estômago. Ele tinha acabado de dizer... **ele tinha dito...**

— Uma s-semana? — foi tudo o que eu consegui gaguejar.

— Nosso noivado já foi longe demais. — Não havia em seu rosto nada além de uma estudada calma. — Nós nos casaremos na semana que vem. Acabei de falar com padre Antônio para apressar a papelada. Ele gostou da novidade.

Uma semana. Estaríamos casados dentro de uma semana. Aquele homem seria meu marido em sete dias. Eu teria de deixar minha família, minha casa, e ir com ele aonde quer que quisesse me levar. Toda a minha raiva desapareceu.

— Podemos ir? — Lucas me ofereceu o braço.

Eu não queria aceitar. Não queria tocá-lo. Isso me confundia. Mas, de fato, soaria estranho se ele não me acompanhasse até em casa, depois de ter me visto sozinha. Então, descansei os dedos um tanto instáveis na dobra de seu cotovelo.

Eu olhava para a frente fixamente, prestando atenção ao trote do cavalo do qual Lucas segurava as guias, numa tentativa de me distrair e manter as emoções sob controle. Lucas, em contrapartida, sorria e cumprimentava com muito entusiasmo os conhecidos que cruzávamos pelo caminho. Alguns poucos — os que ainda não tinham ouvido sobre a maneira escandalosa como eu havia me comportado na noite anterior — pareceram surpresos ao ver Lucas a meu lado. E foi aí que eu entendi. Ele queria que todos soubessem de sua chegada, e que uma das primeiras providências que tomara fora estar comigo.

Por um ridículo momento, cheguei a pensar que ele decidira me acompanhar para me proteger dos olhares e dos risos. Mas ele estava apenas interpretando o noivo apaixonado. Meu coração foi invadido pela tristeza.

Ao chegarmos à rua que se transformava em estrada, Lucas segurou as rédeas com firmeza, fazendo seu cavalo parar para que eu subisse.

— Prefiro ir andando. — Soltei seu braço.

— É uma longa caminhada até sua casa.

— Estamos apenas nós dois aqui — respondi, ressentida. — Já não é necessário que finja ser o noivo apaixonado. O senhor já fez um belo espetáculo na vila, e outro ontem, no baile. As pessoas nos viram juntos, testemunharam sua suposta atenção. Acredito que tenha cumprido sua obrigação. Eu já fiz este caminho a pé diversas vezes. Ficarei perfeitamente bem. O senhor está livre.

Suas sobrancelhas se arquearam.

— Realmente espera que, agindo dessa maneira, eu acredite que você não alimenta qualquer sentimento por mim? Raiva, por exemplo? Ou, quem sabe, aversão...

— Eu não espero nada que venha de você — retruquei, e me coloquei a caminho de casa.

No entanto, ele me seguiu, andando sem pressa, como se não tivesse ouvido uma palavra do que eu dissera. Apressei o passo, tentando impor mais distância. Assim que a estrada fez a curva e eu saí de seu campo de visão, suspendi os dois lados da saia — não havia ninguém por perto para testemunhar minha indiscrição — e comecei a correr. Não corria assim desde... bem... desde que tinha oito anos e um esquilo que Ian levara para casa pulara em minha cabeça. Meu chapéu se soltou com o movimento e a ventania, voando longe. Pensei em parar para pegá-lo, mas isso arruinaria minha fuga. Eu tinha muitos outros em casa.

O som de patas pesadas contra a terra batida me chegou aos ouvidos, aproximando-se rapidamente, mas quando me alcançou diminuiu a cadência, acompanhando o ritmo de minha corrida.

— Não sabia que havia se tornando uma amante dos exercícios físicos, Elisa. Mas tem minha total aprovação. — Lucas, do alto do lombo do cavalo, me mostrou um sorriso cheio de troça. — Eles são, de fato, muito benéficos para a saúde.

Parei de correr, soltando as saias e me curvando levemente para que o espartilho liberasse um pouco mais de espaço para meus pulmões.

— Já está cansada, minha querida? — ele perguntou, com diversão.
— Eu não sou... sua querida! — Não mais. — Por que continua... me seguindo?
— Não estou seguindo você. Estou indo até sua casa. Este é o único caminho, não? — Curvando-se de leve na sela, ele estendeu o braço.

Meu boné!

Empertigando a coluna, inspirei fundo, alisei o corpete do vestido e afastei do rosto as mechas que se desprenderam do meu penteado antes de pegar o boné empoeirado. Com a pouca dignidade que me restara, recomecei a andar.

Claro que Lucas continuou a me escoltar. O sol alto fazia sua sombra se esticar na estrada. Eu o ignorei o melhor que pude, olhando para a frente, para a paisagem verde que nos cercava, para o horizonte, que ganhava nuances alaranjadas.

— Tem certeza de que ainda deseja ir caminhando? — Lucas perguntou um tempo depois. — A cavalo chegaríamos a sua casa bem mais depressa.

— O que eu desejo — falei, farta de seu sarcasmo — é parar de ser perseguida por um homem que não compreende que eu não quero a sua companhia.

Em um movimento rápido, ele passou a perna por cima da cabeça do cavalo e saltou sobre os próprios pés, vindo em minha direção.

Oh, eu devia começar a correr. Devia disparar agora mesmo! Mas, pela maneira como Lucas me encarava, eu não iria muito longe. Aprumei os ombros e tentei manter a respiração estável enquanto o observava dizimar a distância entre nós, até seu rosto estar a um suspiro do meu. No instante seguinte, passou as mãos pela minha cintura e me jogou sobre seu ombro.

— Me solte! — esperneei. — O que pensa que está fazendo? Me coloque no chão!

Em vez disso, ele me empurrou para cima da sela.

— Não quer subir no cavalo comigo? Ótimo! Suba sozinha — rosnou. — Se um de nós irá andando, então serei eu. E não precisa se esforçar tanto para que eu entenda que não me quer por perto, Elisa. Acredite, eu sei disso há muito tempo. Ontem eu lhe dei a chance de escapar, mas você decidiu continuar com o noivado. Agora é muito tarde para mudar de ideia. Em uma semana você será minha mulher. Goste disso ou não!

— Vou me casar com você, mas jamais serei sua! — Meu peito subia e descia rápido demais.

Ele me soltou, dando um passo para trás. Uma sombra, como uma violenta tempestade, dominou seu rosto.

— Nunca tive qualquer dúvida sobre isso. — Sua voz não tinha entonação alguma. — Você deixou tudo muito claro há três anos, quando destroçou meu coração depois que eu o coloquei a seus pés. E, se está se perguntando por que ainda mantenho esse acordo infernal, a resposta é porque, apesar de tudo o que fez e da opinião que tem sobre mim, eu não pretendo ser aquele que irá transformá-la em uma piada maior do que já é.

Tomando as rédeas, aticei o cavalo antes que Lucas percebesse quanto havia me machucado. Uma dezena de emoções borbulhava dentro de mim conforme eu me afastava, a visão turva. O vento batia em meu rosto, espalhando as lágrimas, enquanto meu coração se partia mais uma vez.

Eu não fazia ideia de quem era aquele homem. Não o reconhecia. Ele se parecia com Lucas, falava com a voz dele, tinha os mesmos olhos, mas não era mais o rapaz gentil e atencioso que um dia conheci. Aquele homem era frio, cruel e implacável. O Lucas que eu amei um dia não existia mais.

E a única culpada disso era eu.

# 8

A primeira vez que vi Lucas estava gravada em minha memória a ferro quente. Acontecera em um baile no verão de 1830, quando eu tinha quinze anos.

Eu estava ansiosa por aquele evento havia meses. E, depois da chegada de Sofia a nossa casa, eu tinha ainda mais motivos para acreditar que aquela noite poderia mudar a nossa vida de alguma maneira. Bastava observar Ian. Meu irmão mal conseguia disfarçar a admiração por ela. Não era tão descabido assim pensar que ele poderia aproveitar a ocasião para pedir sua mão, pois, obviamente, o flerte entre eles havia se tornado algo mais.

Teodora foi uma das primeiras a chegar e me ajudou a recepcionar os convidados. Ian ainda não tinha aparecido, e eu suspeitava de que estivesse esperando Sofia terminar de se arrumar.

— Minha cara, Elisa! — Saudou a sra. Albuquerque assim que passou pela porta, examinando a sala. — Mas que ambiente mais encantador! Quanto bom gosto!

Teodora me dirigiu um olhar pouco sutil, ao passo que Valentina fez uma mesura, corando levemente.

— Obrigada, sra. Albuquerque. — Acabei sorrindo. Não havia nada novo na sala, exceto a falta de mobília. Os móveis agora estavam espalhados pela casa, a fim de que pudéssemos ter espaço para a dança.

Os comentários tendenciosos da sra. Albuquerque tinham começado no verão anterior, quando Valentina completou dezessete anos e a mãe julgou que meu irmão seria um ótimo marido para ela. Por um tempo, cheguei a pensar que as investidas da sra. Albuquerque acabariam surtindo algum efeito ou, pelo menos, vencendo Ian pelo cansaço. Porém, depois de observá-lo perto de Sofia, percebi que isso nunca poderia acontecer. Meu irmão estava irrevogavelmente apaixonado, e eu duvidava de que se contentasse com um casamento de conveniência agora que experimentara a doçura do amor.

Não que naquela época eu soubesse o que isso queria dizer, é claro. Tinha lido diversos romances, e ficara muito interessada nas palavras que os poetas usavam para descrever a paixão, como *palpitações*, usando-as como parâmetro para meus próprios sentimentos. Mas não. Até então eu nunca sentira nada nem remotamente parecido com os arroubos que eles descreviam.

— De fato, muito bom gosto — ecoou o sr. Albuquerque mais atrás, relanceando o imenso cordeiro assado sobre a mesa. — Srta. Teodora, seu pai já chegou?

— Sim, senhor. — Minha amiga indicou o sr. Moura, próximo ao quarteto de cordas, conversando animadamente com o sr. Estevão, da joalheria.

— Excelente. Preciso ter uma palavrinha com ele.

O sr. Albuquerque seguiu para o canto da sala, enquanto sua esposa puxava a mão de Valentina e a colocava em seu braço.

— É isso, minha querida. — Bateu de leve os dedos enluvados nos da filha. — Esta pode ser sua grande noite. Não desperdice a chance!

— Mamãe! — Valentina reclamou baixinho, as bochechas rosadas como duas papoulas.

Mais convidados chegaram, e a presença de lady Catarina Romanov e seu filho Dimitri causou uma súbita sede em Teodora, que decidiu me abandonar e se juntar aos convidados justamente quando o dr. Almeida entrou na sala com sua belíssima esposa. E mais alguém.

Ele era quase tão alto quanto Ian, e seus cabelos em um tom claro como areia pareciam se iluminar em contraste com o paletó escuro. O rosto demonstrou espanto assim que me viu, mas eu não podia imaginar o que o surpreendera tanto. Quando seu olhar encontrou o meu, senti... ah, senti coisas demais ao mesmo tempo. Um revirar sutil no estômago, um calor me cobrindo a pele — sobretudo no rosto —, um leve tremor nas mãos, a boca seca.

O doutor nos apresentou. Lucas Guimarães era o nome do rapaz que estava de visita na vila. Estudava na cidade com o sobrinho de Almeida e em breve seria médico também. O dr. Almeida pretendia se tornar seu mentor.

Trocamos um cumprimento — um verdadeiro feito já que minhas pernas subitamente adquiriram a mesma firmeza das algas —, e meu coração fez algo diferente: disparou de maneira selvagem, retumbando em meus ouvidos e naquele vão na base do pescoço.

Céus! Eu estava tendo as tais palpitações?

— Onde estão o sr. Clarke e sua adorável hóspede? — o dr. Almeida quis saber.

Nesse instante, Ian e Sofia entraram na sala. Todas as cabeças se voltaram em direção a eles, e as conversas cessaram. Ela estava tão linda naquele vestido branco de baile!

Um arrepio subiu pela minha nuca. Toquei o local, voltando a atenção para a família Almeida, e então percebi que nem todos tinham os olhos em Sofia. Os do sr. Guimarães estavam em mim. O rubor se intensificou em minha bochecha, de modo que olhei para minhas mãos.

— Ali estão eles — comentou Almeida. — Venham. Quero apresentá-los a esta adorável e singular criatura.

Oferecendo-lhe o braço, o médico conduziu a esposa para o interior do aposento, enquanto Lucas se demorou mais um instante. Mantendo os olhos nos meus, ele se curvou em uma reverência elegante antes de seguir os amigos. Aspirei uma grande quantidade de ar assim que fiquei sozinha, pois estava tendo dificuldade para manter a respiração estável. Presumi que Madalena tivesse apertado meu espartilho mais do que de costume.

— Quem é o jovem com o dr. Almeida? — Teodora quis saber, indicando o rapaz com a cabeça quando a encontrei, mais tarde.

— É o sr. Lucas Guimarães. Ele é amigo de Júlio Almeida. Lembra-se dele?

— Um pouco taciturno e esquivo. Sim, eu me lembro do sobrinho do médico. Este cavalheiro, no entanto... — Estudou Lucas dos pés à cabeça. — Ele não se parece nem um pouco com o amigo. Oh, ele está vindo para cá, Elisa. Sorria. Mamãe diz que um belo sorriso é capaz de garantir um anel no dedo anular. Vamos, Elisa! Uma de nós tem que se casar logo, para poder contar para a outra como é! Sorria!

— Teodora, pare de brincadeira! — Inspirei fundo, ordenando que minhas mãos parassem de tremer.

— Srta. Elisa — disse simplesmente.

— Sr. Guimarães. — E, bem... sorri para ele.

Teodora clareou a garganta com delicadeza.

Ah, sim!

— Sr. Guimarães — comecei —, permita-me apresentá-lo a uma de minhas amigas mais queridas, a srta. Teodora Moura.

Assim que eles trocaram cumprimentos e umas poucas frases educadas, o rapaz voltou sua atenção para mim.

— Posso ter a honra de acompanhá-la na próxima dança?

Assenti com a cabeça, pois estava tendo dificuldade para fazer as palavras saírem enquanto ele me conduzia pela sala — e Teodora me lançava uma piscadela nada sutil. Ficar tão perto dele fez todas aquelas sensações voltarem, e com mais intensidade.

Lucas se mostrou um ótimo dançarino, porém não era tão hábil com as palavras. Passamos grande parte da dança sorrindo constrangidos um para o outro, e por sorte não tropecei na barra do vestido. Eu me sentia diferente perto dele. Havia uma vibração dentro de mim, e se intensificava cada vez que a mão dele tocava a minha, quando a dança exigia o contato.

— Hum... A senhorita está se divertindo? — perguntou depois de um longo, longo silêncio.

— Sim. E o senhor?

— Muito.

Ele desviou o olhar para o outro lado da sala e eu mantive os olhos em um arranjo de flores. O silêncio cresceu entre nós, a ponto de me deixar zonza.

— Não devia ser tão difícil assim — pensei ter ouvido ele murmurar.

— Como disse, senhor?

— Que o ponche está delicioso!

— Ah. Está... está gostando da região? — me obriguei a perguntar.

— Bastante — respondeu, parecendo aliviado. — É muito agradável. O dr. Almeida é muito gentil. Júlio sempre menciona o tio nos melhores termos possíveis, mas não imaginei que o bom doutor pudesse ser ainda mais amável do que Júlio dizia.

— Ele veio com o senhor?

Lucas negou com a cabeça.

— Ele resolveu mudar de curso. Preferiu ficar para adiantar a burocracia. Como eu estava a caminho de casa, pediu que eu trouxesse uma carta para o tio. O bom doutor me acolheu e me convenceu a ficar por uns dias. Não tive como recusar. — Ele me olhou pelo canto do olho. — Ainda bem que aceitei o convite.

Minhas bochechas esquentaram

— Então o senhor será médico — falei a primeira coisa que me veio à mente. Ora, era difícil pensar com ele assim, tão quente e perto de mim, e seu perfume amadeirado a espiralar ao meu redor Meus sentidos pareciam estar rodopiando ao ritmo da música.

— Com um pouco de sorte. Não é tão fácil quanto eu tinha imaginado. Veja o caso de Júlio. O pobre não teve estômago para lidar com os porcos... — Ele se deteve, comprimindo os lábios (rosados e largos, de aspecto muito macio) como se tivesse dito algo errado.

— Porcos? — perguntei, intrigada.

Ele soltou o ar com força, mas voltou a falar, mesmo um tanto constrangido.

— Um cirurgião começa operando porcos antes de ser colocado diante de um paciente com um bisturi na mão. Acredite em mim, é bem mais seguro assim. Sobretudo para o paciente. — Mostrou uma cara muito séria, que me fez rir. Isso pareceu encorajá-lo a continuar. — Já operei muitos porcos, mas Júlio desistiu logo no primeiro. Acabou botando o café da manhã nos sapatos do professor. Eu realmente acredito que ele se sairá melhor na política do que na medicina.

— Suponho que o seu estômago seja menos sensível.

Ele abriu um largo sorriso, repleto de dentes e ruguinhas ao redor dos olhos. Meus joelhos bambearam e meu pulso já instável enlouqueceu de vez.

— Na verdade, não. Ele se rebelou também, mas ao menos tive tempo de terminar minha primeira cirurgia e sair da sala.

Dei risada de novo. Algo reluziu nos olhos dele. Não eram exatamente verdes, mas também não eram castanhos. Tinham uma cor única, que parecia mudar conforme a luz incidia nas íris.

— Hoje já não me incomoda mais — prosseguiu. — É preciso fazer, então deve ser executado com precisão e atenção. De posse de um bisturi, nada mais me importa além do meu porco. Consigo ignorar todo o restante, inclusive meu estômago. Quando começar a lidar com pessoas, porém, meu estômago e eu não garantimos nada.

Tentei reprimir outra gargalhada. E falhei. Lucas acabou rindo comigo, mas balançou a cabeça.

— Devo parecer um tolo para você. Falando de porcos e estômago fraco em um baile. Eu normalmente consigo entabular conversas sobre os mais variados assuntos, senhorita, mas parece que esta noite o meu cérebro está determinado a me deixar à deriva. — Voltou a olhar para o outro lado, as bochechas levemente rosadas.

— Pois eu acho que o senhor está se saindo muito bem. Achei bastante interessante sua história com os suínos.

Ele virou a cabeça, o nervosismo evidente em cada traço do belo rosto.

— Então não está pensando algo como: "Que sujeito entediante. Insistiu em dançar comigo e agora desatou a dizer besteiras sobre porcos"?

— Eu não estou pensando nada nem parecido com isso, senhor.

Lucas soltou o ar com força, aliviado. Então, como se o que eu havia dito tivesse lhe dado confiança, mirou os olhos levemente esverdeados em mim.

— Posso dizer o que eu gostaria que estivesse em sua mente agora?

Assenti uma vez, incapaz de proferir palavra alguma.

— "Pobre rapaz. Minha presença o perturbou de tal maneira que mal consegue abrir a boca. Mas ele está se esforçando para demostrar que pode ser uma companhia agradável. Não vou pensar mal dele. Talvez na próxima vez que nos encontrarmos ele consiga se sair melhor e possamos ser amigos" — acrescentou em voz baixa.

A essa altura meu coração batia mais rápido que as asas de um beija-flor. Minha presença o perturbava? Ele queria que eu desejasse vê-lo outra vez?

Mantendo o olhar no meu, ele parou de dançar inesperadamente. Um pouco atabalhoada por sua presença — e suas palavras —, não percebi que devia ter feito o mesmo e meu corpo se moldou ao dele, do peito às coxas.

— Para ser franca, senhor — murmurei —, meu cérebro também parece ter me deixado à deriva esta noite.

Uma faísca, um lampejo iluminou seu rosto e um sorriso tímido lhe esticou a boca, a princípio. Bem largo e muito branco, instantes depois.

Os aplausos ao fim da dança me despertaram, e Lucas me conduziu até um canto da sala. Soltei seu braço e tentei sorrir para ocultar a tempestade dentro de mim. Nem bem ele tinha se afastado quando fui abordada por Prachedes.

— Com licença. Posso ter a próxima dança, senhorita?

Eu conhecia Elias Prachedes desde a infância. Era filho de um rico criador de gado e visitava nossa fazenda, com o pai, com certa frequência, em busca de cavalos bem treinados que os ajudavam a apartar o rebanho. De constituição física delicada, o rapaz era acanhado; toda vez que me pedia uma dança, o pobre parecia que ia sofrer um ataque apoplético. Eu aceitei, mas meus pensamentos não estavam nos passos que eu deveria executar, e sim em meu parceiro anterior. Mesmo mantendo os olhos em Prachedes, sentia o olhar de Lucas sobre mim, provocando arrepios incessantes em minha nuca.

Quando aquela dança terminou, eu ainda não havia conseguido me recuperar de todo, mas apenas o suficiente para poder aceitar outros parceiros sem parecer uma tola. Dancei com tantos cavalheiros que não me recordava de todos os nomes. A certa altura, meus pés começaram a cobrar a conta. Os sapatos novos estavam me machucando.

Antes que mais algum cavalheiro pudesse me abordar, escapuli pela porta da frente sem ser vista. Dei as boas-vindas ao ar fresco da noite, que acariciou meu rosto. Alguns homens fumavam nas escadas, então contornei a casa e me sentei nos degraus laterais, gemendo de puro alívio ao pressionar um pé no outro e descalçar os sapatos com alguma dificuldade. Chutando-os mais para o lado, eu os apanhei e desfiz os laços de cetim.

— Srta. Elisa? — alguém chamou à meia-voz.

Olhei por sobre o ombro e arfei.

— Sr. Guimarães! — Escondi os sapatos entre as saias amplas.

Devagar, ele chegou mais perto, descendo alguns degraus para que eu não tivesse de inclinar muito o pescoço para olhar em seu rosto.

— Parece que nos encontramos novamente — brincou. — Vi a senhorita saindo da casa e fiquei preocupado. Está tudo bem?

— Ah, sim. Eu só queria me sentar por um instante.

— Compreendo. — Ele colocou as mãos nos bolsos. — A senhorita foi bastante requisitada esta noite.

— Bem, sim. Sou a anfitriã, afinal.

— Não foi por isso que todos aqueles sujeitos a convidaram. Acredito que nenhum deles precise se preocupar com a visão. Os olhos deles estão em perfeito estado.

— Aaaah... O senhor sempre viveu na cidade? — perguntei, para distraí-lo do rubor que me subia pelo rosto.

— Minha família mora no interior. Aluguei um pequeno apartamento com dois amigos na cidade para poder terminar o curso.

Afofei a saia para que o sapato permanecesse bem escondido.

— Seu pai também é médico?

— Não, sou o primeiro da família. Meu irmão é o primogênito, e graças ao bom Deus coube a ele comandar a vinícola da minha família. Eu não tenho o talento que alguns homens têm para lidar com a terra.

— Então, sempre sonhou com a medicina?

— De certa forma. — Ele enfiou as mãos nos bolsos da calça e fitou o chão. — Eu cuidava das bonecas de minha irmã gêmea quando caíam doentes. Mas só comecei a pensar nisso a sério aos treze anos, depois que ela contraiu tifo.

— Tifo? — Meu Deus. Eu era apenas dois anos mais velha que a menina. — Ela... — comecei, o nó em minha garganta me impedindo de continuar.

Mas ele compreendeu.

— Sim, Rebeca não resistiu. — Ele se recostou no pilar, exalando tristeza e desalento.

Um tremor me sacudiu por dentro enquanto meus pensamentos voaram para meu irmão. Se Ian caísse doente... Por Deus, eu não conseguia nem pensar nisso!

— Eu não pude aceitar que nada pudesse ser feito por ela — contou Lucas. — Meti na cabeça que a morte de Rebeca tinha sido causada pela incompetência. Que um médico mais dedicado a teria salvado. E decidi que eu seria esse médico, e que outras Rebecas não iriam deixar suas famílias tão cedo. Hoje eu sei que nada no mundo a teria curado, exceto um milagre. E é por isso que me dedico tanto à medicina, senhorita. Cada vida que eu conseguir poupar será como se eu estivesse dando uma nova chance a Beca.

Ele tentou manter a dor longe do rosto, mas foi incapaz de ocultá-la do olhar. Eu conhecia aquele sentimento intimamente. Perder alguém querido é insuportável, excruciante, e encontrar um motivo qualquer pelo qual lutar muitas vezes parece impossível. Eu me amparara em Ian quando nossos pais partiram, na ideia de cuidar do meu irmão mesmo que eu mal tivesse idade para cuidar de mim mesma. Lucas se apoiara na esperança de salvar outras pessoas ao perder a irmã. Meu coração se encheu de compaixão por aquele rapaz. E de uma admiração profunda também.

Uma gargalhada grave me chegou aos ouvidos. Eu me virei e avistei um dos cavalheiros rindo de alguma piada que o amigo lhe contara. E então — só então — me dei conta de que estava no jardim, tarde da noite, a sós com um rapaz.

— Ah, não! Não posso ficar aqui com o senhor! Se nos virem irão pensar coisas horríveis e começarão a fazer mexericos!

Ele anuiu uma vez.

— Vá na frente. Ficarei aqui mais um pouco para que não pensem mal da senhorita se nos virem entrar ao mesmo tempo.

— Mas... eu não posso! — falei, mortificada.

Sua testa se franziu.

— Por que não?

— Bem... Acontece que... — Abaixei os olhos, sem graça. — Os meus sapatos são novos. Meus pés estavam doendo muito e eu achei que não teria problema se eu os... tirasse por apenas alguns instantes. E para calçá-los agora eu precisarei suspender a... o senhor sabe como isso funciona.

— Suponho que saiba. — Ele tentou conter o riso, mas não conseguiu e procurou disfarçá-lo com uma crise de tosse.

*Bem, pelo menos ele não está mais deprimido.*

— E não ficaria nada bem se eu suspendesse as saias na presença de um cavalheiro.

— Não ouso discordar. — Ponderando por um instante, ele ficou de costas para mim, olhando para o alto, para as nuvens escuras que se aproximavam velozmente.

Levantei a saia até os tornozelos e me apressei em enfiar os pés nos sapatos. O problema foi que o espartilho restringia meus movimentos, e não consegui amarrar as fitas de cetim. Como não podia voltar para o baile descalça, teria de usá-los assim mesmo, apenas encaixados. Experimentei ficar de pé. As meias de seda me fizeram escorregar para a frente.

Ajeitei o vestido, as luvas e algumas forquilhas que se desprendiam de meus cabelos.

— Bem, devo entrar agora. Até mais ver, sr. Guimarães.

Lucas se virou.

— Até breve, srta. Elisa. — Fez uma reverência.

Segurei um dos lados do vestido e subi o degrau. O sapato direito, no entanto, escorregou do meu pé e caiu no degrau de baixo. Com o rosto quente, me virei para pegá-lo.

Lucas se adiantou e o apanhou para mim. Ele estava dois degraus abaixo, e só então nossos olhos ficaram na mesma altura.

— Suponho que não tenha conseguido amarrá-los — falou, com um meio sorriso.

— Não — gemi. — O espartilho é muito rígid...

— Srta. Elisa, minha querida, está falando sozinha?

Eu me virei. A sra. Henrieta Baglioli abanava seu leque em minha direção. Oh, não! Ela não podia flagrar Lucas ali. Henrieta era uma das células mais importantes na rede de intrigas e fofocas da vila. Se o visse, logo tiraria conclusões e pela manhã eu estaria arruinada. Minha nossa, que confusão! Eu só queria descansar por um instantinho!

Respirei fundo e tratei de agir com naturalidade — ou o mais perto disso que pude chegar.

— Sra. Henrieta, como é bom vê-la tão bem-disposta.

— Obrigada, querida. Mas lá dentro estava um pouco abafado. Uma mulher da minha idade não consegue ficar em ambientes tão cheios por muitas horas. São os calores da maturidade. Mas com quem a senhorita conversava? — Ela se inclinou para o lado e deu uma espiada.

Mordi o lábio e segui seu olhar, me perguntando quanto meu irmão ficaria decepcionado comigo assim que a fofoca começasse. Entretanto, não havia ninguém por perto. Girei sobre os calcanhares, vasculhando o jardim, mas Lucas havia desaparecido. Para onde ele...

O farfalhar de minhas saias me fez olhar para baixo.

— Ah, meu...

Lucas colocou o indicador sobre os lábios, sibilando um "shhhhhhhhh!" para mim.

Virei-me depressa para a frente, esperando que o movimento não fizesse minha saia balançar muito e assim revelasse o rapaz que se escondia atrás dela.

— Eu estava apenas cantarolando, sra. Henrieta — respondi à mulher que me fitava com a testa franzida.

— Ah. A senhorita tem um talento excepcional para a música.

— A senhora é muito gent... aahhh! — Não tive a intenção de gritar. Mas eu não esperava sentir uma mão grande se enrolando em meu tornozelo, com uma suave pressão.

— Srta. Elisa! A senhorita está se sentindo bem?

— Estou! Achei que fosse uma abelha. — Abanei a mão em frente ao rosto, espantando o inseto imaginário.

Quando Lucas fez mais pressão e tentou levar meu pé para trás, tive de apoiar a mão na pilastra para não perder o equilíbrio. O sapato se encaixou em meu pé. Virei a cabeça de leve e vi seu rosto praticamente escondido nas dobras de minha saia enquanto suas mãos trabalhavam às cegas nas fitas do sapato.

— Uma abelha? — perguntou Henrieta.

— S-sim — voltei minha atenção para a mulher. — Mas já se foi.

— Ah, bem, tanto melhor. Odeio esses insetos. Outro dia mesmo eu conversei com minha querida irmã Ofélia sobre esse assunto, e chegamos à conclusão de que os insetos estão dominando o mundo. Nunca vi tantos mosquitos como neste verão...

Ela continuou falando, mas achei difícil prestar atenção, com toda aquela movimentação sob minhas saias. Era estranho que alguém me tocasse ali, e tive de reprimir a vontade de chutar Lucas, já que seus dedos se mantiveram abaixo dos meus tornozelos o tempo todo. Além disso, havia uma sensação diferente provocada pelo seu toque. Um arrepio quente, que fez meu estômago dar uma cambalhota e minhas mãos suarem.

Assim que ele terminou o laço, agarrou meu tornozelo esquerdo com uma mão, enquanto a outra buscava a fita. Dobrei o joelho para facilitar. Ele conseguiu fechar o sapato antes que a sra. Henrieta terminasse seu discurso.

— ... um absurdo. Mas como seria diferente, se cada vez os jardins estão mais cheios? Eu disse para Ofélia que tantas flores não poderiam dar em boa coisa. Parece-me que as pessoas estão mais ocupadas em exibir plantas do que criados de boa qualidade. Aliás, o seu jardim está muito bonito, srta. Elisa. Quem é o seu jardineiro?

— O sr. Gomes não permite que outra pessoa cuide das plantas.

— Tanto melhor — Bateu o leque fechado na palma da mão. — Evita despesas. Mas espero que ele faça isso em seus dias de folga. Oh, escute, minha querida! Um minueto está começando! Vamos! É a dança que mais aprecio.

Eu não podia me mover ou acabaria revelando Lucas. Virei a cabeça ligeiramente, esperando que ele pudesse ter alguma ideia para nos livrar daquele sufoco, mas não havia ninguém nos degraus. Olhei ao redor. Para onde ele tinha ido?

— Srta. Elisa, procura alguma coisa?

— Hã... Não, senhora. Só estava... verificando se ia chover.

Ela enrugou os olhos ao fitar o céu.

— É o que parece. Espero estar em casa quando começar. Mas, como eu estava dizendo, o minueto é a dança mais bonita já inventada. Cá entre nós, acho essa tal valsa uma pouca-vergonha. Onde já se viu uma mulher se deixar abraçar por um cavalheiro dessa maneira? É pura depravação!

Comecei a andar ao lado dela, os sapatos firmemente presos. Ao chegar à porta, porém, lancei um último olhar ao jardim. Lucas saiu da escuridão e se colocou diretamente sob a luz amarelada de uma lanterna. Mantinha as mãos nos bolsos da calça escura e um meio sorriso no rosto.

"Obrigada", fiz com os lábios.

— Sempre que precisar — pensei tê-lo ouvido dizer enquanto eu entrava.

# 9

Depois daquela noite, Lucas se tornou uma presença constante na vila. Nosso relacionamento foi se estreitando e, em pouco tempo, suspeitei de que nossas conversas haviam se tornado algo mais que amizade. Pelo menos para mim. Nós nos esbarrávamos com frequência, mas as coisas começaram a ficar realmente sérias quando ele teve de retomar os estudos e voltou para a cidade. E então começou a me escrever.

Quando a primeira correspondência chegou, descobri que, de posse de uma pena, ele também era um interlocutor interessantíssimo. Comecei a esperar por suas cartas toda semana. Ainda hoje eu as guardo. Estão dentro de uma caixinha de doces. Um tesouro, uma linda lembrança da época em que tudo no mundo fazia sentido.

*Maio, 1830*

*Cara srta. Elisa,*

*Cheguei ontem à cidade. A viagem foi tranquila e entediante, como sempre. Creio que tenha cruzado com duas ou três carruagens durante o trajeto. Ou talvez tenham sido mais e eu não as tenha visto por ter cochilado sobre a montaria.*

*A cidade parece mais bonita nesta época do ano, todos dizem. Os ipês estão florindo e as flores se derramam sobre suas raízes como um tapete. Mas me* deixe dizer uma coisa sobre os ipês: são ardilosos e gostam de ferir a vaidade de um homem.

Ontem mesmo passei embaixo de um deles a caminho da aula, e não reparei na maneira inocente como a árvore se comportava. Eu devia estar mais atento, porém meus pensamentos não me pertencem mais. Um dia lhe falarei sobre esse assunto com a atenção que ele merece.

Ao chegar à classe, ouvi risos e gracejos enquanto me acomodava em minha carteira. Tarde demais, percebi que trazia uma flor nos cabelos. Por isso eu lhe imploro: fique longe dos ardilosos ipês.

Como a senhorita tem passado? Sei que nos vimos há menos de vinte e quatro horas, mas algo interessante pode ter acontecido. E eu ficaria muito contente se me considerasse seu amigo e me escrevesse contando.

Seu admirador,
Lucas Guimarães

\* \* \*

Junho, 1830

Cara srta. Elisa,

Mal consegui dormir noite passada. A lua estava tão bonita que meus pensamentos não se aquietavam. Não faço ideia de como serei capaz de me manter acordado na aula de botânica. Se eu arriscar beber mais uma xícara de café, temo sofrer um ataque apoplético. Para aquietar minha cabeça, me arrisquei nos versos de Byron. Achei um particularmente interessante. Ele me fez pensar na senhorita, por isso tomei a liberdade de incluir nesta carta minha própria tradução em versos livres.

Fico feliz em saber que a senhorita passa bem, mas estou um pouco preocupado por ainda não ter lhe

perguntado algo de suma importância: a senhorita não
seria uma daquelas pessoas que têm medo de médicos, seria?

"Ela caminha em encanto, como a noite
Sem nuvens e de céu cintilante;
E tudo que há de mais belo na luz e na treva
Encontra-se em seus olhos e em seu semblante;
Assim amadurecida à luz gentil
Que o firmamento nega ao dia extravagante.

Uma sombra a mais, um raio que faltasse
Teria danificado parte da indescritível formosura
Que em cada mecha negra ondula
Ou suavemente em sua face fulgura;
Onde pensamentos serenamente doces alardeiam
Como é querida sua morada, como é pura.

E nessa face, e nessa fronte
Tão suave, tão tranquila, porém eloquente,
Vencem os sorrisos, inflamam-se as cores,
Contam apenas sobre um passado benevolente,
Uma mente em paz com tudo,
Um coração cujo amor é inocente!"

Seu mais fiel criado e amigo,
L. G.

* * *

Junho, 1830

Cara srta. Elisa,
   Estou felicíssimo com sua resposta! E muito aliviado
por não ter que procurar uma nova ocupação. No

entanto, ando pensando seriamente em mudar de escola. Encontrar uma que não tenha árvores por perto, talvez.

Ontem fui atacado novamente por aquele ipê-rosa. Não sei como aconteceu. Eu o evitei! Passo tão distante daquela árvore demoníaca que chego a dar a volta no prédio. Acredito que ela e o vento tenham se juntado para me desmoralizar. Desta vez a flor ficou enroscada na gola do meu paletó.

Tomei a liberdade de lhe enviar a prova do atentado — e espero que não me ache muito petulante pela embalagem, mas a única maneira que encontrei para que ela resistisse à viagem foi prensá-la dentro de um livro. Escolhi Byron, já que as palavras do poeta falaram com seu coração. Quem dera eu tivesse a sorte de fazer o mesmo...

Tenho uma pergunta para a senhorita: prefere o aborrecer ou o crepúsculo?

Seu mais fiel amigo,<br>L. G.

* * *

Julho, 1830

Cara Elisa,

Fico feliz em saber que a sta. Teodora e seu primo se casaram. Suponho que tenha sido uma bela cerimônia. E não se preocupe tanto assim com os mal-estares da sra. Clarke. É natural se sentir enjoada nos primeiros meses de gravidez. Pelo menos foi o que aprendi no curso.

Por falar nisso, estou às voltas com o hospital. Esta semana acompanhei um dos professores e pela primeira vez fui autorizado a operar sozinho. Pessoas, não porcos. Era uma pequena cirurgia, que comandei do início ao fim e prefiro não mencionar os pormenores, mas pensará que sou meio atoleimado da cabeça se eu lhe disser que gostei? Que fiquei feliz ao constatar a capacidade de minhas mãos? De saber que a cura habita nelas?

Retomando nossa discussão, entendo seus motivos para preferir o abrorecer, e concordo com eles. A maneira como o céu ganha tons de laranja e rosa, a expectativa de um novo dia... Sim, concordo com a senhorita. Até pouco tempo eu não discutiria. No entanto, sinto informar que passei a preferir o entardecer. Gosto da cor púrpura e do vermelho tingindo o horizonte, o sol ainda brilhando, as estrelas chegando. Mas, sobretudo, estou enfeitiçado pelo azul. O firmamento pouco acima da linha do horizonte adquire um tom de azul único, belíssimo, que me deixa sem fôlego. Se a senhorita se olhar no espelho, irá vislumbrar bem no fundo dos seus olhos o tom exato ao qual me refiro.

Seu mais fiel,<br>
L. G.

* * *

Setembro, 1830

Minha cara Elisa,

Estou certo de que o mundo parou de girar. Não é possível que os dias se arrastem desta maneira. Anseio tanto que os ponteiros voem que se dá o efeito contrário. Já se sentiu assim?

Parece que faz um século desde que eu estive na vila. Meu único conforto até dezembro chegar é continuar a receber notícias suas. Quando avisto o mensageiro, quase o atrapelo em minha afobação para saber se a senhorita me escreveu, e, sorte a minha, a senhorita sempre escreve.

Já lhe disse que é uma excelente escritora? A maneira como redige uma carta é de causar inveja a qualquer mortal, sobretudo a um aspirante a médico com pouco traquejo social.

Tenho me dedicado bastante às aulas, pois é para isto que estou aqui, mas quando estou ocioso, indo de uma aula para outra ou perambulando pelo corredor do hospital, meus pensamentos se dispersam e galopam para longe de mim, do prédio, da cidade e se prendem a uma pequena vila, agora tão querida para mim. Mal posso esperar para rever os amigos que deixei. A senhorita, em especial.

Seu,<br>L. G.

* * *

Dezembro, 1830

Minha cara Elisa,

Minha felicidade não tem precedentes. Acabo de receber minha licença para exercer a medicina. Finalmente posso me intitular médico. Eu lhe contarei os detalhes tão logo chegue à vila, o que deve ocorrer amanhã. Tentarei ir até sua propriedade assim que deixar as malas na casa do dr. Almeida. Se conseguir esperar tudo isso.

Seu muito ansioso e fiel,<br>L. G.

* * *

Dezembro, 1830

Querida Elisa,

Lamento informar que não poderei cumprir a promessa que lhe fiz ainda ontem. Perdoe-me. Estava de partida quando recebi uma carta do meu pai. O pequeno Felipe, o caçula do meu irmão mais velho, Saulo, caiu doente. Eles temem se tratar de tifo. Estou a caminho de lá para tentar ajudar como puder. Se posso lhe pedir qualquer coisa, é que reze por Felipe.

Seu,
L. G.

* * *

Janeiro, 1831

Querida Elisa,

Estou absolutamente certo de que não existe alma mais bondosa nesta Terra do que a senhorita. Felipe passa bem e ficou muito contente com o livro que a senhorita enviou. Li O Barba Azul para ele todo fim de noite, e, como consequência, ele agora sonha com uma espada e está decidido a se mudar para um castelo. Acho que este é o sonho de todo menino de sete anos.

Graças ao bom Deus, não era tifo, mas uma indisposição estomacal severa, que, sinto informar, acometeu a todos na casa, inclusive a mim. O pior parece ter passado, e todos nos recuperamos bem. Como pode imaginar, as Festas foram um tanto desanimadas este ano, à base de sopas, chás e muita reclamação pela falta de sobremesa da parte das crianças — e, admito, um tanto envergonhado de minha parte também. Meu único consolo é saber que a senhorita desfrutou de momentos felizes com sua família.

E que notícia esplêndida saber que sua sobrinha nasceu. Ser tio ou tia é um maravilhoso presente, não? Uma pena que eu ainda não conheça sua sobrinha. Marina parece ser adorável por sua descrição.

Preciso dizer que suas cartas me alegram o coração. Mesmo quando eu me sentia como se um cavalo sapateasse sobre meu estômago, me peguei sorrindo enquanto as lia. Apesar de distante, sou capaz de vislumbrar seu sorriso, com as adoráveis covinhas a lhe adornar as bochechas, enquanto se senta para me escrever. Seria atrevimento se eu dissesse que sinto muita saudade da senhorita?

Caso sua resposta seja afirmativa, terei de alegar que o delírio da febre me fez escrever algo tão impróprio. Mas, no caso de sua resposta ser negativa, então, minha doce Elisa, me permita dizer que sonho com o momento de reencontrá-la desde que a deixei, no ano passado. Esse foi o meu desejo de Natal. De Ano-Novo. Da semana passada, de hoje, de amanhã, e continuará sendo até que eu a encontre outra vez.

Sempre seu,<br>L. G.

Janeiro de 1831 já chegava ao fim quando nosso reencontro aconteceu. Eu havia fantasiado aquele momento tantas vezes. Não era nada muito elaborado: ele se declararia, então sua boca se colaria à minha e... minha fantasia terminava aí, já que eu não tinha conhecimento do assunto para poder dar continuidade aos devaneios.

Obviamente, nada ocorreu como eu tinha imaginado.

Era uma tarde quente, e Marina chorava copiosamente. Enquanto eu perambulava pela casa com ela nos braços, me espantava que um ser humano de apenas vinte dias pudesse gritar com tanta estridência. Ian se orgulhava disso, é claro. Ele tinha descido até o estábulo para verificar uma das éguas que havia vendido. Sofia fora com ele, já que a filha estava dormindo e tinha acabado de mamar. Mas, ao que tudo indicava, Marina acordara faminta.

— Querida, aguente só mais um pouquinho — falei ao chegar à sala. — Sua mamãe deve voltar a qualquer momento.

Ela ficou em silêncio por um instante, os olhinhos úmidos reluzindo no rosto rosado. Suspirei de alívio. No entanto, fui precipitada; Marina estava apenas tomando fôlego. O grito que explodiu de seu pequeno corpo trovejou pela casa.

— Oh, Nina, por favor! Sabe que a titia não suporta vê-la chorar. Por favor, Nina. — Em completo desespero, comecei a cantarolar na esperança de que ela parasse antes que explodisse um dos pulmões. — *Frère Jacques, frère Jacques, dormez-vous? Dormez-vous? Sonnez les matines! Sonnez les matines! Din, dan, don. Din, dan...*

Quando girei, ficando de frente para a porta, eu estaquei. Lucas estava sob o batente, o chapéu na mão, encarando-me. Segurei Marina com mais força, pois meus joelhos fraquejaram e meu coração ameaçou pular pela boca.

— Eu anunciei minha presença — ele sorriu largamente —, mas as senhoritas não me ouviram.

Estava ainda mais bonito do que eu me lembrava. Sua pele parecia mais dourada e seu rosto havia ganhado definição, revelando malares fortes e um queixo marcante. Os cabelos haviam crescido um pouco, lhe caindo quase nos olhos.

Ele chegou mais perto, ficando a um passo de distância, o olhar escrutinando meu rosto, como que para se assegurar de que tudo estava como ele havia deixado. Vê-lo depois de tanto tempo apenas confirmou o que eu já sabia: suas cartas haviam feito com que eu me apaixonasse.

— Olá — disse em voz baixa, os olhos atrelados aos meus, os cantos da boca elevados.

— Olá — sussurrei, e ainda assim minha voz tremeu.

O grito de Marina me sobressaltou, quebrando o encantamento. Lucas admirou a menina que berrava em meus braços.

— Então esta é a srta. Marina Clarke. — Ele tocou de leve a pequena bochecha. — Linda, como você havia dito.

— E faminta. Não consigo acalmá-la.

— Posso? — Ele indicou a bebezinha.

Fiz que sim.

Deixando o chapéu sobre o sofá, Lucas estendeu os braços para pegá-la. Ao levar a mão sob o corpinho de Nina, seus dedos tocaram os meus, uma carícia rápida, mas que produziu um efeito devastador. Uma faísca percorreu meu corpo inteiro naquele precioso segundo, a mesma centelha que vi cintilar em seus olhos iridescentes.

Ele aninhou Marina de encontro ao peito com muita habilidade. O bebê parou de chorar por um instante, avaliando o colo novo, mas voltou a gritar.

— Ah, pequena, eu a compreendo — ele falou, calmamente. — Quando estou com fome também desejo cair em prantos. Aproveite enquanto pode. Não vai tardar para que digam que chorar de fome é deselegante. Como médico, eu diria que estão errados. A fome mexe com o humor de uma pessoa. Você não faz por mal.

Marina deu mais alguns gritinhos, mas a voz de Lucas, calma e contida, despertou sua curiosidade.

— Creio que a guerra tenda a ser tão violenta por causa da fome — prosseguiu ele. — Os soldados ficam mal alimentados nos acampamentos e saem brandindo suas armas como selvagens. Eu tenho certeza de que, se estivessem com o estômago cheio, prefeririam sentar e resolver tudo civilizadamente. É o que eu recomendaria. A senhorita irá me dar razão assim que esta barriguinha estiver cheia de leite. — Seu indicador brincou com o pequeno abdome arredondado.

Abençoadamente, Marina parou de chorar. Ora, veja só!

— O senhor tem muito jeito com crianças.

Ele ergueu um dos ombros.

— Quando se está cercado de pequenos, é melhor aprender a lidar com eles antes que o enlouqueçam.

— Como estão seus sobrinhos?

— Famintos também. — Me mostrou um meio sorriso que fez meu coração dar uma pirueta. — Parece que querem recuperar em um só dia o peso perdido durante a indisposição. Não param de...

— Elisa, eu tive a impressão de que ouvi Nina chorar... — Sofia irrompeu na sala, apressada, e se deteve brevemente ao avistar o rapaz com sua filha nos braços. — Lucas! Você voltou!

— Sra. Clarke. — Ele fez uma mesura curta. — Acabei de ser apresentado a sua filha. É uma linda criança.

A linda criança, ao ouvir a voz da mãe, abriu a boca e soltou o grito mais agudo que a garganta de um ser humano de menos de um mês de idade é capaz de produzir.

Sofia correu para pegá-la.

— Você devia estar dormindo, mocinha. Não é possível que tenha fome o tempo todo.

A menina se agitou em seus braços, virando a cabeça e a esfregando no busto da mãe.

Sofia riu.

— Está bem. Vamos resolver isso logo. — Olhando para mim, ela disse: — Valeu por tomar conta dela. E desculpa, Lucas, mas eu preciso cuidar desta esganada.

— Por favor, não se detenha por mim, sra. Clarke. Teremos outras oportunidades para conversar. Ficarei na vila por um bom tempo.

Um bom tempo. Oh, eu queria dançar de alegria!

Quando Lucas e eu nos vimos a sós, eu me sentia trêmula, excitada, ansiosa e tantas outras coisas que pensei que poderia sair voando a qualquer instante.

— O senhor não quer se sentar? — Indiquei o sofá.

Ele fez que sim e foi se acomodar no sofá grande. No entanto, ao levantar o chapéu, pegou alguma coisa sob ele e se virou para mim.

— Eu... trouxe algo para a senhorita. — Me estendeu um pacote, timidamente. — Comprei antes de deixar a cidade, quando pensei que a veria no Natal.

— Não deveria ter feito isso — falei, tocada, pegando o pacotinho.

— Não se anime muito. Não é grande coisa.

Desembrulhei o presente rapidamente e me deparei com a mais linda caixinha de doces. Era coberta por um delicado bordado dourado e castanho, arrematado por pequeninas pérolas que harmonizavam com o cetim rosado que cobria o restante da caixa. O vidro da tampa protegia o tesouro: perfeitos quadradinhos de caramelo. Abri a caixinha, e o perfume adocicado me chegou ao nariz.

— Como sabe que eu adoro caramelo? — Nunca mencionei isso nas cartas.

— Não sabia. — Estudando os doces, ele escolheu um deles, que me pareceu o mais apetitoso, e o levantou no ar, me olhando fixo. — Abra a boca para mim.

Eu tinha quase certeza de que não devia atender a seu pedido. Não parecia algo aceitável, pelas regras que conduziam a vida de uma moça solteira. Mas o caramelo... realmente — realmente! — parecia muito gostoso. Ainda mais levando em consideração a maneira como me era oferecido. Seria muito rude recusar.

Entreabri a boca levemente.

— Abra um pouco mais — pediu ele, com a voz rouca.

Assim que atendi a seu pedido, ele depositou o quadradinho em minha língua. A doçura do caramelo não se comparou ao roçar de seus dedos em meus lábios. Não foi intencional. Ao menos eu achei que não, mas percebi que nós dois ficamos imóveis.

O doce derreteu em minha boca, enviando sensações de prazer por todo o meu corpo. Ou poderia ser efeito do toque de Lucas. Eu estava confusa.

— Elisa... — Sua voz rouca me causou arrepios. Está certo, o prazer vinha do toque dele. — Há muito tempo que venho tentando encontrar as palavras certas para... — Ele se interrompeu e olhou para a porta. No instante seguinte, estava a cinco passos de distância.

Lancei a Lucas um olhar questionador, mas ele apenas balançou a cabeça no mesmo instante em que Ian colocava os pés na sala.

Ah. Meu coração batia tão rápido, ansioso, implorando para saber como aquela frase terminaria, que eu não tinha ouvido meu irmão se aproximar.

Ian estava um pouco desalinhado, com a gravata pendendo do bolso do paletó e um pouco de terra nas botas. Parou assim que viu Lucas.

— Sr. Guimarães. Ou agora devo chamá-lo de doutor?

— Creio que primeiro precise conseguir alguns pacientes para merecer essa nomenclatura. Como tem passado, sr. Clarke?

— Muito bem. Não sabia que tinha voltado. Quando chegou à vila?

— Hoje. Faz... meia hora — contou, sem jeito.

Meu irmão fechou a cara.

— E, naturalmente, o senhor preferiu visitar minha irmã em vez de desfazer as malas. — Ian coçou a nuca. — Isso vai acontecer com frequência, não vai?

Enrubescendo, Lucas assentiu, com firmeza. Meu irmão murmurou baixinho algo que me soou como "por todos os infernos", mas posso ter me enganado.

— Que alegria. Se me derem licença. — Ian saiu pisando duro.

— Tenho a impressão de que ele não ficou tão contente assim — Lucas comentou, achando graça.

Precisei me acomodar no sofá: minhas pernas e meu coração não aguentavam tanta agitação. Lucas se sentou também, no mesmo sofá, tão perto que, se eu estendesse o braço, poderia tocar seu ombro.

— Srta. Elisa — ele recomeçou, os olhos intensos e profundos. — Desde que deixei a vila, em maio passado, tudo o que faço é pensar...

— Querida Elisa! — Madalena passou pela porta, com as bochechas afogueadas. Tinha uma pilha de roupas sujas nos braços e a touca torta. — Por que não avisou que tinha visita? Como vai, sr. Guimarães? Não sabia que o senhor estava na casa. O patrão acabou de me contar.

— Cheguei faz pouco. Como vai, senhora?

— Bem. Muito bem. Com licença. — Ela contornou a mesa e ficou olhando para o espaço vago entre nós. Lucas chegou mais para o lado a fim de que ela ocupasse o lugar. Ajeitando a pilha a seus pés, Madalena alisou a saia e endireitou a touca, olhando de mim para ele. — Vamos, podem continuar. Finjam que eu não estou aqui.

Madalena nunca agira assim antes. Na verdade, eu não me lembrava de alguma vez ter visto a mulher se sentar naquele sofá. Sem entender o que estava acontecendo — e porque um de meus culotes estava sobre a pilha de roupas —, sugeri:

— Sra. Madalena, por gentileza, poderia preparar um lanche para o nosso convidado?

— Infelizmente não posso, senhorita. Ordens do seu irmão.

— Ian não quer que eu sirva um refresco para a visita? — perguntei, confusa.

— Ah, imagino que ele não se importaria. O que ele não quer é que a senhorita fique a sós com a visita. O sr. Gomes deve aparecer daqui a pouco. Portanto, finjam que eu não estou aqui.

Lucas me olhou com um horror crescente, os olhos tão esbugalhados que tive de conter o riso. Mas fracassei. A risada grave de Lucas engrossou a minha.

— O que é tão engraçado? — Madalena quis saber, olhando de mim para ele.

— Nada, senhora — Lucas disse, entre risos. — Realmente nada. Se rio agora, é por puro desespero, acredite.

Ela continuou olhando para ele, a testa encrespada, até que desistiu de tentar entender, cruzando as mãos sobre o avental.

— Bem, não importa. Podem rir quanto quiserem. Eu não irei a parte alguma.

E não foi. Nem naquela tarde, nem em todas as outras. O que quer que Lucas quisesse discutir comigo ficou suspenso, pois não tive um único segundo a sós com ele durante semanas, que logo se transformaram em meses. Quando vi, o ano quase chegava ao fim.

Conseguimos ter um instante de privacidade na noite de 4 de novembro de 1831: aquela terrível noite que comemorava meu décimo sétimo aniversário, quando toda a minha vida mudou.

# 10

Era para ser a noite perfeita. Todos os amigos da família estavam presentes para comemorar minha nova idade. A comida estava maravilhosa, como tudo o que as mãos capazes de Madalena criavam, e a dança parecia que não teria fim. Eu me sentia afortunada, principalmente porque completar dezessete anos parecia um marco, a ponte que me tiraria da adolescência e me colocaria na posição de adulta diante dos olhos da sociedade. Parecia um lugar melhor. Ou, pelo menos, mais interessante.

Participei de quase todas as danças, e fiquei mais do que contente em estar nos braços de Lucas por duas vezes. Mas estava frustrada também. Nós não conseguíamos conversar direito. Erámos alvo do interesse de muitas pessoas, e isso incluía meu irmão, o que me causava um revolver no estômago. Nunca pensei que diria isso, mas senti falta do tempo em que nos correspondíamos.

— Já que dançamos por duas vezes — falou Lucas quando a quadrilha terminou —, e não me atrevo a lhe causar problemas pedindo uma terceira dança, eu a levarei até o cavalheiro de sorte que a conduzirá em seguida, se me disser quem ele é.

— Não a prometi a ninguém. Tudo o que eu gostaria agora era que as pessoas não ficassem nos olhando como se fôssemos uma atração.

Seus lábios se contraíram, apertados em uma pálida linha fina.

— Tive esperança de que não percebesse. Mas acredito que seja natural. A senhorita é a aniversariante. E, sendo franco, eu sou a última pessoa a poder julgá-los. Também acho extremamente difícil olhar em outra direção quando a senhorita está por perto.

Um calor me atingiu a boca do estômago, chegou ao centro do peito e continuou subindo, incendiando minha face e pescoço. Lucas então me acompanhou até uma das janelas da sala. Voltei o rosto para o lado de fora, na esperança de que a brisa fresca daquela noite de primavera o resfriasse. Não tive tanta sorte. Foi quando uma resolução começou a se formar dentro de mim. Precisei de algumas tentativas para conseguir dizer o que desejava.

— Está um pouco abafado aqui dentro. Adoraria poder caminhar um pouco pelo jardim — comentei, sem jeito. Não estava habituada a ser tão franca quanto a meus desejos. — O senhor me acompanha?

Ele ficou surpreso. Bastante surpreso, se levasse em consideração a ruguinha que surgiu entre suas sobrancelhas. No entanto, logo tentou ocultar o espanto e fez um discreto meneio de cabeça.

Oferecendo o braço, Lucas aproveitou a pequena confusão que sempre antecede uma nova dança e me levou para o lado de fora com muita discrição. Havia alguns cavalheiros e damas ali, mas participavam de uma discussão literária e mal notaram nossa presença. Vagamos por entre os canteiros a passos lentos, observando a maneira como as luzes das tochas refletiam nas flores. Havíamos nos afastado da casa, mas não o bastante. Os sons do baile ainda me chegavam aos ouvidos.

— Imagino que tenha ganhado muitos presentes — disse Lucas.

— Alguns. Ian me deu este colar. — Toquei a turquesa em meu pescoço. — Mas ganhei algo que me deixou um pouco nervosa. É uma caixinha de prata antiga, com gárgulas em alto-relevo. Tenho certeza de que a intenção de tia Cassandra foi boa. Pertenceu a minha avó. Mas é um tanto assustadora.

— Sua avó tinha um gosto bastante interessante. — Ele deu risada, levando a mão ao bolso. — Espero que o meu não a assuste. — Me estendeu um pacotinho quadrado.

Parei de andar, olhando para Lucas, emocionada.

— Não precisava ter se dado o trabalho.

Ele exibiu aquele meio sorriso que me causava palpitações.

— É apenas uma lembrança.

Com cuidado, removi o papel e encontrei uma caixinha. Ao abri-la, vislumbrei uma lindíssima ponteira de prata, com ondas em alto-relevo na base onde se encaixava a pena. Eu nunca tinha visto nada parecido.

— É tão linda!

— Não se engane. O presente é para mim. Assim, se um dia voltar a me escrever, serei capaz de visualizá-la com todos os detalhes.

Eu me perguntei se ele era capaz de ler pensamentos, porque havia pouco me ocorrera que talvez devêssemos voltar a nos corresponder, já que parecia ser a única maneira de não sermos vigiados.

— As roseiras estão muito bonitas — comentou, retomando o passo.

Eu o acompanhei.

— O sr. Gomes cuida delas como se fossem gente. Às vezes eu o escuto falar com as plantas. E elas parecem gostar.

— Talvez eu devesse experimentar a jardinagem. Suponho que terei bastante tempo para isso, já que meus serviços médicos não têm sido... muito benquistos. — Apertou a mandíbula, um tanto irritado.

— Anda enfrentando muita resistência dos pacientes? — Fechei a caixinha e a guardei no bolso oculto do vestido.

Ele bufou.

— Gostaria de poder lhe dizer que sim, senhorita, mas para tanto eu precisaria ter ao menos um paciente, e não tenho. Pela maneira como as pessoas parecem desconfiar de minhas habilidades, começo a me perguntar se algum dia terei algum.

— Tão penoso assim?

Ele esfregou a nuca.

— A população me vê como um garoto brincando de carregar uma maleta. O dr. Almeida tem feito o que pode para me ajudar. Explicou que foi assim com ele também, quando começou a exercer a medicina. Me fez participar de algumas visitas mesmo que o paciente tivesse deixado claro que não me queria por perto. Não estou certo de que os venceremos pelo cansaço, mas não posso deixar de tentar. Enquanto isso, tudo na minha vida fica em suspenso, porque, até que eu me estabeleça, não posso oferecer... — ele chutou uma pedrinha, parecendo muito frustrado — ... nada!

Eu não sabia ao certo se o tinha compreendido.

— As pessoas daqui tendem a desconfiar de gente de fora — tentei animá-lo. — Tome Sofia como exemplo. E ela acabou conquistando a todos. Vai acontecer o mesmo com você. Tenho certeza de que logo vão descobrir o médico atencioso que é e esquecerão os receios. Além disso, eles confiam demais na opinião do dr. Almeida. Não vai tardar para que deem ouvidos a ele.

Lucas virou o rosto para mim, um pequeno sorriso brincando em sua boca.

— Tem tanta fé em mim?

— Mas é claro que sim! Sei quanto se esforçou para poder exercer a medicina. Alguém que se dedica assim só pode ser um excelente profissional. Quando menos esperar, as pessoas estarão fazendo fila diante de sua porta.

Ele inspirou fundo, endireitando os ombros, e olhou para a frente.

— Havia me esquecido de como me faz bem falar com você. Nós nos vimos todos os dias nos últimos meses, mas não conseguimos falar realmente um com o outro.

— Compreendo o que quer dizer. — Estendi o braço, deixando que minha mão tocasse as rosas polpudas. — Às vezes sinto como se até meus pensamentos estivessem sendo vigiados pela sra. Madalena.

Ele engasgou, tentando deter uma risada.

— Espero que ela não seja capaz de fazer isso, ou eu estarei em sérios apuros. — Ele inclinou a cabeça, esfregando a nuca. — Pode ser que eu tenha tido um pensamento ou dois relacionados a colocar um pouco de purgante no chá da sua governanta.

Dei risada.

Lucas parou, ficando de frente para mim. Seu olhar faiscava como as tochas e lanternas espalhadas pelo jardim.

— Este é o som mais adorável do mundo — ele sussurrou, chegando mais perto.

A brisa dançou em minha saia, inflando-a levemente e causando arrepios em minha pele subitamente febril.

— Você é a criatura mais adorável do mundo. Por dentro e por fora. — Encurtou ainda mais a distância, até seu tórax ficar a meros centímetros do meu.

Sua expressão era algo que eu nunca vira antes. Uma espécie de fúria, só que mais doce e quente, e desejei poder perguntar a Sofia por que minhas pernas bambeavam tanto agora e minha boca estava seca feito o deserto. Por certo, eu não o temia. De modo algum. Mas seu olhar despertou alguma coisa dentro de mim. Algo que eu não tinha a menor ideia do que era, mas sentia que seria maravilhoso tanto quanto perigoso lhe dar ouvidos.

O que eu devia fazer era voltar para casa, para o baile, onde eu estaria a salvo de meus sentimentos e de possíveis rumores. Mas aquele grito sufocado clamando por liberdade ganhou força, ficando cada vez mais alto.

Ergui o rosto para ele. A brisa soprou em meu rosto os fios que escapavam do penteado.

— Você devia entrar agora, Elisa. — Ele afastou minhas mechas com a ponta dos dedos.

— Eu devia. — Inclinei a cabeça em direção a seu toque, colocando a mão sobre a dele quando tentou puxá-la.

Lucas prendeu o fôlego. Eu também, experimentando o toque macio de sua luva, o calor que a atravessava me percorrer até alcançar meu peito. Dentro de mim, algo arrebentou e, através da fenda, escorreu para a liberdade.

Eu realmente deveria entrar.

Mas não ia.

— Beije-me, Lucas — me ouvi sussurrar.

As chamas em seu olhar se transformaram em labaredas e se espalharam rapidamente por seu rosto. Sem qualquer hesitação, seu braço contornou minha cintura e sua boca encontrou a minha. A quentura de seus lábios me entorpeceu a ponto de eu perder o equilíbrio e tombar de encontro a ele. Seu abraço se tornou mais intenso, me puxando para ainda mais perto, embora estivéssemos colados como se fôssemos uma coisa só. Nossos lábios continuaram com aquela dança lenta, aveludada e úmida. A sensação era tão maravilhosa que eu pensei que pudesse morrer.

A pressão do espartilho e o abraço dele me obrigaram a entreabrir a boca em busca de ar. Sua língua atrevida desenhou meu lábio inferior, me causando leves tremores. Fechei os dedos nas lapelas de seu paletó. Então, ele fez algo diabolicamente delicioso: sua língua penetrou minha boca. Devagar, como se sondasse o terreno antes de se enrolar em minha própria língua. A carícia inesperada provocou todo tipo de reação: suspiros, palpitações, suaves gemidos e um torpor que dominou meu corpo inteiro. Passou-me pela cabeça se haveria algo errado comigo. Se me derreter daquela maneira era natural, mas como eu poderia pensar em qualquer coisa se Lucas continuava com...

— ... a língua dentro da boca da minha irmã!

*Oh, sim! Está mesmo, e isso é tão marav...*

*Espere.*

— Ian! — arfei, me desembaraçando de Lucas rapidamente.

Meu irmão vinha a toda a velocidade em nossa direção, o olhar vidrado em Lucas. Sofia tentava detê-lo, mas, pobrezinha, teria tido mais sorte se tentasse fazê-lo voar. Ele tinha nos visto. A julgar pela ira em seu semblante, eu podia apostar que apenas uma palavra lhe passava pela cabeça: duelo. E eu não podia permitir que isso acontecesse.

— Lucas, fuja! — implorei. — Agora!

Ao contrário do que o meu devia transparecer, tudo o que o rosto de Lucas demonstrava era descontentamento.

— De maneira alguma. — Ele me encarou, consternado. — Que espécie de cavalheiro supõe que eu sou?

Por Deus!

Eu me adiantei até meu irmão.

— Ian, o que você... — comecei, mas foi inútil. Ele passou por mim sem nem ao menos me ver.

— Sr. Clarke, eu posso explicar... — começou Lucas.

— Duvido que possa.

Então tudo se tornou uma confusão. Ian pegou Lucas pelo pescoço, enquanto Sofia e eu tentávamos demovê-lo da ideia de enforcar o rapaz. Eu via pouca coisa a minha frente além da terrível ideia de que um deles poderia estar ferido ao amanhecer. Eu não podia admitir. Não podia admitir que nenhum deles se machucasse por minha causa.

Subitamente, ouvi algo que me fez prestar atenção ao que estava acontecendo.

— Eu me caso... com... Elisa — era a voz de Lucas.

Meu cérebro demorou um instante para assimilar as palavras. Ele estava dizendo que... ele estava concordando em...

— Não! — arfei. — Não! — Isso era ainda pior que um duelo! Ao menos haveria emoção em um confronto, ao contrário do pedido de Lucas. Tudo o que seu rosto demonstrava era um grande esforço para respirar. É claro, Ian continuava a esganá-lo, mas ainda assim.

Eu vira emoção em seus olhos momentos antes, e estava certa de que o que o motivara a dizer aquelas palavras, quase com pesar, era a integridade para corrigir um erro que nós dois havíamos cometido.

Ele não podia fazer isso! Se me pedisse em casamento agora, qualquer sentimento que tivesse por mim — supondo que houvesse algum — morreria. Ele me condenaria pelo resto da vida por tê-lo obrigado a pedir minha mão. Ainda não conseguira se estabelecer, reclamara havia pouco da falta de pacientes. Como poderia não me culpar por atrapalhar seus planos?

Oh, não! E se ele pensasse que eu havia feito tudo de caso pensado, e o levara até ali na intenção de arranjar um marido?

— Eu não quero nada disso! — Afundei o rosto entre as mãos.

— Se não queria — Ian falou —, então não deveria ter vindo até aqui para ficar se enroscando com esse sujeitinho.

— Ian! — Sofia ralhou.

Enquanto meu irmão discutia com a esposa, fitei Lucas, desesperada para que ele... para que demostrasse qualquer emoção. Qualquer uma! No entanto, ele me encarou de volta com a testa encrespada, algo cintilando no olhar. Infelizmente, não era algo bom.

— ... que um noivado precisa ser anunciado — estava dizendo meu irmão.

Aquilo me despertou de imediato. Coloquei-me diante dele, tentando impedi-lo de prosseguir com aquilo.

— Não faça isso, Ian. Por favor, meu irmão, não faça isso.

— Você não me deixou *escolha*, Elisa.

Não. Eu não deixara. Nem a ele e nem a Lucas. E isso era o que mais me machucava.

Envergonhada, sem conseguir olhar para nenhum dos dois, suspendi as saias e disparei para casa. Tive de me desviar da sra. Albuquerque, e foi aí que percebi que meu apuro era muito pior do que eu havia imaginado. Metade dos convidados tinha testemunhado a cena. Eu estava arruinada.

Entrei pelos fundos, driblando alguns empregados que preparavam bandejas de comida e serviam vinho nas taças, e corri para o quarto sem me deter. Bati a porta com força ao entrar. Eu pretendia me jogar na cama e chorar até o mundo acabar, mas desisti da ideia. Chorar não resolveria nada. Eu precisava pensar.

E consegui fazer isso por dois minutos, já que Sofia apareceu.

— Elisa...

— Ele não podia ter feito isso, Sofia. Não podia!

— Eu sei. Eu sei! — Ela encostou a porta. — Mas, Elisa, o Ian só tentou salvar a sua reputação. Acho...

— Eu não estava me referindo ao meu irmão — interrompi —, embora também esteja furiosa com ele. Se Ian não tivesse aparecido, nada disso estaria acontecendo!

— Eu tentei impedi-lo. De verdade, Elisa, mas não deu. Vocês deviam ter procurado um canto mais... humm... escondido pra dar uns amassos.

— Uns o *quê*? — Balancei a cabeça. Embora o termo me fosse desconhecido, era fácil imaginar a que ela se referia. — Se Ian não tivesse tentado matar Lucas, ele provavelmente não teria feito aquela proposta ridícula.

Sofia se deteve, me observando com cautela.

— Pensei que você gostasse do Lucas.

— E eu gosto! Não vê, Sofia? — Comecei a andar pelo quarto. — Não vê a posição em que eu o coloquei? Não viu a maneira como ele me olhou? Mais parecia que ele estava se voluntariando para ser o próximo da fila da forca!

— Tá, mas a gente precisa levar em consideração que ele *estava* sendo enforcado — apontou. — Não fique encucada com isso. Você sabe que ele te ama.

— Como posso saber, se ele nunca disse?

— Não? Nenhuma vez? — perguntou, surpresa. Balancei a cabeça. Ela prosseguiu: — Tem certeza que não deixou isso passar?

— Sofia!

Ela ergueu as mãos.

— Desculpa, Elisa. Eu só pensei que ele tivesse se declarado há muito tempo.

— Pois ele não se declarou. Nunca falamos sobre sentimentos. Ao menos não os profundos. E agora ele me odeia!

Ela me abraçou, impedindo que eu continuasse a ir de um lado para o outro.

— Ah, Elisa, eu sei que você tá puta da vida com tudo isso. Eu também ficaria. Ainda mais se fosse interrompida no meio de um beijo bom. Porque foi bom, né? Parecia ser, de onde eu estava.

— Eu... eu não tenho com o que comparar. Foi a primeira vez que ele me beijou. Mas eu gostei muito! Achei... achei que foi perfeito!

— Seu primeiro beijo? Cacete, Elisa! — Ela me apertou com mais força, como se quisesse me proteger. — É inconcebível aceitar que você tenha que se casar por causa de um beijo. Quer dizer, eu entendo as regras deste lugar, mas não preciso gostar delas.

Ergui o rosto para ela.

— As mulheres... a honra de uma moça não conta, no seu mundo?

— Ninguém liga muito pra isso, não. — Ela esfregou as costas das mãos em minhas bochechas para secá-las.

— Você... foi beijada antes do Ian?

Ela me pegou pela mão e me levou até a cama.

— Eu fiz bem mais que beijar, Elisa. Contei isso pro Ian pouco depois que a gente se conheceu e ele fez uma careta muita parecida com a sua. — Ela riu de leve. — E, mesmo sabendo disso, quando aconteceu algo mais entre nós, a primeira coisa que ele fez foi ir pra cidade comprar um anel de noivado. Então eu entendo exatamente o que ele está fazendo agora. Mesmo que não concorde. O que eu preciso saber é o que você quer. Porque, mesmo que eu tenha que arrumar confusão com o seu irmão, não vou permitir que você se case com alguém só porque ele te beijou.

— Mas eu amo o Lucas, Sofia. Esse é o problema.

Eu o amava demais para recusar sua proposta, fosse como fosse.

E foi por esse motivo que acabei voltando para a sala. Mais composta, percebi que todos os olhos se voltaram em minha direção e que a conversa cessou quando entrei. Aprumei os ombros e tentei manter a calma.

Assim que me viu, Ian se adiantou, mas foi detido por Sofia, que percebeu que Lucas tinha a mesma intenção.

Lucas parou em minha frente. No entanto, manteve os olhos em alguma coisa atrás de mim.

— Srta. Elisa — Sua voz era baixa, sem entonação. — Percebo que este arranjo a desagradou profundamente. Não posso dizer que estou contente com a maneira como esta noite está se desenrolando, mas creio que possamos conversar sobre tudo isso amanhã, sem tantos ouvidos por perto.

— Concordo.

— O que preciso saber é se devo pegar sua mão e conduzi-la até seu irmão, para que ele anuncie o noivado, ou se devo ir embora imediatamente.

Inspirei fundo. Parecia que todos ao redor estavam fazendo o mesmo, embora não pudessem nos ouvir. E, então, reunindo coragem, mas tremendo da cabeça aos pés, estendi a mão para ele.

— Muito bem. — Seu olhar encontrou o meu conforme seus dedos se fechavam ao redor de minha mão e a levava aos lábios. Seus olhos estavam castanhos, embaçados, e não consegui ler qualquer emoção neles.

O noivado foi anunciado. Pelo restante da noite, toda vez que tentava me aproximar de Lucas, ele se afastava. Pensei que nada pior pudesse me acontecer.

Como eu estava equivocada!

## 11

Eu sempre soube que Sofia guardava um segredo. Ela aparecera em nossa propriedade com um corte na cabeça e roupas que mais pareciam trapos que mal lhe cobriam o dorso e os quadris. Chegamos a pensar que tivesse sido assaltada. Ela negara, claro, mas nunca contou o que realmente havia acontecido. Não para mim, pelo menos. E eu não me importava. Ela fazia tão bem a Ian — a mim! — que eu não precisava realmente saber como ou por que viera até nós. Ela simplesmente viera.

No entanto, algum tempo depois do casamento deles, eu ouvira parte de uma conversa. Eu não estava espionando. Ia passar um recado a meu irmão e encontrei a porta entreaberta. A voz do casal me alcançou antes que eu pudesse bater e... bem... acabei ouvindo tudo. Sofia viajara no tempo; viera de outra era, mais moderna, por isso suas maneiras tão peculiares. Eu não compreendia como aquilo podia ser possível, mas estava claro que Sofia era diferente de todos nós. Saber que vinha de outro mundo explicava tudo, embora os mecanismos parecessem irreais para mim. E ela dissera algo mais. Garantira a Ian, com uma certeza assombrosa, que Lucas seria o homem da minha vida, confirmando a certeza que pulsava em meu peito.

Por muitas vezes me peguei pensando em como seria esse lugar onde ela viveu. Mas nunca, nem uma única vez, me passou pela cabeça que eu teria a chance de conhecer aquele mundo pessoalmente.

Depois de uma terrível discussão com Ian na madrugada após o baile, na qual ele me recriminara por ter ido até o jardim com Lucas e eu o acusara de arruinar minha vida indo atrás de mim, eu entrei em seu escritório para apanhar o livro que havia deixado ali mais cedo, na esperança de que o sr. Shakespeare pudesse ajudar a acalmar meus nervos.

Então eu ouvi aquele zumbido vindo da gaveta da mesa de madeira maciça do meu irmão, e a curiosidade acabou me vencendo. O que encontrei ali foi uma máquina diminuta, ruidosa e fria que não se parecia com nada que eu já tivesse visto. Mas, ah, como era poderosa.

E perigosa!

Em uma explosão branca e fria, fui transportada para o mundo de onde minha querida irmã viera: o ano de 2011. É claro que, de início, eu não entendi o que estava acontecendo. Em um minuto eu estava no escritório do meu irmão, e no seguinte... também, só que não exatamente. Estava escuro, a única fonte de luz vinha do lado de fora, meio esbranquiçada, e mesmo assim consegui distinguir o cômodo. *Era* o escritório de Ian, mas a cor das paredes não estava certa. Nem a mobília.

— Ian — chamei, mas minha voz mal passou de um zumbido. — Ian! — falei mais alto.

Deixei o objeto que encontrara na gaveta sobre uma mesa totalmente feita de vidro e me afastei alguns passos. Recuei até bater as pernas em um vaso grande. A planta ameaçou tombar. Eu a segurei pelas folhas, endireitando-a, e franzi a testa. Não era uma planta. Era feita de um material áspero, que lembrava tecido engomado. Soltei o que quer que aquilo fosse imediatamente.

— Ian!

Corri para a porta e saí aos tropeços, o coração pulsando no mesmo ritmo dos meus passos.

Trombei em alguma coisa. Um aparador que não deveria estar ali. Havia um pequeno quadro sobre ele. Mesmo com a parca luz, consegui divisar rostos tão reais, como se as pessoas tivessem encolhido e congelado dentro dele. Assustada, acabei por derrubá-lo no chão. Ouvi o barulho de vidro se partindo enquanto saía correndo, chamando por Ian, por Sofia. Ao chegar no quarto deles, encontrei a porta trancada. Bati muitas vezes, até minha mão começar a doer. Mas ninguém respondeu e eu tinha a impressão de que nem responderia. Olhei para o corredor, mirando a porta do meu próprio quarto. A passos lentos e hesitantes, parei diante dele e forcei a tranca. A porta se abriu com um *nhec* agudo. Tudo que era meu havia sido substituído por uma mobília reta de aparência pouco confortável. Experimentei entrar, vendo nas paredes gravuras coloridas de coisas que eu não compreendia.

Andei pela casa toda, e gostaria de ter encontrado uma vela para poder entender melhor aqueles objetos esquisitos sobre a mobília, nas paredes, mas não parecia haver uma em lugar algum, nem qualquer sinal da minha família. Acabei ficando na sala, encolhida em um canto, encarando a porta. Não sabia o que tinha acontecido, não sabia se alguém apareceria, não sabia o que pensar. Tudo o que eu sabia era que tinha brigado com meu irmão, sido dura com ele quando tudo o que fez foi tentar me proteger do erro que eu havia cometido.

Eu só sabia que, pela primeira vez na vida, eu tinha feito o que queria, e por consequência acabei noiva de um homem que parecia nunca ter tido a intenção de me propor casamento.

Meu coração estava aos pedaços.

Levou muito tempo até que alguma coisa acontecesse, além dos ruídos estranhos que eu ouvia do lado de fora.

— Oh, graças a Deus — exclamei, me levantando de um pulo, quando um rapaz que eu nunca vira antes abriu a porta. Meus cabelos soltos me caíram no rosto.

— Jesus Cristo! É a menina de *O chamado*! Vade retro, Satanás! — Fez o sinal da cruz.

Eu não tinha tempo para entender o que ele dizia. Afastei os cabelos do rosto e dei um passo. Ele se afastou outra vez.

— Meu senhor, eu preciso de sua ajuda. Toda a minha família desapareceu. Já procurei pela casa toda, mas todos sumiram depois que eu vi a luz. A mobília também. Não compreendo o que está acontecendo!

Uma mulher de cabelos vermelhos como as pétalas de uma rosa passou pelo batente. Teve uma reação um pouco diferente da do rapaz.

— Quem diabos é você? — ela exigiu, em tom pouco amistoso.

— Sou Elisa Clarke, esta casa é minha e eu...

— O cacete que é sua! Como foi que você entrou aqui? Ah, pelo amor de Deus. Se você quebrou uma das janelas...

— Senhora! — eu a interrompi. — Estou lhe dizendo que minha família desapareceu! Tudo na casa sumiu! A minha família, a mobília, as velas! Não restou nada além deste esqueleto de tijolos depois que eu vi aquela luz. Acho que a luz os levou embora!

*Ou... levou a mim*, compreendi, já que o rapaz usava roupas muito diferentes das que eu conhecia e a mulher tinha um traje azul que mal lhe chegava aos joelhos. Eu vira apenas uma vez na vida alguém usando roupas que deixavam as pernas de fora.

Foi aí que eu entendi. Minha família não tinha desaparecido. Eu tinha.

O homem levou a mão ao bolso da calça preta e de lá tirou algo muito semelhante ao que eu encontrara no escritório de Ian pouco antes. Recuei, assustada.

— Fica calma — falou o rapaz. — Nada de mal vai te acontecer. É só ficar calma. De boa. Nada vai acontecer.

Algo duro me acertou a cabeça. Uma vassoura!

— Safada! — gritou a mulher de cabelos carmim. — Achou que ia conseguir uma grana roubando a casa e acabou ficando presa, né? Pois agora você vai aprender a não invadir a casa onde eu trabalho!

— Alô, eu preciso da polícia aqui. A casa foi invadida — ouvi o rapaz dizer.

— Eu não invadi! Eu moro aqui! Como poderia roubar alguma coisa? Mas eu me perdi da minha família depois que vi aquela luz!

— A luz! O pó devia ser do bom, né, querida? — Ela me atacou de novo.

Estendi o braço, peguei a primeira coisa que encontrei e atirei. Eu não esperava ferir ninguém, só queria que aquela mulher parasse de me bater. Infelizmente, o pequeno quadro que arremessei acertou a cabeça do rapaz.

— Ai! Andem logo! Ela está nos atacando.

— Eu não estou! — Não sei com quem ele falava, mas não havia tempo para descobrir com aquela mulher fora de si me dando vassouradas. — Me perdoe, senhor! Não queria machucá-lo, apenas... Pare com isso, minha senhora! — gritei quando a mulher me acertou no traseiro.

Mas ela não parou. E, quando percebi, havia mais pessoas na sala. A guarda local. Tentei explicar a eles o que estava acontecendo, mas ninguém pareceu entender. Fui colocada em uma espécie de carruagem sem cavalos que fazia muito barulho e se movia muito rápido. Depois disso, tudo fica meio borrado. Lembro de uma sala escura e fétida, com papéis se empilhando em um canto. A seguir, de um lugar branco com um cheiro estranho que fazia meu nariz arder. Vez ou outra, alguém furava meu braço. Eu mal conseguia implorar para que parassem, pois era dominada por uma sensação esquisita, uma letargia confusa, como se eu me desprendesse de meu corpo e flutuasse. Quando aquela sensação ia embora, eu me sentia como se minha cabeça tivesse sido pisoteada por uma manada de elefantes.

Foi em um desses raros momentos de lucidez que conheci Alexander. Ele entrou sorrindo no quarto ao qual eu fora confinada, aparentando amabilidade e gentileza. Era muito bonito, e a cicatriz na lateral da testa criava um ar de mistério ao seu redor.

— Elisa Clarke! — disse, fechando a porta. — Finalmente nos conhecemos.

Eu me sentei, alerta, naquela cama estreita com grades. Ninguém naquele lugar me chamava pelo nome. Era só "a garota que viu a luz" isso e "a garota que viu a luz" aquilo.

— Você sabe quem eu sou? — perguntei.

— Ué, e como não saberia? O Ian fala de você o tempo todo. Só elogios, claro. Tá pra nascer um irmão mais orgulhoso ou protetor que ele. Ele sempre foi assim, né? Desde antes dos pais de vocês morrerem.

— Sim. — Oh, graças a Deus! Alguém que não era maluco naquele lugar, afinal.

— Cara, imagino quanto ele deve estar preocupado agora, com você assim, tão longe de casa. É por isso que eu vim aqui me apresentar. Fiquei preocupado que você não encontrasse outros conhecidos.

— Perdoe-me, senhor...

— Alexander. — Ele parou ao lado da cama. — Só Alexander.

— Sr. Alexander — repeti. — Eu realmente não conheço ninguém aqui. E não sei como fazer para voltar para casa. Nem sei como...

— Ah, não. Não precisa fazer essa carinha, linda. — Ele deu dois tapinhas em minha mão. — Já saquei tudo. Você tá pensando que tá sozinha.

— Completamente!

— Mas você tá errada, Elisa. Eu tô aqui. Vou te ajudar a encontrar seu irmão. Ou esperar ele vir te buscar. — Enfiou as mãos nos bolsos, erguendo os ombros. — O que acontecer primeiro.

— Acha que Ian virá? — perguntei, a esperança espiralando por todo o meu corpo.

— Eu não tenho dúvidas. — Seu tom de voz mudou, tornando-se um tanto sombrio. Então ele piscou, voltando ao humor de antes. — Tenho certeza de que ele deve ter falado de mim pra você. Ou talvez a Sofia.

— Bem... Não me recordo. Minha cabeça está esquisita. Este lugar me deixa confusa.

— Deixa a todos nós, linda.

Alexander me contou, então, de sua "amizade" com meu irmão, e eu não vi motivos para não acreditar nele. Ele dissera coisas que apenas alguém realmente próximo de Ian saberia. Por isso eu permiti que ele me tirasse do que, descobri depois, era um hospital e me apresentasse seu mundo. E tudo ali era diferente: as roupas, as construções, os cheiros, os sons, a maneira de falar. De todas as diferenças que encontrei entre aquele mundo e o meu, a que mais me maravilhou foi o destino das mulheres. Elas não eram mais parte da mobília da casa. Agora desempenhavam papéis importantes na sociedade — conduzindo veículos imensos, exercendo a medicina, lidando com bandidos, vivendo. Eu não escolheria aquele lugar para chamar de meu, mas confesso que testemunhar essa mudança me causou alívio.

No começo, fiquei um pouco apreensiva em me hospedar no apartamento de Alexander, um rapaz solteiro, sem família ou empregados. Minha reputação não sobreviveria se alguém soubesse disso. Mas eu não estava em condições de me importar com minha honra naquele momento, então aceitei sua ajuda e descobri que ele era um rapaz muito gentil e divertido.

Foi graças à ajuda de Alexander que consegui me manter em segurança, pois minha memória começou a falhar cada vez com mais frequência.

Nos momentos de clareza, eu sofria. Não sabia se um dia voltaria a ver minha família, e, conforme os dias iam passando e nada acontecia, minha esperança minguava. Sofia levara meses para conseguir retornar. E o que mais me partia o coração em pedaços era saber que na última vez em que estive com meu irmão nós havíamos discutido. Pensar que nunca mais o veria me doía na alma. Que eu nunca teria a chance de lhe pedir desculpas, de abraçá-lo, de abraçar Sofia ou ver Marina crescer.

E eu também sofria por Lucas. Muito! O que ele estaria pensando sobre meu desaparecimento?

Para tentar manter a sanidade, eu escrevia para ele, contando tudo o que via, o medo que sentia, meus sentimentos por ele, coisas que eu descobrira e que pensava que ele ficaria feliz em saber, por exemplo, que o tifo tinha cura, segundo me dissera Alexander. Naquelas cartas tive com Lucas a conversa que nunca chegara a acontecer, por culpa daquela viagem insana.

— Você devia guardar estas cartas, linda — Alexander aconselhou, logo depois de preparar o almoço em sua casa pouco espaçosa, mas muito agradável.

— Talvez o Lucas gostasse de ler um dia.

— É provável que ele pense que eu perdi o juízo. — Amassei o papel, mas o segurei de encontro ao coração.

— Você é quem sabe. — Pressionou os lábios, como se me reprovasse. — Essa camiseta ficou legal em você.

Olhei para o que ele chamava de camiseta. Uma espécie de chemise curta e com mangas que era usada como roupa. As vestes do tempo de Sofia eram... bem... diferentes. Muitas delas eram menores que minhas roupas de baixo. Alexander me dera uma calça e algumas chemises que, ele me garantiu, eram para ser usadas como roupas. As lingeries, coisinhas minúsculas que eu mal conseguia discernir o que era o quê, eu usara apenas nas ocasiões em que meu culote estava secando. Era um pouco complicado me vestir sem ter ajuda, e, quando terminava de me aprontar, cada curva do meu corpo estava exposta. No entanto, daquela chemise preta eu havia gostado.

— Obrigada, Alexander. Eu gostei muito desta peça. É bastante emblemática. Me traz paz usá-la porque, neste momento, eu preciso de toda a ajuda que puder conseguir. Uma chemise... hunim... camiseta com um motivo religioso me faz sentir melhor.

— Camiseta religiosa? — Ele arqueou uma sobrancelha, fazendo sua cicatriz sorrir.

— Estou supondo que este A.C. e D.C. desenhados nela estão relacionados ao nosso Salvador, não?

Ele gargalhou tão alto que as janelas do pequeno apartamento sacudiram.

— Do que está rindo? — Minhas bochechas ficaram quentes.

— Do Salvador. Vou te contar uma coisa. Também acho que os caras do AC/DC deviam ser elevados à categoria de Salvador, porque a música de hoje em dia, em alguns casos, é sofrível.

— Eu... não entendo — murmurei, confusa.

Ele apertou a boca até se tornar uma fina linha esbranquiçada.

— Desculpa, Elisa. Eu tentei fazer uma brincadeira. Mas, já que você tocou no assunto, gostaria de ir a um show mais tarde? Tenho certeza que você vai adorar! Música da melhor qualidade! Quem sabe não damos sorte e encontramos o seu irmão?

— Obrigada, sr. Alexander. Eu gostaria muito.

Não tivemos sorte, embora depois eu tivesse ficado sabendo que meu irmão também estivera naquele espetáculo. Dois dias depois, porém, graças aos céus — e a Alexander, eu desconfiava —, consegui reencontrar minha família. Como Alexander garantira, Ian e Sofia foram ao meu socorro. Eles estavam procurando por mim fazia dias, mas tiveram um pouco mais de dificuldade com as buscas depois que encontraram um parente de Sofia e ele caiu doente. Então, depois de longos, estranhos e desorientadores cinco dias, finalmente voltamos para casa. Alexander se ferira para nos ajudar, no entanto. Levou um tiro no ombro, e meu coração se apertava por não ter notícias dele. Por não saber se sobreviveu ou não. Ian me garantira que ele ficaria bem.

E foi por meio de meu irmão que descobri que Alexander não era exatamente quem dissera ser. Ele mentira para mim. Nem Ian nem Sofia o conheciam. Ele apenas me usara para chegar até meu irmão. Fui enganada por ele e me sentia humilhada por minha estupidez. Eu me deixara cegar por suas gentilezas, pensando nele como um amigo querido, quando não passei de uma ferramenta para que ele pudesse atingir seu propósito. Jamais poderia perdoá-lo por isso.

Ao voltar para casa, para o meu tempo, tive uma conversa franca com Ian e nós nos entendemos. Ele me surpreendeu ao me dar a escolha de cancelar o compromisso com Lucas, dizendo que apoiaria qualquer decisão que eu tomasse. E minha decisão foi manter o noivado.

Se Lucas não o rompesse, claro.

Minha família e eu havíamos perambulado pelas ruas da vila na manhã seguinte ao nosso regresso, explicando que tudo não passara de um mal-entendido e que minha ausência se dera porque um parente de Sofia caíra doente. E era verdade, só não toda ela. Percebi que tanto Ian quanto Sofia eram muito cuidadosos no que diziam, sem jamais deixar escapar o nome de um objeto do tempo dela ou se alongar muito quando questionavam por que era tão complicado voltar de lá. Era assim que protegiam a origem de minha irmã.

Com Lucas, no entanto, foi mais complicado.

Eu o reencontrei na casa do primo Thomas. Teodora passara mal aos seis meses de gravidez, e o dr. Almeida tinha sido chamado. No entanto, não foi o médico que apareceu.

Bem... *foi* um médico. Só não era o médico que eu esperava ver.

Assim que entrou na sala, os olhos de Lucas pousaram em mim como se tivessem sido atraídos. Ele se deteve, e seu olhar percorreu meu corpo discretamente, como que para se certificar de que eu estava bem, antes de retornar ao meu rosto. Meus batimentos cardíacos perderam o compasso, para em seguida desandar a voar. Seu semblante parecia coberto por uma cortina espessa de tristeza, mágoa, decepção e dúvidas. Se a causa era o meu desaparecimento ou o compromisso que ele se vira obrigado a assumir, eu não sabia. Talvez fosse um pouco dos dois.

Depois que atendeu Teodora, e me garantiu que minha amiga passava bem, Lucas quis falar comigo. Endireitando os ombros, eu o segui até o jardim, e me sentei no banco de madeira.

Ele, porém, preferiu ficar de pé, mudo feito as bromélias atrás de si.

— Como... tem passado, doutor? — arrisquei. Já não suportava mais o silêncio.

— Um tanto atarefado desde que Almeida decidiu viajar.

— Fico contente em saber que o senhor conseguiu vencer a resistência da...

— Onde esteve? — ele atalhou, bruscamente.

— Eu... estive na cidade de Sofia. — Como, em nome de Deus, eu poderia explicar algo mais? Ele nunca acreditaria em mim. Eu mesma tinha dificuldade de acreditar, mesmo tendo visto aquele mundo moderno com meus próprios olhos.

De toda forma, achava difícil que Lucas acreditasse em mim. Eu estava convencida de que ele pensaria que eu inventara tudo, uma desculpa descabida e impossível. E como culpá-lo? Quem acreditaria que era possível viajar no tempo?

Mas o principal motivo que me fizera manter a boca fechada era Sofia. Se eu revelasse onde estivera, teria de explicar tudo, desde o começo. Eu não sabia quais complicações isso teria, mas sabia que teria. Caso contrário, por que ela e Ian haviam se esforçado tanto para encontrar as palavras para todas aquelas pessoas da vila? Por que ela teria escondido de mim? Se eu não tivesse ouvido sua conversa com Ian, jamais teria sabido. Se ela decidira manter sua origem em segredo — até de mim —, como eu poderia traí-la?

Eu não podia. E não ia.

— E por quê? — Lucas exigiu, estreitando os olhos.

— Não posso explicar. Tudo o que posso dizer é que nada do que ouviu é verdade. Não dei um mau passo. Preciso que acredite em mim.

— Não pode ou não quer explicar? — Ele chegou mais perto. — Foi uma fuga movida pela rebeldia? Ou pelo coração?

Olhei para ele, magoada.

— Pensei que me conhecesse melhor.

— Eu também. — Seu rosto era uma máscara obscura. — Por que fugiu de mim?

— Eu não fugi!

— Você não queria aceitar meu pedido. — Ele nem ao menos tentou ocultar a mágoa em seu tom. Ou a raiva.

— E você não queria fazê-lo!

— Não — foi sua reposta.

— Por que está fazendo isso? — Afundei o rosto entre as mãos. — Por que me tortura desta maneira? Se não pode acreditar em mim, então diga o que tem a dizer de uma vez por todas para que possamos tentar sair desta situação com alguma dignidade.

— Alguma dignidade?! — gritou, me fazendo olhar para ele. — E por acaso me restou alguma? Minha noiva desaparece na manhã seguinte ao anúncio do nosso noivado. Retorna cinco dias depois e não me diz palavra sobre seu sumiço! Como posso manter alguma dignidade?

Eu me levantei, ficando cara a cara com ele. Tive de inclinar a cabeça, já que ele era mais alto alguns bons centímetros.

— Pois faça logo o que deve ser feito para restaurá-la. Punir-me desta maneira é cruel, e eu sei que não é assim. Coloque um ponto-final em nosso compromisso para que nós dois possamos seguir com nossa vida!

— É isso o que quer? Foi por isso que fugiu?

Doeu demais ver a desconfiança em seu olhar, ouvi-la distorcer sua voz.

— Eu não fugi!

— Você não pode explicar por que fugiu do seu noivo após ele lhe pedir a mão. — Ele riu com amargura. — Sabe como isso soa? Sabe o que se passa em minha cabeça agora? Você não quer se casar comigo. Deixou isso muito claro na noite em que eu pedi sua mão. E, no dia seguinte, você desaparece. Nem mesmo seu irmão conhecia seu paradeiro. — Sua voz subiu algumas oitavas. — Não venha me dizer que não fugiu! Foi exatamente o que você fez!

— Não! Eu fui forçada a me ausentar!

— Forçada por quem? — Seu peito subia e descia rápido demais.

Mordi o lábio para que o segredo de Sofia ficasse a salvo.

Lucas notou que eu não lhe diria nada, a julgar pela sombra escura que embotou seu olhar.

— Compreendo.

Então era assim que tudo terminava. Pude ouvir meu coração se estilhaçar, lançando cacos em todas as direções, até que tudo que senti foi agonia. Eu devia me preocupar com o que me aconteceria depois que todos soubessem que o noivado estava desfeito. Mas não pude. Tudo o que eu conseguia pensar era que eu tinha perdido, de maneira irrevogável, o homem que amava.

Obriguei as lágrimas a retrocederem, pois a última coisa que eu queria era que ele me visse chorar. Minha voz, no entanto, estava embargada quando falei, mantendo os olhos no chão:

— Devo entrar agora. Minha família teve muito trabalho para tentar restaurar minha reputação esta manhã. Não vou dar motivos para que boatos infundados continuem. Mas não se preocupe com Ian. Ele já esperava que o senhor retirasse o pedido.

Comecei a voltar para casa. Obstinado, Lucas me segurou pelo braço, me detendo.

— Eu não me lembro de ter retirado o pedido.

Pisquei, confusa como nunca.

— Mas eu pensei que...

— Sei o que você pensou — cortou, zangado. — E não nego que isso me passou pela cabeça mais de uma vez durante a sua ausência. Ou mesmo agora. Você não me diz o que a levou a se afastar tão abruptamente, então só posso fazer conjecturas. E nenhuma delas lhe é muito favorável.

— Por que não pode confiar em mim? — gemi, desamparada.

Aquelas íris que eu amava tanto foram enevoadas pela mágoa.

— Você me pede para confiar em você, mas não confia em mim o bastante para me contar o que houve. Não está sendo justa, Elisa.

Aquela era a primeira vez que ele me chamava apenas pelo meu nome. Não pareceu se dar conta, mas eu sim.

— Ainda assim — continuou em voz baixa —, vou manter minha palavra.

— E por quê? — *Diga que se preocupa comigo. Diga que acredita em mim. Diga que me ama!*

— Porque, se eu romper o noivado agora, serei o único responsável pela sua ruína. — Abriu um sorriso triste. — Irônico, não?

— Não cabe a você me salvar! — Empinei o queixo.

Seu olhar passeou por meu rosto. Uma faísca chispou em seus olhos. Soltando meu braço, ele acariciou minha bochecha com o nó dos dedos. O toque suave reverberou por todo o meu corpo.

— Não cabe a mim destruí-la, Elisa — sussurrou.

Minha respiração perdeu o compasso logo que seu olhar se fixou em minha boca. No entanto, ele se afastou inesperadamente, levando as mãos à cabeça. Então andou de um lado para o outro, murmurando alguma coisa que não fui capaz de ouvir.

Parou diante de mim.

— Por favor, seja franca comigo. Você deseja desfazer o noivado? — perguntou.

Atordoada, neguei com a cabeça.

— Pois bem. — Inspirou fundo. — Serei seu por honra. Preciso apenas de um tempo para conseguir me estabelecer e então marcaremos a data.

Com uma mesura curta, ele girou sobre os calcanhares e atravessou o jardim em direção a casa. Eu fiquei para trás, as mãos pressionadas no centro do peito para tentar deter a dor que me atravessava.

"Serei seu por honra", dissera ele.

Não por amor.

# 12

Daquele dia em diante, nosso relacionamento começou a afundar. Ainda pior que isso, Sofia adoecera e eu achei que fôssemos perdê-la para a pneumonia. Lucas cuidou dela com muito afinco, mostrando-se um médico excepcionalmente dedicado. Porém, foi preciso mais que isso para salvá-la, e foi Ian quem apresentou a solução. Como esteve no século 21 ajudando o parente doente de Sofia, acabou trazendo, por acidente, um dos remédios usados pelo tal Rafael, algo que nem ele nem Lucas conheciam. Tampouco eu.

Naturalmente, Lucas estudou, com a testa enrugada, a caixinha colorida feita de papel e a tira de material brilhante e transparente onde as bolinhas se aninhavam. Acabou encontrando um folheto dentro da caixinha. Conforme começou a ler, seus olhos foram se arregalando.

— Micro-organismos...? — ele murmurou, fitando o papel. — Mas que diabos pode ser isso?

— Explica como podemos usar? — perguntei, ansiosa.

— Sim. Mas também diz: reações de hipersensibilidade sérias e ocasionalmente fatais foram registradas em pacientes sob tratamento com penicilinas. — Ele esfregou o rosto. — Não sei o que é isso. Não estou certo se se trata de um remédio ou de um veneno. Eu não entendo metade dos termos empregados neste folheto.

— Se Ian acredita que pode ajudar Sofia, é porque tem um motivo para isso — ponderei, a esperança de Sofia ser salva ressurgindo com força. — E neste momento não podemos ignorar nada que dê uma chance a ela.

Ele examinou o panfleto por mais um instante.

— Sim. Como dizem, é melhor acender uma vela que amaldiçoar a escuridão.

Ele então deu o remédio a ela, e o milagre aconteceu. De um dia para o outro a febre começou a ceder e Sofia já não estava mais em risco. O efeito daquele remédio em Lucas também foi avassalador. Ele ficou absolutamente maravilhado, mas muito — muito mesmo — intrigado. Eu o flagrei lendo o folheto tantas vezes que me perguntei se estava tentando decorá-lo.

Graças aos céus, Sofia se recuperou totalmente, e em pouco tempo sua saúde foi restabelecida. Passado o susto, comecei a notar que Lucas evitava estar a sós comigo. Suas visitas se tornaram cada vez menos frequentes, até que uma semana inteira se passava sem que eu o visse.

Eu tentei seguir com minha vida, ajudando a cuidar de Marina enquanto Sofia se recuperava, a manter a casa funcionando, cuidando dos preparativos das festas de fim de ano, das bodas de Madalena e Gomes, que aconteceriam em alguns dias — os dois haviam sido flagrados aos beijos, e providenciar um casamento pareceu tão certo quanto o sol se erguer a cada amanhecer.

Lucas não se dera o trabalho de aparecer no Natal, nem no Ano-Novo, e eu só soube que ele tinha ido visitar a família, no interior, porque o dr. Almeida me contou. Ao retornar, no entanto, ele me fez uma visita que durou menos de dez minutos, pois tinha um doente lhe esperando. Eu não o via desde então.

Eu andava pensando em um jeito de contar o que tinha acontecido, mas sem revelar a viagem no tempo, pois seria a única maneira de ele acreditar em mim — mas ainda não tinha conseguido pensar em alguma coisa que fizesse sentido. Tive esperança de que veria Lucas naquela noite e de que talvez pudéssemos voltar a nos entender. Os Andrada haviam acabado de se mudar para a vila. O chefe da família era advogado e queria conhecer os novos vizinhos — e clientes em potencial —, e achou que um baile seria a melhor maneira de travar conhecimento com eles.

O calor dentro do grande salão na casa dos Andrada era insuportável. Mesmo com todas as janelas abertas, o lugar parecia um forno gigantesco. Achei difícil prestar atenção aos passos da dança e ignorar as gotas de suor pegajosas que se acumulavam em minha nuca ou no vestido de musselina, que se colava em meu corpo como se eu tivesse acabado de mergulhar ainda vestida em uma banheira. Isso tudo me deixava muito mal-humorada.

— A senhorita é uma ouvinte magnífica. Elisa, a magnífica! — comentou o sr. Lacerda. — Como eu estava dizendo, Byron é enaltecido sem um real propósito, a meu ver. O que ele fez de tão notável, além de ter uma conduta questionável?

— Pelo que sei, escreveu tantos poemas que foram necessários catorze volumes para publicá-los.

Lacerda desdenhou com um revirar de olhos.

— Catorze volumes repletos de nada. Faltava sensibilidade a Byron. Uma sensibilidade que me sobra.

Imaginei que o calor não fosse o único motivo do meu mau humor, afinal. Fazia um quarto de hora que eu ouvia o sr. Lacerda tentar fazer rimas e depreciar o trabalho de Lorde Byron. E ele era meu poeta preferido! Byron, não Lacerda.

— As palavras me vêm com facilidade... — continuou ele, bebericando seu vinho. Então olhou para mim como se eu fosse algo doloroso. Muito doloroso.

— Este olhar tão cintilante causa inveja por onde passa. Reluz como o granito da lápide onde deitarei meu coração galopante. Aos pés da magnífica Elise! — O deleite lhe tomou o rosto. — Eu devia anotar isso. Não se importa se eu modificar seu nome, sim?

— Claro que não, sr. Lacerda. E, como não quero atrapalhar seu processo criativo, devo deixá-lo em paz com sua inspiração agora. Mas foi um prazer ouvi-lo. — Fiz um cumprimento apressado e girei sobre os calcanhares, à procura de Sofia, Ian ou... — Valentina! — Quase colidi com ela.

— Com o que ele a comparou desta vez? — ela quis saber, apontando com a cabeça para Lacerda.

— Meus olhos aparentemente cintilam como uma lápide.

— Meu Deus! Pobre rapaz. — Cobriu a boca, tentando deter o riso. — Acabo de falar com a sra. Clarke. A recuperação dela é espantosa!

— Sofia está maravilhosamente bem, Valentina. Não parece que esteve doente um único dia.

— Fico contente. Meu coração se apertava toda vez que alguma notícia chegava. Eu só podia pensar na pequena Marina. Que bom que esta história teve um final feliz. O dr. Guimarães se provou um grande... — Algo atrás de mim atraiu sua atenção. Acompanhei seu olhar e avistei a viúva Miranda abanando o leque enquanto falava com um rapaz.

— Eu odeio aquela senhora — minha amiga murmurou.

Eu estava bastante ciente disso. Na visita que fiz a Teodora na semana anterior, tia Cassandra acabara deixando escapar que o sr. Albuquerque tinha uma amante. Não era a primeira, e Adelaide sempre soubera das escapadas do marido. A diferença era que desta vez ele estava gastando tudo o que tinha com Miranda Mendoza, lhe pagando as dívidas, comprando joias para ela e até uma carruagem nova. A jovem viúva se mudara para a vila havia pouco e desde então o sr. Albuquerque era visto entrando e saindo de sua casa sem qualquer cerimônia, em horários pouco usuais para visitas de cortesia.

Minha amiga voltou o rosto para mim, me fitando com receio.

— Isso me lembra que tenho um assunto urgente a lhe falar, Elisa. Não posso fingir que não ouvi os rumores. Não tive coragem de lhe perguntar antes, mas estou preocupada. — Suas bochechas ficaram vermelhas.

— Provavelmente nada do que ouviu é verdade.

— No que diz respeito a sua conduta, eu não tenho dúvida nenhuma. São apenas rumores de muito mau gosto. Mas e no que diz respeito ao dr. Guimarães? Não o conheço tão bem assim para conseguir delinear seu caráter.

Pisquei, surpresa. Estava ciente de que ainda havia pessoas que não acreditavam na versão dos fatos que minha família havia criado. A frequência das visitas de Lucas ter diminuído drasticamente não estava ajudando muito a sustentar a história.

— Eu... não sei o que andam dizendo sobre ele, Valentina

— Que o dr. Guimarães não está feliz com o noivado — ela começou, piscando muito, como sempre acontecia quando ficava ansiosa. — Que apenas o mantém por causa do seu... bem... todos estão cientes de que seu dote é bastante generoso — falou, mortificada.

— É *isso* o que estão dizendo?

— Eu não queria lhe causar aborrecimento — ela tocou meu braço. — Mas estou preocupada, minha amiga. Sei que todas nós procuramos a felicidade no casamento. Uma felicidade que nem sempre é possível. Acredita que ele a fará feliz de verdade?

— Eu... — Antes do baile do meu último aniversário, eu não teria pestanejado, mas agora...

— Se existe qualquer dúvida, Elisa, por menor que seja, então a resposta é não. Se esse arranjo não a fará feliz, desista. Ainda há tempo! Não é a sua única opção! Não se permita entrar em um casamento onde se verá obrigada a tolerar os caprichos de um homem que lhe dirá que vai se encontrar com os amigos e voltará para casa fedendo a perfume. Ou que exigirá que sua mãe economize nos gastos da casa, pois ele precisa poupar o dinheiro para que possa dá-lo àquela rameira destruidora de lares! — acabou gritando.

Um cavalheiro que passava a contemplou, com a testa franzida. Minha amiga baixou os olhos.

Perdoe-me. — Seu rosto adquiriu a cor de um morango. — Eu não devia ter me exaltado assim.

— Como... como você e sua mãe têm passado? — perguntei, com cuidado.

— Oh, Elisa, agradeço a sua discrição, mas não precisa fingir que não sabe que meu pai perdeu a cabeça por aquela... mulher. Papai demitiu dois cavalariços esta semana porque não pode mais pagar os salários enquanto aquela... desfila pela vila em sua nova carruagem. Ele se negou a quitar a nossa conta no açougue. Disse que não precisamos comer carne toda semana — contou, envergonhada. — Mas mamãe soube que ele fez uma bela compra de vinho francês e foie gras, e mandou entregar na casa de Miranda. Uma coisa é ele negar amor a minha mãe. Outra completamente diferente é negar seu sustento. Por favor, querida Elisa, qualquer coisa é melhor que a situação que estamos vivendo. — Ela pegou minha mão entre as suas e a apertou contra o peito. — Perder a reputação não é *nada* comparado a conviver com um homem que a despreza. Pode-se viver sem amor, mas não se pode viver sem dignidade. Nós a apoiaremos; sua família e seus amigos. Não pense no que os outros dirão, pois será você quem terá de viver uma vida de avareza enquanto assiste à amante do marido desfilar joias caras e um estômago cheio de boa comida. A menos que exista uma chance de ser feliz, não se case!

— Falando assim, você até se parece com Sofia — tentei brincar, embora meu coração se condoesse por minha amiga. Valentina era uma pessoa maravilhosa, jamais tinha levantado a voz ou maltratado quem quer que fosse. Era injusto que a vida lhe dedicasse tão pouca cortesia agora.

— Tomarei isso como um elogio. — Ela deixou escapar uma risadinha nervosa.

— Deve mesmo. E, Valentina, não se preocupe comigo. Meu noivado pode não ter acontecido como eu sonhei, mas é o que eu quero. Honestamente.

Seu rosto foi tomado pelo desânimo.

— A vida adulta não é exatamente como nós havíamos sonhado, não é? — Valentina suspirou.

— Não. Nem um pouco.

— Srta. Valentina?

Um rapaz a quem ela havia prometido uma dança a abordou. Eu me despedi dela, mas Valentina continuou em meus pensamentos. O drama que ela e a mãe enfrentavam era delicado. Avistei a sra. Albuquerque ao lado do marido, no canto oposto. Ela ouvia o que alguém dizia, mas Walter olhava furioso para o cavalheiro que ainda conversava com Miranda.

Outro assunto abordado por Valentina também fez minha cabeça doer, mas preferi mantê-lo à margem, ou acabaria caindo em prantos no meio de toda aquela gente.

Encontrei meu irmão e Sofia perto de uma das vidraças. Ian falava com o sr. Andrada, um homem de quarenta anos e uma vasta cabeleira negra com as laterais prateadas. Apesar do traje completo, meu irmão não demonstrava qualquer desconforto, rindo de algo espirituoso que Sofia sussurrara em seu ouvido. Ela, assim como eu, parecia estar derretendo.

Enquanto me desviava dos homens e mulheres que conversavam, bebiam e riam, vasculhei o lugar com os olhos mais uma vez, tentando manter viva a esperança, enquanto me aproximava de uma pirâmide de taças cheias de champanhe borbulhante e pegava uma delas. Mas não. Lucas ainda não tinha aparecido. E, pelo adiantado da hora, não apareceria.

Não pude evitar o abatimento. Como poderíamos tentar corrigir alguma coisa se ele fugia de qualquer evento onde eu estivesse presente, e, nas raras visitas que me fazia, Madalena se metia entre nós dois no sofá da sala?

— Você reparou nos cabelos da sra. Clarke, Ofélia? — comentou a sra. Henrieta para sua irmã, sem se dar conta de que eu estava logo atrás.

— Sim. Reluzem feito ouro. Aqueles cremes que ela vende realmente funcionam.

— Cremes. Ora, Ofélia, não seja inocente. É claro que aquilo não é um simples creme. É uma das poções secretas dela.

— Henrieta, a sra. Clarke não é uma feiticeira. E como pode ser uma poção secreta se ela as vende? Quantas vezes terei que lhe dizer isso? Se quer mesmo saber, estou louca para comprar um daqueles vidrinhos.

Meu riso fez algumas gotas de champanhe respingarem em meu vestido. Era melhor beber, ponderei. Eu adorava a sensação das bolhas fazendo cócegas em meu nariz e a maneira como meus músculos pareciam soltos dos ossos depois que eu bebia. Certamente faria meu humor melhorar. Levei a taça à boca.

— Srta. Elisa, que bom revê-la — alguém disse antes que eu pudesse experimentar um gole. — Como tem passado?

— Ah. Sr. Prachedes. — Fiz um cumprimento ao me virar. — Eu estou muito bem. Como vai o senhor?

— Um tanto consternado com sua ausência nos eventos sociais. Mas sua cunhada parece ter se recuperado bem.

— Ela está muito bem, sr. Prachedes. Obrigada por se preocupar.

— Confesso que fiquei receoso quando soube que era o jovem médico quem estava cuidando dela. Pensei que ele fosse incapaz de lidar com uma pneumonia. Mas, pelo visto, eu me enganei. A propósito, por que seu noivo não a está acompanhando esta noite?

Quem poderia saber?

— Ele... teve um compromisso profissional — improvisei.

— Suponho que a vida de um médico seja assim mesmo. E fico contente que seu irmão tenha o bom senso de acompanhá-la nos bailes quando seu noivo não consegue. Seria uma perda irreparável se a senhorita não fosse mais vista nos salões. — Um olhar especulativo percorreu meu corpo de cima a baixo. — Imagino que não era este o futuro que a senhorita almejara.

— Sofia está esperando a bebida — menti. — Até mais ver, sr. Prachedes.

Fiz uma mesura e comecei a me afastar. A mão enluvada de Prachedes me impediu, no entanto. Mais champanhe respingou em minha roupa. Olhei-o por sobre o ombro.

— Não posso permitir que a senhorita se vá sem lhe dizer que tem outras alternativas. Sei que nem todo cavalheiro teria essa grandeza de espírito, mas eu não me incomodaria, Elisa.

— Não se incomodaria com o quê, senhor? — Puxei o braço de leve, me livrando de seu toque, sem deixar de notar que me chamara pelo nome.

— Eu a aceitaria como minha esposa mesmo nessas condições. Ainda mais quando as especulações quanto a um bebê se mostraram infundadas. Neste caso seria difícil, admito. Estou certo de que eu não poderia ir tão longe. — Esfregou o queixo ovalado. — Mas o que está feito está feito. Você não foi a primeira e, por Deus, não será a última jovem a dar um mau passo. Eu a perdoo.

— O senhor o *quê*?

— Eu a perdoo. De todo o coração. — Levou a mão ao peito magro. — E acredito que você poderá ser feliz comigo. Está claro que seu noivo não está contente com o arranjo. Mas eu ficaria, Elisa. Você tem um tipo de beleza muito apreciada. Ficaria muito bem a meu lado. Mas talvez eu precise trocar as cortinas da sala... — Escrutinou meu rosto. — Sua cor não fica tão bem com o lilás. E, é claro, imagino que seu dote tenha aumentado substancialmente para suprir o pequeno inconveniente acerca de sua... ah... indiscrição. De quanto estaríamos falando? — Arqueou uma sobrancelha.

Elias Prachedes, o homem gentil e tímido que eu conhecia, não se mostrava nem uma coisa nem outra, mas sim odioso e arrogante, com um ar superior que me fez desejar jogar o champanhe em sua cara. Com taça e tudo.

Ao que parecia, ele também não acreditava em minha inocência e se julgava no direito de me tratar como um objeto sem valor. Ou muito valioso, corrigi, já que parecia particularmente interessado em meu dote.

Obrigando-me a manter a compostura, sorri para ele.

— Eu me vejo sem palavras, sr. Prachedes. Sua generosidade é tocante.

Meu sarcasmo se perdeu nele, seu rosto esticado em uma máscara orgulhosa e benevolente.

— Fico feliz que reconheça. Aceita minha proposta, então? Tenho certeza de que romper seu noivado será simples, já que o noivo parece tão pouco disposto a manter o compromisso.

— Oh, não. Não posso aceitar, sr. Prachedes. — Abri o sorriso mais encantador de toda a minha vida. — Veja bem. Ainda que o senhor pareça ter perdido o respeito por mim, eu não perdi.

Ele piscou algumas vezes.

— O que quer dizer com isso?

— Que o senhor terá de continuar procurando alguém que fique bem com as suas cortinas. Passar bem, senhor.

Eu me afastei dele, mantendo a coluna reta e o queixo erguido, ainda que tremesse por dentro. Será que mais alguém pensava como ele? Todas aquelas pessoas sentiam... pena de mim?

Levei o champanhe à boca e tomei um longo gole. Os cabelos brancos de padre Antônio atraíram meu olhar. Ele acenou para mim, recostado a uma pequena mesa repleta de esculturas de doces.

— Padre — falei, chegando mais perto. — Fico feliz que o senhor tenha aceitado o convite dos Andrada.

Ele pegou minha taça e bebericou.

— Eu não devia. Não depois de um dia como hoje. Mas às vezes tudo o que um homem precisa fazer para manter a fé é estar perto de gente. E ter profiteroles ao alcance das mãos. — Pescou o doce na bandeja de prata e o enfiou na boca.

— Algo não vai bem na paróquia? — perguntei, preocupada.

— O de sempre, minha querida. Mas a tristeza que sinto é mais egoísta. Soube apenas hoje que um amigo de infância muito querido foi julgado e condenado à morte em Lisboa.

— Padre! Que notícia terrível! Foi condenado por qual crime?

— Bruxaria, veja só! — Ele riu sem vontade. — Ernesto era um bom homem, nunca fez mal a ninguém. Vivia em suas terras, cuidando das plantas que tanto amava, preparando chás para ajudar os doentes. Sou apenas um sacerdote. — Deu de ombros. — Quem sou eu para ir contra a decisão da Igreja? Mas uma coisa eu sei: Ernesto não era um herege, tampouco um bruxo.

Pisquei algumas vezes.

— Ele foi condenado por bruxaria?

— Em pleno 1832. — Pegou mais um doce da pirâmide e o encarou, girando-o entre os dedos. — Quase não posso acreditar.

— Mas pensei que a Inquisição tivesse terminado. — Segundo me ensinara a srta. Abigail, minha professora de história, o Tribunal do Santo Ofício havia sido extinto em 1821.

— E terminou, oficialmente. Extraoficialmente, porém, a Igreja continua aceitando e investigando as acusações de heresia e bruxaria. O pobre Ernesto não conseguiu se explicar durante o interrogatório. Que Deus tenha piedade de sua alma.

Gravuras dos livros de história a respeito da Inquisição me vieram à mente e me embrulharam o estômago.

— O senhor recebe muitas acusações desse gênero?

— O tempo todo. — Ele olhou para Sofia, que, do outro lado do salão, abanava o rosto. — Sua cunhada é alvo frequente.

— *O quê?*

— Ah, minha querida, não faça essa cara preocupada. Nunca levei nenhuma delas a sério. Mas imagine que até o creme de cabelos da fábrica de Sofia foi denunciado como obra do demônio! Me tomou a tarde toda explicar que era apenas um cosmético que realmente é eficaz, e não bruxaria.

Eu estava abalada demais para conseguir dizer alguma coisa. Apoiei as mãos no tampo da mesa para não cair.

— As pessoas temem aquilo que não compreendem, minha querida. — Padre Antônio deu um tapinha em meu ombro. — Mas nos últimos tempos, a sra. Clarke vem cativando cada vez mais admiradores. Já quase não recebo denúncias contra ela.

Subitamente, o diálogo que eu ouvira havia pouco, entre a sra. Henrieta e sua irmã, me veio à mente. Aquela não era a primeira vez que eu sabia de algum comentário sobre Sofia ser uma feiticeira. Suas maneiras únicas a tornavam alvo de especulações e mexericos.

Um pensamento terrível me fez estremecer.

E se descobrissem a verdadeira origem de Sofia? E se descobrissem a razão de meu desaparecimento na última primavera?

Meu estômago revirou, o champanhe dentro dele querendo fazer o caminho inverso.

Bastaria uma palavra para que o caso fosse levado à Igreja. Se isso acontecesse, Sofia, com seu jeitinho único de se expressar, nem sempre compreendido, não teria qualquer chance.

Engoli em seco enquanto padre Antônio dizia alguma coisa que não cheguei a ouvir. Enquanto eu observava Sofia cativando o sr. Andrada com seu sorriso franco, percebi quanto seria perigoso se a história dela caísse em ouvidos errados. Esse era o motivo de ela e meu irmão serem tão cuidadosos.

Uma suspeita, como agora eu bem sabia, nunca era totalmente esquecida. Por isso o mundo jamais poderia conhecer seu segredo. Ninguém, em hipótese alguma, poderia ter conhecimento da verdadeira origem de Sofia.

Nem o que acontecera comigo em novembro passado, me dei conta, com o coração afundando no peito.

— Senhorita, parece pálida! Por que não se senta um pouco, querida? — A voz de padre Antônio chegou baixa aos meus ouvidos.

Olhei para ele e tentei sorrir.

— Deve ser o calor. Vou... até a varanda tomar um pouco de ar.

Foi ali, atravessando o salão da casa dos Andrada, com um minueto animado tocando ao fundo, que tomei consciência de que nunca poderia falar com quem quer que fosse sobre o que havia acontecido na noite do meu último aniversário. Qualquer palavra poderia colocar minha irmã sob suspeitas que a levariam a um terrível pesadelo. Esse segredo teria que ir comigo para o túmulo. Eu nunca poderia dizer nada a ninguém.

E isso incluía Lucas.

## 13

No dia seguinte, saí de casa bem cedo. Fui até a vila pegar algumas fitas que faltavam para compor os arranjos do casamento de Madalena e Gomes, que aconteceria no dia seguinte. Ainda estava tão abalada com tudo o que o padre me contara que mal consegui falar meia dúzia de palavras a madame Georgette.

— Bom dia, sr. Donelli — cumprimentei o feirante, enquanto seguia até a praça, onde Isaac estacionara a carruagem.

— Bom dia, senhorita!

Contornei a barraca e não vi que alguém passava atrás dela. A colisão produziu um *hurf* e um grunhido agudo. Eu me desequilibrei. Braços fortes rodearam minha cintura, ao passo que uma sombra preta passava rente a minhas saias e desaparecia sob a banca. Endireitando-me como pude, ainda envolvida naquele abraço, virei o rosto para meu salvador com o propósito de agradecê-lo, mas dei de cara com meu noivo.

— Perdoe-me — falou Lucas. — Eu não a vi. Você saiu do nada.

Eu me desprendi dele, o rosto em chamas.

— Eu estava distraída. Como o senhor tem pas... — comecei.

— Ah, não. O gato! — exclamou ao mesmo tempo, agachando-se para espiar embaixo da barraca. — Inferno. Ele fugiu!

Gato? Ele tinha um gato e eu nem sabia disso?

Mesmo chateada, observei os arredores. Avistei um vulto negro dobrando a esquina.

— É aquele ali? — Apontei.

— É! — Lucas se aprumou e, praguejando, saiu correndo atrás do bichano.

Eu resolvi ajudar, mas Lucas era mais rápido, obviamente, com aquelas pernas compridas e sem tantas saias ao redor de si. Suas botas também eram muito mais adequadas para uma perseguição pelas ruas irregulares da vila do que meus delicados sapatos de salto.

O gato ziguezagueou por entre as poças d'água, latões de lixo e as pessoas por ali até que se enfiou no bosque que delimitava a vila. Lucas se deteve pouco depois de avançarmos alguns metros na mata, se apoiando para tomar fôlego em um largo tronco.

— Conseguiu ver que direção ele tomou? — perguntei, também sem ar.

— Eu o perdi assim que ele se escondeu naquela moita mais alta.

— Ele é seu. — Eu pretendia fazer uma pergunta, mas acabou soando como uma acusação.

— Não exatamente. — Lucas endireitou a coluna, afastando os cabelos dos olhos. — Eu o encontrei na estrada ontem e o levei para casa, mas... Almeida e ele não se entenderam muito bem.

Bom... Ele possuía o gato havia apenas um dia. Eu podia perdoá-lo por não ter me contado.

— Está bem. — Olhei em volta. — Ele não pode ter ido muito longe. Vamos vasculhar os arredores. Prefere que nos separemos?

Seus olhos se tornaram duas adagas quando me disse:

— Você não vai a parte alguma.

— É claro que vou. Se eu não tivesse esbarrado em você, o gato não teria fugido.

— Se ele não estivesse tentando dilacerar meu braço para fugir, eu a teria visto e não teríamos colidido. Vou levá-la até a sua carruagem e depois volto para procurar o gato. *Sozinho* — frisou.

Quem ele pensava que era para me dar ordens daquela maneira?

— O que o faz pensar que vou fazer a sua vontade? — Elevei o rosto.

— Seu bom senso. — Suas sobrancelhas se abaixaram. — Sabe que terá problemas se alguém tiver nos visto entrando no bosque. Vão pensar mal.

— Muitos já pensam. Não vai fazer grande diferença.

Comecei a andar por entre as árvores e arbustos, chamando pelo gato fujão, tomando cuidado para que minhas saias não se enroscassem em nada. Uma mão grande se enrolou na minha, me obrigando a parar.

— O que quis dizer com "muitos já pensam"? — Seu semblante era uma mistura de impaciência e frustração.

— Suspeito de que eu não tenha de explicar que nem todo mundo acredita que minha ausência tenha sido algo inocente, já que o senhor é um deles. — Puxei meu braço.

E isso me magoava. O fato de Lucas não acreditar em mim me doía quase tanto quanto lembrar a maneira como ele pedira minha mão.

Sua mandíbula se apertou.

— Talvez eu acreditasse, se a senhorita ao menos me explicasse alguma coisa.

Pressionei os lábios. Antes, não lhe dissera nada por medo de que pensasse que eu era uma tola, criando histórias fantasiosas, ou por não ser capaz de trair a confiança de minha irmã. Isso ainda me atormentava, mas agora eu sabia que era muito mais complexo que isso: eu poderia colocar a vida de Sofia em perigo. Contar a verdade a ele, agora que eu sabia dos riscos que minha irmã corria, era perigoso. Lucas era curioso, amava a ciência com devoção. E se ele tentasse saber mais sobre os mecanismos que permitiram que ela viajasse no tempo? E se, assim como fizera com os comprimidos, buscasse ajuda para entender melhor o assunto?

Eu nunca poderia lhe explicar meu desaparecimento.

Parecia não haver uma maneira de aquela história terminar bem. Nenhuma maneira.

— Eu já disse. — Desviei os olhos para sua gravata branca. — Estive na cidade de Sofia.

— Mas não sozinha. — Estreitou os olhos. — Mais alguém esteve lá com você, além de seu irmão e sua cunhada, não é?

Voltei a andar, espiando aqui e ali, à procura do gato preto.

— Você realmente me surpreende — mas o que eu quis dizer foi "Você realmente me machuca". — Eu esperava ouvir esse tipo de suspeita de outras pessoas, mas não de você. Não depois de todo o tempo em que nos conhecemos e nos correspondemos.

Em duas passadas largas, ele estava diante de mim, o nariz a centímetros de minha testa.

— Posso dizer o mesmo. Não esperava nenhuma das atitudes que você vem tomando nos últimos tempos.

— Estou tentando fazer o melhor que posso para manter o que restou do meu bom-nome. — Eu me encolhi, desamparada.

Ele cruzou os braços, fazendo seus ombros se distenderem sob o longo paletó marrom. Eu teria gostado muito de admirá-los um pouco mais, mas fui distraída pelo pulsar de uma veia em sua testa.

— E foi para manter o seu bom-nome que ontem passou quase um quarto de hora conversando com aquele cara de fuinha do Elias Prachedes, no baile dos Andrada?

— Como sabe disso?!

— Já devia saber que as notícias correm. O que tanto falavam?

Sua suspeita fez algo dentro de mim borbulhar. De um jeito nada bom.

— Bem, se quer mesmo saber — elevei o rosto para encará-lo —, o sr. Prachedes me pediu em casamento!

— O quê? — Sua voz se manteve baixa, sem qualquer emoção, mas seu rosto foi nublado por uma sombra escura.

— Ele me pediu a mão, de maneira muito pouco cavalheiresca, devo ressaltar. Me disse coisas que, tenho certeza, há alguns meses não se atreveria. E isso é tudo culpa sua!

— O que ele... *Minha* culpa? — indagou, descrente.

— Sim! Graças a você, que anda fazendo questão de deixar claro para todos que não queria o nosso noivado. Você não me visita, não me acompanha aos eventos e, quando se dá o trabalho de me acompanhar, raramente trocamos meia dúzia de palavras.

Com o maxilar trincado, ele me encarou por um longo tempo, a raiva cintilando em seus olhos e naquele encrespado entre as sobrancelhas.

— Quais foram as palavras exatas de Prachedes? — grunhiu, entredentes.

Bufei, retomando o passo. Ele ouviu uma palavra do que eu disse?

Lucas veio atrás quando não respondi. Suas botas produziam estalos ao esmagar pequenos gravetos e folhas secas.

— O que foi que ele disse, senhorita?

— O sr. Prachedes pensou que meu dote houvesse aumentado, já que eu caí em "desgraça" — contei, seguindo em frente —, de modo que passei a lhe interessar bastante. Além disso, ele acha que eu ficaria muito bem em sua sala de estar, embora ele tivesse de trocar as cortinas porque o lilás não me favorece. Não foi atenci...

Ele me impediu de terminar a frase, me agarrando pelo cotovelo, os olhos — castanhos, então — tomados de fúria.

— Como pôde permitir que ele falasse com você dessa maneira? Onde estava o maldito do seu irmão?

— Ian estava ocupado. E que mal haveria? O sr. Prachedes é de boa família, sempre foi muito gentil. Quem poderia imaginar que ele não passa de um paspalho ambicioso que não compreende o significado da palavra "sarcasmo"? — Eu me livrei de seu aperto com um safanão.

— Eu vou matá-lo — esbravejou. — Por sua honra.

A julgar por sua expressão, eu não tinha dúvidas de que era isso mesmo o que ele pretendia.

— Verdade? E o que pretende alegar? Que Prachedes ofendeu minha honra me propondo casamento? — Acabei rindo, sem qualquer humor. — Tudo o que vai conseguir com isso é me transformar em motivo de chacota.

Ele cuspiu um bocado de impropérios e se afastou, andando de um lado para o outro como um animal dentro da jaula.

— Eu *tenho* que fazer alguma coisa! — Cerrou os punhos.

— Sim. E acho melhor começar a se mexer, se quiser encontrar o seu gato.

Um som parecido com um rosnado lhe escapou enquanto chutava um graveto e retornava às buscas. Fiquei um pouco mais para trás, espiando por entre as plantas, atenta a qualquer sinal do bichano. Afastei as folhas de um arbusto e gritei quando uma bolota castanha pulou em minha saia.

Lucas estava a meu lado antes que eu pudesse recobrar o fôlego.

— O que foi?

— Ra-ra-rato! — Eu o empurrei para a frente, para que ficasse entre mim e o roedor, e só não subi para a segurança de suas costas por conta da anágua engomada.

— Aquilo não é um rato. É um coelho.

— T-tem certeza? — Eu me inclinei para o lado, os dedos enroscados nas costas do seu paletó, e espiei.

A bolota marrom saltitou até outro arbusto. Suspirando de alívio, soltei suas roupas.

— Ele está tão assustado com você quanto você com ele. — A voz de Lucas soou menos azeda. — E é realmente irônico, já que ambos são inofensivos.

— O gato deve ter uma opinião diferente, já que eu quase o matei esmagado. Deve ser por isso que fugiu. Está assustado.

— Estou certo de que ele conseguiu pressentir minhas intenções. Ele fez suas necessidades dentro da maleta do dr. Almeida. Quando foi apanhar um instrumento, ele... — Apertou os lábios, como que para deter o riso, mas seus ombros sacudiram de leve. — Enfim... Alberto quase estrangulou o bichano. Só desistiu porque eu prometi que me livraria dele.

— Você pretendia abandonar aquela pobre criatura à própria sorte?!

— Que espécie de sujeito acha que eu sou? — ele questionou, ultrajado e magoado. — Eu pretendia ir até a sua casa falar com o seu irmão. Tinha esperanças de que ele aceitasse ficar com o gato até eu conseguir encontrar uma casa para mim.

A novidade me surpreendeu.

— Você vai se mudar da casa do dr. Almeida?

— Sabe que eu estou noivo, não? — Arqueou uma sobrancelha. — Ah, sim, acabei de me lembrar que sabe, sim. E também me recordo que demonstrou uma opinião contrária muito forte em relação a esse assunto.

Seu tom jocoso despertou algo em mim.

— Oh, é claro — escarneci. — Porque eu deveria me sentir radiante com aquele seu pedido tão romântico. Até um condenado à forca pareceria mais animado que você!

Ele deu um passo à frente, ficando a um nariz de distância. Um nariz bem pequeno.

— Caso não tenha percebido, eu *estava* sendo enforcado pelo seu irmão.

— Não culpe Ian por sua falta de entusiasmo. Ele fez o que achou correto. Assim como você!

Lucas teve a petulância de parecer ofendido.

— E me condena por isso?!

Ele não entendia.

— Esta discussão é inútil. — Eu lhe dei as costas.

Pretendia sair dali, mas ele me impediu, passando um braço pela minha cintura e me fazendo girar para encará-lo

— Você não vai fugir. Vai ficar aqui e me explicar por que acha inútil falar comigo

— Se não fosse tão atoleimado da cabeça, eu não precisaria me dar o trabalho. — Me contorci para escapar, e tudo o que consegui foi fazer com que ele me segurasse com mais firmeza. — Sendo assim, prefiro não perder meu tempo explicando algo que eu sei que você é incapaz de compreender. Agora, solte-me.

Mas ele não soltou.

— Eu já desconfiava que você me considerava alguém de baixo intelecto. É a única explicação para acreditar que eu não desconfiaria dos reais motivos que a levaram a fugir.

— Já disse que não fugi! Aquela deveria ter sido a noite mais bonita da minha vida, mas se transformou em um pesadelo do qual eu nunca vou conseguir me livrar. E parte da culpa é sua! Eu odeio você por isso! — Soquei seu peito.

— No momento — aquele sorriso debochado lhe curvou os cantos da boca —, você também não é uma das minhas pessoas preferidas.

— Então me solte, Lucas!

Quando eu disse seu nome, a raiva e o sarcasmo se foram. Seu olhar mudou, o castanho se desanuviando até alcançar aquela nuance esverdeada, dando lugar a uma espécie de fúria que eu já vira antes. Apenas uma vez. Na noite do meu aniversário.

Imagino que eu pudesse ter tentado impedir o que aconteceu a seguir, se eu quisesse.

Mas eu não quis.

A boca de Lucas encontrou a minha na metade do caminho. Esse beijo foi diferente do primeiro. Foi furioso, exigente, agressivo, e eu me vi completamente arrebatada (e muito interessada em descobrir quantos tipos de beijo existiriam). O frenesi tomou conta de mim, as sensações tão intensas que eu vibrava como as folhas de um pinheiro em meio a uma tempestade.

— Me diga o que aconteceu, Elisa — implorou, atormentado, entre um beijo e outro, as mãos nas laterais do meu rosto. — Por favor, qualquer explicação será melhor do que as coisas que estão em minha cabeça.

Sua súplica, seu cheiro, seu gosto... se eu permanecesse mais um segundo em seus braços, não encontraria forças para lhe negar coisa alguma. Porque eu queria dizer a ele. Contar tudo aquilo que eu escrevera nas cartas que não cheguei a guardar, quando estava no futuro. Por isso me doeu não atender a sua súplica. E me feriu muito mais apoiar as mãos em seu peito e afastá-lo.

— O que eu fiz para perder a sua confiança? — A mágoa tingiu seu rosto.

Ouvir aquilo fez meu coração se encolher até ficar do tamanho de um grão de arroz.

*Eu não deixei de confiar em você*, eu quis dizer. *Mas não posso arriscar a vida de minha irmã. Não posso!*

— Você estava certo. Eu não devia ter vindo. — Suspendi a saia e saí dali, lutando contra a cortina de lágrimas que teimava em nublar minha visão.

Quando ele me pedira a verdade logo que retornei para casa, doeu negá-la. Mas naquele instante, ainda sentindo seu calor, ainda sentindo seu toque em minha pele — em meus lábios —, foi intolerável. Porque, quando ele me tocava, tudo parecia certo no mundo, tudo mais perdia a importância. Quando ele me beijava, eu me sentia fraca. E eu tinha de ser forte. Por Sofia.

Eu estava longe quando ouvi uma risada. Chegando um pouco mais perto, divisei uma clareira. Parei de andar. Não havíamos passado por ela na ida, então eu devia ter tomado a direção errada. A risadinha se repetiu, logo seguida de um longo gemido. Afastei alguns galhos, e então vi uma mulher com as pernas nuas envoltas na cintura de um homem, a parte superior do vestido enrolada na cintura; ela não usava espartilho nem chemise. A mulher cravou as unhas nas costas do rapaz moreno. Ele pareceu gostar disso e abaixou a cabeça para lhe beijar o pescoço, enquanto sua mão lhe cobria um dos seios e seus quadris se movimentavam em um ritmo cadenciado e preciso. Outro gemido longo ressoou pela clareira. O rosto dela ficou visível.

— Miranda... — Mas o homem não era o sr. Albuquerque. Graças aos céus! Imaginar o pai de Valentina seminu me causava um revolver no estômago.

Uma mão encobriu minha boca.

— Vamos sair daqui — a voz macia de Lucas sussurrou em meu ouvido.

Enquanto caminhávamos para longe dali, tentei apagar da mente a cena que tinha acabado de presenciar, mas estava tendo dificuldade. Sofia me explicara tudo sobre fazer amor — ou eu achava que tinha explicado. Mas as imagens que eu criara em minha mente não eram nem um pouco parecidas com o que eu acabara de ver. Não era tão suado e audível e... realmente se podia fazer em pé?

Quando já estávamos longe o suficiente, Lucas parou.

— O que diabos você estava pensando? — Ele me olhou atravessado. — Se eles tivessem te visto espiando...

— Eu não estava espiando! — Meu rosto pegou fogo. — Estava tentando voltar para a vila!

— Pelo caminho que seguia, iria parar na casa dos Romanov. A vila fica para lá. — Indicou com a cabeça antes de se abaixar perto de uma planta repleta de minúsculas flores amarelas e colher algumas.

— O que está fazendo?

— Arrumando uma desculpa convincente para sua pequena aventura no bosque. — Ele juntou os talos, arrumando-os em um buquê. — Se alguém perguntar, diga que eu recomendei chá de mostarda para sua indisposição estomacal.

— Mas eu não estou com indisposição estomacal.

— Agora está. — Pegou minha mão e pressionou o buquê em minha palma.

— Não preciso de uma desculpa. O que vim fazer aqui é inocente, e Isaac provavelmente... — Eu me detive quando senti algo macio e não muito grande roçando meu tornozelo. Dei um pulo, temendo que Lucas tivesse se enganado quanto ao coelho e a ratazana estivesse de volta.

O gato negro, de olhar amarelo e um tanto estrábico (o que o deixava ainda mais adorável), me observou com curiosidade antes de miar.

— O gato! — Lucas se abaixou para pegar o bichano, o rosto tomado de alívio.
— Ele é uma gracinha! Tem nome?
— Ainda não. — Lucas se aprumou, aninhando-o nos braços. — Mas eu estava pensando em chamá-lo de Bartolomeu. Era o nome do meu professor de botânica. Ele também tinha os olhos meio desalinhados.
— Bartolomeu. Eu gosto. — Acariciei a cabeça peluda. Era como tocar um veludo quentinho. Portando-se como um perfeito cavalheiro, o gatinho se contorceu todo para lamber minha mão. — Eu poderia ficar com ele.

Lucas arqueou as sobrancelhas.

— Tem certeza?
— Sim. Ian não vai se importar. Sempre foi louco por animais. Faz muito tempo que não temos um bicho de estimação. A propriedade é grande o bastante para que Bartolomeu não se sinta entediado. Além do mais, eu tenho vontade de ter um gatinho. Ele é tão lindo e... — Então, senti as bochechas esquentarem. — Quero dizer, ele não seria meu. Eu apenas cuidaria dele para você.

Lucas deu risada.

— Não. Tenho certeza de que ele estará melhor com você do que comigo. Eu mal fico em casa. Ele se sentiria abandonado.
— Verdade? — perguntei, esperançosa.
— Sim. Tenho certeza de que se tornarão grandes amigos. — Ele passou o felino para mim, a ponta de seus dedos tocou meu pulso.

Aquele vibrar ecoou dentro de mim, e não foi porque Bartolomeu começou a ronronar.

Eu tinha de sair dali.

— Bem, obrigada, doutor. Prometo que vou cuidar muito bem dele. Eu preciso ir agora. Até mais.
— Até, srta. Elisa.

Não me escapou que ele voltara a usar "srta. Elisa" em vez de meu nome desde que ficamos noivos.

Quantas vezes um coração podia se partir em um único dia?

# 14

— Tenho a sensação de estar vendo nossos avós casando — Ian cochichou.
— Eu estava pensando a mesma coisa. — Eu não conseguia tirar os olhos do casal. Já era hora de aquelas duas almas encontrarem sossego uma na outra. — Eles parecem tão felizes, não é?

— Vivam os noivos! — Sofia gritou quando Madalena e Gomes partiram o bolo.

Madalena deixou escapar uma risadinha e seu rosto pareceu ainda mais vermelho em contraste com o cor-de-rosa claro do vestido. Gomes estufou o peito, não cabendo em si de alegria.

Ian bateu palmas. Marina, em seu colo, o imitou.

— É porque *estão* felizes — disse meu irmão. — Finalmente.

Sorri, ainda admirando o novo casal. Casamentos me emocionavam desde que eu era uma menininha, mas este em particular tinha um sabor especial. A querida Madalena se unira ao adorado sr. Gomes em uma cerimônia matinal simples — a pedido dos dois –, porém muito comovente, na capela da vila. Meus olhos marejaram quando ele desvelara sua noiva e, muito amorosamente, beijara-lhe a testa, se demorando um pouquinho. Madalena fechara os olhos. Nenhuma palavra fora pronunciada. Não era preciso.

E ali estavam eles, na casa que um dia pertencera ao guarda-caça da propriedade dos Clarke e que daquele dia em diante pertenceria a ambos, festejando sua união. Ian mandara reformar o chalé, que agora estava irreconhecível. As paredes haviam recebido uma camada de tinha verde-clara, o telhado passou por um bom reparo e a mobília, embora antiga, reluzia. Eu sabia que Madalena gostava de morar conosco, mas, ao ver o carinho como ela ajeitava um vasinho sobre uma mesa, como abria a cristaleira com cuidado para pegar um prato, tive a sensação de que ela tinha acabado de encontrar o seu lugar preferido no mundo.

Além de minha família, estavam ali Thomas e Teodora — tia Cassandra se recusava a celebrar um casamento de criados —, Isaac, muito bonito em sua roupa de domingo, o padre Antônio, todos os empregados da propriedade, os Almeida e a sra. Mirtes, irmã de Madalena.

Lucas não comparecera à cerimônia. Não fiquei de todo surpresa, mas ainda assim não consegui evitar o desapontamento.

— Onde está seu noivo? — Ian quis saber, como se lesse meus pensamentos.

— Imagino que tenha ficado detido com algum paciente — inventei. — As doenças não dão aviso, você sabe.

Meu irmão apertou os lábios, as sobrancelhas abaixadas.

Acabei rindo.

— Você quer esganá-lo de novo, não é?

— Sim, mas não posso, Elisa, porque sou um idiota e prometi a você que não ia interferir.

— Bolo! Bolo! — Marina, prestes a completar um ano, se remexeu no colo dele até conseguir descer.

— A titia vai pegar para você, meu amor.

Espremendo-me entre as pessoas, consegui pegar para a menina um prato com a mais deliciosa receita de Madalena. Nina se sentou no chão da pequena sala, ao lado de padre Antônio, e, deixando o talher de lado, comeu com as mãos, chupando os dedinhos para apanhar todas as migalhas.

— Lucas, meu caro! — exclamou dr. Almeida assim que voltei a me sentar.

Olhei para a porta em tempo de ver Lucas entrando, os cabelos úmidos, equilibrando uma pequena caixa debaixo do braço. Ele não sorriu para mim, como fazia antigamente, mas me dirigiu uma discreta reverência.

Como eu tinha sido tola. Por um momento, naquela floresta, no dia anterior, quando Lucas me beijara, cheguei a fantasiar que haveria futuro para nós. Mas eu estava enganando a mim mesma. Ele fora movido pelo desejo, presumo. Atração não é o mesmo que amor. Sofia me explicara a diferença certa vez. Pode-se sentir um e não o outro. O beijo de Lucas deixara claro que ele sentia atração por mim. Eu não devia confundir as coisas. Mas confundia porque, para mim, o desejo brotava no centro do peito.

— Almeida mais parece um pai orgulhoso que o tutor do rapaz. — Ian comentou, achando graça. — Não posso negar que, no que diz respeito à profissão, seu noivo seja um excelente profissional. E é muito bom ter mais um médico na vila. Embora alguns não concordem comigo.

— E por que não? — Inclinei a cabeça para o lado.

— Ouvi uma ou duas pessoas de posses reclamando que tanta facilidade pode estimular seus empregados a ficarem mais doentes. — Soltou uma pesada expiração que me fez rir.

Lucas cumprimentou Alberto, depois prontamente se dirigiu aos noivos e entregou a caixa a Madalena, que a recebeu com surpresa e grande contentamento. Deteve-se brevemente com Sofia antes de se aproximar de mim.

— Srta. Elisa. Sr. Clarke — cumprimentou.

— É animador saber que ainda se lembra do caminho para esta propriedade, doutor — meu irmão escarneceu.

— Ian... — resmunguei.

— Peço desculpas pelo atraso. — Lucas cruzou os braços nas costas. — Não pretendia faltar ao casamento. Lamento. Já me desculpei com os noivos. Mas uma emergência surgiu quando eu estava a caminho da igreja.

Percebi que meu irmão pretendia dizer mais alguma coisa, mas algo atraiu sua atenção e ele se levantou depressa. Entendi o motivo quando avistei Nina arremessando o que restara de seu pedaço de bolo na batina de padre Antônio.

Lucas decidiu ocupar o lugar de meu irmão. Eu aprumei as costas, um pouco inquieta com a proximidade.

— Srta. Elisa — começou, em voz baixa. — Preciso lhe pedir desculpas. A senhorita estava coberta de razão ontem, quando me repreendeu. O que aconteceu com Prachedes foi culpa minha. Se eu a tivesse acompanhado ao baile, como é o meu dever, ele não a teria insultado daquela maneira. Tenho sido um noivo relapso. Não importa a natureza do nosso compromisso. Eu o assumi, e devo cumpri-lo da melhor maneira possível.

Se sua chegada inesperada me surpreendera antes, agora eu precisaria inventar uma nova palavra para definir o que estava sentindo. Virei o rosto e fingi admirar o arranjo de flores sobre a mesinha de centro.

— Por isso eu gostaria que me acompanhasse até a varanda — Ele se remexeu no assento, parecendo desconfortável. — Prometo que ficaremos à vista o tempo todo. Preciso falar com a senhorita sem interrupções. É importante.

Seu tom urgente me dizia a mesma coisa, por isso meus dedos tremiam ligeiramente quando os coloquei em sua palma, aceitando a ajuda para me levantar. Torci para que ele não tivesse percebido.

Quando estávamos do lado de fora, sob a sombra da varanda onde Madalena pretendia pendurar um balanço, um miado nos fez olhar para baixo. Bartolomeu se esfregava nas botas de Lucas.

— Não me diga que sentiu saudades. — Ele se agachou e acariciou a cabeça do gato. Olhou para cima. — Como ele se comportou?

— Muito bem. E Marina o adorou. — "Enlouqueceu" talvez fosse a palavra certa para descrever a euforia de minha sobrinha ao ver o gatinho pela primeira vez. — Acho que vão ser grandes amigos. Bartolomeu andou pela casa toda, para se familiarizar, eu suspeito. Preparei uma cama, mas acho que ele não gostou muito porque acabou por dormir sobre uma de minhas... — Eu me detive antes que pudesse concluir, enrubescendo.

A curiosidade dançou nos olhos de Lucas.

— De suas...?

— De minhas... bem... anáguas — falei por fim, com o rosto sapecando.

— Gato atrevido! — Mas sua voz tremeu com divertimento, estragando a repreensão.

Quando Bartolomeu decidiu investigar algo no quintal, Lucas se endireitou e olhou para mim com intensidade.

— Antes de mais nada — começou, um tanto ansioso —, quero reafirmar meu comprometimento com você. Amanhã meu advogado irá até a sua casa para que você assine o contrato de noivado. Eu já assinei. Isso devia ter acontecido há muito tempo, mas, por causa da doença da sra. Clarke, pensei que o momento fosse pouco oportuno. Mas a razão pela qual pedi que me acompanhasse até aqui é outra. — Ele inspirou fundo. — Eu preciso ir para a Itália.

O quê?!

— Por... por quê?

Lucas retirou um papel do bolso e me entregou. Reparei que o nó de seus dedos estavam esfolados.

— O que aconteceu com a sua mão, doutor?

Sua face reluziu com um brilho de satisfação.

— Nada com que deva se preocupar. — Ele apontou com a cabeça o papel que eu segurava. — Leia.

Depois de desdobrar o papel, fiz o que ele pediu.

*Meu caro Lucas,*
*Fiquei muito intrigado com sua carta. Espero que em sua próxima missiva tenha a bondade de me*

*explicar de onde tirou tantos vocábulos curiosos. De todos os que usou, o único de que já ouvi falar é micro-organismos. Um entomologista italiano chamado Agostino Bassi estuda os bichos-da-seda há muitos anos e chegou a uma espantosa conclusão, embora ainda não tenha conseguido provar sua tese...*

— É do meu antigo professor de anatomia — esclareceu. — O dr. Magnus Couto se mudou para Veneza faz pouco tempo. Creio que saiba que fiquei particularmente interessado naquele remédio que salvou a vida da sra. Clarke, não?

— Sim, eu notei. — Embora *interessado* não fosse a palavra que eu usaria para descrever o que tinha acontecido.

— Desde então eu não paro de pensar nisso, srta. Elisa. — Ele deu alguns passos, fitando as tábuas corridas do assoalho. — Aquele livreto me é completamente estranho, ainda que eu reconheça alguns poucos termos médicos. Andei falando com algumas pessoas sobre ele...

— Você andou? — eu o interrompi, alarmada. — Você mostrou para alguém? Disse onde o conseguiu?

Oh, Deus! Se alguém desconfiasse que aquele remédio viera do futuro, Sofia poderia estar em apuros e todo o meu esforço teria sido em vão!

Lucas percebeu minha agitação.

— E como eu poderia fazer isso, se eu mesmo não sei explicar de onde o remédio veio? Fique descansada. Nunca mostrei ou mencionei o folheto, apenas meus rascunhos. Mas eu preciso saber mais. Como médico, eu preciso desvendar aquela fórmula a qualquer custo. — Seu entusiasmo beirava o ardor. — Eu já estava perdendo a esperança de descobrir qualquer coisa, mas hoje de manhã recebi esta carta.

Dei mais uma olhada no papel antes de dobrá-lo e devolver a ele.

— Me perdoe, mas acho que não entendi. O que os bichos-da-seda têm a ver com o remédio da Sofia?

— Não sei ainda, por isso preciso averiguar. Vou para a Itália falar com o dr. Bassi e tentar entender o máximo que puder sobre a pesquisa dele. Não pretendo ficar muito tempo. Um ano, talvez.

— Um ano? — *Um ano inteiro?!*

Ele parou diante da cerca baixa de madeira que rodeava toda a varanda, fitando a colina ao longe.

— Creio que este afastamento possa ser benéfico para nós dois — murmurou. — Escrevi para Magnus pedindo uma carta de recomendação. Pretendo trabalhar enquanto estiver por lá. Acho que conseguirei uma boa remuneração, além de adquirir experiência e me familiarizar com novos métodos e tratamentos. Isso deve apressar a nossa... a nossa situação.

Minhas emoções estavam em frangalhos. Lucas iria embora e me apresentava um motivo que eu gostaria de dizer que soara como desculpa para se afastar, mas que no fundo, ao me recordar da maneira como ele se dedicara à leitura daquele folheto — quase beirando a obsessão —, sabia que era verdade. Além disso, se ele encontrasse um jeito de desvendar aquela fórmula, poderia ajudar a salvar muitas Rebecas e Sofias. Não, ele não mentia apenas para se afastar nem para me magoar. Estava sendo franco, tentando honrar a memória da irmã e fazer do mundo um lugar melhor. Ainda que não me incluísse nesse mundo.

Engolindo em seco, forcei-me a dizer:

— O senhor está certo. Se houvesse uma maneira de produzir aquele remédio, muitas vidas seriam salvas. Então, tudo o que posso desejar é que faça uma boa viagem.

Ele me olhou por sobre o ombro, o rosto muito sério, mas algo semelhante à decepção perpassou seu rosto.

— Quando pretende partir? — perguntei.

— Ainda não sei. Preciso tomar algumas providências antes, mas não deve demorar muito.

— Bem, espero que o senhor encontre o que procura.

Seu olhar se atrelou ao meu conforme ele se virava para mim. Era uma mistura das duas cores agora, cheio de intensidade, o que dificultou tudo, pois não fui capaz de lê-lo. Aquilo era um adeus?

— Eu... vou pegar um pedaço de bolo para o senhor — falei, temendo, se ficasse ali mais um instante, cair no choro.

Ele abriu a boca, mas o que quer que pretendia me dizer jamais deixou seus lábios.

— Eu também vou entrar. Tenho que falar com o seu irmão.

Bartolomeu voltou para a varanda, pulando na cerquinha branca e se sentando diante de Lucas, que afagou o queixo do gato.

Girei sobre os calcanhares e comecei a entrar. No entanto, pouco antes de passar pela porta, pude jurar que ouvi Lucas murmurar "cuide dela para mim, Bartolomeu".

Ele então fez o que havia prometido: falou com meu irmão e, no dia seguinte, logo pela manhã, seu advogado apareceu com o contrato de noivado.

Ian examinou o documento com atenção, os dedos tamborilando na mesa, inquietos. O sr. Andrada zanzava impaciente pelo escritório de meu irmão enquanto eu me mantinha o mais ereta possível no sofá de couro, esperando que Ian terminasse a leitura.

Ele, por fim, abaixou o papel e olhou para mim.

— Parece bom, Elisa. Seu noivo foi bastante... hã... generoso.

— Devo concordar, sr. Clarke. — O advogado cruzou os braços nas costas. — Eu tentei aconselhar o sr. Guimarães a um acordo mais tradicional, mas ele não estava aberto à discussão. Creio que o senhor tenha percebido como é vantajoso para a sua irmã.

— Sim, eu notei. Sr. Andrada, se importaria de esperar um instante para que eu e minha irmã possamos discutir o assunto?

— De modo algum. Tome o tempo que precisar. — Ele se sentou do outro lado do sofá e pegou um dos bolinhos que Madalena trouxera mais cedo.

Ficando de pé, Ian indicou com a cabeça que eu o acompanhasse. Fomos até a sala de leitura.

— Há algo errado? — perguntei, enquanto ele fechava a porta.

— Isso é você quem deve me dizer, Elisa. — Caminhou pela sala até se recostar ao piano. — Lucas foi bastante generoso no contrato. Não fez qualquer exigência, isenta você de qualquer despesa e nem mesmo o dote exigiu.

— É mesmo?

— Suponho que esteja querendo compensá-la por esta viagem. — Ergueu os ombros. — Ainda que eu queira estrangulá-lo por pensar em afastar-se justamente agora, compreendo os motivos dele. Se existe uma possibilidade de conseguir mais daquele remédio, Elisa, eu serei o primeiro a apoiar as pesquisas. Moral e financeiramente.

— Eu sei, Ian. Eu também.

Depois de assentir, Ian se endireitou e caminhou pela sala até parar diante da janela, o olhar perdido em Sofia, que perambulava pelo jardim com Nina no colo. Elas não nos viram, e minha irmã se sentou no chão com a filha, colocando-a na grama. Marina logo começou a explorar. Bartolomeu chegou mais perto de Sofia, até subir em suas pernas e se aninhar ali.

— Sofia está grávida — contou ele.

— Ian! — Corri para abraçá-lo. — Meu irmão, que notícia maravilhosa! Sofia não me disse nada!

— Ela não descobriu ainda.

Soltando-o, eu o encarei com a testa franzida.

— E como você pode saber que ela está grávida se nem ela sabe?

— Um homem conhece o corpo da sua mulher melhor que o seu próprio, Elisa. Ela... — pigarreou — já começou a mudar.

Mas, em vez de alegria, meu irmão parecia dominado pela apreensão.

— Ian, tanto o dr. Guimarães quanto o dr. Almeida garantiram que Sofia está totalmente recuperada da pneumonia. Não há razão para ficar preocupado.

Ele abriu a boca, mas se deteve, indeciso quanto ao que dizer. Por fim, balançou a cabeça e se afastou da janela.

— Eu sei. É bobagem minha. — Mas senti que ele escondia alguma coisa de mim. — Elisa, eu gostaria que compreendesse que eu me sentiria muito mais seguro vivendo em um mundo onde existissem remédios capazes de combater uma pneumonia. Você, Sofia, Marina, o bebê a caminho... essas foram as razões pelas quais Lucas deixou esta propriedade ontem sem um buraco no peito, depois que contou sobre a viagem. O que eu quero saber é como você se sente a respeito de tudo isso.

Soltei um suspiro e me acomodei no sofá.

— Ele contou sobre Rebeca?

— Não.

Conforme eu relatava a história da menina, o rosto de Ian ia se alterando, se tornando mais sombrio. Eu sabia exatamente em que ele estava pensando quando se sentou perto de mim e segurou minha mão, apertando-a com força.

— Quando ele me contou essa história — expliquei —, só pude pensar em você, Ian. Eu não suportaria perdê-lo, meu irmão. E por isso compreendo a devoção de Lucas pela medicina. Na verdade, essa devoção é à Rebeca. Como posso impedi-lo de tentar encontrar algo que pode melhorar a vida de todos nós? Como posso impedi-lo de honrar a memória da irmã? Não posso, Ian.

— Está bem. — Ele correu as mãos pelos cabelos, soltando o ar com força. — Creio que você queira assinar o contrato, afinal.

E qual alternativa eu tinha?

# 15

Sofia me convidou para acompanhá-la até o boticário naquela tarde. Aceitei de pronto, pois não aguentava mais zanzar pela casa à procura de algo para me distrair de meus próprios pensamentos. Não conseguia parar de pensar em Lucas e sua viagem. Eu me perguntava o que aquele período afastados significaria. Se quando ele retornasse as coisas voltariam ao que eram.

Meu pai sempre dizia que o melhor conselheiro é o tempo. Eu esperava que ele estivesse certo. Também tinha a esperança de que, durante esse período, Lucas acreditasse em minha inocência.

— Quero fazer mais alguns testes — contou Sofia, assim que entramos na loja. — Tô tentando criar um desodorante.

— Um o quê?

— Se der certo, eu te mostro. — Soprou uma mecha de cabelo que lhe caía no rosto. — A primeira tentativa não foi lá muito boa.

— Se-senhorita Elisa! — exclamou o sr. Prachedes, em frente ao balcão, pálido como se tivesse visto um fantasma. Sua falta de cor só fez ressaltar o púrpura ao redor do seu olho direito.

— Sr. Prachedes — cumprimentei.

— Não fale comigo! — Ele se afastou e bateu as costas em uma pilha de potinhos sobre o balcão.

— Mas...

— Não! Fique longe de mim!

No instante seguinte, ele corria para fora da loja.

— O senhor esqueceu o unguento! — gritou o sr. Plínio.

— O que aconteceu com ele? — perguntei ao boticário, sem entender.

— Não se preocupe, srta. Elisa. — O homem de meia-idade, mas ágil como um garoto, começou a organizar os potes que haviam tombado. — O pobre Prachedes não sofre; apenas o seu orgulho dói. — Deixou escapar uma risada.

— O que o senhor quer dizer?

— Ele garante que aquele olho roxo é fruto de um tombo do cavalo. Mas, com a minha experiência, estou convencido de que a causa foi um gancho de esquerda muito bem aplicado.

— Que coisa terrível! Quem poderia ter feito uma coisa dessas, sr. Plínio?

— Quem é que sabe o que o Prachedes andou aprontando? Vai ver ele mexeu com a irmã de alguém. Minha estimada sra. Clarke! — Ele abriu um sorriso caloroso — Vê-la é sempre uma alegria. Como posso ajudá-la hoje, minha querida?

— Eu preciso de umas coisinhas, seu Plínio.

Enquanto Sofia listava a um de seus mais antigos fornecedores tudo de que iria precisar, eu me peguei pensando nos dedos esfolados na mão esquerda de Lucas.

Plínio estava enganado. Prachedes não tinha mexido com a irmã de alguém. Mexera com a noiva de alguém.

Quando minha irmã finalizava a compra, Valentina entrou apressada na botica. Ela nos vira e resolvera nos convidar para se juntar a ela e a mãe para um chá na confeitaria.

Sofia olhou para mim, insegura. A sra. Albuquerque não tinha muito apreço por minha cunhada, já que a culpava de ter roubado Ian de Valentina.

— Mamãe anda sofrendo dos nervos — Valentina acrescentou, em voz baixa. — Por isso eu a trouxe para a vila. Aqui nós sempre temos um pouco de distração. E estou certa de que a companhia de vocês duas a ajudaria a esquecer os problemas, ao menos por alguns minutos.

— Tá bem! — Sofia revirou os olhos, bufando em completo desalento, e eu quase ri.

— Será um prazer, Valentina — assegurei.

O senhor Plínio se ofereceu para acomodar a compra no faetonte, de modo que deixamos o estabelecimento em poucos minutos. Ao entrar na confeitaria, avistei Adelaide examinando o cardápio, com a expressão impaciente. No entanto, quando cheguei mais perto, percebi que não era sua expressão, mas seu semblante que dava essa impressão. Estava mais pálido que o habitual, com profundas olheiras e as bochechas um tanto encovadas.

— Mamãe, veja quem eu encontrei! — Valentina deixou sua bolsinha sobre a mesa.

A mulher levantou os olhos opacos, e algo cintilou neles.

— Elisa, minha querida! — Então seu sorriso tremulou. — E sra. Clarke.

Seguiu-se um silêncio constrangedor enquanto nos acomodávamos e Sofia me olhava de viés. Por sorte, um garçom apareceu com mais cardápios.

— Vou querer uma fatia de charlote e um chá de limão — eu disse ao rapaz.

— Excelente escolha. — Ele olhou para Valentina, esperando.

— Um pedaço do folhado de maçã e chá de camomila.

— Humm... parece bom. Quero isso também. — Sofia relanceou o menu.

— E quero também a charlote, e um tartelete de limão, seja lá o que isso for. Você tem chá de hortelã?

— Por Deus, sra. Clarke — Adelaide abriu o leque e começou a abanar-se. — Isso não é o pedido de uma dama

— Ah, mas eu não sou exatamente uma dama. Tem de hortelã? — repetiu, encarando o garçom.

— Eu vou verificar para a senhora. — O rapaz sorriu para ela. Na época eu não sabia o nome dele. Havia se mudado fazia pouco tempo e eu só o via quando ia até a confeitaria.

— É um milagre que consiga manter a forma, sra. Clarke — comentou Adelaide. — Esse é um dos benefícios da juventude. Já eu preciso me privar de todos os prazeres. Quero apenas um chá preto.

Adelaide entregou o cardápio ao rapaz sem lhe dirigir o olhar, e não viu o sorriso largo que ele lhe dirigiu.

— Perdoe-me pela intromissão e franqueza, minha senhora, mas acho que não é necessário privar-se dos pequenos prazeres quando se tem uma beleza como a sua.

Os olhos da mulher imediatamente voaram em direção ao rapaz atrevido, e então algo neles mudou. Não era mais o olhar de uma dama da sociedade pedindo um chá, mas o de uma mulher analisando um homem com interesse. E, a julgar pelo rubor que surgiu nas faces de Adelaide, suspeitei de que ela tenha apreciado o que viu. O jovem fez uma reverência destinada apenas a ela antes de se retirar.

— Ora, quanta ousadia! — murmurou Adelaide, os olhos presos nas costas do rapaz que se afastava. — Flertar com uma cliente. Uma senhora casada!

— Também estou constrangida — ajudou Valentina. — A senhora tem idade para ser mãe dele.

— Ora, querida, não exagere. Posso no máximo ser uma... tia mais experiente. Mesmo assim, foi tão... constrangedor! — Tocou com a ponta dos dedos nas faces afogueadas e deixou escapar um suave suspiro. — Bem... Elisa, eu soube que seu noivo está de partida para a Itália. Seu irmão não fez nada para impedir esse disparate?

— O dr. Guimarães está indo a título de pesquisa, sra. Albuquerque — expliquei. — É importante que ele vá.

— Pois eu acho que é uma bela maneira de ele se livrar do compromisso. — Ela abriu o guardanapo com um movimento brusco e o esticou sobre as saias. — Às vezes me pergunto o que Deus tinha na cabeça quando decidiu criar os homens.

— Provavelmente pensou — o garçom estava de volta — que seria um pecado ter criado as mulheres e não ter ninguém para admirá-las.

— Ora, senhor...?

— Diógenes Matias, seu criado, madame. — Ele fez um floreio ao pousar a bandeja na mesa.

— Sr. Matias, o senhor tem o hábito de se intrometer na conversa dos clientes?

— Perdoe-me. Uma mente sagaz como a da senhora é completamente irresistível para mim. Aqui está o folhado. — Depositou o prato diante de Valentina, depois a xícara. — A charlote da senhorita. — Ele arrumou meu pedido a minha frente. — O pedido da jovem senhora que sabe como pedir uma refeição! — Piscou para Sofia. — E aqui está o seu chá preto, madame. Bom apetite, senhoras.

Adelaide voltou a acompanhá-lo com os olhos, e, eu juro, o olhar dela não estava na altura que deveria.

Então, a porta da confeitaria se abriu com certo estardalhaço e a viúva Miranda, dentro de um vestido lilás com alguns detalhes em preto e o decote mais profundo que eu já tinha visto, adentrou o salão.

Infelizmente, Adelaide também a viu, e se enrijeceu na cadeira.

— Não sabia que permitiam qualquer um neste salão — murmurou, erguendo o queixo.

— Mamãe, por favor — Valentina tocou o braço dela. — Aqui, não. Vamos ignorá-la.

Mas eu tinha sérias dúvidas se Adelaide seria capaz de ignorar a amante do marido. Ela se esforçou, bebericando e me fazendo perguntas sobre o enxoval enquanto Sofia, contente por não ser alvo da mulher, puxava conversa com Valentina. Adelaide pareceu mais animada quando eu disse que não tinha muita coisa e começou a listar tudo o que eu deveria providenciar. Cerca de um quarto de hora se passou quando ela se interrompeu, levando a mão ao estômago.

— A senhora está bem? — perguntei, notando a palidez que se intensificava em seu semblante.

— Estou bem. Apenas um pouco enjoada. Imagino que seja só uma indisposição. Não ando me alimentando muito bem... — Mas então um gemido lhe escapou enquanto se dobrava na cadeira.

— Dona Adelaide? — Sofia tentou ampará-la.

— Mamãe! — gritou Valentina, ficando em pé.

— Senhora! — O sr. Matias, que passava atrás da mesa, ajudou Sofia a pegá-la antes que caísse. O rapaz rapidamente passou um braço sob seus joelhos e a suspendeu. — O que está acontecendo? Senhora? Saiam da frente! Pelo amor de Deus, me deixem passar com ela! — ordenou, levando-a até o canapé no fundo do salão. Valentina os acompanhou, ansiosa.

— Vou procurar ajuda — avisei Sofia. — Tente acalmar Valentina.

— Tá. Não demora!

Antes que ela terminasse, eu já estava do lado de fora do estabelecimento, correndo para a casa do dr. Almeida. Meu coração batia forte contra o espartilho, dificultando minha respiração. Fiz a curva sem olhar e colidi com força com alguma coisa, ricocheteando para trás. Mãos fortes me agarraram pelos braços, impedindo que eu caísse.

— Onde é o incêndio? — Lucas perguntou, com humor.

— Ah, graças a Deus eu o encontrei! Eu preciso de você, Lucas!

Algo reluziu em seus olhos, e demorou um instante para eu perceber o que tinha acabado de dizer. Balancei a cabeça.

— Digo, a sra. Albuquerque precisa de você! Agora! Por favor! Ela está passando mal.

A diversão deixou seu rosto de imediato, e vi surgir o cirurgião preocupado.

— Onde ela está? Conte-me o que aconteceu.

— Ela está na confeitaria, mas não sei o que está acontecendo. Parece que a barriga... ou o estômago lhe dói muito.

Com um aceno firme de cabeça, ele me pegou pela mão e começou a correr. Quando chegamos à confeitaria, quase esbarramos em Miranda, que deixava o estabelecimento, apressada.

— Venha, Elisa. — Lucas segurou a porta para que eu entrasse.

Adelaide estava deitada no canapé laranja sob a janela, e Lucas não hesitou um instante. Mas eu me detive assim que a multidão que a cercava abriu caminho para ele e vi Sofia ajoelhada no chão, tentando consolar Valentina, que se enroscara a ela, chorando como uma criança. O sr. Matias abanava Adelaide com a bandeja, o rosto do rapaz retorcido em preocupação e angústia.

Lucas prestou os primeiros atendimentos ali mesmo, enquanto a mulher se contorcia, gemendo baixinho, então pediu que eu chamasse a carruagem. Ele a acompanhou até a residência dos Albuquerque. Quando o dr. Almeida soube que a amiga tinha caído doente, também correu para lá. Ambos passaram a noite cuidando dela. Ainda assim, nenhum dos dois médicos conseguiu salvar a vida de Adelaide.

# 16

O clima na saída da missa era triste, como deveria ser. Valentina ainda estava inconsolável.

Desde a morte da sra. Albuquerque, sete dias antes, eu passava mais tempo na casa dos Albuquerque que na minha. Sabia que não havia muito que eu pudesse fazer quanto à dor de minha amiga, mas ao menos podia livrá-la do tormento de lidar com os problemas cotidianos. Foi difícil acompanhar o seu luto. O que me fez lembrar com muita intensidade de minhas próprias perdas. Os primeiros dias, sobretudo, quando nada parece real. Quando ainda era menina, eu acordava no meio da noite chamando por papai ou por mamãe, e em vez deles Ian entrava no quarto. Só então eu me lembrava de que eles já não viviam neste plano. Eu tentava ser forte, porque meu irmão também tinha perdido os pais dele, e eu não queria lhe trazer mais dor. Quando ele saía do quarto, porém, eu chorava baixinho até adormecer.

Pensei que o sr. Albuquerque se aproximaria de Valentina, consolando-a como meu irmão fizera comigo, mas não. Walter cuidou de tudo, resolvendo os pormenores do enterro sem deixar transparecer qualquer emoção — exceto, talvez, um pouco de culpa. Porém, mal falava com a única filha. Quando a via chorar, inventava uma desculpa para sair da sala de estar, da sala de jantar, da varanda ou de onde quer que ela estivesse. Temi que minha amiga, em seu desespero, pudesse perder a cabeça, por isso escrevi a Lucas, que veio no mesmo instante e ofereceu a ela um pouco de esquecimento por meio de grandes doses de láudano.

— Foi uma bela homenagem, não foi? — A voz de Valentina me trouxe de volta para a igreja. — Padre Antônio fez um belo sermão. Ela teria gostado.

— Teria, sim. — Passei o braço ao redor de seus ombros curvados.

Meu irmão fez um cumprimento grave ao nos encontrar. Sofia tomou minha amiga nos braços.

— Como é que você tá? — ela quis saber.

— Sinto como se estivesse dentro de um pesadelo, e que a qualquer momento vou acordar e minha mãe vai estar ali para dizer que chorar desta maneira não é elegante.

— Ah, Valentina...

Assim que Sofia a soltou, ela secou o rosto e forçou um sorriso que me partiu o coração.

— Ainda vai parecer um pesadelo por muito tempo. Custa a passar — falou Ian, em voz baixa, olhando para mim. Ele também pensava em nossos pais, disso eu tinha certeza. — Precisa de alguma coisa, senhorita? Não hesite em nos dizer.

— Vocês são os melhores amigos que eu poderia ter pedido a Deus. São mesmo! E obrigada, sr. Clarke, mas não preciso de nada. Creio que apenas o tempo poderá ajeitar tudo. — Ela fungou. — Tia Doroteia chegou esta manhã. Deve estar falando com o padre Antônio agora. Assim não precisarei mais incomodá-la, querida Elisa.

— Você jamais me incomoda, Valentina — Ajeitei um babado de seu vestido preto. — Mande me chamar se precisar de mim, a qualquer hora.

Seus olhos se empoçaram, e, pelo movimento de sua garganta, percebi que ela estava prestes a chorar outra vez. Tentei pensar em algum assunto para distraí-la, mas nada além das aventuras de Bartolomeu me veio à mente. Antes que eu pudesse lhe contar que o gato agora dormia dentro da gaveta onde eu guardava minhas anáguas, Miranda Mendoza passou pela porta da igreja, o véu de renda negra ainda sobre o rosto. Ela se deteve ao avistar Valentina.

Ignorando propositalmente o olhar mortífero que minha amiga lhe dirigiu, Miranda chegou mais perto.

— Fique calma — sussurrei a ela.

— *Mis sentimientos*, srta. Valentina. Foi *una* grande perda para todos.

— Não tenho certeza se para todo mundo. — Valentina retrucou, os olhos faiscando.

Miranda levou a mão ao peito.

— *Su madre* era *una* dama *muy* querida. Apesar do pouco conhecer, ouvi *mucho* sobre *ella. Una mujer formidable!*

Nesse momento, Walter de Albuquerque saiu da igreja, acompanhado do dr. Almeida. Os olhos do homem quase caíram das órbitas ao ver com quem a filha falava.

— Sra. Mendoza. Obrigado por nos brindar com sua presença — ele foi dizendo. — Gostaria de aproveitar a ocasião para discutir com a senhora assuntos da máxima urgência... sobre a compra daquela propriedade, para a qual a senhora pediu minha ajuda!

Não sei o que foi pior: usar a desculpa de assuntos profissionais na saída da missa de sétimo dia da esposa ou deixar a igreja de braço dado com a amante na saída da missa de sétimo da esposa. Pelo que vi no rosto do meu irmão, Ian concordava comigo.

O dr. Almeida, depois de balançar a cabeça com tristeza ao ver o amigo se afastar, se juntou ao nosso grupo, fazendo inúmeras perguntas a Valentina sobre sua saúde, em uma clara tentativa de distraí-la. Ian e Sofia também ajudaram, aos poucos introduzindo assuntos cotidianos que fizeram minha amiga parar de encarar o pai como se ele fosse a encarnação do demônio.

Lucas deixou a capela ao lado da sra. Almeida e veio em nossa direção.

— Não pensei que fosse vê-lo aqui — Ian disse a Lucas. — Seu navio parte esta noite, não é?

— Amanhã de manhã, mas eu não podia deixar de vir. Pegarei a diligência mais tarde.

Eu me sentia miserável. A verdade é que eu tinha usado os problemas de Valentina para me esquecer dos meus. Cuidar de minha amiga me ajudara a manter a cabeça longe da partida iminente de Lucas. Mas quando a noite caía e todas as velas da casa eram apagadas...

Sua decisão de viajar me fez entender que, mesmo magoada com o fato de ele não ter acreditado em mim, com o fato de seu pedido ter sido fruto de sua nobreza e não de sua afeição, meu amor por ele não recuou um único centímetro. Como eu conseguiria dizer adeus a Lucas?

— Só de pensar em passar três meses a bordo de um navio, já me sinto nauseada — Letícia comentou. — Lembra-se de quando fomos a Paris, Alberto?

— Como poderia esquecer? Você passou mal durante todo o tempo no mar. Pensei que não chegaria viva ao continente. De certa forma, você mais parecia um esqueleto do que uma dama quando chegamos.

— De fato — continuou ela, ajeitando a manga do vestido de Valentina. — Minhas roupas dançavam ao redor do meu corpo, e nós tivemos que procurar uma modista assim que aportamos...

O clima ficou mais leve conforme a sra. Almeida narrava sua desventura, e foi com alívio que vi Valentina abrir um sorriso, ainda que ínfimo.

Ao perceber que todos tinham a atenção nela, Lucas discretamente chegou mais perto de mim.

— A srta. Valentina tem se alimentado? — perguntou, baixinho.

— Um pouco. Está melhor que no início da semana. Já é um avanço. — Recuei um passo para que os demais não pudessem me ouvir. Lucas me acompanhou. — Ainda não consigo acreditar que Adelaide se foi. Ela sempre foi uma mulher forte. Quer dizer, nos últimos tempos estava bastante abatida. Talvez já fossem os primeiros sinais do tifo.

— Talvez. — Ele apertou os lábios, as sobrancelhas contraídas.

Esperei que ele dissesse alguma coisa, mas, quando tudo o que ouvi foi silêncio, me obriguei a perguntar:

— O dr. Almeida irá acompanhá-lo até o porto mais tarde?

— Ele queria. Mas acabei por convencê-lo a ficar. Não é o momento de deixar a população sem um médico por perto. Se eu já não tivesse comprado a passagem quando a sra. Albuquerque adoeceu, iria adiar a viagem por algumas semanas. O tifo nunca aparece em um lugar só. Por favor, tome cuidado. — A maneira como ele disse isso, meio sussurrada, repleta de preocupação, aqueceu meu peito.

— Tomarei. Está com medo? Da viagem?

— Não me anima muito passar tanto tempo dentro de um navio. — Ele enfiou as mãos nos bolsos. — Não estou com medo. Não disso. Mas devo confessar que estou assustado.

— Com o quê?

Lucas abriu a boca. Tentou dizer alguma coisa, mas a voz de Doroteia o deteve.

— Valentina! Aí está você, menina! — gritou a dama, com o mesmo porte da falecida irmã, embora, no rosto, somente os olhos lembrassem os da sra. Albuquerque. Tinham a mesma frieza azulada. — Onde está seu pai?

— Falando com... uma conhecida.

Os olhos da mulher encontraram o cunhado ao lado de Miranda e se estreitaram, ganhando uma coleção de vincos.

— Vamos, Valentina. Quero ir para casa agora.

Depois que as duas partiram, foi a vez de minha família se despedir de Lucas. Meu irmão foi bastante compreensivo e, sem que eu tivesse dito coisa alguma, pegou Sofia pelo cotovelo e a ajudou a entrar na carruagem, nos dando um pouco de privacidade.

— Bem... Espero que a viagem seja tranquila. — Eu me esforcei para sorrir, mas não passou de uma tentativa.

— Obrigado. Elisa, eu... — Ele chegou mais perto, tantas emoções dançando por suas íris que não consegui discerni-las.

Meu peito se encheu de esperança. Ele não me chamava pelo nome fazia tanto tempo... Esperei, com o coração retumbando, a conclusão daquela sentença.

Lucas soltou o ar com força, esfregando o pescoço em um gesto de pura frustração, antes de dizer:

— Cuide-se.

Murchei feito uma planta que alguém se esquecera de regar.

— Farei isso.

Ele me ajudou a entrar na carruagem e se afastou. Espiando pela janela, eu o acompanhei com os olhos, o sol do fim da tarde fazendo seus cabelos adquirirem um tom dourado, até ele desaparecer atrás da torre da igreja sem jamais olhar para trás.

Uma mão grande e quente, que sempre esteve ali para qualquer coisa de que eu precisasse, cobriu a minha e a apertou. Olhei para meu irmão e vi reconhecimento e compreensão em seu semblante. Ele sabia exatamente como eu me sentia.

Sofia se levantou e veio se sentar a meu lado. Passou um braço pelas minhas costas, deitando a cabeça em meu ombro, e ficou ali, me confortando com sua presença.

Deixei a cabeça pender sobre a de minha irmã, me perguntando quando eu veria Lucas de novo. E esperava de todo o coração que nosso reencontro não repetisse a hesitação e o silêncio daquela despedida.

* * *

A chuva caía de mansinho, escorrendo na vidraça da sala como lágrimas silenciosas. Eu tentava ler, mas nem mesmo Byron conseguira prender minha atenção. Eu só conseguia pensar em Lucas. Ele já teria partido a essa hora. A diligência em direção à cidade portuária mais próxima saía sempre às seis em ponto, tanto da manhã quanto da noite. Torci para que a estrada se encontrasse em boas condições e ele chegasse ao porto em segurança. A descida da serra era muito íngreme. Também rezei para que o mar estivesse calmo e se mantivesse assim até que ele chegasse à Itália. Quanto tempo passaria até que eu pudesse ter notícias dele outra vez?

Sofia e Ian estavam tentando convencer Marina a sair de cima de Bartolomeu. Minha sobrinha se deitava sobre o gato, esfregando o rosto nos pelos macios, e ria. Bartô tentava se mostrar indiferente, mas sua cauda serpenteava, delatando-o.

Madalena entrou na sala segurando uma bandeja.

— O leite da srta. Marina está pronto.

— Valeu, Madalena. — Sofia pegou a mamadeira, como ela a chamava, e então franziu o nariz. Aproximou o vidro do rosto. — Argh! Isso tá estragado.

— Não pode ser, senhora. Eu acabei de ferver o leite.

— Deixe-me ver. — Ian pegou a garrafinha e derramou algumas gotas nas costas da mão.

— Ai, meu Deus... — Em um instante Sofia estava de pé, correndo em direção ao quarto, a mão firmemente cobrindo a boca.

Ameacei ir atrás dela, mas Ian me deteve.

— Pode deixar, Elisa. Eu vou. — Ian pegou Marina pela cintura e a entregou a Madalena. — Poderia colocá-la na cama esta noite? Minha esposa precisa de mim, e minha irmã, de um pouco de sossego.

— Sr. Clarke, o leite está bom. — Madalena deixou a bandeja sobre a mesa lateral, acomodando Nina melhor. — Eu sempre provo antes de dá-lo a menina.

— Eu sei, sra. Gomes. O problema de Sofia é outro. E esses enjoos vão se tornar cada vez mais frequentes pelos próximos três ou quatro meses.

Então Ian estava certo. Sofia estava mesmo grávida.

Os olhos da governanta se arregalaram.

— O senhor quer dizer que a patroa está... Oh, sr. Clarke! Que alegria! Será que teremos um varão desta vez?

— Não. Será uma menina.

— Como pode saber isso? — perguntei, achando graça de seu tom seguro.

— Eu simplesmente sei. — Ele deu de ombros antes de ir atrás da esposa.

— Oh, que notícia maravilhosa! — Madalena girou pela sala. Nina deu um gritinho de contentamento. — Vamos contá-la ao senhor meu marido, srta. Marina? Ele ficará contentíssimo com a novidade!

Assim que elas se foram, passei a mão em um candelabro e decidi ir para o quarto também. Bartolomeu me escoltou, todo galante. Enquanto eu atravessava a casa, não pude deixar de me perguntar mais uma vez como Ian tinha tanta certeza de algumas coisas. Ele soubera da gravidez antes da própria Sofia, e agora afirmava que ela trazia uma menina em seu ventre. Não havia qualquer dúvida em seu semblante ou em seu tom ao afirmar tal coisa. Como podia estar tão convicto?

Entrei no quarto e, depois que Bartolomeu passou, fechei a porta. Deixei a vela e o livro sobre o toucador e me sentei na banqueta da penteadeira.

*Como é possível que Ian saiba que Sofia espera uma menina?*, me perguntei de novo, enquanto levava as mãos aos cabelos para soltar o penteado apertado. Nem a mais poderosa simpatia conseguia ser tão precisa. Como ele poderia ter tanta certeza do futuro?

Minhas mãos se detiveram, e algumas forquilhas caíram no chão.

Até onde eu sabia, meu irmão não tinha o dom da vidência. Mas havia alguém que talvez tivesse.

— Alexander! — Só podia ser isso! Se ele fora capaz de nos ajudar a viajar no tempo e voltar para casa, podia muito bem saber de coisas que ainda não tinham acontecido, não é? Ele devia ter dito alguma coisa a Ian.

— Humm... não. Lamento decepcioná-la.

Dei um grito, saltando sobre meus próprios pés quando vi no espelho um vulto emergindo das sombras. Acabei me desequilibrando, batendo o quadril no toucador.

— Não precisa se alarmar. Sou eu!

— Meu Deus, Lucas! — Coloquei a mão sobre o coração, tentando me acalmar, conforme ele chegava mais perto, entrando na pequena bolha de luz produzida pelas velas. — Quase me matou de susto!

— Não era a minha intenção. Desculpe.

Assim que minha pulsação começou a se estabilizar, me dei conta de que, se ele estava ali, então não estava a caminho do porto. Já devia estar longe àquela altura.

Ele tinha mudado de ideia?

Antes que a esperança pudesse galopar para longe e eu perdesse o controle sobre ela, reparei que Lucas usava um traje de viagem escuro. E que estava ensopado.

— O que faz aqui? — perguntei, em voz baixa, com medo de que alguém o descobrisse ali. — Pensei que tivesse tomado a diligência. Você perdeu o juízo para entrar em meu quarto a esta hora?

— Eu devia mesmo ter tomado a diligência. Mas não pude ir embora sem me despedir direito. Foi por isso que eu... — Indicou a janela. — Achei que, se entrasse pela porta, não nos deixariam sozinhos.

— Não, mas, se alguém o vir aqui...

Sua boca se esticou em um sorriso quase selvagem.

— O que poderiam fazer? Me forçar a pedir a sua mão de novo?

— Doutor! — Meu rosto esquentou. Na verdade, não foi apenas meu rosto que esquentou. Senti uma quentura ardida no lado direito do quadril. — O senhor devia ter usado a porta da frente, como uma pessoa normal!

Lucas correu os dedos pelos cabelos, afastando do rosto os fios molhados. O movimento produziu uma pequena chuva sobre o tapete.

— Sim, eu devia. — Soltou o ar com força. — Mas dessa maneira eu não poderia falar com você sem ter seu irmão, sua cunhada, seu mordomo ou, Deus me livre!, sua governanta por perto. E eu queria me despedir de você sem qualquer ouvido curioso... — Abruptamente, seus olhos se arregalaram tanto que quase saltaram das órbitas. — Minha nossa! Você está pegando fogo! — Ele começou a tirar o casaco.

— O que pensa que está fazendo? Pare de tirar a roupa! — O calor em meu corpo se intensificou. A ponto de eu realmente sentir a pele arder.

— Mas você está em chamas!

— Eu não estou! — Estava tão indignada que não pude reagir quando Lucas esticou a mão que segurava o casaco e tocou meu quadril. — Meu senhor! — Eu o empurrei, mas tive pouco sucesso. Ele começou a espalmar meu traseiro.

Assim já era demais! Abri a mão e acertei sua bochecha com força. Um estalo agudo ecoou pelo quarto. Minha palma começou a latejar, mas ao menos Lucas parou de me apalpar. E me olhou em completo horror, como se eu tivesse perdido a cabeça.

— Nunca lhe dei tais liberdades! — Elevei o rosto. — Peço que saia do meu quarto já, se foi para isso que o senhor veio.

Ele teve o atrevimento de se mostrar ofendido.

— Você. Está. Pegando. Fogo — falou, entredentes.

— Já disse que não estou!

Sua mão se encaixou em meu queixo e forçou minha cabeça para o lado. Tentei me livrar de seu toque, mas o espelho entrou em meu campo de visão e...

— Ah, meu Deus! Estou pegando fogo! — exclamei, assustada.

— Foi o que eu disse!

A vela havia tombado sobre o toucador e atingira o livro que Lucas me dera tantos anos antes, aniquilando-o. A cera líquida, inflamada, havia escorrido pela madeira, gotejando em meu vestido. As chamas haviam consumido todo o tecido em meu quadril e agora queimavam a anágua. E também o toucador.

— A casa vai se incendiar, Lucas!

— Não é com a casa que eu estou preocupado agora. — A mão dele acertou meu traseiro de novo, freneticamente.

Tudo o que eu fiz foi piscar, surpresa. Mas não havia tempo para repreendê-lo. O fogo começava a aumentar, e se chegasse às cortinas estaríamos perdidos. Peguei o casaco molhado de Lucas e tentei apagar as chamas do móvel e do livro.

— Não estou conseguindo apagar, Elisa. Tire o vestido.

— O *quê*? Não!

— Por todos os demônios!

Suas mãos envolveram minha cintura, e eu senti seu corpo se encaixando atrás do meu. Fiquei tão surpresa com o contato que não tive qualquer reação, por isso Lucas me girou com facilidade até que fiquei cara a cara com ele. A próxima coisa que eu soube é que estávamos no chão, Lucas rolando sobre mim. Depois me fez rolar sobre ele. Fiquei tonta, e não tenho certeza se era com os rodopios horizontais. Ele era repleto de músculos e asperezas, que se acomodaram perfeitamente em minhas curvas. Nossos corpos se encaixaram como... como se tivessem essa finalidade.

Em algum lugar ali perto, ouvi o protesto indignado de Bartolomeu.

Então o mundo parou de girar, mas eu pouco via dele, pois meu penteado havia se desfeito totalmente e meus cabelos me caíam na face como um véu espesso. Apesar de não conseguir enxergar nada além de fios grossos e escuros, eu era capaz de sentir.

Lucas enroscou os dedos em minhas mechas, afastando-as do rosto.

— Você está bem? — perguntou, em um sussurro preocupado.

Fiz que sim, pois estava com dificuldade para organizar os pensamentos. A combinação de suas roupas molhadas com a quentura de seu corpo me fez sentir uma infinidade de coisas que até então eu não conhecia.

Seus olhos vagaram em direção ao toucador, ao meu traseiro, e então encontraram os meus.

— Conseguimos apagar o fogo — murmurou ele.

— Sim. — Das minhas roupas, sim. Mas eu não tinha ideia de como faria para extinguir as chamas que subitamente me queimavam por dentro.

E elas se inflamaram ainda mais quando Lucas apoiou a mão na minha cintura e se sentou. Meu corpo escorregou para a frente e se encaixou no dele completamente, dos quadris ao peito, como se tivéssemos sido esculpidos daquela forma, unidos. Seu olhar, cravado em minha boca, parecia capaz de enxergar a tormenta que ocorria dentro de mim. E parecia partilhar dela.

Sua mão envolveu minha nuca conforme sua cabeça pendia em minha direção, seu rosto ficando a centímetros do meu.

— Você é a minha perdição, Elisa.

Fechei os olhos, ansiando pelo momento em que teria sua boca sobre a minha novamente.

No entanto, em vez de me beijar, Lucas me empurrou para o lado e estava de pé antes que eu pudesse compreender o que estava acontecendo.

— Está vindo alguém — murmurou, me estendendo a mão.

Tentei ouvir alguma coisa acima da pulsação que retumbava em meus ouvidos. Pés se apressavam no corredor.

— Santa Mãe de Deus! — Com sua ajuda, fiquei de pé, procurando na escuridão o casaco que eu usara para abafar o fogo na mobília. — Você não sairá vivo desta casa se o meu irmão o flagrar em meu quarto! Você precisa ir embora! — Encontrei seu paletó. Mesmo úmido, tinha alguns chamuscados e fedia a fumaça. Eu o empurrei em suas mãos. — Vá!

Embora tivesse assentido uma vez, Lucas não se moveu e ficou ali, me encarando com intensidade.

Os passos se tornavam cada vez mais audíveis.

— Lucas, por favor, vá agora! — Eu o empurrei em direção à janela.

Ele pareceu recobrar a sensatez, apoiando a mão no parapeito.

A porta se abriu de repente. Lucas não ia escapar a tempo.

Céus!

# 17

— Srta. Elisa! — Madalena passou pelo batente, uma vela na mão. Oh, por Deus. Madalena surpreender Lucas em meus aposentos era quase tão ruim quanto Ian o flagrar. *Quase*

— Eu posso explicar, sra. Gomes¹ — me adiantei, erguendo as mãos.

— Qual a razão de todos esses gritos a esta hora da noite? Viu um rato, minha querida?

— O quê? — Virei-me para a janela aberta. Não havia o menor sinal de Lucas. Oh, ele havia conseguido! Escapara sem ser visto. O alívio quase me derrubou no chão. E então a tristeza. Lucas tinha partido e outra vez nossa despedida não saíra como eu esperava.

— Não foi um rato — expliquei a Madalena. — Houve um acidente com a vela. Não percebi até que meu vestido pegasse fogo.

— Fogo? — Seu rosto foi tomado de horror. — Oh, srta. Elisa, que perigo! Você está bem, minha querida? — Ela chegou mais perto, colocando a vela sobre a cômoda para então me tocar em todos os lugares que pôde alcançar, se certificando de que eu estava inteira.

— Não fique preocupada. Não me feri. Consegui apagar as chamas antes que o pior acontecesse. — Apontei para a bagunça que era o toucador agora.

— Minha nossa! Vivo falando que esses castiçais são perigosos. É coisa de um instante para que toda a casa se incendeie. Deixe-me ajudá-la a se livrar desse vestido. Está cheirando a fumaça. Roupas limpas e um chá de erva-doce são tudo de que você precisa agora.

O que me confortaria era ter tido uma conversa franca com Lucas. Que as coisas entre nós pudessem voltar ao que eram antes. Que ele tivesse se despedido com um beijo apaixonado, cuja lembrança me faria suportar sua ausência. Mas achei melhor não dizer isso a ela, então me virei para que ela pudesse desabotoar meu vestido.

— Sofia se sente melhor? — eu quis saber.

— Logo que colocou o jantar para fora, ela se sentiu muito melhor. A pobrezinha ainda não se deu conta de que está esperando um bebê. — Madalena deu uma risadinha, abrindo o primeiro botão. — É engraçado que o patrão já tenha percebido e ela não. Mas a sra. Clarke é assim. Sempre demora para perceber o que está bem diante do nariz.

Dei risada enquanto puxava os cabelos por cima dos ombros para facilitar o acesso aos botões.

— Vindo de alguém que demorou duas décadas para notar que tinha um homem apaixonado, apenas esperando um sinal de que seria bem recebido, esse comentário foi engraçado.

— Elisa! — Ela corou. — Não se espera que uma mulher na minha idade tenha a chance de viver um grande amor. Foi um terrível acidente!

— Um acidente que a faz sorrir o tempo todo agora.

— Hunf! Imagine se eu ia ficar sorrindo por conta daquele velho matusquela... — Ela voltou a trabalhar no meu vestido, cantarolando uma canção sem parecer se dar conta, e eu me peguei sorrindo de novo.

Conforme ela removia os botões de suas casas, o vestido ia se abrindo, mesmo que não trouxesse alívio. Eu desconfiava de que aquele aperto no peito não estava relacionado ao espartilho que usava, mas ao homem que escapara pela janela instantes antes.

As mangas escorregaram pelos meus braços, revelando minha roupa de baixo. Madalena soltou um silvo áspero.

— O que foi, minha querida? A fumaça atacou sua garganta? — ela perguntou, antes que eu pudesse fazer o mesmo, o que me deixou confusa. Por que ela me perguntava aquilo se havia sido ela quem resmungara? Mas, pensando melhor, o som parecia ter vindo do outro lado...

Vasculhei o quarto sob a luz bruxuleante da vela, e tudo que encontrei foi Bartolomeu, se esfregando nas cortinas. O bichano se moveu para roçar o outro lado do lombo no tecido. Então o par de botas masculinas enlameadas ficou visível sob a barra do pesado tecido branco.

Lucas *ainda* estava no quarto!

E Madalena continuava a abrir os botões do meu vestido!

Eu me afastei dela abruptamente, puxando o corpete aberto de encontro ao peito.

— Eu... humm... acho que vou ficar com este traje um pouco mais.

Ela apoiou as mãos nos quadris.

— Não seja boba, menina. O vestido está fedendo a fumaça e você ainda está dentro do espartilho. Me deixe terminar de abri-lo. — Tentou alcançar minhas costas.

— Não! — Eu me esquivei. — Eu... gosto tanto dele. E, agora que está arruinado, nunca mais vou poder usá-lo. Quero... humm... ficar com ele mais um pouquinho.

— Era mesmo um belo traje. — Ela estalou a língua. — Mas agora não passa de trapos. Aliás, por que está úmido em alguns pontos?

Eu tinha de tirar Madalena dali antes que ela flagrasse Lucas e a casa realmente pegasse fogo. Mas como, se a mulher não parava de tentar tirar minhas roupas e de me fazer perguntas?

— Deve... ter molhado quando tentei apagar o fogo — improvisei. — Ou a chuva pode ter molhado. Não estou certa.

Oh, que grande ideia atrair a atenção de Madalena para a janela...

— Gomes deve ter esquecido a vidraça aberta. — Ela se virou e avançou para fechá-la.

— Não! Não feche! — Além de ficar perigosamente perto de Lucas, assim que encostasse a janela, ela cerraria as cortinas e o meu noivo seria descoberto. — Deixe aberta, ou o cheiro da fumaça não vai sair do quarto.

Ela me avaliou por um instante.

— O cheiro de fumaça não irá sair deste quarto enquanto não se livrar destas roupas.

Hesitei por um instante. Eu seria capaz? Por Deus, só de pensar já sentia o rosto em chamas. Porém, algo mais importante que minha timidez estava em jogo. Se Madalena descobrisse Lucas, Ian ficaria sabendo e eu não tinha dúvidas sobre o que meu irmão faria para restaurar minha honra.

— Está bem. — Engoli em seco. — Me ajude a tirar o vestido, mas deixe a janela como está.

— Não vou fechá-la. Temo que a fumaça tenha feito mal aos seus miolos — resmungou.

Eu me afastei do esconderijo de Lucas o máximo que pude, parando quase em frente à porta, e fiquei de lado, de modo que Madalena permanecesse de costas para ele. Se ela estranhou alguma coisa, não mencionou nada, e voltou a trabalhar em meu vestido. Mantive os olhos grudados no chão o tempo todo, o rosto ardendo.

— Sua anágua também está queimada. — Ela desatou o laço em minha cintura com um suave puxão. A peça se amontoou a meus pés, me deixando com nada além de meias de seda, o culote, que me chegava ao meio da coxa, o espartilho e a fina chemise de alças sob ele.

Senti seus dedos nos laços do espartilho. Eu me virei, passando os braços ao redor do peito, tentando me cobrir.

— Pode deixar. Eu termino de me despir.

— Não me custa nada, querida.

— Eu sei. E agradeço, mas já está tarde e a senhora também está cansada. Boa noite, sra. Gomes.

Depois de resmungar, ela recolheu a bagunça sobre o aparador e saiu do quarto, minhas roupas arruinadas pelo fogo jogadas no ombro.

Esperei mais um instante e então passei a chave na porta. Ouvi o sussurro do tecido quando Lucas saiu de trás das cortinas. Não ousei me virar, mas um arrepio me subiu pela nuca quando ele se aproximou. Um tecido pesado e úmido me caiu nos ombros. O casaco de Lucas. Segurando as lapelas, eu me virei para ele.

— Obrigada. — Mortificada, mantive os olhos no chão.

— Não devia ter permitido que ela a despisse. — Sua voz mal passava de um murmúrio. — Tentei atrair sua atenção para que a impedisse.

— Se não a deixasse me ajudar, ela iria desconfiar e acabaria o descobrindo atrás das cortinas. E, se isso acontecesse, você seria um homem morto ao amanhecer.

— Tem tão pouca fé em minha pontaria? — Pude ouvir o sorriso em seu tom.

Neguei com a cabeça, mantendo os olhos em sua gravata ensopada.

— Eu não ia suportar se você ou Ian se ferissem. Eu jamais me perdoaria se duelassem. Qualquer coisa é melhor que imaginar um de vocês machucado.

Suas mãos se encaixaram em meu rosto, me obrigando a olhar para ele.

— Você me confunde, Elisa. Sinto que estou perdendo o juízo. Você fugiu de mim, mas, quando lhe dei a chance de romper o noivado, você não quis. Não quer se casar comigo, mas corresponde aos meus beijos como se... — Ele fechou os olhos, parecendo torturado. — Você está me rasgando ao meio, Elisa.

— Lucas...

— Não! — Ele me encarou, me segurando pela nuca. — Eu preciso falar antes que sejamos interrompidos de novo. Você me acusou de não querer pedi-la em casamento. E eu confirmei. É a verdade, mas não toda ela. Eu tentei falar com você antes, mas nunca consegui, porque aquela sua governanta... — Ele sacudiu a cabeça. — Elisa, eu ia pedir que me esperasse. Sabia que não era justo, que tinha muitos pretendentes, melhores partidos do que eu. Mas eu não podia desistir de você. Simplesmente não consigo. — Havia ardor em seu olhar, em seu rosto, em suas palavras. — Mas também não podia privá-la do conforto que já tem aqui. Por isso ainda não tinha pedido sua mão para seu irmão. Eu queria me estabelecer, não ter que depender dos rendimentos da propriedade da minha família antes de me oferecer a você.

Meu coração ameaçou explodir. Então fora isso? Ele sempre pretendera me pedir em casamento? Apenas estava esperando pelo momento certo?

— Quando fomos flagrados e eu pedi a sua mão — prosseguiu —, tudo o que eu podia lhe oferecer eram os meus sentimentos. Foi com isso que fiquei furioso. *Comigo*, pela imprudência de a ter colocado naquela situação, pelo fato de ainda não ser capaz de cuidar de você como merece.

Meus olhos marejaram, minha pulsação acelerou e eu senti que poderia sair voando a qualquer instante. De todas as palavras que ele proferiu, uma havia mudado tudo para mim.

— Sentimentos? — perguntei.

— Profundos e verdadeiros. — Ele colou a testa na minha. — Por isso estou aqui agora, diante de você, abrindo meu coração, na esperança de que faça o mesmo e eu possa entender por que fugiu de mim.

Era tudo o que eu queria. Ele dissera tudo o que eu sempre quisera ouvir. E eu queria abrir meu coração como ele fizera, e depois encontrar a alegria em seus braços. Queria ser capaz de manter aquela chama em seu olhar, e nunca mais vê-la se apagar. Queria dar a ele todos os meus segredos e acabar com aquela agonia de uma vez.

Mas eu não podia.

— Me perdoe, eu não posso. — Toquei seu pulso, afastando-o, e, oh, como me machucou ver a dor em seu rosto. — Eu não fugi de você, Lucas. Eu fui forçada a me afastar.

— Por quê? Por quem? Esse tal Alexander, que você chamou ainda agora? — me encarou.

Sustentei seu olhar, mas nenhuma palavra deixou meus lábios.

— Diabos, mulher! Você se diverte torturando um homem desta maneira?

— Não! Mas já falei que não posso explicar! Eu não posso! — Balancei a cabeça freneticamente, segurando o casaco com força, como se ele pudesse de alguma maneira me proteger de suas perguntas. — Se realmente tem sentimentos por mim, então por favor, deixe esse assunto no passado.

— Como se sentiria se eu tivesse desaparecido depois de ter pedido a sua mão? E depois voltasse sem dar qualquer explicação? Seria capaz de deixar no passado? — Ele me agarrou pelos ombros, o rosto encoberto pelo desespero e algo mais. — Como posso deixar isso no passado se vamos nos casar, Elisa? Como podemos pensar em construir uma vida juntos se você esconde coisas importantes de mim? Se não confia em mim?

Ele não dizia nada em que eu já não tivesse pensando um milhão de vezes. Mas, na época, eu não sabia que ele sentia alguma coisa por mim além de atração. Não com certeza. Agora que Lucas declarara seus sentimentos — profundos e verdadeiros —, negar a verdade a ele era agonizante.

E seria assim dali em diante, não é? Porque, tão logo nos casássemos e começássemos a partilhar nossa vida... ele me beijasse e me fizesse sentir todas aquelas coisas... meu amor por ele só iria aumentar. E eu morreria um pouquinho a cada dia, por não poder partilhar com ele o segredo que guardava. Eu o faria sofrer a cada vez que me perguntasse sobre a viagem e eu me esquivasse. A dor que eu via agora em seu olhar nos acompanharia enquanto vivêssemos, até que seu amor se transformasse em rancor, depois em ódio. Eu acabaria por destruí-lo.

"Você está me rasgando ao meio, Elisa", sua voz ecoou em minha cabeça.

Eu *já* estava destruindo Lucas, me dei conta.

Naquele instante, eu me vi diante de uma divisão. A estrada da minha vida bifurcava. Eu teria de escolher um caminho. Minha família ou o homem que amava. Não seria possível manter os dois.

Eu queria me dobrar de dor e gritar porque, no fundo, sabia que não havia realmente uma escolha. Colocar Sofia em risco exporia também Ian e Marina. Como eu poderia não protegê-los? Como eu poderia dar as costas a Sofia e pensar apenas em mim, se ela não hesitou em ir me resgatar quando eu estava perdida em seu tempo? Como eu poderia trair a família que me restara?

Eu amava Lucas. Tão profunda e verdadeiramente que teria me casado com ele mesmo quando pensava que não me amava. Eu o amava tanto a ponto de afastar dele aquilo que acabaria por destruí-lo: de mim mesma.

E teria de deixá-lo ir. Tinha de acabar com o noivado, abrir mão da única coisa que desejei chamar de minha nesta vida. A dor que me apunhalava era profunda, como se uma lança me atravessasse o peito.

Passei os braços ao redor do meu corpo, juntando os cacos em que me transformara, e inspirei fundo, rezando para ter força e coragem para fazer o que era preciso e manter minha família — e o próprio Lucas — a salvo.

— Você está certo — Engoli em seco. — Não posso esconder isso de você.

Seu rosto se encheu de esperança conforme ele murmurava um "por favor" que quase me derrubou de joelhos.

— Eu me apaixonei por outra pessoa, Lucas.

Sua esperança foi substituída pela descrença, e então pela agonia.

— No baile... — continuei, mirando o chão. Não conseguiria dizer mais uma palavra se olhasse em seus olhos. — ... eu me deixei levar pela curiosidade feminina. Por isso pedi que me beijasse. Lamento se dei a entender outra coisa. Mas meu coração sempre pertenceu e sempre pertencerá a... a Alexander — improvisei. — Por isso eu fugi. Fui me encontrar com ele, mas Ian conseguiu me localizar e me trouxe de volta para casa.

— Esse... — Sua voz tremeu.

Fechei os olhos para que as lágrimas que se empoçavam em meus olhos não caíssem.

— Esse Alexander... — tentou de novo.

— Desapareceu antes que Ian pudesse cobrar minha honra — me apressei.

— Mas você ainda o ama. — Não era uma pergunta.

— Ainda amo o mesmo homem que sempre amei — foi toda a verdade que consegui dizer.

Ele começou a andar pelo quarto. Abri os olhos e acompanhei seu vaivém, sufocada pela angústia. Pude sentir tudo se assentar dentro dele, sua aura se modificar, ficando escura. A revolta, a raiva, a mágoa ganhando força.

Ele parou, por fim, esfregando os olhos antes de mirá-los com toda a força em mim.

— Por que brincou comigo, Elisa? Por que me fez acreditar que sentia afeição por mim? Por que todas aquelas cartas?

— Deve saber que as mulheres na minha idade gostam de ser admiradas. Sua atenção era muito lisonjeira. Não pensei que você fosse... tolo o bastante para se apaixonar. Pensei que não sentisse nada além de atração por mim ou...

— *Diga! Diga logo. Acabe com tudo de uma vez!* — ... pelo meu dote. Fico muito lisonjeada que me tenha afeição, mas, lamento, não poderei retribuir nunca.

Ele esfregou o rosto, os lábios se esticando em um sorriso que era apenas amargura. Desconfiei de que Lucas não pudesse ser mais machucado do que estava naquele instante. Devastado por completo. Orgulho ferido, coração partido... Eu tinha conseguido tudo isso no decorrer de míseros minutos.

— Você não é quem eu pensava que fosse — falou, com a voz instável.

— Não pode me culpar por não ser alguém que idealizou.

— Não, não posso. — E ali, no fundo de seus olhos, vi morrer todos os meus sonhos conforme a luz dentro deles se apagava.

Era demais. Eu me virei. Já não conseguia prosseguir com aquilo. Ele tinha de ir embora.

— Agora que sabe a verdade — falei, de costas —, não alimento mais esperanças de que mantenha sua palavra. Considere nosso noivado desfeito.

No espaço de uma batida de coração, ele estava diante de mim. Tudo o que eu conhecia e amava nele havia desaparecido. Em seu lugar surgira algo sombrio, perigoso e implacável.

— Isso a faria feliz, não? — Ele chegou mais perto. — Isso a deixaria livre para ir atrás de Alexander.

— Eu serei livre para viver em paz. — Dei um passo para trás.

— Que pena. Pois paz é tudo o que não terá de mim. Nosso noivado continua. — Ele passou por mim, indo em direção à janela.

— O quê? Mas o senhor não pode! — Eu o segurei pelo braço antes que alcançasse a saída. — Não ouviu o que eu disse? Eu fugi com outro homem!

Seu rosto foi encoberto por uma sombra escura.

— Esteja certa de que eu não vou me esquecer disso. E posso manter o noivado. Tenho um contrato assinado por você.

Oh, meu Deus!

— Eu não o farei feliz — falei, em desespero. — Tampouco você me fará feliz. Por que continuar com esse compromisso?

— Você acabou de dizer o motivo, Elisa. Porque eu não a farei feliz. Nos casaremos assim que eu me estabelecer e voltar da Itália. — Uma sombra sinistra dominou suas feições. A tempestade que caía lá fora parecia estar dentro do quarto agora. Nuvens escuras, trovoadas, relâmpagos. Tudo isso refletido nos olhos de Lucas.

Minha garganta se apertou. Eu tinha feito. Havia brincado e zombado de seus sentimentos. Como ele poderia não me odiar?

— Não pode manter esse compromisso apenas porque está com raiva e quer se vingar de mim — sussurrei. Eu estava a um suspiro de perder o controle e cair em lágrimas.

Seu olhar passeou demoradamente pelo meu rosto. Por todos os centímetros dele. Uma emoção lhe atravessou a face, uma espécie de vulnerabilidade que eu jamais vira em seu semblante.

— Quisera eu que fosse assim. Não doeria tanto. — Sua voz estava tão baixa que quase não pude ouvir. Porém, tão rápido quanto surgiu, aquela emoção desapareceu. Ele puxou o braço. — Adeus, Elisa.

— Lucas, espere!

Mas ele já pulava a janela.

Corri até ela, me debruçando no parapeito para tentar vê-lo. A chuva batia gelada em meu rosto, escorrendo como lágrimas frias, enquanto eu assistia a Lucas caminhar sob toda aquela água com os punhos cerrados e logo desaparecer na escuridão.

Passei os braços ao redor do corpo, tentando deter o tremor, que não tinha qualquer relação com a chuva gélida que me ensopava.

Eu me deixei cair no chão e enterrei o rosto nas mãos, abafando os gritos que me sacudiam. Chorava por Lucas. Pelas mentiras que eu lhe contei, pela dor profunda que vi em seu olhar, pela agonia que lhe causei. E chorava por mim também. Ele não pôde acreditar na verdade, mas não duvidou da mentira, aquela que me tornava uma mulher frívola e desprovida de coração.

Doeu. Doeu muito e por muito tempo. A ponto de eu não conseguir respirar.

* * *

Os dias foram passando, e o tempo me ensinou a lidar com a dor, a manter adormecidos a tristeza e os sentimentos que eu tinha por Lucas.

Assim que ele chegou à Europa, começou a me escrever uma vez por mês — às vezes a cada dois meses — umas poucas linhas nas quais, em geral, discorria sobre o tempo. Durante os três anos em que nos correspondemos, ele jamais falou de si, sentimentos de qualquer natureza ou do nosso compromisso. Vez ou outra me enviava uma joia cara — muito bonita, mas extravagante demais para mim. Todos viam seus presentes como gestos atenciosos, mas eu compreendia que na verdade eram avisos. Ele estava sendo bem-sucedido na Itália e logo teria se estabelecido.

Houve um tempo em que meu coração teve tanta certeza de que Lucas era a pessoa à qual eu estava destinada, aquela que traria cor e alegria a minha vida pálida, que chegava a doer. Sofia também pensava assim, já que tinha vislumbrado meu futuro. Ou o que poderia vir a ser o meu futuro.

Refletindo agora, enquanto subia na carruagem a caminho da igreja, onde minha família e meus amigos esperavam para me ver atravessar a nave usando o vestido de noiva de mamãe e dizer "sim" a Lucas, eu me perguntei se Sofia e meu coração não haviam entendido tudo errado. Porque a última coisa que eu sentia era alegria.

# 18

Aquele era o grande dia, Lucas pensou em seu quarto, na nova residência, enquanto terminava de fechar as abotoaduras. Os empregados conseguiram arrumar a casa a tempo, e desde o dia anterior ele e sua família tinham se instalado ali.

Ele se olhou no espelho sobre o toucador, examinando sua aparência minuciosamente. O paletó escuro e a gravata branca o faziam parecer elegante, mas o cabelo um tanto revolto passava outra mensagem. Molhando as mãos, tentou domá-lo, e tudo o que conseguiu foi fazer com que ficasse ainda mais desregrado. Devia ter seguido os conselhos de Baltazar, seu novo mordomo, que lhe recomendara um corte. Agora era um pouco tarde para isso.

Tarde para qualquer coisa, refletiu, franzindo as sobrancelhas. Flagrou-se pensando o que sua irmã gêmea diria agora, se o visse se arrumar para se casar com a mulher que um dia destruíra seu coração. Podia apostar que haveria muitos xingamentos e petelecos. Rebeca nunca foi o que se podia chamar de uma doce criatura. Lucas estava certo de que ela não aprovaria esse casamento. Diabos, ele mesmo não aprovava!

A porta se abriu bruscamente, e seu irmão entrou no quarto.

— Ora, mas está parecendo um homem importante!

— Não se deixe enganar pelas roupas, Saulo. Ainda não gosto de usar gravata e estaria muito mais feliz sem esta porcaria de colete.

— O que o faz pensar que é o único homem a sofrer com isso? — Saulo avaliou seu irmão caçula de alto a baixo. — Goste deles ou não, o deixam apresentável. Você parece um daqueles intelectuais por quem as mulheres tanto suspiram Exceto por esse cabelo. Não custava ter aparado ao menos para o casamento.

— Veio aqui apenas para me dar conselhos de moda? — implicou.

Um de seus passatempos preferidos sempre fora aporrinhar o irmão. Claro que Saulo devolvia as gentilezas, e não era raro os dois terminarem uma discussão aos socos, para logo em seguida desatarem a rir e se sentarem para beber alguma coisa.

Saulo era quase dez anos mais velho que Lucas. Sendo o primogênito, assumira todo o legado da família Guimarães, cuidando do próprio patrimônio e da parte que cabia a Lucas. Os negócios da família começaram com café, mas seu avô sempre preferiu o vinho, de modo que fazia mais de cinquenta anos que os cafezais tinham sido substituídos pelas belas parreiras na propriedade dos Guimarães.

— Se dependesse de mim para orientá-lo nos assuntos de moda, estaria perdido, meu irmão — resmungou Saulo. — Vim avisar que o vidreiro acabou de entregar alguns vasos. Eu ia devolver tudo, porque são feios como o diabo, mas seu mordomo me explicou que você estava esperando a encomenda. Mandei colocar na sala onde estão as outras tralhas que você coleciona.

— Eu não coleciono "tralhas". São equipamentos laboratoriais. E o que o vidreiro trouxe não são vasos. São vidrarias. Os de fundo arredondado se chamam balões, e foi isso que eu encomendei. Balões que Almeida me ajudou a desenvolver para que eu possa colocar uma teoria em prática. Se funcionar, pode resolver o seu problema com o azedamento do vinho.

— Eu ficaria imensamente grato se encontrasse uma solução, Lucas. Estou cansado de ter prejuízo.

Na semana anterior, Lucas tinha ido ver os pais. Ao entrar na casa sem esperar pelo mordomo, fora direto para a cozinha, pois sabia que era lá que encontraria sua mãe. Apesar de pouco comum para uma dama da sociedade, um dos prazeres de Rosália Guimarães era cozinhar. Infelizmente lhe faltava talento, mas ela nunca se deixara abater.

Ele a encontrara ao fogão, mexendo uma panela de doce de abóbora. Rosália não havia mudado nada em três anos. E, assim como Elisa, ela o reconhecera no mesmo instante.

— Lucas! — Ela abandonara a colher de pau, abraçando-o apertado demais para alguém tão miúdo. — Oh, meu querido, eu sonhei com você a semana toda. Sabia que estava a caminho. Eu sabia! — Ela se curvara para trás para poder admirá-lo melhor. Os olhos em um tom de marrom esverdeado, como os dele, estavam marejados, mas sorriam. — Como está bonito, meu querido! Um homem feito!

— Até parece que não me vê há séculos, mãe.
— E não vejo! Para uma mãe, um dia longe do filho é uma eternidade. Onde está seu pai? Alfredo! — gritara. — Alfredo, homem de Deus, nosso menino está em casa! Venha depressa! — Ela se virara para a cozinheira. — Está vendo meu filho, Selma? Está vendo como está crescido?
— Sim, senhora. Que bom vê-lo, doutor.
— É bom vê-la também, senhora.
— O que é toda essa gritaria? — Alfredo Guimarães passara pela porta, um jornal nas mãos, os óculos equilibrados na ponta do nariz, nada de paletó. Seus cabelos haviam ficado mais prateados nos últimos três anos, e Lucas lamentou ter perdido a mudança.

Assim que o pai o reconhecera, retirara os óculos de leitura e, no instante seguinte, estava com os braços ao seu redor, batendo em suas costas, rindo alto.
— Por que não disse que estava voltando? Eu teria ido buscá-lo no porto.
— Parece que o correio não é tão eficiente quanto o vapor, pai.

Foi nesse instante que Saulo entrara pelos fundos. Parara ao ver Lucas, estudando-o com um meio sorriso. Naturalmente, a primeira coisa que falou ao irmão caçula foi:
— O que é essa sujeira no seu rosto?
— Creio que o nome seja cavanhaque. E o que é isso escorrendo das suas orelhas? Resolveu criar ratazanas na cara? — Lucas provocara.
— Não fale mal das minhas suíças! Tereza as adora! — Saulo se casara com uma vizinha que crescera com ele poucos meses antes de Rebeca deixar este mundo. — Agora cale a boca e dê cá um abraço!

Depois de ser abraçado pelo irmão, de se empanturrar com tudo o que sua mãe encontrou na cozinha, de ver o progresso da coleção de insetos de seu pai e de ir atrás dos dois sobrinhos, que pescavam na lagoa ali perto, Lucas quisera saber o que andava acontecendo com eles, com a propriedade e com os negócios. As notícias com relação ao último assunto não eram muito animadoras. Saulo perdera dezenas de barris no semestre anterior. O vinho azedava e quase toda a produção tinha sido perdida.

Lucas o acompanhara até a grande adega e observara os tonéis de uma nova safra já no processo de maturação, os pensamentos pulando de uma suposição para outra, até que parara diante de um barril, a mão sobre ele. Ao ouvir a bebida sacolejar ali dentro, uma ideia lhe atravessara o cérebro. Era maluca, mas, na manhã seguinte, o rapaz começara a tomar notas.

Ao retornar à vila, convocara Alberto para uma reunião. E então contara do problema que seu irmão vinha enfrentando.

— Sei que posso estar sendo tolo, Almeida — explicara, andando de um lado para o outro. — Mas tenho a suspeita de que Bassi começou algo muito maior do que pretendia. Acho que a contaminação do vinho e a dos bichos-da-seda ocorrem da mesma maneira. Suspeito que todas as doenças contagiosas tenham a mesma causa.

— Lucas, essa é uma afirmação realmente séria — Almeida erguera os olhos para ele, bestificado, indeciso e orgulhoso.

— Eu sei. Eu tenho que provar isso antes de sair falando por aí. — Esfregara a mão no rosto. — Acho que sei como deter o azedamento do vinho, tenho tudo na cabeça, mas não consigo encontrar uma maneira de manter a poeira... e o que eu suspeito que viva nela... do lado de fora dos barris.

Tinha certo receio de estar sendo pretensioso. Afinal, a abiogênese — ou teoria da geração espontânea, segundo a qual a vida surge espontaneamente da matéria bruta — não só era aceita como ensinada na escola de medicina. Agostino Bassi não concordava com ela. Lucas também não, e havia recebido muito mais do entomologista italiano do que poderia ter sonhado. Vira com os próprios olhos as entidades minúsculas, como Bassi as chamava, adoecerem os bichos-da-seda. O cientista precisara de quase vinte e cinco anos para concluir sua tese e publicá-la em um periódico italiano no início daquele ano Depois de decorar o folheto do remédio que salvara a vida da sra. Clarke três anos antes, Lucas estava certo de que as "entidades" de Bassi eram os tais micro-organismos. Por isso, depois de visitar a adega de Saulo, estava resolvido a testar uma teoria que, se funcionasse, poderia ajudar Saulo com o vinho. Mas, para tanto, ele teria de encontrar uma maneira de manter a poeira longe do experimento — esse era o problema. Não era possível. Sua experiência parecia condenada ao fracasso antes mesmo de poder colocá-la em prática.

Lucas explicara tudo isso a Almeida. Vira o desafio reluzir nos olhos do homem quando, mais tarde, saíra para acertar os últimos detalhes do casamento e da casa que seu advogado comprara em seu nome. Ao voltar à residência dos Almeida, no começo da tarde, encontrara o desenho de um balão com o gargalo em um s em sua cama. Lucas quase atropelara o pobre Horácio em sua afobação ao sair para ir até o vidreiro e encomendar, com a máxima urgência, quatro balões iguais ao desenho.

— Bom, todos já estamos prontos. Só falta a Tereza. — A voz de Saulo o despertou do devaneio. — É o terceiro penteado que ela está fazendo. Os anteriores não a deixaram feliz. Assim como seu marido, que foi pouco civilizadamente convidado a se retirar do próprio quarto.

— Tenho certeza de que ela o recompensará pela espera.

Saulo se recostou na mesa recoberta com livros, cartas e desenhos, estudando o irmão.

— Você não me parece muito feliz, Lucas.

Ele estava se arrumando para se casar com a mulher a quem um dia amara, de quem prometera se vingar e depois descobrira não ser capaz. E, o pior, uma mulher que ainda mexia com ele. Não, não havia muito o que celebrar.

Reencontrar Elisa não estava acontecendo como esperava. Aquela mulher devastara sua alma e seu orgulho três anos antes. Na época, Lucas estivera tão certo dos sentimentos dela quanto dos próprios, mas para ela tudo não passara de algo muito comum — e até esperado — entre as damas da sociedade: um mero flerte para afagar o ego.

Os sentimentos que um dia nutrira por ela já não existiam mais. A imagem que ele criara de Elisa era muito distante daquela jovem dissimulada. Lucas podia perdoá-la por ter se entregado a outro. Ela o fizera por amor. O que ele não conseguia perdoar era o fato de Elisa ter brincado com seus sentimentos como se fossem uma boneca da qual ela se cansara cedo demais.

Durante muito tempo ele imaginara que, para ela, o casamento seria um bom castigo. Lucas queria que ela pagasse pela dor que lhe causara. Mas, conforme os anos foram passando, e por mais que sua mágoa não tivesse recuado um único centímetro, ele percebera que já não queria fazê-la sofrer. Ela já sofrera o bastante ao abrir mão do homem que amara para se casar com Lucas.

Na última vez que a vira, na semana anterior, naquela maldita estrada...

Eles tinham discutido de novo. E, enquanto Lucas assistira a Elisa desaparecer sobre o cavalo dele, se perguntara por que prosseguia com aquela loucura, por que não terminava logo com aquele martírio. E então a reposta o apavorara.

Ela ainda mexia com ele. Não era amor. Não mais. Fora tolo uma vez para acreditar em Elisa, e isso jamais voltaria a se repetir. Mas aqueles olhos de turquesa ainda mexiam com Lucas. Se dar conta disso o irritava até a alma. Como, em nome de Deus, ele seria capaz de seguir adiante com sua vingança se o olhar dela, ferido e enevoado por lágrimas, lhe causara um aperto no peito? Ele a menosprezara, afirmando que Elisa era uma piada aos olhos dos outros.

E, assim, sua vingança morrera com seu orgulho.

Tudo o que queria era seguir sua vida e deixar Elisa no passado. Mas não podia, e a culpa era toda dele. Se desfizesse o noivado agora, condenaria a jovem a um destino ainda pior que se casar com ele. Ser abandonada pelo noivo depois de três longos anos seria o mesmo que condená-la à reclusão. Elisa dificilmente se recuperaria dos falatórios.

Tudo o que restava a Lucas era a esperança de que ela engolisse aquele maldito orgulho dos Clarke e mudasse de ideia quanto ao casamento.

— E desde quando, Saulo, casamento e felicidade são sinônimos? — Lucas questionou, incerto se perguntava a si mesmo ou ao irmão.

— Ah, isso lá é verdade. Quem foi o pobre coitado que teve essa ilusão um dia, hein?

Enquanto os dois saíam do quarto e desciam as escadas, Lucas relanceou o relógio. Uma hora. Elisa tinha exatamente uma hora para libertar a ambos daquele pesadelo.

Rezava para que ela reconsiderasse e não fosse adiante. Ele não fazia ideia do que aconteceria caso Elisa dissesse "sim".

## 19

— Tem certeza que tá vendo onde pisa? — Sofia perguntou, ajeitando as dobras do véu que me cobria o rosto. — Acho um absurdo a noiva caminhar com isso na cara.

— Você também considera um absurdo a cerimônia ser em latim — disse meu irmão, achando graça.

— Mas é!

— Estou enxergando perfeitamente bem, Sofia — tentei acalmá-la. — Não se preocupe. E, se por acaso algo mudar, terei o braço de Ian para me apoiar. — Peguei das mãos dele o buquê que Lucas me enviara naquela manhã.

É claro que meu noivo seria irônico na escolha das flores. Amores-perfeitos em todas as cores: violeta, branco, lilás, alguns de um cor-de-rosa pálido, outros bem intensos.

Optei por não ter uma dama de honra. Eu tinha pensado em Valentina, mas agora ela estava longe. Minhas outras opções, minha irmã e Teodora, eram casadas e não poderiam ocupar a posição.

Sofia me observou com atenção. Dos sapatos forrados de cetim cor de champanhe ao vestido de mamãe, que agora me caía com perfeição, incluindo o complexo penteado que Teodora me ajudara a compor. Uma trança larga rodeava minha cabeça como uma coroa, que tinha forquilhas minúsculas arrematadas por pérolas. A parte de trás me caía nas costas em pesados cachos largos que pareciam ainda mais negros sob o véu.

Ela pousou as mãos em meus braços e os apertou, sorrindo.

— Você está absurdamente linda, Elisa!

— Obrigada.

A porta da igreja se abriu parcialmente e o rosto de Teodora surgiu no vão, piscando para mim.

— Ok. Tá na hora — falou Sofia, ecoando meus pensamentos. — Vejo vocês lá dentro.

Ela beijou Ian rapidamente e entrou na igreja. Pousei a mão no braço de meu irmão ao ouvir os primeiros acordes da "Marcha nupcial" repercutirem pela capela. Puxei uma grande quantidade de ar. Era isso. Esse era o momento com o qual eu sonhara a vida toda.

E estava todo errado.

Na semana anterior, depois que Lucas se reunira com Ian e os dois decidiram todo o meu futuro, meu noivo fora para a casa dos pais avisá-los do casamento iminente. Nós não nos víamos desde aquela discussão na estrada. Ele me enviara uma nota curta no começo da noite anterior, avisando que tinha retornado e que sua família o acompanhava. Estavam hospedados em sua casa. Onde ficava essa casa ele não se dera o trabalho de me explicar. Ian sabia, mas havia prometido a Lucas que não contaria nada, para não estragar a surpresa. Meu irmão aprovara a escolha, então não podia ser tão terrivelmente distante. Ainda assim, aquele não era o futuro com o qual eu sonhara.

Devo ter deixado transparecer minha inquietação, pois Ian me encarou:

— Tem certeza de que é isso que quer, Elisa? Ainda pode desistir. Ainda pode mudar de ideia.

— Imagine! As mexeriqueiras desmaiariam de tanta euforia. — Uma risada nervosa me escapou. — Não, meu irmão. Eu vou fazer isso. Quero me casar com Lucas.

Eu me colocara naquela situação, e ao fazer isso colocara também o nome de minha família em jogo. Se eu não podia ter a felicidade com a qual sonhara, iria garantir que minhas sobrinhas tivessem ao menos a chance de buscá-la um dia.

— Não é a impressão que eu tenho. — As sobrancelhas de Ian se abaixaram. — Nunca a vi tão nervosa assim.

— Preciso lembrá-lo de que você quase arrancou o assoalho da igreja de tanto andar para lá e para cá, tamanho era o seu nervosismo no dia do seu casamento?

— Foi diferente. As coisas com Sofia sempre tendem a ser problemáticas. — Ele fez uma careta. E então a diversão deixou seu rosto. — Se é realmente o que você quer, Elisa, eu não posso impedir. Só quero que saiba que você é a coisa mais importante que papai e mamãe deixaram para mim.

— Oh, Ian... — Engoli com dificuldade.

— Por isso é tão difícil entregá-la a outra pessoa. Se faço isso, é apenas por um motivo: para que seja tão feliz quanto merece ser. É bom que seu noivo saiba disso — acrescentou, em um tom ameaçador.

Então as portas foram escancaradas e ele começou a me conduzir para o altar. Tudo me pareceu um sonho confuso envolto por uma bruma espessa. Sofia culparia o véu. Mas a verdade era que o medo enevoava minha visão, e meu cérebro tinha dificuldade para registrar o que estava acontecendo.

Lembro-me de Ian pegar minha mão e a colocar no braço de Lucas. Recordo-me de meu noivo me levar até o altar, de me ajoelhar e responder às perguntas de padre Antônio. Eu assistia a tudo como uma espectadora, como se nada daquilo estivesse realmente acontecendo comigo, como se eu visse o mundo através de uma janela que não era limpa havia um século.

*Respire, Elisa. Respire fundo e não desmaie agora*, eu repetia mentalmente quando me virei para Lucas, mantendo o olhar no chão. Seus dedos tocaram a barra do véu, e, sem qualquer hesitação, o suspenderam. Olhei em seu rosto pela primeira vez desde que entrei na igreja e fiquei completamente atordoada. Ele era o mesmo homem por quem eu me apaixonara, e ao mesmo tempo não era. Seus traços eram os mesmos, embora tivessem endurecido, e seus olhos ainda eram castanhos com manchas verdes nas bordas das íris. Mas agora havia algo dentro deles, uma tormenta, um furacão que ele mantinha sob frio controle.

*É com este homem que eu viverei a partir de hoje. É com este estranho que viverei pelo resto da vida.*

Ele arqueou uma sobrancelha, a boca apertada em uma pálida linha fina.

— Srta. Elisa? — chamou o padre.

— Humm? — Olhei para o sacerdote.

— Aceita este homem como seu legítimo marido? — perguntou, em latim.

Experimentei um aperto no estômago que pouco tinha a ver com a maneira firme como Madalena prendera meu espartilho. Voltei a encarar Lucas. Tenho certeza de que ele percebeu o que se passava em minha cabeça, pois o tormento em seus olhos ganhou força.

Não! Eu não ia recuar agora. Era uma Clarke, ora bolas! Os Clarke não fugiam de um problema, e não seria eu a mudar essa história, Lucas acreditasse nisso ou não.

— Eu aceito.

Lucas expeliu o ar com força, parte alívio, parte agonia, e isso me deixou muito confusa. A mesma pergunta foi feita a ele, que respondeu "aceito" em uma voz firme e alta que reverberou até o último banco da igreja. Então me estendeu a mão direita, em um desafio. Inspirando fundo, deitei a mão sobre a dele. Seus dedos me prenderam com firmeza no mesmo instante. A fúria com a qual ele me encarava era desconcertante, e não sei ao certo como fui capaz de sustentar o olhar e articular as palavras que selaram nossa união.

— Pode beijar a noiva — sentenciou padre Antônio.

Prendi o fôlego, as bochechas enrubescendo. Não estava acostumada a ser beijada em público — não estava acostumada a ser beijada nem em particular, ora bolas! — e pensei que ia acabar desmaiando. Meu coração palpitava rápido demais enquanto Lucas aproximou o rosto do meu.

No instante em que nossos lábios se tocaram, algo estranho aconteceu. Um frisson barulhento e desordenado, que me sacudiu as entranhas e fez o coração retumbar em meus ouvidos, como se o mundo todo estivesse dentro de mim. Lucas movimentou os lábios de leve. A barba em seu queixo me fez cócegas, e um formigamento delicioso se espalhou rapidamente por minha boca, minha língua, todo o resto de mim. Apoiei a mão em seu peito, temendo cair.

Fazia tanto tempo! Meu Deus, tanto tempo desde que sua boca estivera sobre a minha. Tanto tempo desde que eu senti aquela pele macia e quente me entorpecendo daqu...

Lucas se afastou de súbito, como se eu o queimasse, me encarando em completa confusão e algo muito parecido com alarme. Não houve tempo para que eu pudesse compreender o que se passava com ele — ou comigo —, pois a cerimônia chegara ao fim. Estávamos casados.

\* \* \*

Meu irmão e Sofia foram os primeiros a nos cumprimentar, ainda na porta da capela.

— Ah, Elisa, você tá tão linda que quase me faz chorar. — Minha querida irmã me abraçou apertado. — As coisas finalmente estão acontecendo como deveriam acontecer — ela sussurrou em meu ouvido.

— Verdade? — perguntei, confusa.

Olhando de esguelha para Lucas, que era felicitado por Ian, ela se afastou alguns passos, me puxando consigo.

— Sim. — Seu rosto foi tomado por uma seriedade desconcertante. — Muita coisa do que eu vi não aconteceu, e nem vai acontecer. Graças a Deus, porque tinha uma coisa sobre o seu irmão, uma carta que ele... — Ela engoliu em seco e abanou a cabeça. Seus cabelos presos em uma trança lateral reluziram como ouro. — Enfim, isso jamais vai acontecer, porque eu voltei e mudei o destino dele. Mas quando voltei eu também mudei o seu destino, Elisa, e a incerteza do que ia acontecer com você estava me matando. Agora eu sei que tudo vai dar certo! Porque você devia se casar com o Lucas aos vinte anos, e aqui está você! — Abriu um sorriso.

— O... o que mais você viu? — murmurei para que minha voz não tremesse.

— Ah, o pacote do felizes para sempre completo. — Ela piscou antes de ir saudar Lucas.

Eu fiquei onde estava, aturdida demais para me mover. Não podia ser. Sofia devia ter perdido alguma coisa. Ou, como ela mesma ponderara, muito do que tinha visto jamais iria acontecer. Eu me casara com Lucas, como ela previra... ou vira... mas, a julgar pela frieza que dominava as feições do meu noivo agora, sermos felizes juntos era tão possível quanto mergulhar no mar e não molhar as roupas.

Eu estava no mesmo lugar quando Ian me abordou. E meu irmão não estava contente.

— Você mentiu. — Trincou os dentes. — Você não está feliz. Por que mentiu, Elisa?

Eu podia tentar enganar qualquer pessoa no mundo, exceto Ian. Não por causa de escrúpulos ou coisa semelhante, mas porque ele sempre sabia quando eu estava mentindo. Por isso, eu disse a ele algo que, além de verdadeiro, o faria desistir do assunto.

— Ian, eu só estou preocupada com o desenrolar deste dia. Desta... hã... noite.

— Ah. Certo. — Coçou a nuca. — Eu... humm... — Seu olhar se fixou na coroa de trança e pérolas onde o meu véu se prendia, e se manteve ali. — Eu devia ter tido essa conversa com você antes. Sobretudo em um local apropriado, mas... hummm... veja bem, Elisa... quando um homem e uma mulher são casados, eles... eles sentem a necessidade de ficar juntos. Muito juntos! Tão juntos que eles... para isso, eles... hã... — seu rosto foi ficando cada vez mais vermelho — ... tiram as... as roupas e... os sapatos também. E então o... — Pigarreou. — Talvez eu devesse usar uma analogia. Quem sabe geometria. Imagine um cone oblíquo...

Coloquei a mão em seu ombro para detê-lo, ou Ian acabaria tendo um ataque apoplético.

— Sofia já me explicou tudo, Ian.

Ele olhou para o alto e murmurou um "obrigado, meu Deus" que me fez rir alto o bastante para atrair a atenção de várias pessoas, inclusive do meu noivo.

Foi nesse ponto que Madalena saiu da igreja, ladeada por duas meninas usando vestidos brancos impecáveis que, eu sabia, não se manteriam assim por muito tempo. Minha família logo partiu, já que tinha de recepcionar os convidados da festa em nossa propriedade.

Voltei para perto de Lucas e recebi as felicitações dos convidados, forçando-me a sorrir como a noiva radiante que todos esperavam que eu fosse.

— O que o seu irmão queria? — Lucas sussurrou em meu ouvido entre um cumprimento e outro.

— Discutir geometria.

— Geometria? — Encrespou a testa. — No dia do seu casamento?

— Cones oblíquos — confirmei com a cabeça. Eu também estava me perguntando até onde Ian teria ido com aquilo.

— Lucas, meu caro — foi dizendo o dr. Almeida —, devo cumprimentá-lo, pois acaba de se casar com a moça mais bonita e amável desta vila!

Depois de certo tempo, a fileira de carruagens em frente à igreja começou a diminuir. Eu estava recebendo os cumprimentos da sra. Ofélia quando vi um rostinho magro e encardido espiando atrás do coreto.

— Samuel! — Dei um passo, mas a mão de Lucas pousou em minha cintura, me lembrando de que eu não podia deixar aquela porta até receber todos os cumprimentos.

Acenei para o garoto. Ele sorriu, abanando a mão, antes de sair correndo.

Eu tinha perguntado sobre ele a todo mundo que conhecia. Ian e Sofia me ajudaram, fazendo o mesmo, mas não tivemos sorte. Como era possível que ninguém soubesse nada sobre o menino? O sr. Matias não dera notícias ainda, e a cada dia que passava eu ficava mais preocupada com o garoto e as dificuldades que poderia estar enfrentando.

Um homem um pouco mais baixo e alguns anos mais velho que Lucas, mas com cabelos cor de areia e o mesmo desenho do queixo, abraçou-o com entusiasmo.

— Não pensei que viveria o suficiente para vê-lo se casar. Ao menos com uma pessoa de carne e osso. Você já se casou com a medicina.

— Não seja exagerado, Saulo. — Lucas o empurrou, mas sorria.

Saulo. O irmão mais velho de Lucas. E a bela morena a seu lado só poderia ser Tereza, sua esposa. Deduzi que o casal mais velho logo atrás me fitando com expectativa eram os pais dele. Observando com atenção, percebi que Lucas tinha herdado os olhos de cor única da mãe, e o queixo bem desenhado do pai.

— Deixem-me apresentá-los à minha esposa, Elisa Clarke Guimarães. — Lucas apoiou a mão na base de minha coluna, o que culminou em um suave arrepio em minha nuca. — Elisa, esta é a minha família.

— Você a descreveu muito bem, filho. Ela é adorável. — O sr. Guimarães me abriu um sorriso caloroso. — Bem-vinda à nossa família, minha querida. Espero que nós não a enlouqueçamos antes do Natal.

— É um prazer conhecê-lo, sr. Guimarães. Tenho certeza de que isso não vai acontecer.

— Espere um pouco mais antes de se decidir — brincou Saulo.

— Ora, não digam bobagens! Elisa será muito bem tratada nesta família. — A sra. Rosália lançou ao marido e ao primogênito um olhar fulminante. Então olhou para mim, e seu rosto todo se iluminou. — Que prazer finalmente conhecê-la. Meu Lucas sempre falou muito de você. Sinto como se já a conhecesse há anos! Tenho a sensação de que nós nos daremos muito bem.

— Tenho certeza disso, senhora.

— E terão bastante tempo para isso. — Lucas pegou o relógio no bolso do colete e relanceou as horas. — Mas agora suponho que devemos ir. Os convidados estão nos esperando.

— Decerto. — O sr. Guimarães bateu na barriga. — A comilança não deve começar sem os noivos. E eu já estou pronto para um bom embate.

Eles se demoraram um pouco mais antes de, por fim, entrarem na carruagem e sumirem de vista. Lucas e eu fizemos o mesmo. Ao chegar ao veículo, me surpreendi ao reconhecer o cocheiro.

— Eustáquio, que bom vê-lo. Irá trabalhar para o dr. Guimarães? — Sorri contente para o velho cocheiro dos Albuquerque.

— E para a senhora também. — Sempre muito educado, me felicitou com entusiasmo e abriu a porta para que eu subisse.

Lucas entrou logo em seguida, acomodando-se no assento oposto. Mantive o rosto voltado para a janela conforme avançávamos, mas podia sentir seu olhar em mim.

— Eles parecem ter gostado de você — comentou. — Minha família.

— E eu deles.

— Foi realmente uma sorte não terem percebido sua hesitação. Pretendia me dizer não no altar. Não é?

Eu o encarei. E me arrependi instantaneamente. Não havia qualquer emoção em seu rosto. Nem mesmo raiva. Era o homem desprovido de sentimento que tomara o lugar do Lucas que eu amei.

— Eu não pretendia... — Mas me detive. Eu não tinha mais que fingir para *ele*. — Me passou pela cabeça, sim.

— O que a fez mudar de ideia? — Inclinou a cabeça para o lado, me avaliando com atenção.

— Meu orgulho, eu acho. Já causei mais problemas à família Clarke que todas as gerações juntas.

Os cantos de sua boca se curvaram para cima. Ah. Uma faísca de emoção, afinal. Mas que logo desapareceu. Seu rosto voltou a ficar sério.

— A partir de hoje, você leva o meu nome em seu dedo. — Fitou a aliança em meu anular. — Espero que se lembre disso e não tente me constranger publicamente outra vez.

Ele estava dizendo que... ele se atrevia a sugerir que...

— Está insinuando que eu tentei colocá-lo em uma situação embaraçosa *de propósito*?

— Abandonar-me no altar teria sido um pouco mais que "uma situação embaraçosa". — Aquele sorriso cínico que eu odiava esticou seu rosto.

— Ser abandonada pelo noivo por três anos também!

Não sei como aconteceu. Em um instante, eu segurava o buquê em meu colo. No seguinte, as flores rodopiavam no ar, atingindo a cabeça de Lucas. Algumas pétalas e folhas se desprenderam, se enroscando em seus fios castanho-claros, antes de caírem no chão.

Com uma calma enervante, ele se abaixou para pegar as flores e as deixou de lado no banco antes de começar a retirar as folhas do cabelo.

— Eu não a abandonei, minha delicada noiva. Eu escrevi para você todo mês, como era esperado.

— Ah, belas cartas. O senhor sabe descrever o clima como ninguém. Realmente é muito eloquente.

— Escrevi o necessário.

— Provavelmente escreveu. É por isso que sei por que escolhia aquelas joias espalhafatosas, ou que sei onde iremos morar?

Ele abaixou as sobrancelhas, me estudando.

— Não gostou das joias, querida?

Que Deus me ajudasse!

— Pretende me dizer aonde iremos morar? — eu quis saber. — Conseguiu enganar Ian dizendo que era uma surpresa, mas eu sei que está fazendo isso apenas para me deixar nervosa.

— Não enganei seu irmão. — Seu rosto era uma máscara inexpressiva. — Nem estou tentado deixá-la ansiosa. Quero que seja uma surpresa.

— Então eu só posso supor que iremos viver em um lugar bastante desagradável, cheio de correntes de ar, com um pântano em vez de um jardim.

— Ah! Então conhece o lugar. — E lá estava aquele sorriso cínico de novo.

Bufando, voltei a olhar a paisagem, ou corria o risco de atirar mais alguma coisa nele. Se sua intenção era me irritar, estava conseguindo. Tudo o que eu queria agora era me mostrar tão controlada quanto ele. Mas como, se aquela sua indiferença fazia meu sangue fervilhar?

— Quem era o menino atrás do coreto? — Jogou pela janela as folhas que tirara do cabelo. Elas espiralaram no ar e acabaram voltando para dentro da carruagem, algumas caindo em meu colo.

— Samuel é um assunto só meu. — Abanei a mão para me livrar da sujeira.

— Percebo que você não mudou nada nesses últimos anos, Elisa.

— Não posso dizer o mesmo sobre você. Eu me casei com um completo estranho.

Ele arqueou as sobrancelhas, mas não fez qualquer comentário. Voltei a contemplar a estrada, me perguntando se seria assim de agora em diante. Se aquelas discussões se tornariam tão frequentes que em algum momento eu deixaria de me importar.

Ao chegarmos a minha casa, Lucas não esperou que Eustáquio abrisse a porta e saltou. Sua mão surgiu no vão da porta, ainda que ele olhasse para o outro lado. Aceitei a ajuda e desci, tomando cuidado para não prender a delicada musselina. Inspirando fundo, ajeitei o vestido e tentei pregar um sorriso no rosto. O espetáculo ainda não tinha terminado.

Lucas me estendeu o que restara do buquê.

— Obrigada. — Empinei o nariz, tentando parecer o mais indiferente possível. E teria conseguido se não tivesse olhado para ele.

O riso me pegou desprevenida. Por mais que eu tivesse tentado detê-lo, não fui capaz.

— Qual é a graça? — ele perguntou, carrancudo.

— Você tem uma... — Apontei para o amor-perfeito que enfeitava seus cabelos.

Tateando a cabeça, ele encontrou a flor e a puxou com raiva, encarando-a como se ela o tivesse desafiado para um duelo.

— Por que vocês me odeiam tanto?! — resmungou.

Comecei a gargalhar. Tão alto e tão forte que tive de buscar apoio para não me desequilibrar. O braço de Lucas me amparou, e ele me olhou de cara amarrada, a flor ainda na mão, piorando tudo. Mas os cantos de sua boca estremeceram e então se curvaram para cima lentamente, até surgir um sorriso que eu conhecia bem, mas que não via fazia muito, muito tempo. Aquele sorriso largo e franco, que lhe chegava aos olhos e sempre me fazia sorrir de volta.

— Acredito que eu tenha ofendido as flores de alguma maneira, Elisa. Só isso explicaria esse motim.

— Pare... por favor — implorei, em meio ao riso.

Mas ele não parou.

— De fato, começo a me preocupar com esses ataques. Agora foi um inocente amor-perfeito. Antes, flores de ipê. Mas pense nas possibilidades. Pode ser que um cacto resolva cair na minha cabeça da próxima vez. E essas malditas plantas nem me dão a chance de me defender!

— Por favor... Minha barriga está doendo!

— Minha masculinidade também, ora essa! — Uma dissimulada indignação lhe retorceu as sobrancelhas. — Minha esposa... minha esposa de um dia!... me flagrou com uma flor nos cabelos! Nada poderia ser pior que isso. — Então, deliberou por um instante. — A menos que minha esposa de um dia me flagrasse aplicando um pouco de carmim nos lábios, creio eu.

— Oh... meu... hahahaha... Deus!

— De toda forma, acho que as flores conseguiram o que queriam. Estou desmoralizado.

As lágrimas que se empoçavam em meus olhos escorriam pelas bochechas. Meus membros pareciam frouxos, e não foi uma surpresa eu ter tombado contra ele, os joelhos mal sustentando meu peso. Eu não ria assim fazia anos!

Minha cabeça pendeu para a frente, encontrando apoio em seu peito. Lucas me segurou pelos cotovelos, sustentando meu peso. Sua risada grave reverberou pelo tórax e, oh, meu Deus, como eu senti falta dela. Tentei recobrar o controle, engolir o riso, mas a gargalhada teimava em escapar de vez em quando.

— Aqui é um bom lugar para ela. — Soltando um de meus cotovelos, ele levou a mão à coroa de trança, enroscando a flor em uma mecha. Um arrepio me fez estremecer de leve.

Ao erguer o rosto, encontrei seus olhos sorrindo para mim como os do Lucas que conheci tanto tempo antes, as nuances verdes duelando com as marrons. Uma quentura gostosa me inundou o peito, viajou rápido pelo meu corpo todo e se concentrou em minhas bochechas.

— Corada, sorridente e linda. — Seus dedos roçaram de leve em meu rosto, secando as lágrimas.

Seu toque varreu toda a diversão, e foi imediatamente registrado pelo meu coração, que começou a retumbar em meus ouvidos, um torpor inexplicável se espalhando pelos meus lábios.

— Devo desatrelar os cavalos... — disse o cocheiro, saindo de trás da lateral do veículo. Então nos viu e ficou de costas depressa. — Me perdoem. Não tive a intenção de interrompê-los.

Lucas olhou para o empregado. Os dedos em meu cotovelo se contraíram de leve antes de me soltarem e ele dar um passo atrás. Com tristeza, vi desaparecer o Lucas que eu conhecia.

— Leve os cavalos para o estábulo, Eustáquio. Depois venha comer alguma coisa. — Ele olhou para mim. Aquela indiferença parecia mais intensa que antes. — Nossos convidados devem estar impacientes a essa altura. É melhor nos apressarmos. Quero que vejam o rubor em suas faces depois de ter tido um instante a sós comigo. Isso deve calar qualquer suspeita sobre sua hesitação durante a cerimônia.

Ele estava dizendo que... ele tinha me feito rir daquele jeito de propósito? Que tinha evocado o antigo Lucas apenas para me confundir e manter as malditas aparências?

Sem me dar chance de dizer qualquer coisa, Lucas me acompanhou pelo gramado até o jardim, onde a festa acontecia e eu me peguei pensando que Sofia jamais esteve tão equivocada. Eu podia ter me casado com Lucas na idade que ela previra. Mas não haveria final feliz para mim.

# 20

— Oh, Elisa! Que festa magnífica. Seu irmão não poupou esforços! — disse Teodora, virando em sua cadeira para admirar o jardim.
— Não. Não poupou. — Beberiquei minha taça de champanhe.

Apesar dos protestos de Lucas, Ian não permitira que meu noivo pagasse pela despesa do casamento. Meu irmão colocara na cabeça que a festa devia ser algo a ser lembrado por décadas. Suspeitei de que seu plano fosse apagar meu longo noivado da mente das pessoas. E estava funcionando. Todos pareciam maravilhados com a comida, com a qualidade da bebida, com o quarteto de cordas, os inúmeros arranjos de flores espalhados por todo o jardim, o bolo de três andares caprichosamente decorado por Madalena, as lanternas penduradas aqui e ali. Minhas sobrinhas e o pequeno Thomas III tentavam apagar uma delas, atirando pedrinhas. Madalena tentava fazê-los parar.

— Valentina teria adorado. — Teodora remexeu no arranjo de lilases a seu lado. — Será que ela já se estabeleceu?

— Não sei. Escrevi para ela, mas ainda não recebi resposta. Imagino que não teve tempo ainda. — Nossa amiga havia partido fazia quatro dias. Eu mal podia esperar para ter notícias dela. Tinha esperança de que sua nova casa fosse um lugar agradável e que a mudança de ares afastasse um pouco da melancolia que a falta da mãe lhe trazia.

— Ah, francamente! — Teodora relanceou o marido, a poucos metros, falando com Saulo Guimarães. — Não pode existir tanto assunto assim sobre café.

Acabei rindo. Os pais de Lucas pareciam bastante à vontade, conversando com meu irmão e Sofia como se fossem grandes conhecidos. Tereza dançava com o sr. Moura, e Saulo travara um diálogo com Thomas que já durava mais de meia hora e entediava minha amiga.

— Devem estar debatendo os métodos de cultivo ou de venda das sacas, Teodora.

— Em uma festa de casamento? Os homens são seres muito peculiares. — Ela terminou sua bebida e me observou. — Está nervosa?

— Um pouco. Ainda não sei onde iremos morar.

— Você não devia parecer tão aborrecida, Elisa. Seu marido quer fazer uma surpresa. É muito atencioso da parte dele.

Achei melhor não destruir suas ilusões românticas e apenas concordei com a cabeça.

— Mas eu me referia a outra coisa. *Aquela* coisa. — Piscou para mim.

— Ah! — Desviei os olhos para as crianças, tomando o restante do champanhe. Marina encontrara um graveto e cutucava a lanterna agora. — Eu estou tentando muito não pensar nisso.

— Elisa... — Teodora tocou minha mão para que eu olhasse para ela. — Agora que também é uma mulher casada, posso falar abertamente. Não fique com medo. Não é tão terrível quanto algumas mulheres dizem. Na verdade, eu acho maravilhoso! — Uma risadinha lhe escapou. — E você também irá achar, se Lucas for tão atencioso quanto Thomas é.

— Teodora — pigarreei. — Creio que possamos deixar esse assunto de lado. Sofia já falou comigo.

E foi uma longa conversa. De novo. Mas dessa vez Sofia fora direta como... bem, como só ela sabe ser, explicando tudo com detalhes, me deixando muito sem graça e um tanto preocupada.

Está bem. *Muito* preocupada.

Ela dissera, por exemplo, que algumas pessoas gostavam de ser beijadas não apenas na boca, mas em lugares que, francamente... eu nem conseguia concluir o pensamento sem que meu rosto ficasse todo quente. Por sorte, um dos garçons passava e eu troquei a taça vazia por uma cheia. Tomei um belo gole.

Como eu ia permitir que Lucas fizesse todas aquelas coisas comigo se o simples fato de pensar em ser beijada por ele — na boca — me causava um rebuliço nas entranhas?

Relanceei meu noivo do outro lado do jardim, falando com o dr. Almeida animadamente. Com o antigo Lucas, ponderei, eu não teria tido tanto medo. Ele me guiaria com toda a paciência até aquele mundo... hum... sem roupas. Mas o homem com quem eu me casara não era paciente, tampouco compreenderia minhas inibições e receios.

Oh, meu Deus, como eu conseguiria cumprir meu papel de esposa naquela noite?

Inesperadamente, ele virou a cabeça, me flagrando. Fez um cumprimento de cabeça um tanto zombeteiro. Corando, voltei a atenção para Teodora e tomei todo o meu champanhe. Ele me trazia algum conforto, deixando meus pés dormentes.

— Imagino que Sofia seja uma boa fonte de informação nesse assunto — concluiu minha amiga, brincando com uma florzinha do arranjo.

— Presumo que sim, Teodora. E, por falar em informação, conseguiu alguma sobre Samuel?

Ela balançou seus cachos ruivos, presos no alto da cabeça.

— Perguntei a todos os empregados, até mesmo aos entregadores. Ninguém conhece nenhum Samuel. Tem certeza de que você viu mesmo esse menino, Elisa? Pois ninguém jamais ouviu falar dele.

— Mas é claro que eu...

— Perdoem-me por interrompê-las, senhoras. — Lucas nos surpreendeu. Ele e aquele sorriso cínico preencheram meu campo de visão. — É imperdoavelmente rude de minha parte. Mas meu amigo e mentor acaba de me alertar de que eu ainda não dancei com a minha noiva.

— Ah, mas é claro, doutor. — Teodora se levantou. — Eu pretendia pegar um pouco mais de champanhe. — Piscou para mim e saiu balançando as saias verdes.

— Dançar? — perguntei a ele, receosa.

— Você gosta muito de dançar. — Ele inclinou a cabeça para o lado. As mechas longas balançaram levemente, reluzindo em tons que não pude definir se eram dourados ou acobreados. — Lembro que dançamos até seus pés ficarem cansados na semana passada.

— Bem, eu gosto de dançar, mas depende muito da companhia.

— Lamento que a minha não seja de seu agrado.

— Ah, está tudo bem. Você não tem culpa de ser quem é.

Lucas me mostrou a coleção de dentes brancos perfeitamente alinhada enquanto observava a taça vazia em minha mão.

— Quantas destas você já bebeu para ser tão direta assim?

— Oh, apenas duas. — Pousei a taça na mesa. — Sou uma mulher casada agora. Ninguém pensará mal de mim.

— Não por causa de duas taças de champanhe. — E me estendeu a mão.

Olhei da taça para o espaço vazio no centro do jardim. O chão parecia ondular levemente, ao passo que as mesas entravam e saíam de foco. Eu não devia ter tomado aquelas duas... não... três taças de champanhe.

— Eu... não sei se consigo — confessei. — Não estou habituada a beber. Dançar pode não ser uma boa ideia neste momento.

— Não se preocupe. Eu tomarei conta de você.

Ouvir aquilo me emocionou, e eu levei a mão ao peito quando meu coração ameaçou disparar. Mas então Lucas adicionou:

— Não posso permitir que minha esposa faça uma cena em nossa festa de casamento.

Tudo se resumia a isso, não é? Fazer de conta que seríamos felizes. Manter as aparências.

Oh, bem. Eu já sabia disso havia muito tempo. Apenas esperei que... que algo mudasse. O meu noivo, por exemplo. Não *mudar de noivo*, mas *mudar o noivo*. No sentido de fazê-lo não ser mais quem era...

Eu realmente não devia ter tomado aquelas três — ou foram quatro? — taças de champanhe.

No fim das contas, Lucas acabou me levando para o centro do círculo, se posicionando para a valsa. Senti todos os olhares recaindo sobre nós e fiz o que deveria fazer: sorri como a noiva radiante que supostamente deveria ser. Lucas não sorria, no entanto. O rosto composto, sério e grave, com certo ar de mistério. E sensualidade. Minha nossa, como aquele cavanhaque lhe caía bem...

Graças aos céus, ele executou o mínimo de rodopios possível. Meu estômago e minha cabeça ficaram muito satisfeitos. Sobretudo porque a combinação da bebida com o perfume dele estava me deixando cada vez mais aturdida.

— Então, Samuel é um garoto de rua — comentou.

— Você o conhece? — perguntei, esperançosa.

— Não. Por que não me contou que está tentando ajudar o menino?

Dei de ombros.

— Você sempre prefere pensar o pior de mim.

— Isso é completamente diferente, Elisa. — Uma sombra escura, como uma tempestade, enevoou seu olhar. — Me conte o que sabe sobre ele. Talvez eu possa ajudar.

Balancei a cabeça. Não foi boa ideia. O mundo começou a girar mais depressa e o chão se tornou instável. Acabei tropeçando de leve.

— Opa. — Lucas pressionou a base de minha coluna, para que meu corpo caísse de encontro ao dele e não... em algum outro lugar. — Tem certeza que foram só... quantas taças de champanhe você disse que tomou?
— Eu também gostaria de saber.
Ele abriu um meio sorriso enquanto executava um rodopio.
— Você ia me contar sobre Samuel.
Eu ia?
— Bem, não há muito o que dizer. Eu o conheci na vila, semana passada. Acho que ele está em apuros e ninguém parece saber quem é. Isso me deixa muito frustrada... — Contei brevemente meu encontro com o garoto e minha desconfiança de que ele morasse na rua e estivesse em sérias dificuldades. — Eu queria ajudá-lo de alguma maneira, mas como eu farei isso se não consigo descobrir seu paradeiro? Aparentemente, ninguém viu a criança.

Lucas me observou com atenção antes de dizer:
— Mas você parece duvidar disso.
— Ah, não. Eu não duvido. Ninguém o viu. Mas isso não significa que ele não estivesse lá para ser visto. Acredito que Samuel tenha sido visto sim, mas ninguém se deu o trabalho de prestar atenção a uma criança pobre, suja e faminta.

Suas sobrancelhas se abaixaram, e aquele esgar no canto de sua boca sugeria irritação. Se comigo, com Samuel ou com as pessoas que fingiam não vê-lo, eu não tinha certeza. Lucas executou um rodopio que fez tudo girar a uma velocidade vertiginosa.

— Quanto tempo mais o mundo vai ficar girando? — eu quis saber. Afinal, ele era médico. Sabia dessas coisas.

— Depende do que pretende fazer a seguir. Se sua intenção é continuar se embebedando, irá girar muito mais. Caso contrário, deve melhorar em uma ou duas horas. Ajudaria se comesse alguma coisa.

— Não estou me embebedando! Estou apenas... — Deixei escapar um suspiro. — Eu gosto das bolhas. Quando explodem, fazem cócegas nos meus lábios, como o seu cavanhaque.

Tenho certeza de que eu não o teria surpreendido mais se dissesse que era capaz de me transformar em um elefante que sabia recitar poesia enquanto fazia malabarismo com pratos.

— Deduzo que seja o champanhe falando por você — resmungou, e não consegui identificar a emoção que ouvi em sua voz. Irritação? Diversão? Surpresa? Ou uma combinação das três?

— Gostaria de dizer que sim, doutor, mas não posso. Não sei o que acontece, mas quando você está por perto eu nunca consigo ser a moça educada que fui treinada para ser. Quase não me reconheço. Ou tenho medo de olhar mais de perto e perceber que sou exatamente assim, mas mantenho tudo sob uma firme camada de polidez. — Suspirei outra vez. — Não é horrível? Não conseguir definir quem você é?

— Faço ideia que seja. — Seus olhos se prenderam nos meus com intensidade, como se ele tentasse me dizer alguma coisa. — Mas, se a consola, prefiro que me trate com a verdade e não com civilidade.

— A *verdade!* — Achei graça. — Você não a reconheceria mesmo se eu a desenhasse em minha testa.

Ele parou de dançar. Tropecei em meus pés e me segurei na manga de seu paletó. Um belo paletó escuro, que lhe caía com perfeição nos ombros. Bastante largos, aliás. Os ombros, quero dizer, não o paletó.

Oh, aquelas bolhinhas eram muito perigosas...

— O que quer dizer? — ele quis saber.

— Creio que eu tenha bebido demais e devo seguir sua recomendação de comer alguma coisa, doutor, antes que prossiga com essa conversa sem sentido. Com licença. — Me apressei em sair de perto dele antes que deixasse escapar algo que não devia. Era melhor eu me manter bem longe do champanhe dali em diante. E de Lucas.

\* \* \*

Comer um pouco de bolo realmente ajudou a tontura a passar. Lucas e eu não nos falamos até que a noite começou a cair e ele anunciou que era hora de irmos.

— Mas... tão cedo? — Não, não era cedo. Aquele almoço já se prolongara por tempo demais. No entanto, eu ainda não estava pronta para ir embora e me tornar sua esposa.

Ele abriu um sorriso largo e debochado.

— Está com medo, Elisa?

*Apavorada.*

— Mas é claro que não.

Precisei de algum tempo para criar coragem e me despedir de minha família. Laura não parecia entender muita coisa e parecia encantada com Lucas. Também, pudera: ele a pegou no colo e começou a falar com ela sobre as estrelas, apontando para constelações e as nomeando como se entendesse do assunto.

Ela, por sua vez, parecia compreender tudo o que ele dizia, olhando para o céu, fascinada. Ele tinha mesmo jeito com crianças.

Mas havia Marina...

— Nina! — repreendi quando ela jogou uma pedra na perna dele. — Não pode jogar coisas nas pessoas desse jeito!

— Talvez devesse ouvir suas próprias palavras — resmungou Lucas, me olhando de esguelha, colocando Laura sobre os próprios pés. — Mas logo se percebe que ela é uma Clarke.

— Nina, não pode — Analu repreendeu.

— Mas eu odeio ele, Analu! — Marina gritou, os olhos brilhantes com lágrimas. — Ele vai levar a tia Elisa embora!

Eu me abaixei para que meu rosto ficasse na mesma altura do dela.

— Meu amor, eu sei que será difícil nos separarmos, mas eu virei aqui sempre que puder. E vocês podem me visitar quando quiserem. Não odeie o Lucas. Eu não estou indo embora, apenas me mudando. A sua mamãe também teve que se mudar quando casou com o seu papai. É assim que as coisas funcionam. — Sequei suas bochechas úmidas com a ponta dos dedos. — Eu preciso ir para outra casa, viver com o meu marido. — Engoli em seco.

— Mas não é justo! — A menina cruzou os braços, fazendo bico. — Por que você tem que ir embora só porque casou?

— Porque... Porque nós precisamos ficar sozinhos.

— Por quê? — Esfregou o nariz molhado nas costas da mão.

— Para... para... que eu possa...

— Encontrar um priminho pra eu? — sugeriu, esperançosa. — E pra Analu?

— Para *mim* — ajudei. — E, bem... quem sabe eu encontre. — Falei apenas para que ela não ficasse tão triste. Não ousei olhar para Lucas.

Depois de ponderar por um instante e olhar para a irmãzinha, ela abriu um sorriso.

— Então eu deixo você ir, tia Elisa.

Afastei um cacho suado de sua testa e depois toquei o rosto delicado e sorridente de Laura, com covinhas iguais às minhas.

— Virei buscá-las sempre que puder. Mal irão perceber que eu não moro mais aqui. — Depois de abraçá-las com força e desejar poder nunca mais soltá-las, eu me levantei e as observei se afastarem de mãos dadas.

— Por que Analu? — Lucas quis saber.

— Nina era muito pequena quando Ana Laura nasceu. Ian escolheu os nomes em homenagem às avós das meninas. A mãe de Sofia se chamava Ana e a minha, Laura. Mas o vocabulário de bebê de Marina não conseguiu reproduzir todas as sílabas, e desde a primeira vez que viu a irmãzinha a chamou de Analu.

Então fui me despedir de Madalena e Gomes, de Isaac e dos empregados que estavam ali desde sempre. Dizer adeus a Sofia foi dolorido. A meu irmão, foi excruciante. Ian fora muito mais que um irmão: fora pai e mãe. Agora eu era uma mulher adulta e deixava de ser sua responsabilidade, muito embora duvidasse de que ele fosse realmente compreender isso. De toda forma, eu não era mais Elisa Clarke. Daquele dia em diante, passava a ser Elisa Clarke Guimarães. E isso era assustador.

Foi com o coração apertado e um nó na garganta que entrei na carruagem e os deixei para trás. Fiquei olhando para a única casa que conheci, para minha família nas escadas, ainda acenando, até tudo se tornar tão pequeno que mal passava de um pontinho claro no horizonte. Tudo o que me era mais caro ficava naquela casa.

A umidade em meus olhos transbordou. Virei o rosto para o outro lado, a fim de que Lucas não me visse chorar. Um lenço branco de linho foi colocado em minha mão.

Olhei para ele, surpresa com a gentileza.

— Obrigada.

Ele apenas me encarou, o rosto parcialmente oculto pelas sombras, de modo que voltei a olhar pela janela. Não fomos muito longe, no entanto. Apenas dez minutos e duas cercas até a carruagem fazer a curva, adentrando um portão largo, guardado por dois leões de bronze que me assustavam desde que eu tinha três anos. Coloquei a cabeça para fora no momento em que o veículo atravessou a ponte, transpondo o riacho que separava o casarão do restante do mundo.

— Você comprou a casa dos Albuquerque? — Eu o encarei, estarrecida.

— Pensei que gostaria de estar perto da sua família quando eu voltar para a Europa. — Deu de ombros.

Devo ter deixado transparecer minha perplexidade, já que Lucas deu risada. No entanto, havia uma nota de melancolia naquele riso.

— Não sou o monstro que pensa que eu sou, Elisa.

— É o que parece. — Franzindo a testa, voltei a olhar para fora.

No alto da colina, a construção amarela de dois andares contava com uma cumeeira alta, janelas em arco e uma chaminé que expelia fumaça de um fogão a pleno vapor. Da escada sob a entrada principal se erguiam duas largas pilastras que sustentavam o chapéu de telhas, no limite do segundo andar. Uma imensa árvore balançava suas folhas, orgulhosa, a copa tão alta que ultrapassava o andar superior, onde ficavam os quartos.

A carruagem parou na entrada. Uma fileira de empregados — os mesmos que desagradaram tanto a Miranda e que eu conhecia cada um pelo nome — se dispôs no alto da escada.

Pensei em Valentina e em todas as vezes que brincamos naquele lugar. Não pude evitar um sorriso. Ela não pôde estar presente na cerimônia de meu casamento, mas estaria agora de certa maneira, quando eu mais precisaria de uma amiga.

Lucas abriu a porta e estendeu a mão. Puxando uma grande quantidade de ar, desci do veículo.

— Sra. Guimarães, seja muito bem-vinda a esta casa — adiantou-se a sra. Berta Veiga, antiga criada de quarto de Valentina e Adelaide. — Estamos felicíssimos em poder servi-la, minha querida.

— Não sabe como fico feliz em vê-la, senhora.

Cumprimentei os demais e recebi votos de felicidade antes de suspender a barra do vestido, subir os doze degraus e entrar na casa.

Saudei o sofá forrado de veludo marrom e o lustre de cristais, meus velhos conhecidos. Mas o tapete florido, as cortinas champanhe e o imenso quadro de moldura dourada me eram totalmente novos. Aproximei-me da pintura, analisando-a com interesse. Prédios de três andares margeavam um canal, onde gôndolas pareciam navegar sem pressa.

— Veneza? Esteve lá? — Eu sonhava com esse lugar desde que vira uma gravura no livro de geografia e tia Margareth me escrevera contando que passara uma temporada na cidade.

Lucas me observava do meio da sala, seu rosto não exprimindo nada.

— Por apenas uma semana em visita a meu antigo professor. É uma bela cidade. A comida é excepcional. Vi essa tela em uma feira e a comprei antes de voltar para Lodi.

— E foi a alguma ópera? Dizem que as melhores são apresentadas no Teatro La Fenice. Tia Margareth me contou tudo sobre ele em uma carta. Escreveu que nunca ouviu um concerto com tanta clareza.

— Não tive tempo para distrações. — Ergueu os ombros, se desculpando.

— Que pena. — Voltei a admirar a tela, acompanhando com o dedo o desenho de ondas suaves produzidas por uma das gôndolas. — Gostaria que tivesse ido até lá para poder me contar tudo o que viu.

Ouvi Lucas atravessar o aposento e então, colocando as mãos nos bolsos, o vi se recostar na parede ao lado do quadro.

— Você ainda ama música. — Seus olhos tinham um brilho diferente agora.

— E como não amar, se ela me comove tanto?

Depois de me encarar por um momento imensurável, ele se endireitou e gentilmente segurou meu cotovelo, me levando pela casa até parar diante de uma porta, abri-la e esperar que eu entrasse. Lá dentro, o antigo piano onde eu e Valentina tomávamos aulas reluzia sob as chamas das velas espalhadas pelo cômodo. A harpa da sra. Albuquerque fora arrumada em um canto, junto de uma nova banqueta forrada de azul-claro.

— Uma sala foi preparada para você. — Lucas apoiou a mão na tampa do piano. — Para que possa fazer suas tarefas sem ser incomodada, mas tenho a impressão de que será aqui que passará a maior parte do tempo.

— É provável.

— Imaginei. Venha. Sei que conhece a casa, mas fiz algumas alterações.

Fomos para a antiga sala de estudos, agora transformada em um aconchegante aposento privado para meu uso particular. Ele também me mostrou onde ficava a biblioteca — embora eu já soubesse — e indicou o fim do corredor, onde montara seu consultório e laboratório de pesquisas. Não consegui me recordar da antiga ocupação daquela sala ampla. Objetos interessantes demais atraíam minha atenção.

— Caso eu esteja em casa — comentou Lucas —, é provável que você me encontre aqui. Não toque nisso.

Mantive as mãos a meio caminho do vaso... jarro... o que quer que aquilo fosse. Parecia um decantador, mas tinha o fundo redondo e um pescoço longo e curvado, como o de um cisne. Havia mais três deles, todos vazios.

— O que são? — perguntei, curiosa.

— Apenas uma ideia maluca, por enquanto. Suponho que nada aqui seja do interesse de uma dama refinada como você.

Mas ele estava enganado. Seu laboratório era tão interessante que tudo capturava minha atenção. Livros, um microscópio, um globo terrestre, uma cristaleira repleta de objetos curiosos. Eu desejei poder explorar. Lucas, em contrapartida, parecia querer me ver longe dali.

Assim que mostrou todo o andar de baixo, ele se deteve em frente às escadas e indicou com o braço para que eu subisse até o segundo andar.

Engoli seco. Era ali em cima que ficavam os quartos. Obriguei meus pés a se moverem, o coração batendo cada vez mais forte conforme eu subia os degraus.

— Este é o seu. — Ele abriu a porta do que um dia pertencera à sra. Adelaide. Inspirando fundo, tremendo dos pés à cabeça, entrei no aposento. Tudo estava diferente. E era o quarto de um adulto, muito diferente do meu antigo, pálido e cor-de-rosa.

Os delicados medalhões em estilo barroco do novo papel de parede prateado cintilavam com as chamas dos castiçais colocados em pontos estratégicos. A mobília escura, quase negra, harmonizava com um récamier turquesa sob a janela e com as cortinas cinzentas. A banheira estava escondida atrás de um biombo e ao lado do toucador com um grande espelho. Meu baú fora deixado no canto, perto da penteadeira, onde um fofo tapete com estampa florida em tons de azul, preto e cinza deixava o ambiente mais aconchegante. A todo custo evitei olhar para a cama, mas como poderia ignorá-la se era imensa, com pilares de madeira negra subindo até o dossel turquesa?

A porta que ligava aquele cômodo a outro estava aberta. Tudo o que eu podia ver eram as paredes forradas por um papel em tom terroso que combinava com as cortinas um tom mais escuro, uma cama imensa de madeira castanha com seus lençóis brancos. A inseparável maleta marrom de Lucas estava sobre uma poltrona preta. Aquele devia ser o quarto dele.

— Imagino que gostaria de um pouco de privacidade — comentou, e eu voltei a atenção para ele. Suas sobrancelhas estavam abaixadas, como se estivesse zangado, embora seu tom tivesse soado quase amável.

— S-sim. — E mais daquele champanhe, quase deixei escapar. Minhas pernas estavam tremendo demais. Eu acabaria caindo.

— Pedirei à sra. Veiga para vir auxiliá-la. Nos vemos mais tarde.

Ele saiu do quarto sem esperar resposta, fechando a porta com cuidado. Eu me deixei cair na cama.

Céus. A próxima vez em que nos veríamos seria para consumar nosso casamento!

*Muito bem, nada de pânico.* Era melhor acabar com aquilo de uma vez. Depois de consumado, ele e eu poderíamos seguir com nossa vida. Quer dizer, as pessoas não faziam *aquilo* com muita frequência, não é? Talvez uma vez ao ano, no máximo. E ele iria para a Europa em algumas semanas, de modo que tudo o que eu tinha de fazer era suportar aquela noite. Não podia ser tão difícil.

# 21

Ao colocar o quarto e último balão no tripé de ferro na bancada, Lucas olhou ao redor do laboratório, tentando encontrar algo mais que precisasse de sua atenção. Os livros já estavam ordenados na estante. Os fogareiros sobre a bancada pareciam à espera de uso, os produtos que utilizava para produzir remédios trancados na cristaleira, organizados por ordem alfabética, seus equipamentos cirúrgicos, limpos e guardados dentro do armário. A vidraria, disposta por tamanho e formato sobre o tampo da bancada. Lucas empurrou o microscópio apenas para poder realinhá-lo sobre a mesa. Tudo em ordem. Baltazar era muito minucioso.

Até mesmo seu globo fora trazido e colocado ao lado do telescópio, que apontava para o céu, convidando Lucas a se aproximar. Ele caminhou pelo laboratório e parou diante do equipamento, pousando a mão no longo tubo dourado. E foi só o que fez. O zumbido em suas orelhas não permitia que se lembrasse de alguma coordenada para observar os astros. Ou pensar em algo além de que Elisa estava no andar de cima, no quarto que passaria a ser dela daquele dia em diante, preparando-se para ele.

Uma alma caridosa havia deixado uma garrafa de uísque sobre a bandeja na mesinha. Serviu-se de um pouco de bebida e mentalmente anotou que deveria agradecer seu mordomo pela gentileza.

Mas o que ele faria agora? Estava casado. Sua vingança se voltara contra ele. Devia ter previsto desde o começo que algo assim poderia acontecer. Mas não previra, e agora tinha uma argola no dedo anular com o nome de Elisa Clarke... Guimarães. Brincou com o aro dourado, lembrando do momento em que ela hesitara dentro da igreja. Seu peito se enchera de esperança na mesma proporção que de desespero. Ele não suportaria vê-la partir, do mesmo modo que não conseguia aceitar a ideia de que ela lhe dissera sim.

E, diabos, depois de tudo o que ele tinha dito na última vez em que tinham se encontrado, naquela estrada, era de esperar que Elisa saísse correndo. Porém, exatamente como ele desconfiara, ela ficou. Foi até o fim com aquilo, mesmo que o medo estampasse seu rosto.

Medo *dele*. Em algum momento, Lucas passou a apavorá-la. Talvez fosse a ideia do que ele significava: o fim de todos os seus sonhos. Não desejava que Elisa tivesse afeição por ele — mas também não se oporia se ela o apreciasse. Um pouco que fosse. Mas saber que a assustava trazia um gosto amargo no fundo de sua garganta. Preferiria que ela o odiasse a saber que o temia.

Virou a bebida e imediatamente se serviu de um pouco mais. Se ao menos sua família não tivesse tido a ideia ridícula de passar a noite na pensão da finada sra. Hebert, ele agora poderia ter um pouco de companhia para distraí-lo além daquele excelente uísque.

Os cantos de sua boca se curvaram conforme se lembrava de sua noiva levemente embriagada. Estava adorável, com as faces coradas e aquele olhar turquesa entorpecido. O que ela dissera sobre o efeito do champanhe, no entanto, varrera sua diversão para longe. Ao comparar as bolhas com a barba dele, Elisa dera a entender que gostava da primeira por que a lembrava da sensação da segunda ou seria o oposto?

Lucas fechou os olhos para impedir que o beijo na igreja lhe voltasse à mente, mas não foi capaz. Lembrou-se da maneira rígida como ela o recebera, e não esperou que o beijasse de volta. Sobretudo que correspondesse com um abandono ingênuo que o deixou perturbado ao mesmo tempo que o deslumbrou, e só pôde voltar a raciocinar direito quando se afastou dela. E não gostou do que encontrou dentro de si. Nem um pouco.

Olhou para o teto, para as vigas e as tábuas que sustentavam o segundo andar. Elisa já devia ter trocado de roupa. Fazia tempo que ele tinha entrado no laboratório, depois de ver a sra. Veiga subir para ajudá-la.

Passando a mão na garrafa, Lucas se sentou na poltrona, soltando o nó da gravata. Não ia sair dali tão cedo.

Ou assim ele pensou.

A porta se abriu, e o mordomo, impecável em seu traje, nem um único fio da basta cabeleira escura fora do lugar, encarou-o, espantado.

— Ah! Meu senhor, pensei que já estivesse em seus aposentos. Não sabia que estava aqui. A sra. Veiga desceu faz tempo e eu pensei que... Bem, vi a vela acesa e vim apagá-la.

— Faço isso quando eu sair, Baltazar.

O homem hesitou, olhando para a garrafa, a gravata aberta, a maneira desleixada como Lucas afundava na poltrona.

— Há algo errado, senhor?

— Por onde devo começar, Baltazar? — Ele deixou a cabeça tombar no encosto do assento.

— Como disse, senhor?

— Me diga uma coisa. — Ele contemplou o copo em sua mão. — Há quanto tempo conhece minha esposa?

— Bem, desde que comecei a trabalhar nesta casa, há quinze anos.

— Imagino que ela viesse aqui com frequência. Por causa de Valentina.

Se Baltazar achou a pergunta estranha, não deixou transparecer. Chegou um pouco mais perto, as mãos cruzadas nas costas, e abriu um sorriso.

— Sim, as três meninas não se desgrudavam. Valentina, Teodora e Elisa. A sua senhora cresceu praticamente nesta casa.

— E como ela era? Quando menina?

— A mesma que é agora. Sempre encantadora, senhor. Nunca vi criança mais obediente. Nem mais educada. Nunca a vi destratar uma pessoa nesta vida.

Não, esse era um presente que Elisa guardava apenas para ele, Lucas pensou com irritação.

— Elisa teme que toda essa polidez seja apenas uma máscara que ela foi obrigada a usar a vida toda — falou Lucas, fitando o copo. — Teme o que possa estar borbulhando sob a superfície.

O homem deu risada.

— Nunca ouvi maior disparate. Não há nada sob a superfície da srta. Elisa Clarke. Digo, sua esposa. — Corou de leve com o pequeno lapso.

Lucas se lembrou da maneira como ela o afrontara durante a discussão na estrada na semana anterior, como o olhara na igreja naquela manhã, e quando dançaram no jardim, na residência dos Clarke, ao entardecer.

— Está enganado, Baltazar. Há um lago profundo em Elisa.

Um lago cujo vislumbre apenas Lucas tinha tido. Não estava certo se queria mergulhar para descobrir seus segredos ou sair correndo para salvar sua vida.

Devia escolher a segunda opção.

Mas optou pela primeira alternativa.

Virando o conteúdo do copo em um só gole, Lucas o deixou na mesa de apoio, ficou de pé e, diante do olhar confuso do mordomo, saiu do laboratório, subindo a escada calmamente.

## 22

Quando Berta entrou naquele quarto disposta a me preparar para a noite de núpcias, mudei de ideia quanto ao fato de aquilo não ser difícil.

A mulher não me deu ouvidos quando eu disse que não precisava de ajuda, e em questão de segundos eu estava completamente nua. No momento seguinte, uma camisola que mais parecia feita de névoa, tão translúcida que era, caiu por meu corpo. Era tão fina que não deixava nada para a imaginação. Nem mesmo tinha mangas! E o decote ridiculamente profundo permitia que eu visse meu umbigo quando olhava para baixo.

Eu sabia que iria me arrepender do acordo que fizera com madame Georgette.

E como, em nome de Deus, eu poderia permitir que Lucas me visse vestindo aquilo? De que adiantava usá-la, se o tecido não cumpria o papel de cobrir meu corpo apropriadamente? O que o decote não mostrava o tecido revelava. Se bem que, pelo que Sofia dissera, eu não ficaria muito tempo com aquela camisola...

Céus!

Meu penteado tomou mais tempo, e Berta me forçou a sentar em frente à penteadeira para conseguir desfazer as tranças presas no topo da minha cabeça. Começou soltando as forquilhas decoradas por pérolas, e o amor-perfeito rosado que Lucas colocara ali. Peguei a flor e comecei a girá-la entre os dedos, nervosa.

— Seus cabelos são adoráveis, sra. Elisa. Nunca vi nada que reluzisse tanto.
— Ela deixou a escova sobre o toucador quando terminou.
— Obrigada, sra. Veiga.

Olhando-me especulativamente quando minhas madeixas estavam soltas, conferiu se tudo estava no lugar e pareceu satisfeita.

— Deseja que eu lhe traga alguma coisa? — Ajeitou uma mecha de cabelo sobre meu ombro.

— Eu... não, sra. Veiga. Obrigada.

Mal ela se retirou, corri para o baú em busca de algo melhor para vestir. Meus dedos trêmulos e atrapalhados não conseguiram abri-lo. Ainda estava lutando com a tranca quando ouvi botas pesadas batendo contra o piso. Meu coração trovejou no mesmo ritmo. Berta havia deixado um penhoar aos pés da cama. Aquilo ia ter que servir!

Contudo, ao vesti-lo, tive minhas dúvidas. Ele era feito do mesmo tecido transparente da camisola.

— Mas...

Os passos se aproximavam depressa. Amarrei o cinto da peça bem apertado e aguardei, encarando a porta.

*Não seja covarde. Não seja covarde. Não seja covarde agora,* eu repetia mentalmente. Entretanto, quem quer que estivesse do lado de fora passou direto.

Não tive tempo de deixar o alívio se assentar em meu corpo, pois a porta do quarto ao lado se abriu e fechou. Lucas estava ali.

Mantive os olhos na porta que ligava um cômodo ao outro, ouvindo os passos dele indo e vindo, o tilintar de um copo, bebida sendo servida. O copo sendo deixado em alguma superfície dura. Mais passos. Seus pés produziram duas manchas escuras na fresta sob a porta.

Prendi a respiração.

A maçaneta começou a girar e a porta se abriu devagar, revelando a alta e imponente silhueta masculina. Lucas entrou no quarto, ainda totalmente vestido — graças ao bom Deus; eu não estava certa do que faria se ele aparecesse nu em pelo —, embora sua gravata tivesse desaparecido.

Assim que me viu, ele parou, petrificado. Seu olhar percorreu meu rosto, os cabelos soltos que me caíam sobre os seios e chegavam à altura da cintura. Então, pareceu notar o que eu estava vestindo — assumindo que aquilo pudesse ser considerado uma vestimenta — e seus olhos pareceram se incendiar ao examinar meu torso, meus quadris, minhas pernas. Um som indistinto, algo entre um rosnado e um grunhido, repercutiu pelo quarto, arrepiando-me dos pés à cabeça.

Acanhada, cruzei os braços, tentando deixar à mostra o mínimo possível.

O gesto pareceu despertá-lo, pois ele inspirou fundo e voltou o olhar para meu rosto.

— Você tem menos roupa no corpo que uma cortesã.

— Eu sei. Quer dizer, suspeito que sim — corrigi. — Nunca conheci uma cortesã. Não sei o que elas usam para dormir.

— Elas não usam nada. — Ele se dirigiu para o conjunto de poltronas e se acomodou em uma delas.

— Eu não escolhi este traje. Foi a madame... — O que ele disse penetrou meu acanhamento. — Como sabe disso?

Ele arqueou uma sobrancelha, os cantos da boca curvados, descarados.

— Ah.

Então ele estivera com prostitutas. Isso me surpreendeu bastante, embora não devesse. O Lucas pelo qual eu me apaixonara não pagaria para ter um pouco de... o que quer que os homens buscassem em uma cortesã. Já o homem diante de mim? Ele certamente seria capaz de algo assim. Eu devia ter imaginado. Mas não imaginei. Como também não imaginei que ainda tivesse restado alguma maneira de ele me magoar. Oh, parecia que meus equívocos nunca teriam fim...

Fiz o melhor que pude para esconder minhas emoções enquanto o via apoiar um pé no joelho e começar a desamarrar o sapato.

Oh, meu Deus! Eu não estava pronta. Não estava pronta para o que ele queria de mim. Eu sabia que isso tinha pouca importância. Os maridos tinham direitos sobre as esposas, podiam exigir o que quisessem sem levar em consideração a vontade delas. A lei garantia isso aos homens. Mas eu não estava pronta para a intimidade que Lucas tinha em mente. Não sabia se algum dia estaria!

— O senhor nunca me contou sobre sua pesquisa. — Falei a primeira coisa que me veio à cabeça.

Ele desencaixou o sapato e o deixou no chão.

— Quer falar sobre isso agora? — achou graça.

Ah, sim. Qualquer assunto serviria. Porque, se eu pudesse distraí-lo por um bom tempo, talvez ele se cansasse e acabasse adormecendo antes de tentar fazer amor comigo.

— E por que não? Por que não me conta um pouco sobre o que foi fazer na Itália?

— Você acharia entediante. — Começou a desamarrar o outro calçado.

Olhei ao redor. Eu precisava de mais do que conversa fiada para fazê-lo pensar em outra coisa. Encontrei uma garrafa sobre a mesa. Conhaque, pelo aroma. Servi um copo bastante generoso.

— Eu gostaria de ouvir, ainda assim. — Atravessei o cômodo e lhe entreguei a bebida.

— Em outro momento, quem sabe. — Ele terminou com o sapato e aceitou o que eu oferecia, um tanto surpreso. — Não nesta noite. Você devia se sentar.

— Estou bem assim.

— Como preferir. — Ele bebericou o conhaque, o olhar voltando a acompanhar minha silhueta. — Mas está ciente de que, de onde está agora, com o candelabro bem atrás, posso ver cada detalhe do seu corpo? Não que eu esteja me queixando. É uma bela visão. Apenas pensei que seria educado alertá-la.

Virei-me de costas no mesmo instante.

— Sem dúvida, essa também é uma extraordinária vista — falou, com algo entre diversão e... desespero? — Você é linda de qualquer ângulo que se olhe.

Céus! Que mulher se sentiria confortável estando praticamente nua na frente do marido? Quer dizer, suponho que algumas fiquem. A questão é que eu não ficava. Ninguém nunca havia me visto em tão pouca roupa — exceto Madalena, e ainda assim muito raramente.

Por que, em nome de Deus, eu aceitara dar total liberdade a madame Georgette na concepção do meu enxoval?

Corri para a poltrona, esticando o tecido infame o melhor que podia. Mas de que adiantava? A camisola e o roupão eram diáfanos como uma bruma. Enrolando os braços ao redor do corpo, tentei esconder até mesmo meus pés descalços, sacudindo a cabeça para que os cabelos me dessem alguma cobertura.

Ouvi Lucas inspirar fundo e então ficar de pé. Espiando por entre as mechas escuras, vi que ele tirava o paletó. Ele não estava disposto a esperar mais nada. Ia se despir e reclamar sua esposa.

O ar ficou preso em minha garganta, como se ela tivesse obstruída por uma enorme bolota de massa de pão.

*Calma. Muita calma agora.* Sofia tinha dito que era algo bom. Que eu iria gostar. Teodora dissera quase a mesma coisa. Elas não podiam ter mentido.

Lucas parou diante de mim, o olhar reluzindo com algo que não consegui nomear. Olhei para meus joelhos. Era possível ver a pequena pinta no direito, através do tecido.

Está bem. Talvez elas estivessem enganadas. Era melhor seguir os conselhos de tia Cassandra: fechar os olhos com força e pensar em uma bela joia. Segundo ela, tornava tudo suportável.

A mão de Lucas se encaixou sob meu queixo, forçando de leve minha cabeça para cima, para que eu olhasse para ele. O toque me sobressaltou, mas me surpreendeu também. Havia delicadeza — além de calor —, e isso fez meu coração já galopante entrar em um ritmo ainda mais frenético.

— Não quero que tenha medo de mim. — Seus olhos reluziam com... ah, eu não sabia o que era aquilo.

— N-não t-tenho. P-poderia... apagar as v-velas, por favor?

Suas sobrancelhas se retorceram enquanto abaixava a mão e jogava o paletó no braço da poltrona onde eu estava sentada. Ele se afastou de súbito, ficando de costas para mim, apoiando as mãos com certo estardalhaço no aparador. Uma delas atingiu o copo, que tombou sobre o móvel, se estilhaçando. Uma das pontas rasgou sua pele. Ele não pareceu perceber, nem mesmo quando o sangue começou a fluir.

— Não tenho a intenção de fazer amor com você, Elisa — falou, sem se virar.

— N-não? — Enrolei-me em seu paletó. Mal chegava à altura das minhas coxas, mas oferecia mais cobertura que o penhoar.

— Não. — Levou a mão ao rosto e então notou que sangrava. — Por todos os infernos! — Examinou o corte. — Você teria um lenço?

— Imagino que sim. Em algum lugar.

Fui até o baú, conseguindo destrancá-lo desta vez, e comecei a vasculhar entre as pilhas de tecidos. Meu Deus! Havia mais camisolas de dormir indecentes. Será que madame Georgette chegou a confeccionar alguma que tivesse de fato um pouco de tecido?

— Encontrei.

Assim que lhe entreguei dois lenços, Lucas derramou um pouco de conhaque na ferida. Usou um deles para deter o sangramento e, depois de jogá-lo em algum lugar, começou a enrolar o que estava limpo ao redor da mão com uma habilidade espantosa.

— Quer que eu... — comecei.

— Agradeço, mas já terminei. — Enfiou as pontas com firmeza para dentro do curativo. E então, alcançando o copo que ainda restava, serviu-se de mais bebida e perambulou pelo quarto até parar diante da janela. — Como foi? — perguntou, o olhar perdido lá fora.

— Como foi o quê?

— Sua vida durante a minha ausência — explicou, com delicadeza. — Houve muito falatório?

Parecia que Lucas escolhera aquela noite para me surpreender.

Mas, se ele esperava que eu lhe daria o prazer de me ouvir dizer que foi um pesadelo, que eu mal conseguia andar na rua sem ouvir uma risadinha ou cochicho, que até mesmo uma aposta circulava entre alguns cavalheiros — eu iria romper o noivado antes de completar trinta ou trinta e cinco anos? —, estava muito enganado.

— Não houve nada que eu não pudesse aguentar. Ou que seus presentes não pudessem apaziguar. O sr. Bregaro fazia questão de contar a todo mundo que você me enviava "belas joias italianas". — O agente dos correios da vila não era tão bom em guardar segredo. — Era essa a sua intenção, não?

Ele me olhou por sobre o ombro, ignorando minha pergunta

— Você não acha que elas sejam tão belas assim.

— São muito bonitas. — Dei de ombros, me sentando de volta na poltrona.

— Mas prefere as mais delicadas e discretas, que quase passem despercebidas, como pérolas e turquesas.

Então ele *sabia* do que eu gostava.

Virando-se para mim, tomou o restante do conhaque, deixou o copo sobre o criado-mudo e veio se sentar na poltrona em frente à minha. Ele estendeu o braço e arrastou a mesinha para que o móvel ficasse entre nós. Apenas quando ele deslizou a tampa, fazendo surgir pequenos discos de madeira, me dei conta de que a mesa de chá era também uma mesa de jogos. Eu devia ter notado o tabuleiro marchetado no tampo. Devia, mas não notei.

Ele começou a separar as pedras.

— Brancas ou pretas? — perguntou.

— Humm... pretas.

Empurrando-as para mim, ele começou a encaixar as suas nas casas. Não sei ao certo o que ele pretendia, mas, como não estava tirando as roupas — nem as suas nem as minhas —, achei melhor imitá-lo.

Lucas estava com as brancas, então começou a partida. Eu estava nervosa demais para pensar em estratégias, então em poucos lances ele conseguiu uma dama.

— Pensei que você fosse melhor nisso — zombou.

— E eu sou! — *Quando estou vestida apropriadamente. E em um salão rodeada de pessoas, não trancada em um quarto com um homem usando apenas camisa e calças!*

— Prove!

Sua provocação surtiu efeito. Passando os braços pelas mangas do paletó, eu me inclinei para a frente e comecei a estudar o tabuleiro. Não consegui superá-lo, mas o jogo se tornou mais acirrado.

— O que Prachedes queria com você no baile dos Andrada, na semana passada? — perguntou, os olhos na pedra que eu movimentava.

— Se gabar da esposa. Ele finalmente encontrou uma que combine com a cortina dele.

Um dos cantos de sua boca se ergueu.

— Acho que ele gostava de você de verdade, Elisa. Só não conseguiu se explicar direito.

— É divertido ouvir você defender Prachedes, já que o deixou com o olho roxo uma vez.

Ele me olhou com as sobrancelhas abaixadas.

— Ele disse isso?

— Não. Eu deduzi sozinha. Sua mão estava machucada coincidentemente na mesma época em que ele ganhou um olho roxo. Poderia ser coincidência, mas, quando nos encontramos, o pobre saiu correndo como se tivesse visto o demônio.

— Coitado. — Lucas empurrou uma pedra qualquer, rindo alto. — Pensou que eu fosse matá-lo quando o abordei.

— Eu pedi que não fosse atrás dele, doutor.

— E eu avisei que tinha de fazer alguma coisa, lembra? — Ele cruzou os braços, apoiando-os na mesa, e se inclinou em minha direção. Os ombros se estiraram, revelando a musculatura firme sob a camisa branca. — Mas não se preocupe, foi apenas um soco. E, antes de deixá-lo caído na sarjeta, examinei seu olho e recomendei um unguento.

— Você não fez isso... — Movi um dos discos, mas olhava para Lucas.

— É claro que fiz. — Ele se recostou na poltrona. — Não sou um bárbaro, Elisa.

Tentei deter a risada, mas meus ombros começaram a sacudir. Lucas acabou rindo também.

— Ele nunca mais voltou a me dirigir a palavra até a semana passada — contei. — Sumiu da vila depois daquele dia.

— Foi exatamente o que eu aconselhei que ele fizesse. — Sem olhar para o tabuleiro, empurrou uma das pedras. Uma das minhas. — Que ficasse longe de você.

— Essa pedra era minha.

— Mais alguém a importunou? — perguntou, enquanto eu desfazia sua jogada. — Durante a minha ausência?

— Ninguém em particular.

— Mas houve falatório. Não minta para mim de novo.

A maneira como ele disse isso, em voz baixa e suplicante, me fez lembrar daquela terrível noite em meu quarto, quando menti para ele e perdi seu amor. Na noite em que ele dera início a sua vingança.

— O que espera que eu diga, doutor? Que eu sei que zombavam de mim pelas costas? Que na semana passada, quando sugeriu que eu havia me tornado uma piada, estava certo? Que eu odeio ir a bailes e a qualquer outro evento social, pois já não suporto o olhar de pena de algumas pessoas? Creio que possa se regozijar. Eu nunca mais tive paz, como você prometeu tantos anos atrás.

Ele me olhou por um longo tempo antes de abrir a boca. Contudo, as palavras pareceram lhe faltar. Esfregando o rosto, deixou escapar uma risada sem qualquer alegria antes de se levantar.

— Creio que seja o suficiente. Dispa-se.

Minhas mãos se atrapalharam e eu derrubei algumas pedras.

— Perdão. Como disse?

— Tire as roupas — ordenou, então começou a desabotoar a camisa.

— M-mas você disse que não tinha a intenção de fazer...

— E não tenho! — Levou as mãos à cabeça e correu os dedos pelos cabelos, como se pudesse desanuviar os pensamentos.

A camisa se abriu, revelando um peito repleto de relevos, uma penugem de aspecto muito sedosa que recobria o esterno, a barriga plana, e contornava pequeninos mamilos escuros. Senti um suave vibrar em minhas entranhas e um calor me dominar dos pés à cabeça. Voltei os olhos para o rosto dele e me deparei com seu olhar. Ele queimava.

— Quando levo uma mulher para a cama, Elisa, eu espero encontrá-la desejosa e receptiva. Não prestes a sair correndo pela porta aos gritos, como se sua vida estivesse em perigo.

Não sei ao certo o que senti ao ouvi-lo dizer aquilo. Sobretudo no que se referia ao "quando levo uma mulher para a cama". Ele fazia isso com frequência? Quem eram elas? E ele as manteria como suas amantes agora, mesmo casado? Ou estaria falando das cortesãs?

Seja como for, meu sangue começou a fervilhar. Ele não devia mencionar outras mulheres em nossa noite de núpcias. Nem em nenhuma outra noite, ora bolas!

— Por que veio até aqui, então? — exigi. — Apenas para me torturar?

Uma sombra dominou seu rosto, impetuosa e escura como uma tormenta.

— A ideia de estar comigo em seu quarto é uma tortura, Elisa?

Seu tom baixo e contido fez os cabelos em minha nuca se eriçarem a ponto de eu me encolher dentro do casaco.

— Diabos, Elisa. Pare de ter medo de mim! — falou com... raiva? Remorso? Amargura? — Ouça, eu vim aqui por duas razões. A primeira, para que a criadagem não comece a fofocar sobre nós amanhã. Dispa-se quando for se deitar. Jogue suas roupas em qualquer lugar. Eu não teria paciência para dobrá-las. Os empregados precisam acreditar que estivemos juntos.

— E o segundo motivo? — sussurrei, confusa com tudo o que conseguia ler em seus olhos.

— Percebo que você não pretende ter qualquer intimidade comigo. Ótimo! Eu também não quero isso. Vim aqui lhe propor que nosso casamento seja puramente platônico. Não a desejo em minha cama mais do que você me quer na sua. Se um dia quiser ter filhos... — Esfregou a testa com a mão enfaixada com o lenço. — Eu não sei. Mas podemos pensar em alguma coisa. Entretanto, suspeito que no momento isso não seja sua prioridade.

Uma dor profunda perpassou meu coração.

— Não. — Não faço ideia de como consegui dizer alguma coisa, já que mal conseguia respirar.

— Foi o que pensei. Em breve eu devo retornar para a Europa, e não quero ter de me preocupar se a deixei grávida. Assim tudo vai ficar mais fácil para nós dois. Está de acordo?

— Eu...

Não sabia. Ao mesmo tempo em que queria dizer que aceitava, uma vozinha sussurrava que eu estava cometendo um grave equívoco. Era aquela parte minha, a que amou Lucas quando menina, que implorava para que eu não permitisse que o abismo entre nós se abrisse ainda mais. Eu já havia cometido um grande erro. Se estávamos naquele quarto, discutindo um casamento platônico, era por culpa minha.

No entanto, ao olhar para o rosto enfurecido e implacável do homem diante de mim, as palavras saíram sem que eu pudesse contê-las.

— Sim, estou de acordo.

— Ótimo! — Sem ao menos me desejar boa-noite, ele tirou a camisa, jogou-a em qualquer lugar (ela se enroscou na ponta do espelho da penteadeira) e deixou o quarto, fechando a porta de ligação depois de passar por ela.

Permaneci ali, sentada naquela poltrona, envolvida por seu paletó e seu perfume. Quando Lucas me dissera que pretendia voltar para a Europa, eu tinha ficado tão aliviada que não parei para pensar no que aquilo significava: nós nunca teríamos uma família. Nunca teríamos filhos. Eu jamais teria a quem dar todo o amor que lutava por se libertar em meu coração. Eu ficaria no Brasil, vivendo naquela casa repleta de empregados, me sentindo miseravelmente solitária e infeliz. A vingança de Lucas não poderia ter sido mais cruel.

## 23

A luz incidiu bruscamente sobre minhas pálpebras.
— Bom dia, senhora. Dormiu bem? — perguntou Berta, continuando a abrir as cortinas.

Eu teria adorado ficar mais um pouco na cama, mas a mulher estava decidida a me tirar de lá.

— Dormi bem, obrigada. — Era uma completa mentira. Eu não conseguira fechar os olhos, em parte porque meus pensamentos não tinham me dado trégua, em parte porque estava nua naquela cama, e isso era estranho.

— Aposto que dormiu. — Ela deixou escapar uma risadinha ao pegar a camisa de Lucas, enroscada na penteadeira.

Oh. Ela estava pensando que Lucas e eu...

Puxei o lençol até a altura do pescoço, observando Berta zanzar pelo quarto para preparar minha toalete.

— A água está quente. Venha, vou lhe ajudar a se lavar. Seu marido já se levantou e espera na sala, querida.

— Obrigada, sra. Veiga, mas não é necessário. Sou capaz de cuidar de minha toalete sozinha.

Ela se deteve, os olhos esbugalhados.

— Eu lhe desagrado, senhora?

— Ah, não! Apenas gosto de fazer minha toalete sozinha. A senhora é ótima, sra. Veiga. Honestamente.

Ela olhou para baixo, as mãos unidas na altura da cintura, em um gesto muito parecido com o que Madalena fazia quando ficava chateada.

— Oh, está bem! — Passei o lençol ao redor do corpo e me levantei.

Berta observou a cama agora vazia, e seus olhos reluziram. Olhei por sobre o ombro para entender o que tanto lhe agradara e avistei sobre o colchão o lenço sujo de sangue — aquele que Lucas usara para cuidar do corte em sua mão na noite anterior.

— Sempre soube que o que diziam era calúnia. — Ela me sorriu largamente.

A princípio, não compreendi o que ela quis dizer, mas então uma conversa que tive com Sofia me veio à mente. Mulheres tendiam a sangrar na primeira vez que faziam amor.

Aquele lenço maculado de vermelho parecia ser a única coisa que eu via em todo o quarto.

Berta agora pensava que Lucas e eu tínhamos...

Oh, tudo ficava cada vez pior! Minha vida se tornara uma sucessão de mentiras.

Enquanto eu me banhava, via através das frestas do biombo Veiga trabalhar furiosamente, esvaziando meu baú e acomodando seu conteúdo dentro da cômoda e do guarda-roupa. Ela se interrompeu quando terminei, para me ajudar com o espartilho e prender meus cabelos. Como estavam muito longos, ela conseguiu torcê-los no alto, deixando as mechas me caírem sobre os ombros.

Contemplei, com os olhos esbugalhados, meu novo guarda-roupa. Vermelhos, azuis profundos, verdes intensos, estampados.

— São belíssimos, senhora. — Berta pegou um dos vestidos, acomodando-o no cabide. — Qual gostaria de usar hoje?

— Acho que este aqui. — Apanhei um que ainda estava sobre a cama: branco com bolinhas azul-marinho e um largo cinto de cetim vermelho.

Era lindíssimo, mas o decote, percebi assim que estava dentro dele, permitia entrever o início da junção entre meus seios. Os outros seguiam o mesmo estilo. Coloquei um xale de renda branca sobre os ombros.

— Não! — Joguei o xale sobre a poltrona e aprumei a coluna.

As mudanças em minha vida haviam acontecido. Vestir-me da maneira que estava acostumada apenas me faria lembrar de uma vida que jamais voltaria a ter. Irônico que eu tivesse ansiado por aquela mudança. No que dizia respeito aos vestidos, quero dizer.

Como eu conhecia a casa, não foi necessário que Berta me acompanhasse, embora ela tivesse insistido um pouco. Eu estava receosa, não sabia como seria recebida por Lucas, mas logo minha família e a dele viriam para o almoço, respeitando a tradição, então ao menos naquele dia eu não teria com que me preocupar.

Ao chegar à sala, foi com alívio que vi que a família dele já tinha chegado. Saulo foi o primeiro a registrar minha entrada, ficando de pé, mas não fez o cumprimento educado que era esperado. Em vez disso, ele ficou me olhando, de boca aberta, como se tivesse visto uma aparição. Isso atraiu a atenção dos demais, que se viraram para mim. Os olhos da sra. Guimarães cintilaram, o pai de Lucas sorriu, Tereza se levantou também para cutucar as costelas do marido e Lucas... bem... ele engasgou.

— Minha querida Elisa — o sr. Alfredo Guimarães veio me cumprimentar, beijando minha mão com galantaria. — Está mais encantadora do que nunca esta manhã.

— De fato — concordou sua esposa. — Parece uma rainha!

— A senhora é muito gentil — murmurei. Estava tendo problemas para controlar os tremores, já que Lucas se ergueu lentamente, o olhar intenso e íntimo demais me avaliando por inteira. Por um instante, eu me esqueci de que não estávamos sozinhos naquela sala.

O sr. Baltazar apareceu para anunciar que o café seria servido. Alguém falou mais alguma coisa. Depois houve uma movimentação, mas não consegui acompanhar nem me mover porque Lucas *ainda* me encarava. Aquele arrepio subindo pela minha nuca parecia que ia durar a vida inteira. Mantendo o olhar atrelado ao meu, ele chegou mais perto e me ofereceu o braço.

Quando aceitei que ele me conduzisse e os demais seguiram na frente, Lucas diminuiu o passo.

— Do que se trata tudo isso? — ele sussurrou entredentes.

— Não sei a que você se refere.

— Por que está vestida assim, como uma... uma... mulher?

Deixei escapar uma risada pouco encantadora.

— Sei que é chocante, doutor. Estive guardando esse segredo durante todo esse tempo, mas não aguento mais esconder. Perdoe-me, mas a verdade é que eu sou uma mulher.

A julgar por sua expressão — furiosa e um tanto confusa —, ele não achou meu comentário tão espirituoso assim.

— O que aconteceu com seus vestidos recatados? — ele quis saber.

— Madame Georgette me contou que essa é a última moda em Paris. Como esteve na Europa recentemente, imagino que já saiba disso.

— Não estamos em Paris — contestou, impaciente. — Você não devia dar ouvidos a ela. Nem permitir que ela costure esses vestidos infernais que a fazem parecer uma... uma...

— Mulher? — ajudei.

Ele praguejou e começou a andar mais rápido. Quando entramos na sala de jantar, de paredes estampadas por um bonito papel com ramos azul-claros que deixavam o marinho das cortinas ainda mais intenso, todos já haviam se acomodado.

Lucas me levou até a cadeira ao lado direito da cabeceira. Assim que me sentei, o olhar de toda a família recaiu sobre mim.

— O que gosta de comer pela manhã? — Rosália Guimarães quis saber enquanto Lucas se acomodava na ponta da mesa. — Eu aconselharia os ovos mexidos. Eu mesma preparei. É minha especialidade. — Ela piscou para mim.

Não pude esconder a surpresa.

— A senhora não devia ter se dado o trabalho.

— Foi o que me disse a cozinheira. Mas o que posso fazer? Gosto de cozinhar de vez em quando, para horror dos empregados. Posso lhe servir um pouco?

Antes que eu respondesse, Rosália começou a empilhar comida em um prato, alheia ao olhar escandalizado do jovem empregado que se mantinha perto da porta.

— Você precisa recuperar as energias. — Ela colocou a porcelana diante de mim.

Observei o que ela me servira. Eu levaria um dia inteiro para comer aquilo tudo. Talvez dois dias. Sobretudo porque, com tanta tensão entre mim e Lucas, meu estômago estava meio revirado.

— Conheci suas sobrinhas ontem no casamento, Elisa. — Tereza adicionou um pouco de açúcar ao seu chá. — Parecem ser ótimas meninas.

— Quando não estão atirando pedras em ninguém, elas são — murmurou Lucas, se servindo de um pouco dos ovos mexidos.

Estreitei os olhos para ele.

— Nina ainda não entende as regras sociais. — Dobrei o guardanapo no colo. — Ela não fez por mal. Estava apenas tentando me proteger. — Voltei a atenção para Tereza. — Elas são as crianças mais doces deste mundo... mas gostam de se meter em confusão de vez em quando.

— Isso é sinal de saúde — Saulo comentou, entre garfadas.

— É verdade. — Tereza bebericou seu chá. — Vivo dizendo para o Saulo que quando nossos meninos estão quietos demais é porque estão doentes ou aprontando alguma coisa. Estou com tanta saudade deles! Mas papai foi para o campo caçar. Os dois quase me deixaram louca para que eu permitisse que eles fossem com o avô.

— Espero conhecê-los em breve — falei. — O dr. Guimarães me contou que são meninos bastante ativos.

Todos os olhos se voltaram para mim. Quase todos. O sr. Guimarães continuou comendo.

Uma mão grande e quente, envolta em uma atadura, cobriu a minha.

— Creio que pode me chamar pelo nome na presença da minha família. — Lucas me encarou. Seu tom era algo entre um apelo e um alerta.

Claro. As aparências.

Com a desculpa de pegar o talher, me livrei de seu toque.

— É claro, Lucas.

— Ora, deixem a menina em paz — ajudou o sr. Guimarães, sem deter as garfadas. — Ela acaba de se casar. É preciso se habituar a chamar o marido de maneira tão informal na frente dos outros. A mãe de vocês levou mais de um ano.

— Tereza não teve problemas com isso. — Saulo se serviu de um pedaço de torta de maçã.

— Tereza o chamava pelo nome muito antes de se casarem — insistiu o sr. Guimarães.

— E como poderia ser de outra forma, meu sogro? Nós nos conhecíamos desde a infância! — a nora se defendeu.

— Não foi uma crítica, minha querida. Apenas queria lembrar que Lucas esteve viajando por três anos e que é natural que Elisa ainda tenha dificuldade em demonstrar intimidade diante de outras pessoas. Tenho certeza de que dentro de uma semana isso não irá mais acontecer. — Deu uma garfada em seus ovos mexidos e mastigou um pouco antes de fazer uma careta. — Alguém poderia me passar o sal?

Um gemido coletivo ressoou pela sala. Entendi o porquê ao ver os olhos de Rosália se arregalarem, em completo horror.

— Como disse? — exigiu saber. — Você está sugerindo que meus ovos mexidos precisam de mais sal, Alfredo?

— Apenas um pouquinho de nada, querida — ele se apressou.

Ela levou a mão ao peito, arfando.

— Não dê atenção a ele, mãe. — Lucas tentou ajudar. — Os ovos estão ótimos.

— Estão deliciosos — Tereza concordou depressa.

— Muito saborosos! — Saulo garantiu.

O olhar da mulher se voltou para mim, esperando. Peguei um pouco de comida e levei à boca. Sim, faltava sal. Muito.

— Estão maravilhosos, sra. Guimarães.

— Estão mesmo, minha querida?

— Sim. Os melhores que eu já provei. — Graças aos céus Madalena nunca saberia que eu tinha dito isso, ou cairia desmaiada diante de tamanha injúria.

Esticando o corpo sobre a mesa, a sra. Guimarães pegou o prato do marido.

— Rosália, eu ainda não terminei!

— E nem vai terminar. Meus ovos não são bons o bastante para você. Arranje algo com sal na medida certa para lhe encher a pança.

— Querida, eu só acho que poderia estar um pouquinho mais salgado...

Foi nesse ponto que Baltazar os interrompeu e anunciou que minha família tinha acabado de chegar.

Eu me levantei de imediato.

— Com licença. — Eu estava correndo antes que me desse conta.

Meus olhos marejaram quando avistei meu irmão, de pé, perto da entrada, analisando a sala. Sofia estava distraída com o quadro de Veneza. Marina e Laura estavam sentadas no sofá, parecendo muito inocentes e comportadas.

Eu queria correr para eles, enfiar o rosto entre as mãos e chorar. Queria contar que estava assustada. Que a noite passada havia sido um pesadelo e que eu sentia falta de casa. Em vez disso, coloquei um sorriso no rosto.

— Tia Lisa! — Analu gritou, saltando sobre os próprios pés, correndo para me abraçar. Nina veio logo atrás.

— Bom dia, meus amores. — Eu me abaixei para abraçá-las.

— A gente viemos conhecer a sua casa nova — Nina explicou, afastando um cacho do rosto com impaciência. — Você disse que a gente podia.

— "Nós viemos", Nina. E, sim, eu disse. Vocês são muito bem-vindas.

— Tava com saudade, tia Lisa. — Analu tocou meu rosto com sua mão macia.

— Eu também estava, Analu. — Beijei sua palma. Depois a bochecha de Marina.

Meu irmão chegou mais perto e me avaliou por um longo momento, franzindo a testa para o vestido novo.

— Você parece adulta.

— Talvez porque eu seja uma há algum tempo? — brinquei, me endireitando com sua ajuda.

Ele fez uma careta.

— Sim, mas antes não parecia.

— Você está fabulosa, Elisa. De arrasar o quarteirão! — Sofia interferiu, me abraçando apertado.

— Você está bem? — Ian me perguntou, muito sério.

— Poxa, Ian! — Sofia gemeu, me soltando e olhando-o de cara amarrada. — Você prometeu que não ia fazer isso.

— Eu só quero me certificar de que ela esteja bem instalada.

— Eu prometi — disse Lucas, ao passar pela porta, fazendo com que nos virássemos — que não tiraria sua irmã de casa se não fosse oferecer a ela o mesmo conforto que tinha antes.

Ele prometera?

— Melhor assim — rebateu Ian. — Prometi a Sofia que não iria matá-lo antes que completassem um mês de casados. — Seu olhar foi atraído para o curativo na mão de Lucas. — O que aconteceu?

— Um copo quebrado. Eu estava distraído. — Lucas parou ao lado do meu irmão e fez um gesto com a cabeça. — O que achou da casa?

Enquanto os dois conversavam, Sofia me puxou para o lado, ficando de costas para eles, e enfiou a mão no bolso do vestido.

— Isto chegou pela manhã. — Colocou um envelope em minha mão. — Não tem remetente nem destinatário, mas o mensageiro garantiu que era para você.

Desdobrei a carta e li. Era do sr. Matias.

*Cara senhora, poderá encontrar aquele que procura na rua...*

— Samuel — murmurei. — Oh, Sofia, obrigada por ter me trazido o bilhete.

— Alguma novidade sobre o garoto?

— Talvez!

— Por que não nos acompanham? — a voz de Lucas nos alcançou, e nós duas nos viramos. Seu olhar recaiu para o que eu tinha nas mãos. — O café da manhã acaba de ser servido.

— Tem bolo? — Analu quis saber, inclinando a cabeça bem para trás para olhar no rosto dele.

O sorriso que Lucas abriu para ela provocou uma ligeira pirueta em meu estômago.

— E torta de maçã também!
— Oba! — gritou Marina, empurrando Laura para a sala de jantar.

Lucas se aproximou e me ofereceu o braço. Um pouco sem graça, acabei aceitando, mas me virei para meu irmão.

— Ah, quase me esqueço. Por favor, façam o que fizerem, não peçam sal.

Lucas deixou escapar uma gargalhada, enquanto meu irmão me olhava confuso e Sofia perguntava:

— E por quê?
— É uma grande ofensa para a sra. Guimarães.
— Elisa! E você só me diz isso agora? — ralhou Sofia, saindo atrás de minhas sobrinhas. — Ninaaaa! Espera!
— Sofia, tenha um pouco de fé na menina... — Ian foi atrás de minha irmã.

Lucas e eu começamos a andar, seguindo-os.

— Algo importante? — Ele indicou o papel.
— Não. — Dobrei o bilhete e o guardei no bolso do vestido. Não havia razão para lhe dizer qualquer coisa, já que ele não dividia os seus problemas comigo. Nem qualquer outra coisa. — É só um bilhete de uma amiga, me congratulando pelo casamento.

Eu tinha de pensar em uma desculpa para ir até a vila naquele dia. Depois que minha família fosse embora, eu daria um jeito de ir até lá falar com o garoto. Com um pouco de sorte, ele não fugiria desta vez.

\* \* \*

O almoço transcorreu sem incidentes. Depois que a sobremesa foi servida, as meninas adoraram explorar a casa e Lucas se provou um bom guia. A única parte aonde não as levou foi ao seu laboratório. Minha família partiu quase no fim da tarde, mas os Guimarães ficaram e me fizeram sentar com eles na sala e contar mais sobre minha vida. Lucas tentou se esquivar. Havia algo que ele precisava fazer em seu laboratório que não podia esperar.

— Tentando fugir da esposa no primeiro dia de casado, Lucas? — provocou Saulo.

Infelizmente, era isso mesmo. Talvez por esse motivo — para manter as aparências —, ele decidiu ficar um pouco mais. Não participou da conversa, e eu sentia que sua hostilidade para comigo crescia a cada segundo.

— Estão pensando em viajar? — Tereza quis saber.

Ah, sim. Lucas está. Ele não contou? Vai viver na Europa e me deixar aqui.

— Não discutimos esse assunto ainda — Lucas resmungou. — Talvez em algumas semanas. Agora não é um bom momento.

— Por que não? — seu pai exigiu saber.

— Eu preciso tomar algumas providências, pai. Preciso fazer uma experiência.

Saulo deu risada.

— Ora, Lucas. Acho que eu e você precisamos ter uma longa conversa se você acha mais interessante mergulhar em um laboratório do que apreciar uma bela viagem de lua de mel.

— Não implique com seu irmão. — Rosália lançou um olhar mortífero a seu primogênito. — Ele se sacrifica assim por causa da nossa querida Beca. Tenha mais respeito, Saulo!

O silêncio recaiu sobre aquela família, e um sentimento nostálgico se abateu sobre todos. Até eu me senti afetada, e nem mesmo conheci Rebeca.

— Como ela era? — perguntei a Rosália.

— Muito parecida com o meu Lucas. Só que magrinha feito um graveto. E era tão alegre que era impossível ficar triste perto dela.

— Ela inventava as melhores histórias — ajudou Tereza, olhando para o marido. — Lembra quando ela tentou capturar aquele porco, Saulo?

— Como eu poderia esquecer? Nunca ri tanto em toda a minha vida. A cara do Lucas quando o porco o atropelou... — Começou a gargalhar. — Meu Deus!

— Devia ter um pouco de compaixão. — Lucas riu também, abrindo o jornal que alguém deixara sobre a mesa de centro. — Minhas costas ainda doem.

— Ela foi uma menina maravilhosa — contou o sr. Guimarães. — Era muito levada, isso tenho de admitir. Mas eu não a trocaria por cem meninas bem-comportadas.

Sorri um pouco sem graça, abaixando os olhos. Eu tinha sido uma menina bem-comportada a vida toda. *Ainda* era.

— Não acredito que seja uma comparação justa. — A voz de Lucas, calma e baixa, me chegou aos ouvidos. — As pessoas são diferentes. Ser levada ou mais prudente não torna uma melhor que a outra. Acho que Rebeca era especial por si mesma, não por suas travessuras. Assim como uma menina bem-comportada não é especial por sua obediência, mas por sua essência. Mesmo que algo mais borbulhe sob a superfície.

Levantei a cabeça de imediato e olhei para ele, que mantinha a atenção no jornal.

Rosália tocou meu braço.

— E você e seu irmão? Devem ter muitas histórias também. Ele a criou, querida?

— De certa forma. Eu tinha nove anos quando ficamos órfãos.

Olhei pela janela. Lá fora, naquele exato momento, havia um garotinho tão jovem quanto eu tinha sido. Sem pai e sem mãe, eu desconfiava, e sem um Ian para olhar por ele. Eu tinha de fazer alguma coisa.

O som de uma rápida cavalgada atraiu a atenção de todos. Lucas foi até a janela.

— Doutor! — gritou o rapaz, acenando freneticamente com o chapéu. Parecia um empregado dos Romanov.

— É melhor eu ir buscar minha maleta — ele murmurou, se afastando.

A intuição de Lucas estava certa. Dimitri fora baleado. Em questão de cinco minutos, Lucas estava pronto. Subiu em seu cavalo e partiu com o rapaz.

— Ah, minha querida, lamento muito. — Rosália deu palmadinhas em minha mão. — Mas não fique chateada. Tenho certeza de que ele teria ficado se isso não fosse pesar na sua consciência mais tarde.

Mas Rosália estava enganada. A saída de Lucas não podia ter acontecido em momento mais oportuno.

Inventando uma pequena indisposição, fui para o quarto. Peguei um par de luvas e uma bolsinha. Conferi se havia algumas moedas. Achei melhor pegar mais algumas na bolsa reserva que eu levara escondida no enxoval. A conversa com Valentina, tantos anos antes, a respeito de conviver com um marido sovina ainda me atormentava. Eu não fazia ideia se Lucas seria mesquinho ou não. Ele mudara tanto nos últimos tempos que tudo me parecia possível.

Aguardei por quase meia hora, zanzando pelo aposento com o bilhete na mão, decorando o endereço. Guardei o papel dentro da caixinha de prata que pertencera a vovó e saí na pontinha dos pés. Parei na cozinha apenas para fazer uma trouxa, enchendo-a de pães, biscoitos, queijos e algumas linguiças antes de ir até a estrebaria.

— A senhora pretende cavalgar agora? — Quinzinho me perguntou, horrorizado, depois que expliquei que precisava de um cavalo.

— Não é tão tarde. E estarei de volta antes que o dr. Guimarães volte. Prometo.

— Mas o patrão me arrancará as orelhas se souber que eu selei um cavalo para a senhora sair sozinha a esta hora.

— Ele não vai saber. Por favor, Quinzinho. É importante. Já me demorei demais.

Ele soltou uma pesada expiração, coçou a cabeça, murmurou algumas coisas ininteligíveis. Mas acabou preparando um belo baio para mim.

O sol estava desaparecendo na linha do horizonte quando entrei na vila e tomei a direção da periferia. Eu estivera ali apenas uma vez, na ocasião em que Lucas perseguira Bartolomeu. Pouco havia mudado nesses três anos. A sujeira ainda se acumulava nas calçadas. O mau cheiro me fez cobrir o nariz com um lenço enquanto procurava a casa 7. E, no fim das contas, não era exatamente uma casa, mas um amontoado de tábuas desalinhado; faltava um pedaço da porta e o telhado parecia que ia ceder a qualquer instante. Abandonada, eu teria pensando se não fosse pelo tremular reluzente de uma vela que cintilava nos vidros encardidos da janela.

Ajeitei as saias ao parar diante das poucas ripas que um dia certamente formaram um portão e acomodei melhor a trouxa de alimentos na dobra do cotovelo.

Um lamento de alguém em agonia veio de lá de dentro. O choro de uma criança.

Eu estava subindo os degraus antes que me desse conta.

## 24

— Está certo do que está fazendo, doutor?

Lucas julgou que era melhor ignorar a pergunta ofensiva de lady Romanov e manteve os olhos na ferida no ombro de Dimitri. A bala atravessara a carne e saíra pelo outro lado, deixando uma fenda com o diâmetro de uma azeitona. Por sorte, não atingira os ossos; facilitaria seu trabalho. Isso se aquela senhora parasse de se pavonear ao redor dele e o deixasse executar a tarefa para a qual fora treinado e exaustivamente testado.

Enquanto a mulher continuava a ir e vir em sua suntuosa sala privada, Lucas apanhou dentro da maleta os instrumentos que precisaria para a cirurgia. Chegou a pegar o frasco com ópio para que Dimitri não sofresse tanto, mas desistiu da ideia. O olhar embotado de rapaz lhe dizia que ele consumira ópio o bastante para uma semana inteira.

— Beba — Lucas ofereceu a garrafa de aguardente.

Dimitri não hesitou, passando os dedos ao redor do vidro e o levando à boca.

— Acredito que ele esteja bêbado o suficiente, doutor. Tem certeza de que sabe mesmo o que está fazendo? — insistiu lady Romanov, com seu vaivém enervante.

— Faço alguma ideia.

Lucas pensou que tivesse superado a descrença da população. Mas algumas pessoas ainda o julgavam jovem demais, inexperiente demais, tolo demais para cuidar de suas enfermidades. Presumia que fosse compreensivo. Nunca houve médicos na família Guimarães. Ele sempre soube que enfrentaria suspeitas ao decidir seguir o caminho da medicina. Mesmo na escola, os colegas e professores o olhavam com certa desconfiança. Fora necessária muita dedicação para acabar com aquelas suspeitas. E, claro, salvar Sofia Clarke da pneumonia.

Sempre que alguém mencionava o assunto, ele se sentia uma fraude. Não fora ele quem a salvara, mas aqueles comprimidos que Ian lhe dera, sem oferecer qualquer explicação de onde ou como o tinha conseguido. Apenas garantira que não seria possível conseguir mais. E Lucas tinha de arranjar mais. Podia pensar em como o mundo mudaria se existisse um remédio poderoso o bastante para combater doenças infecciosas graves. Se não era possível arranjar mais, então Lucas teria de produzi-lo, de alguma maneira. Mas como conseguir esse feito se ele ainda nem encontrara uma maneira de salvar a produção de vinho do irmão?

— Ai! — resmungou Dimitri quando Lucas pressionou a ferida para secá-la.

— Lamento, mas irá doer mais que isso, amigo.

— Então é melhor me dar um pouco *maix* daquela excelente *cachaxa*.

Lady Catarina bufou, as saias chiando no tapete do quarto do jovem embriagado.

— Como isso aconteceu? — Lucas passou habilmente a linha pela pequena fenda da agulha.

— Foi um *axidente* — Dimitri soluçou alto.

— De caça — completou a mãe, apressada.

— É claro. — Lucas concordou, por educação, removendo a compressa da ferida.

Corria à boca pequena que Dimitri se envolvera em sérios problemas havia alguns anos, às voltas com agiotas que cobravam dívidas de jogo... e algo mais, ponderou Lucas, franzindo o nariz para o odor pungente de ópio nas roupas do rapaz.

Era uma prática bastante comum entre os jovens abastados da sociedade, que normalmente não acarretava sérios problemas exceto quando a fraqueza pelo vício fincava suas garras no bolso do sujeito, como parecia ser o caso de Dimitri. Diziam que lady Romanov se recusava a lhe dar um único tostão enquanto continuasse a frequentar antros de jogatina e prostíbulos.

Talvez Lucas devesse seguir o exemplo de Dimitri e se aventurar em um prostíbulo, pensou, com escárnio. Fazia tanto tempo desde que estivera com uma mulher que se perguntava se já teria perdido o jeito.

O pensamento o fez recordar a expressão horrorizada de Elisa na noite anterior, quando o ouviu mencionar prostitutas. Ela não conseguira esconder o desapontamento nem o choque, por mais que tivesse tentado. Pobre menina. Estava tão assustada que mal erguera o olhar para ele. Fizera tudo o que podia para que ela entendesse que não era preciso temê-lo, e, no fim das contas, quem acabou assustado fora ele mesmo.

Tudo culpa daquela maldita camisola.

Diabos, não conseguia esquecer aquele pedaço de pano infeliz. Na verdade, do conteúdo que ele revelara. Cada deliciosa curva, cada pedacinho de pele delicada, cada mínimo e glorioso detalhe do corpo de Elisa estivera embrulhado naquela fina nuvem que ela vestia, como uma oferenda enviada dos céus.

Ou do inferno, já que agora todo o corpo dele doía e sua frustração o deixara com o mesmo humor de um condenado à forca. Tivera de usar cada gota de seu autocontrole para manter as mãos e os olhos longe dela. Mas vira o suficiente para sonhar com Elisa e sua camisola diáfana. Como resultado, acordara arfando, frustrado e com uma tremenda dor na virilha. Aquela camisola não fazia bem para a sua saúde. Nem um pouco! E na manhã seguinte ela resolvera continuar com a tortura e usar aquele vestido infernal, que, com aquela fita vermelha abraçada à fina cintura, o fazia pensar em um presente pronto para ser desembrulhado.

E Lucas sabia que não encontraria alívio em Elisa. Também sabia que só havia uma maneira de tolerar a presença dela: propondo um casamento de conveniência e dando fim a qualquer possibilidade de acabar na cama dela. Ou na dele. A questão era que seu corpo repleto de hormônios ignorava o que sua mente decidira e continuava a pulsar, dolorido, por Elisa.

Se Lucas não descobrisse — e rápido — uma maneira de ser indiferente aos encantos dela, muito em breve estaria de joelhos diante de Elisa. Com a língua de fora. Abanando o rabo.

— Ai! — Dimitri choramingou quando Lucas o espetou com a agulha de sutura. Então o rapaz se curvou para o lado e despejou o que tinha no estômago sobre o tapete, quase acertando a saia da mãe.

— Oh, por Deus, Dimitri! — Lady Romanov se afastou, levando um lenço à boca.

Lucas relanceou o alto relógio de carvalho do outro lado da sala. Seis e meia. Excelente. Quanto mais tarde chegasse em casa, maiores as chances de não ver sua esposa, seu vestido infernal ou uma de suas camisolas de fumaça.

Por isso ele não se apressou em terminar a cirurgia. Foi com uma calma estudada que recomendou a lady Catarina que o filho mantivesse repouso pelos próximos dias, evitasse o sol e fizesse refeições leves. Também não obrigou seu cavalo a ir além de um trote enquanto tomava a estrada para chegar à vila e de lá ir para casa.

Ao passar pelo vilarejo, ficou tentado a fazer uma visita a Almeida para contar que os balões estavam prontos e que ele pretendia dar início ao seu experimento no dia seguinte. Seguia naquela direção quando viu um borrão branco de bolinhas escuras passar pelo cruzamento, indo para o limite da vila.

O que, em nome de Deus, Elisa estava fazendo ali, àquela hora da noite desacompanhada, ainda por cima —, indo para a parte mais pobre da vila?

Não havia tempo para conjecturas. Lucas gritou um comando, ao mesmo tempo em que cutucou as costelas do cavalo, e disparou atrás dela. Mesmo de longe, foi capaz de ver quando Elisa desmontou e analisou um casebre de aspecto sinistro, uma trouxa pendurada no braço. Apressou-se ainda mais quando ela parou diante do portão.

*Não entre aí. Não entre aí.*

Mas, é claro, ela entrou.

## 25

Abri a porta do casebre sem encontrar qualquer resistência. A sala não tinha mobília, apenas um colchão velho coberto de migalhas. Fui entrando, seguindo a claridade até deparar com o que deveria ser a cozinha e... A trouxa caiu de minhas mãos, os pãezinhos rolando no assoalho coberto de poeira.

O menino franzino tinha as mãos amarradas ao pé da mesa. Um homem grande e com uma barriga bastante proeminente o açoitava, sem dó, com um cinto!

— Pare! — Eu me interpus entre eles.

O sujeito olhou para mim, surpreso, o cinto pendendo ao lado do corpo.

— Quem diabos é você? — O bafo de álcool que vinha dele revirou meu estômago. — Saia da minha casa. Agora!

Corri até o garoto, me abaixando, e procurei as pontas do tecido velho que prendiam suas mãozinhas. Ele virou o rosto para mim. A mancha escura ao redor de seu olho direito fez meu coração ficar do tamanho de uma semente. Ao mesmo tempo, algo violento começou a borbulhar dentro de mim.

— Saia de perto dele! — O homem me pegou pelos cabelos e me empurrou.

Eu caí, mas me levantei o mais depressa que pude, buscando ao redor algo que pudesse usar como arma. Tudo que encontrei foi uma chaleira em cima da mesa. Eu a agarrei, apontando-a para o sujeito.

— Fique longe do menino! — esbravejei. — Não vou permitir que se aproxime dele outra vez!

O sujeito deu risada.

— Está se oferecendo para tomar a surra no lugar dele? — Avançou para cima de mim.

Com toda a força de que dispunha, atirei a chaleira e consegui acertar sua cabeça. Ele cambaleou.

Aproveitei seu atordoamento e me ajoelhei ao lado de Samuel, voltando a trabalhar no nó, mas minhas mãos tremiam demais. Que praga!

— Está tudo bem — murmurei para Samuel. — Vou tirá-lo daqui. Este brutamontes nunca mais vai bater em você.

— Não, moça. Isso só vai deixá ele ainda mais bravo. Fuja antes que meu tio te bata também.

Minhas mãos se detiveram, e eu olhei para ele alarmada.

— Seu ti... Aaaaaaai! — O homem me agarrou pelos cabelos outra vez, me obrigando a ficar de pé. A chaleira estava fora de alcance. Porcaria! — Me solte!

— Eu vou te ensinar a não se meter nos meus assuntos! — Antes que eu pudesse me livrar dele, fui arremessada de encontro à mesa, meu braço torcido nas costas a ponto de eu sentir que, se me movesse, ele se quebraria. O penteado parcialmente desfeito me impedia de ver muita coisa.

— Ainda quer defender esse imprestável, madame?

Tentando manter o tronco o mais imóvel possível, dobrei uma das pernas e chutei. Acertei alguma coisa e um *urf!* abafado ecoou pela cozinha.

O som que veio a seguir me deixou confusa, no entanto. Um estalo agudo, seguido de um berro. Meu braço foi libertado. Não perdi tempo. Cerrei o punho e me virei, acertando seu queixo.

— Diabos, Elisa! Quer parar de me bater? — Lucas esfregou o queixo enquanto eu sacudia a mão para me livrar da dor nos dedos.

— Lucas!

Eu me joguei sobre ele, sentindo um alívio tão grande que minhas pernas ficaram bambas. Logo atrás dele, vi o tio de Samuel desmaiado no chão. As mãos de Lucas me seguraram pelos ombros, me afastando.

Ah, porcaria. Em meu desespero, me esqueci de que devia odiá-lo e acabei ultrapassando os limites.

Mas ele não estava furioso, tampouco enojado. Estava preocupado.

— Você está bem? Ele a machucou? — Afastou as mechas que me caíram no rosto, os olhos passeando pela minha face em busca de algum ferimento.

Tudo o que consegui fazer foi balançar a cabeça, negando. Ele então se abaixou ao lado do garoto e com dois fortes puxões soltou o nó que o prendia à mesa. No instante seguinte, Lucas avaliava o menino com olhos — e dedos — clínicos.

Samuel se contraiu.

— Está tudo bem — Lucas falou, com a voz serena. — Eu não vou machucar você. Sou amigo da Elisa.

O sujeito inconsciente gemeu. Não ficaria desacordado por muito tempo.

— Temos que tirar Samuel daqui — eu disse.

— Não! — O menino empurrou Lucas. — Eu já voltei pra casa sem dinheiro hoje. Se ele acordar e eu tiver fugido vai ser pior!

— Dinheiro? — perguntei, confusa.

Ele se encolheu, parecendo envergonhado.

— Eu tinha que ajudar a descarregar umas telha, mas acabei me distraindo e eu *sabia* das regras. Se volto sem dinheiro, tomo surra quando ele chega da taberna.

Aquele brutamontes obrigava o menino — que mal parecia ter forças para carregar o próprio peso — a trabalhar enquanto ficava se embebedando?

Lucas e eu nos entreolhamos. Aquela tormenta enevoou suas íris, deixando-as quase negras. Tenho certeza de que algo muito parecido ocorria com as minhas.

— Ele não vai mais bater em você — me ouvi dizendo.

— Vai sim! Ele sempre bate! Vão embora! — O garoto empurrou Lucas outra vez. Mas era tão pequeno e magro que acabou tropeçando e caiu.

Eu me agachei ao lado dele.

— Samuel, eu gostaria que você viesse conosco para descansar esta noite. Amanhã eu falarei com o seu tio. — E com as autoridades. Aquele homem devia proteger a criança, não maltratá-la!

— Eu não preciso da sua caridade, moça — respondeu, orgulhoso, e meu coração se partiu, porque eu não conhecia ninguém que precisasse mais de um pouco de humanidade do que aquele menino.

— Não é caridade — Lucas interveio. — São negócios. O que acha de ganhar alguns trocados?

Olhei para ele, confusa. Lucas apenas balançou a cabeça discretamente. Fosse como fosse, aquilo despertou o interesse do menino.

— O que eu vou ter que fazê?

— Não será nada difícil. Falaremos sobre isso mais tarde. No momento, temos que sair daqui.

O menino enxugou as lágrimas, hesitou um instante e olhou com medo e... algo semelhante a aversão para o bêbado. Então, acabou concordando com a cabeça, mas rejeitou a mão que Lucas estendeu. Eu o entendia. Ele tentava salvar a pouca dignidade que lhe restara.

— Leve-o para casa. — Lucas colocou Samuel sobre o baio e depois me ajudou a subir. — Vou até a guarda relatar o que aconteceu, antes que aquele traste nos acuse de sequestrar o menino. — Em um movimento ágil e gracioso, Lucas montou em seu cavalo e disparou para a sede da guarda.

Abraçando com cuidado o menino franzino, já que não conhecia a extensão dos ferimentos, cutuquei as costelas do cavalo, colocando-nos a caminho de casa, com um céu estrelado acima de nós.

* * *

Minhas saias chiavam contra o piso de madeira conforme eu zanzava de um lado para o outro no corredor do andar superior. Lucas tinha chegado fazia certo tempo e agora estava no quarto de hóspedes que Berta preparara para Samuel. A governanta se assustara ao ver o menino, mas compreendeu grande parte do que havia ocorrido pelas marcas que ele trazia no rosto. Ela lhe preparara um belo prato de comida, e por um momento pensei que, depois de tudo o que acontecera naquela noite, Samuel não seria capaz de comer. Mas ele comera e até repetira. Imagino que a fome ignore qualquer outro sentimento.

Depois disso, eu a ajudara a preparar um banho quente, mas Samuel se recusara a se despir na presença de mulheres no aposento, de modo que tivemos de esperar do lado de fora. Lucas chegou pouco depois, e quando o encontrei já tinha sua maleta nas mãos, pronto para cuidar da criança.

Eu estava prestes a entrar no quarto para conseguir alguma informação quando Lucas abriu a porta.

— E então? — perguntei, ansiosa. — Ele está muito ferido?

— Acalme-se. Não há nada grave. — Encostou a porta. — As costas e o traseiro estão um pouco doloridos por causa da surra, mas não há qualquer indício de ossos quebrados ou cortes. O olho está bem inchado, mas a vista não foi prejudicada. Apliquei emplastros e algumas pomadas. Isso deve fazê-lo se sentir melhor. Ele está dormindo agora.

— Ah.

Ele abriu um meio sorriso.

— Mas você quer vê-lo mesmo assim. — Empurrou o painel de madeira e me deu passagem.

Na ponta dos pés, me aproximei da cama e olhei demoradamente para o menino. O hematoma em seu rosto fazia sua pele morena parecer pálida. Eu o achei tão pequenino naquela cama grande...

Acariciei seus cachos com cuidado para não acordá-lo. Ele virou o rosto em minha direção e inspirou profundamente, ainda adormecido.

Uma mão quente se prendeu em minha cintura.

— Venha comigo — Lucas sussurrou em meu ouvido.

Eu assenti, saindo do quarto sem fazer barulho.

Lucas me fez acompanhá-lo até seu laboratório, no andar de baixo, e, enquanto seguíamos para lá, minha cabeça começou a fazer inúmeras suposições. Havia algo grave, afinal. Samuel estava mais machucado do que ele dissera.

Assim que entramos e Lucas fechou a porta, não aguentei mais.

— Você mentiu, não é? Samuel tem algum ferimento grave.

— Não, eu não menti, Elisa. — Colocou sua maleta sobre a bancada. — Samuel está subnutrido e com a cabeça infestada de piolhos. Amanhã vamos ter que convencê-lo a raspar os cabelos ou acabará tendo uma anemia. No mais, ele passa bem e vai se recuperar em pouco tempo. As crianças têm esse poder. Imagino que seja a maneira que Deus encontrou para protegê-las, já que algumas passam por um verdadeiro inferno. O que me preocupa são as cicatrizes que eu encontrei. Acho que o que presenciamos foi uma punição leve.

— Meu Deus...

— Sente-se, Elisa. — Indicou a cadeira perto da bancada.

— O que faremos agora, Lucas? — perguntei, ignorando sua ordem. — É obvio que aquele homem maltrata o menino. Não podemos permitir que ele volte para casa e para aquele... monstro.

— Eu expliquei o caso à guarda. — Ele trouxe o candelabro para mais perto e abriu sua maleta. — E as condições em que encontrei o garoto. Não mencionei que você também estava lá. Achei melhor mantê-la longe disso. Eles irão investigar. Vamos ter fé. Sente-se, Elisa.

— Ah, está bem! — Fiz o que ele pediu. — A guarda sabe alguma coisa sobre Samuel?

— A mãe morreu logo depois que ele nasceu, e o pai, poucos dias depois de Samuel completar um ano. Sobrou apenas o tio. Jeremias Duarte. E ele viu em Samuel uma maneira de sustentar seu vício na bebida. Obriga o menino a fazer todo tipo de trabalho: descarregar carroças, limpar chaminés e cortar lenha enquanto enche o ra... — ele se interrompeu, bufando — ... se embebeda na taberna.

Soltei um suspiro.

— Eu tinha imaginado quadro semelhante assim que ele me disse que o homem era seu tio.

— Foi por isso que Samuel estava sendo surrado esta noite. Ele devia ter ido até uma fazenda para ajudar a restaurar um telhado. Acabou se distraindo com um cachorro no caminho. Brincaram até tarde. Quando chegou à fazenda, o serviço já tinha terminado e ele voltou para casa sem nenhum vintém. O tio chegou, bêbado como sempre, e o puniu, como costuma fazer com frequência.

— Mas ele é só um menino — murmurei. — Devia poder brincar com um cachorro sem levar uma surra.

— Foi o que eu disse a ele.

— Até que a guarda investigue, o que vai ser de Samuel?

— Ele ficará aqui. Já avisei o chefe da guarda. — Inesperadamente, ele pegou minha mão e examinou com atenção meus dedos levemente esfolados. — Dói? — perguntou, pressionando-os de leve.

— Não. A polícia lhe contou isso tudo?

— Na verdade, foi Samuel — Sua atenção continuava em meus dedos. — Muito envergonhado, devo dizer. Ele se sente culpado pela distração.

Ele girou minha mão e então tocou meu pulso com extrema delicadeza, sobre as marcas que o tio de Samuel havia deixado e eu ainda não tinha notado. Aquela sombra, como se o fim do mundo estivesse se aproximando, dominou seu rosto.

Seus dedos começaram uma minuciosa investigação em meu braço, subindo pela dobra do cotovelo até chegar ao ombro, despertando diversas sensações por todo o meu corpo. Lucas parecia concentrado em seu trabalho. Segurando meu cotovelo, incitou que eu o movimentasse. Acabei deixando um resmungo escapar.

— Foi o que eu imaginei — Assentiu para si mesmo. — Vou precisar examinar seu ombro.

— Não é nada. Estou bem. Realmente...

Eu teria tido mais sorte se estivesse falando com sua maleta.

Lucas me fez girar na cadeira até ficar de lado. Afastou meu cabelo de sobre o ombro e começou a desabotoar meu vestido. Fiquei rígida no mesmo instante.

— Realmente, nada disso é necessário — objetei.

— Lamento dizer que o médico aqui sou eu. Consegue tirar o braço da manga? — quis saber, já empurrando o tecido pelo meu ombro.

Ele estava tirando a minha roupa! E o mais impressionante é que nada disso parecia ser registrado em seu cérebro. Tudo o que ele via agora era uma paciente que precisava de seus serviços. Gostaria de poder dizer que consegui manter o mesmo distanciamento.

— Eu... hã...

Assim que consegui passar o braço pela manga, usei a mão livre para manter o vestido sobre o peito. Lucas afastou a alça da chemise e começou sua investigação.

— Não parece estar deslocado. — Suas mãos hábeis delicadamente forçaram meu ombro em um círculo. Depois, erguendo meu braço em todas as direções.

— Algum desconforto?

— Muito pouco.

— Tenho algo que vai ajudar. — Ele foi até a bancada e pegou um potinho branco dentro de sua valise. Ao abrir a tampa, o aroma mentolado espiralou pelo ambiente.

— Eu... devo agradecê-lo — comecei, enquanto ele aplicava a pomada com movimentos leves, porém precisos. Minha pele se arrepiou e eu rezei para que Lucas não notasse. — Não sei o que teria acontecido se você não tivesse chegado a tempo.

— Talvez isso ajude você a ponderar um pouco mais na próxima vez que decidir pegar um cavalo e ir para um local pouco seguro. — Mesmo sem ver seu rosto, eu sabia que suas sobrancelhas estavam baixas e que a boca se retorcia.

— Como sabia que eu estava lá?

— Eu estava passando pela vila a caminho de casa quando a vi cruzar a rua como se estivesse fugindo do demônio. — Terminou com o ombro e voltou para meu pulso. — O hematoma custa um pouco a desaparecer. — Pegou outro pote. Esse tinha um cheiro mais ácido. A cor não era das mais bonitas também.

Depois de aplicar uma camada generosa e enrolar uma faixa para que o emplastro não sujasse meu vestido, cuidou de meus dedos antes de secar suas mãos em uma toalha.

— De toda maneira, eu agradeço por ter ido atrás de mim — falei, um tanto corada. — Realmente, nada disso devia ter acontecido. Eu não sabia que Samuel vivia com aquele homem. Pensei que ele morasse na rua ou se escondesse naquela casa abandonada. Só queria ajudá-lo.

— Sei disso. Você bateu a cabeça? Lembra de ter batido? — Sem esperar por uma resposta, ele começou a puxar as forquilhas de meu penteado, já quase desfeito.

— O que está fazendo?

— Não consigo examinar seu crânio com todos esses grampos.

— Mas não é preciso. Nem me lembro se cheguei a bater a... ai! — resmunguei, quando seu dedo esbarrou muito de leve em minha nuca.

— Sentiu alguma tontura com a batida, Elisa? Sua visão ficou turva? Dupla? Escura?

Ele não iria desistir até terminar, iria?

Soltei um suspiro, resignada.

— Não, doutor. Minha visão está ótima.

Respondi a todas as perguntas enquanto ele desfazia meu penteado. Assim que minhas mechas caíram livres, a ponta de seus dedos começou a percorrer meu crânio. Eu me encolhi quando ele tocou aquele ponto sensível. Então, puxou uma cadeira e se sentou diante de mim, pedindo que eu acompanhasse o movimento de seus dedos. Inclinou-se para a frente, examinando meus olhos com atenção.

— Está sentindo sonolência ou confusão neste momento?

— Não. — Ao menos no que se referia à sonolência. Era difícil controlar a desordem dentro de mim com ele me tocando daquele jeito, com seu rosto tão perto do meu, com aquele cavanhaque a poucos centímetros da minha boca.

Sem me dar conta do que fazia, toquei seu queixo, o cavanhaque tão, tão macio na ponta de meus dedos, provocando o mesmo frisson que senti quando ele me beijou na igreja.

Lucas ficou imóvel, o exame esquecido, o olhar um tanto alarmado.

— Eu o machuquei? — perguntei em voz baixa.

Um sorriso ínfimo repuxou seus lábios. Meu coração reagiu no mesmo instante.

— Não, embora seu cruzado de direita seja espantosamente potente para alguém com a sua constituição física. E você tem um tremendo chute.

— Eu pretendia acertar o tio de Samuel. Me desculpe. Não sabia que você estava ali atrás.

— Eu sei.

Não consegui obrigar meus dedos a deixarem aquela barba macia, aquele queixo duro e bem desenhado. E me surpreendi quando vi a mão de Lucas se erguer e se encaixar na lateral de meu rosto com tanta delicadeza que inclinei a cabeça em direção ao toque para senti-lo melhor. Não havia nada clínico naquele toque. Também não havia nada clínico naquele olhar incendiado por um tipo de fúria que fazia minhas entranhas dançarem. Sobretudo quando ele o cravou em minha boca.

Entreabri os lábios, em uma tentativa de fazer o ar entrar em meus pulmões. Da maneira superficial como eu respirava, acabaria desmaiada.

Com os olhos prendendo os meus, Lucas trouxe o rosto para mais perto, a ponta de seu nariz resvalou minha bochecha. Fechei os olhos quando seu hálito acariciou minha pele, meus lábios formigando à espera do beijo.

E acho que era o que teria acontecido se a porta não tivesse se escancarado bruscamente.

— Doutor, eu não consigo encontrar a sua espo... ah! — Berta olhou para Lucas, então para mim, para meus cabelos soltos e o vestido entreaberto, que eu havia soltado ao tocar Lucas e que agora revelava minha roupa de baixo. Ela virou de costas, o pescoço ficando tão vermelho quanto meu rosto deveria estar. — Eu lamento. Perdoem-me. — No instante seguinte, ela deixava a sala.

Lucas fechou os olhos, como se sofresse, as sobrancelhas abaixadas, a boca pressionada com tanta força que se transformara em uma linha pálida.

Eu me contorci tentando fechar o vestido, mas meu ombro estava realmente dolorido e não consegui alcançar os botões.

Inspirando fundo, Lucas abriu os olhos. Aquelas chamas ainda os consumiam. Mas então ele ficou de pé e me contornou, seus dedos habilidosos trabalhando em minha roupa.

— Obrigada — murmurei, mortificada, quando ele acabou.

Sem dizer nada, Lucas se afastou até espalmar as mãos sobre a bancada, a cabeça pendendo para a frente.

— Eu... Lucas... — comecei, incerta de como concluiria. Uma verdadeira tempestade acontecia dentro de mim.

— Acho melhor você subir agora, Elisa, antes que eu faça uma besteira. — A voz rouca provocou tremores por todo o meu corpo.

Assenti, ainda que ele não pudesse me ver, e saí, fechando a porta. Eu me recostei a ela quando estava do lado de fora, meu corpo implorando para que eu voltasse para perto de Lucas.

O que tinha acabado de acontecer?

Ao investigar o pandemônio que eram minhas emoções naquele instante, a resposta ficou clara como cristal. Centenas de borboletas batiam suas asas em uma dança desordenada dentro de minha barriga, um calor brotava em minhas faces e em meu coração. Tentei deter o que estava acontecendo dentro de mim. Tentei fazer os antigos sentimentos permanecerem enterrados onde eu os havia deixado. Mas foi mais forte do que eu. Algo dentro de mim arrebentou, libertando-se e percorrendo cada parte minha até encontrar refúgio no centro de meu peito. Os sentimentos que pensei ter superado estavam todos ali. Agora mais intensos.

Ah, não!

## 26

Assim que ouviu a porta bater, Lucas fechou os olhos. O rugido dentro de si demandava que ele corresse atrás de Elisa e a tomasse nos braços. Por todos os demônios, ela era sua esposa! Ele tinha o direito de beijar aqueles lábios macios e fartos. Ele tinha direito de estreitá-la contra si. Ele tinha o direito de calar o rugido selvagem dentro de sua cabeça — e de outra parte de sua anatomia. Ele tinha *todo* o direito.

Mas não iria. Porque, se se permitisse tal coisa, estaria perdido. Ele já estava com dificuldade para manter Elisa longe dos pensamentos. Estava descobrindo que se casar com ela tinha sido apenas o começo de um pesadelo. Quanto mais perto dela estava, mais perto queria ficar. Tão perto que não haveria o menor espaço entre o corpo deles.

Ele se serviu de um copo generoso de uísque e tomou tudo em um único gole. O calor que lhe desceu pela garganta pareceu um eco fraco, ínfimo, da quentura que lhe percorria a pele.

O toque dela. Lucas o sentia em todo lugar. Sobretudo na ponta dos dedos, onde ele a tocara.

Meu Deus, ele se sentia um adolescente patético. O contato mais íntimo que tivera com sua esposa fora em um exame clínico. Ele não devia ter notado que a pele dela era tão sedosa sob seus dedos, como o mais delicado cetim. Nem que seus cabelos não eram exatamente lisos, mas tinham anéis nas pontas das ondas suaves, como um mar negro que serenamente se agita. E não devia ter percebido que ela ainda exalava aquele delicioso perfume de alfazema, agora impregnado em suas roupas e pensamentos. Não devia ter notado nada disso. Mas notou. E, como resultado, agora se encontrava em uma tortura ainda mais agonizante que antes.

Ela não devia ter olhado para ele daquele jeito, como se quisesse ser beijada. Como se esperasse e ansiasse por isso. Havia muito que ele descobrira que sua doce Elisa na verdade era uma mulher guiada pelos próprios anseios. O fato de ela parecer desejá-lo agora que haviam concordado em manter um relacionamento puramente platônico era desconcertante. E cruel.

Se permitisse que ela se aproximasse demais, o desejo de Lucas acabaria falando mais alto e em pouco tempo ele se transformaria em uma marionete.

Ele se via em perigo. Percebeu isso quando entrou naquela choupana e a viu dominada por aquele bêbado. Seu coração parou por um segundo antes de ele se jogar sobre o sujeito. E a maneira como ela o encarou depois, ali, naquela cozinha imunda, ao reconhecê-lo... Cheia de alívio, gratidão e confiança. Lucas jamais se esqueceria. Ele se sentiu o próprio Deus.

Sim, ele estava em um tremendo perigo.

As quatro ou cinco semanas seguintes seriam um tormento para ele. Como diabos iria conseguir resistir àquele olhar de novo? Graças a Deus a sra. Veiga aparecera. Tinha de se lembrar de acrescentar umas moedas ao próximo salário da mulher, em agradecimento pela ajuda. Mas e quanto à próxima vez em que eles ficassem sozinhos?

Só havia uma maneira de preservar o que restara de seu orgulho: manter-se longe de Elisa.

Para tanto, precisava ocupar os pensamentos com outra coisa que não os olhos turquesa, os vestidos infernais, as camisolas de névoa ou as covinhas que lhe causavam um aperto no peito.

Esfregando o rosto, Lucas deixou o copo ao lado da maleta e observou os balões com gargalo em forma de S sobre a bancada.

Por que esperar até o dia seguinte? Ele precisava de uma distração agora. Podia muito bem ocupar o tempo com algo útil.

Endireitando a coluna, Lucas tirou o paletó e arregaçou as mangas. Por sorte tinha sua teoria para ocupá-lo. Isso o manteria a salvo do perigo que era Elisa.

# 27

Abri a porta de mansinho, temendo acordar Samuel, mas ele estava muito desperto, sentado na cama, vestindo uma camisa grande demais para seu tamanho, as pernas escondidas sob as cobertas.

— Bom dia, madama... Quer dizer, senhora.
— Pode me chamar de Elisa. Você quer comer... — Parei ao avistar a bandeja sobre a mesinha de cabeceira, um prato sujo e uma caneca vazia.
— A sra. Veiga trouxe mingau. Estava muito bom.
— Como se sente, Samuel?
— Preocupado. Ninguém me disse o que eu vou fazê.
— O que vai fazer? — Franzi a testa.
— É! O doutor falou que eu ia ganhar uns trocados. E tudo que eu sei até agora é que já me deram comida duas *vez*, mas nenhum trabalho.
— Ah. Eu... pensei em fazer de você... o meu mensageiro particular! — improvisei. — Mas, Samuel, quando eu perguntei como você se sentia, me referia aos seus machucados.

Ele abriu um sorriso lindo, mas o hematoma o maculava.

— Já sarou. O meu tio machucou você?
— Não. Eu estou bem.

Fiquei comovida ao vê-lo soltar o ar com força, os ombros esquálidos relaxando.

— Que bom. Eu não queria que ele te machucasse. Você é boa comigo. E eu não entendo por quê.

Tive dificuldade para engolir. Não conseguia imaginar que tipo de vida ele levara até então, para que não compreendesse a bondade gratuita.

— As pessoas, em geral, são boas, Samuel.
— Não são. Mas você é. E o doutor parece que é também.
— Samuel... — comecei, cautelosa. — Você e o seu tio... vocês se dão bem?
Ele ergueu os ombros.
— Se eu levo dinheiro pra casa ele me deixa em paz.
— E você gosta de viver com ele? — Fui mais direta.
— Não. Mas eu não tenho que gostar. Tio Jeremias sempre fala isso. Cada um nasce com uma sorte. E eu nasci sem nenhuma.
Era o que parecia...
Apertei os lábios, me sentando na beirada da cama. No que dependesse de mim, a sorte começaria a sorrir para aquele garotinho.
— Bem, o que acha de irmos falar com Lucas? Assim você poderá conhecê--lo melhor.
— Mas não posso, moç... senhora. Me levaram as calça! Se me levantar da cama, vou ficar com o traseiro de fora! — O rosto magro adquiriu um tom avermelhado. — A sra. Veiga levou minhas roupas pra lavar, mas me disse que elas teriam um destino melhor como pano de chão. E ela não pode fazê isso! Elas são tudo o que eu tenho.
— Vou falar com ela. — Fiquei de pé. — Talvez já estejam secas a esta altura. Se não estiverem, arranjarei umas calças para você vestir.
Eu já estava na porta quando ele me chamou.
— Todos os empregados têm um quarto bonito que nem este?
— Bem, a maioria deles mora na colônia aqui perto.
— E é lá que eu vou ficar?
— Não. — Mas então eu me lembrei de que aquela propriedade não era minha. — Eu não sei. Vou discutir isso com Lucas.
Ele assentiu com gravidade.
— Vou esperar aqui.
Fui primeiro até a cozinha, na esperança de falar com Berta. Em vez disso, encontrei Quinzinho. Perguntei se teria alguma calça que já não lhe servisse, e o rapaz foi prestativo. Tinha roupas que não lhe cabiam mais e correu até a colônia para pegar algumas delas para Samuel.
Depois, fui procurar Lucas. Imaginei que tivesse passado a noite no laboratório, já que não ouvi qualquer movimentação no quarto contíguo ao meu durante a noite toda. E eu sabia disso por que não fui capaz de pegar no sono. Meu corpo se encontrava em estado de frenesi, tenso e alerta, de maneira que não

consegui descansar. Ainda sentia o toque de Lucas na pele. Sentimentos do passado se misturavam aos de agora até eu não conseguir separá-los mais.

Eu ainda amava Lucas. Lutara contra aquele amor desde que ele voltara ao Brasil, mas, no fundo, sempre soube que estava ali, à espreita, apenas esperando uma brecha para se libertar. Meu coração ainda era dele, e eu desconfiava de que sempre seria. Isso explicava a angústia que eu sentia toda vez que pensava em vê-lo retornar à Itália.

A porta da sala de trabalho de Lucas estava entreaberta. Ele se debruçava sobre um caderno na bancada, a pena em sua mão correndo em um ritmo frenético. Ainda vestia a mesma roupa da noite passada, embora o paletó estivesse pendurado na poltrona e os cabelos, bagunçados como se tivesse corrido a mão por eles muitas vezes.

Bati de leve para anunciar minha presença.

Ele levantou o olhar do papel, me viu e os abaixou de novo. Entretanto, voltou a me encarar, os olhos acompanhando cada detalhe do vestido amarelo com bordados em marrom que eu usava. Algo chispou naquelas íris castanhas, uma faísca que as deixou quase verdes. Então, ele piscou uma vez e voltou a fitar o caderno.

— Entre.

— Eu queria falar sobre Samuel.

Esperei que ele abandonasse suas notas e me olhasse para começar a falar. Ele chegou a deitar a pena, mas manteve o olhar nos papéis.

— Ele está preocupado — comecei. — Quer saber aonde vai dormir e qual será a função dele. Pensei que poderia torná-lo meu mensageiro particular e, se não tiver problema, gostaria de deixá-lo no quarto de hóspedes. Eu o quero por perto até que a guarda apresente outra solução.

— Estou de acordo. Algo mais? — Pegou a pena.

— Não, nada. — Dei meia-volta, mas antes de sair notei que os jarros com gargalos sinuosos estavam em suportes, agora cheios com um líquido da mesma coloração e transparência de um chá.

— Esse chá é a sua pesquisa? — perguntei.

— O quê? — Seu olhar finalmente me encontrou. Não era frio como antes, mas também não parecia contente em me ver. — Ah, é um experimento. Mas não é chá. Preparei um caldo nutritivo e fervi.

— É mesmo? — Cheguei mais perto. — E para quê?

Ele observou os jarros brevemente, o olhar brilhando com uma cautelosa expectativa.

— Estou tentando provar que animais microscópios vivem no ar.
— Vivem? — Tapei o nariz com a mão.
Ele pressionou a boca, como que para conter o riso, mas acabou falhando.
— Não fique tão alarmada. Se eu estiver certo, eles estão por aí desde que deu seu primeiro suspiro neste mundo.
Um pouco hesitante, abaixei a mão.
— E como pretende descobrir se esses animais existem?
— Observando o *chá*! — Arqueou as sobrancelhas.
— Parece... fascinante.
— É mais um árduo jogo de tentativa e erro. — Deu de ombros. — Mas é disso que a ciência vive.

Apesar de finalmente ouvir a respeito de seu projeto, e de sentir sua empolgação enquanto ele falava, eu o achei diferente, mais distante, o que me deixou muito confusa. Fazia menos de doze horas que estivéramos naquele laboratório, tão perto um do outro que seu perfume impregnara em minhas roupas. Ele olhara em meus olhos intensa e profundamente e por pouco não me beijara. Eu não sabia como ele iria me receber quando saí da cama, mas certamente não antecipei que fosse daquela maneira distante e silenciosa.

Não sei ao certo o que eu esperava. Tomar consciência de que ainda o amava não mudava nada entre nós, exceto que agora me doía olhar para ele. O homem que eu amei tinha desaparecido e deixado aquele no lugar, como ruínas da destruição que eu causei. Não queria que ele continuasse a me odiar, mas não via maneira de mudar essa situação.

Depois de hesitar por um momento, Lucas contornou a bancada.
— Preciso remover o emplastro e ver como sua pele se comportou.
Estendi o braço para ele. Com movimentos estudados, tomando muito cuidado para que seus dedos não tocassem minha pele, ele desfez o nó, desenrolando a faixa. Analisou as marcas agora esverdeadas em meu pulso.
— Está melhor — ponderou. — Creio que até o...
Uma algazarra de palavrões e batidas surdas entrou pela janela do laboratório. Lucas correu até a vidraça e colocou metade do corpo para fora.
— Inferno! — No instante seguinte, pegava o paletó na poltrona. — Fique aqui, Elisa — resmungou, antes de passar pela porta enfiando os braços nas mangas.
Os gritos prosseguiram. Me debruçando na janela, avistei o brutamontes da noite passada tentando dominar Eustáquio e Quinzinho.
Fui para a entrada da casa, içando um pouco as saias para poder ser mais rápida. Lancei um olhar para a escada ao passar pela sala, agradecendo por Berta

ter pegado as roupas de Samuel para lavar. Caso contrário, o menino estaria em algum lugar no primeiro andar e teria ouvido o alvoroço.

Passei pela porta da frente em tempo de ver Lucas dominar o homem roliço, segurando seu braço nas costas da mesma maneira que o sujeito tinha me segurado na noite anterior. Os empregados que haviam tentado dominá-lo o cercaram.

— Está bem — cuspiu ele. — Pode me soltar agora. Não vou mais lutar.

Depois de uma breve hesitação, Lucas o libertou com um safanão.

— Vim buscar o menino. Vocês não podem se meter na maneira como eu crio o moleque. — O homem cambaleou.

Ora, aquilo fez meu sangue ferver.

— Espancamento, trabalho forçado e fome dificilmente podem ser considerados uma tentativa de educação, senhor — gritei da escada.

Os olhos do sujeito chisparam em minha direção, raivosos como os de um animal. Os de Lucas não estavam muito diferentes ao se virar para mim e cuspir, entredentes:

— Entre, Elisa. — Voltou a atenção para o sujeito. — Eu tenho trabalho para o garoto.

As sobrancelhas do sujeito arquearam. Sua atenção era toda de Lucas agora.

— De quanto estamos falando, doutor? Certamente tem que ser mais do que ele conseguiria nas ruas.

Levando a mão ao bolso, Lucas pegou algumas moedas e jogou para o sujeito. Ele as avaliou brevemente.

— Isso é o suficiente. Por ora. — Sorriu de um jeito asqueroso. — Voltarei no fim do mês para pegar o próximo pagamento.

— Ótimo. Agora suma daqui. Minha paciência está acabando — rosnou Lucas, em um tom baixo e contido que achei assustador.

Eu não conseguia ver sua expressão, já que ele estava de costas, mas devia ser ameaçadora, pois o homem recuou e, depois de encaixar o chapéu na cabeça, foi tropeçando até a carroça. Ninguém ousou se mover enquanto ele sacudia as rédeas e atiçava o cavalo. No entanto, seus olhos me encontraram, cheios de escárnio e fúria, antes de ele fazer um aceno com a cabeça e partir. E só então todos relaxaram. Lucas subiu os degraus sem pressa, as mãos nos bolsos da calça.

— Por mais que eu esteja feliz com o arranjo — comecei —, não posso acreditar que aquele crápula vendeu o sobrinho sem pensar duas vezes. Ele nem mesmo quis saber se Samuel estava bem! Se está muito machucado, se se alimentou...

— Ele não vê Samuel como uma pessoa, mas como algo rentável. — Lucas não conseguiu esconder a repugnância. — E pode ter certeza de que ele voltará todos os meses para pegar a parte que lhe cabe.

— Eu nem sei como agradecer, Lucas. Eu sei que é muito dinheiro. Eu me meti nesta história. Você não tinha que tentar resolvê-la para mim.

— Fiz pelo garoto, não por você — resmungou ao passar por mim e entrar em casa.

Não esperava que ele fosse tão agressivo comigo, já que nem estávamos discutindo. Não entendi o que o havia aborrecido tanto. Talvez fosse porque eu não o tivesse obedecido e ficado dentro de casa.

Ou talvez eu não tivesse sido a única a ter uma revelação na noite passada, ponderei. Talvez Lucas também tivera um vislumbre do que se passava dentro de si com relação a mim. E, ao que parecia, em vez de amor ele encontrara desprezo.

Devia ter sido isso mesmo, porque, pelo restante da manhã, ele me evitou de todas as maneiras possíveis e saiu logo depois do almoço, levando Samuel consigo, apesar de meus protestos para que o menino ficasse em casa. Eu temia que o tio não cumprisse a palavra e fosse atrás dele, mas Lucas me garantiu que ninguém chegaria perto do garoto. Pela expressão em seu rosto, furiosa e decidida, não pude duvidar.

*  *  *

Teodora me salvou da solidão ao enviar um bilhete pedindo que eu me encontrasse com ela naquela tarde na confeitaria. O lugar me trazia recordações sombrias, e fiz o melhor que pude para não olhar para o canto onde eu vira a sra. Albuquerque pela última vez, anos antes.

— Sua tia está me deixando louca! — Teodora confessou assim que nos sentamos. — Desde que Thomas nasceu, ela mudou da água para o vinho e me trata como... como... se eu fosse uma rainha! É assustador, Elisa. Assustador!

Dei risada.

— Imagino que sim. Se tem uma coisa mais assustadora do que tia Cassandra zangada é tia Cassandra tentando ser gentil.

— Sim! Ela agora parece... gostar de mim! — falou, estremecendo.

— E ela gosta, Teodora. Tia Cassandra mudou muito depois que Thomas e você se casaram. Mas vamos ter esperanças de que ela logo volte ao que era.

— Eu realmente espero que isso aconteça, ou vou acabar perdendo o juízo.

— Boa tarde, minhas senhoras. — O sr. Matias, que passava pela nossa mesa, se deteve e sorriu para mim. — Srta. Elisa, está tão diferente que quase não a reconheci! Creio que agora devo chamá-la de sra. Guimarães. Aceite os meus mais sinceros votos de felicidade pelo casamento.

— Obrigada, sr. Matias.

— Recebeu o meu recado? — Ele abaixou a voz. — Conseguiu encontrar o garoto?

— Sim. E eu agradeço muito por ter me escrito.

— Foi um prazer ajudar. — Ele pegou minha mão e a levou aos lábios com um brilho nos olhos que agora, aos vinte anos, eu sabia reconhecer como flerte. — Tenha um bom dia, senhora. — Depois de fazer um cumprimento para minha amiga, foi se sentar à mesa atrás da nossa.

Teodora arqueou a sobrancelha, mas não disse nada a respeito. Assim que ficamos a sós, ela perguntou:

— Você encontrou o garotinho?

— Oh, Teodora, e nas piores condições possíveis. — Contei a ela tudo o que tinha se passado na noite anterior e naquela manhã. Deixei de lado o momento íntimo que dividi como Lucas em seu laboratório, é claro. Eu mesma ainda não entendia o que tinha acontecido.

— Me sinto até um pouco envergonhada, reclamando da atenção de Cassandra. Espero que a guarda encontre uma solução para o caso desse menino. E gostaria que houvesse uma chance de acontecer o mesmo com Valentina. — Estalou a língua, desgostosa. — Nossa amiga não merecia um destino desses, Elisa. Perder a mãe. Ver o pai se casar antes de o luto acabar... Ver uma estranha ocupar o lugar da mãe... Mas Miranda foi esperta e ficou grávida sem esperar pelo sim.

— Ou o sr. Albuquerque é ainda mais tolo do que imaginamos — pensei alto.

— O que quer dizer?

Quando a notícia da gravidez de Miranda se espalhara na vila, todos logo desconfiaram de que o pai fosse o sr. Albuquerque. Todos, menos eu. Eu a vira na floresta com aquele homem meses antes. Ela, obviamente, tinha mais de um amante. E, conforme Felix foi crescendo, as semelhanças entre o bebê e o sr. Albuquerque se mostraram as mesmas que existiriam entre um abacate e um martelo.

— Elisa, você está insinuando o que eu acho que está? Que Felix não é filho do sr. Albuquerque? — Ela levou a mão à boca. — Minha nossa! Miranda tinha outro amante?

— Fale baixo! — murmurei, olhando para os lados. O sr. Matias, o mais próximo, estava absorto na leitura do jornal, e os demais pareciam muito ocupados com seus pratos e xícaras para prestar atenção à conversa alheia.

— Me desculpe! — Levou a mão ao rosto. — É que é tão...

— Eu sei. — Soltei uma pesada lufada de ar. — Eu vi Miranda com... com outro homem uma vez. Mas não sei quem era ele. Não consegui ver o rosto.

— Falou com Valentina sobre isso?

Corri o indicador ao redor da xícara.

— Muitas vezes eu tentei abordar o tema, mas não consegui. É um assunto delicado, Teodora. Além disso, eu não posso acusar Miranda sem provas. O sr. Albuquerque já deu seu nome a Felix. Tudo o que eu quero é que Valentina seja feliz, e não trazer mais problemas que não mudariam nada.

— Tem razão. — Soprou o ar com força. — A vida dela já está toda do avesso. Levantar essa suspeita só deixaria Valentina ainda mais infeliz... — Ela me analisou por entre as pestanas escuras.

— Posso ser franca, Elisa? Você está deslumbrante nesse novo vestido, mas não me deixo enganar por sua aparência. Seu olhar perdeu o brilho. Você não me parece muito feliz, minha amiga. Sobretudo para uma jovem que se casou faz apenas três dias.

E como eu poderia estar feliz? Tudo o que eu queria era ter me casado com o homem que amava. Quer dizer... eu *tinha* me casado com o homem que amava, mas ele me odiava. Estava tudo errado.

— Eu... estou estranhando a casa — acabei dizendo. — Ando dormindo mal.

— Não minta, Elisa. — Sua mão enluvada pousou sobre a minha. — Nós nos conhecemos desde os cueiros! Vocês e Lucas se desentenderam?

Deixei escapar um suspiro desanimado.

— Oh, Teodora, eu nem sei mais se desentender é a palavra para o que acontece entre nós.

Fazia tanto tempo que eu guardava aquilo apenas para mim que sentia como se estivesse sendo enterrada viva. Queria contar sobre a mentira em que fiz Lucas acreditar, tanto tempo antes. Que ele mal me dirigia a palavra. Que, sempre que ficávamos sozinhos, ele tratava de escapulir. Que em algumas semanas ele iria embora para a Europa e eu nunca mais voltaria a vê-lo. E que meu coração sangrava por causa disso.

— Me conte, Elisa. Talvez eu possa ajudar.

Para que ela entendesse, eu teria de começar a história do princípio. E eu não podia.

Forcei um sorriso.

— Foi apenas uma bobagem. Tenho certeza de que assim que eu chegar em casa iremos nos entender.

Jamais me passou pela cabeça que, de fato, algo aconteceria entre mim e Lucas e que nosso relacionamento estava prestes a mudar outra vez.

## 28

Ao voltar da confeitaria e entrar em casa, fui recebida por uma algazarra generalizada. A causa?

— Samuel, volte aqui!

O menino corria pela sala como se suas calças estivessem pegando fogo. Baltazar o perseguia com uma gravata na mão. Sem a agilidade de uma criança de nove anos, ia esbarrando em tudo o que encontrava pelo caminho.

— Pare, moleque! — Mas Baltazar não percebeu que aquilo havia se tornado um jogo para o menino, e que Samuel ria às gargalhadas. Naquele ritmo, ele e o mordomo acabariam destruindo a sala toda.

Resolvi ajudar, pousando sobre o sofá o chapéu e o pacote que tinha nas mãos e esticando o braço para pegar o garoto que passava por mim.

O menino sujo e maltrapilho havia se transformado em um pequeno cavalheiro agora. Seus cachos haviam sido raspados, e uma fina e macia penugem recobria seu crânio. Suas calças claras tinham o comprimento certo, a camisa lhe caía nos ombros estreitos com perfeição, e o suspensório lhe dava um ar de sofisticação.

— Oh, perdoe-me, meu senhor. Creio que não tenhamos sido apresentados ainda — brinquei.

— Sou eu, Elisa. O Samuel.

Eu me abaixei, estudando seu rosto com atenção.

— Ora, é você! — exclamei. — Quase não o reconheci. Está muito elegante.

Os olhos castanhos reluziam com diversão. Uma pena que o hematoma ainda fosse tão visível.

— O doutor me levou no alfaiate. E no barbeiro. Tive que raspar a cabeça. O doutor avisou que eu ia ficar doente se não me livrasse dos piolho. — Ele fez uma careta ao tocar a penugem em seu crânio. — Agora fiquei parecido com o seu Manuel da banca.

Acabei rindo.

— Pois eu acho que está tão bonito quanto antes. E os seus cabelos irão crescer de novo. Os do sr. Manuel, não — cochichei, e ele riu. — Mas tive a impressão de que você estava fugindo do sr. Baltazar.

— Na verdade era da gravata que ele quer me amarrar no pescoço. Eu não gostei dela. Pinica e enforca!

Estendi a mão para o mordomo, que me entregou o tecido branco e apoiou as mãos na cintura, inspirando fundo para recuperar o fôlego.

— Sei como se sente — falei a Samuel, passando a gravata ao redor da gola de sua camisa e começando a enrolá-la. — As damas também são obrigadas a usar algo torturador, que espreme as costelas e quase impossibilita comer.

O mais completo horror lhe tomou a face.

— Ficar sem comer é muito ruim. Por que elas usam?

— Porque é o que se espera delas. Quando resolvem ignorar as regras sociais e fazer o que têm vontade, elas podem se meter em problemas. — *Como aconteceu comigo*, quase acrescentei. Fiz o nó como aprendera com Ian, mas o deixei mais frouxo do que deveria. — E eu não quero que você se meta em confusão.

— Por quê? Por que não usar essa tira de pano vai me meter em problema?

— Bem, eu não sei. Mas ao menos vai fazer com que o pobre sr. Baltazar não caia duro no chão depois de persegui-lo pela casa toda. Eu não gostaria de vê-lo passando mal. E você?

— Não — resmungou, puxando o colarinho.

Alcancei o pacote sobre o sofá e o estendi a ele.

— Já que mencionou o sr. Manuel, eu trouxe uma coisa para você.

Seu rosto se iluminou enquanto olhava para o pacote. Depois de rasgar cuidadosamente o embrulho, seus olhos quase caíram das órbitas.

— É tudo pra mim?! — Seus dedinhos se moveram em direção a todos os tipos de pães doces que o sr. Manuel tinha na banca, mas recuaram no último instante.

— Sim. — Alisei sua gravata, tentando conter o nó na garganta. — Vá comê-los antes que a sra. Veiga os veja e o proíba. Tenho certeza de que meia dúzia de pãezinhos não vão estragar seu apetite para o jantar.

— De jeito nenhum! É melhor eu ir comer no quarto, então! — Ele abraçou os pães e subiu as escadas aos pulos, um sorriso tão imenso no rosto que aqueceu meu coração.

— Menino, espere! — Baltazar falou, ainda um pouco sem ar, indo atrás dele.

— Não coma na cama!

Acabei rindo enquanto me virava para pegar meu chapéu sobre o sofá. E então vi Lucas, parado na entrada da sala, me observando com a testa franzida.

— Onde vai com tudo isso? — Indiquei a pilha de livros que ele tinha nos braços. Era tão alta, começando na cintura e ultrapassando a altura do seu nariz, que ameaçava tombar.

Lucas piscou uma vez e atravessou o cômodo, indo para a poltrona onde sua maleta fora deixada.

— Vou levar para o laboratório. Foram colocados na biblioteca por engano.

Ele não parecia disposto a dizer mais nada — ou a ficar perto de mim por muito tempo —, por isso tratei de me apressar a dizer:

— Eu fiquei surpresa que tivesse pensado na aparência de Samuel. Foi importante para ele.

— O menino não podia andar por aí parecendo um indigente. Está na hora de Samuel ser tratado como uma pessoa. E aqui, nesta casa, ele será.

— Foi isso que foram fazer esta tarde? — Porque ele não se dera o trabalho de me dizer coisa alguma.

— Isso também. Fui ajudar minha família com a bagagem. Já que decidiram ficar mais um tempo na vila, não faz sentido ficarem na pensão. Eu os trouxe para cá. Espero que não se importe.

— Claro que não me importo. Esta casa é sua.

Mas não pude deixar de me perguntar se ele fora buscar a família porque não queria ficar a sós comigo naquela casa.

— Estão desfazendo as malas no andar de cima. — Ele tentou se abaixar para pegar a valise marrom no estofado, e a pilha de livros ameaçou desabar. — Poderia...

Mas eu já a havia apanhado. E era bem mais pesada do que eu teria imaginado.

— É melhor eu levar para você, já que lhe faltam mãos — eu disse.

— Não é necessário. Apenas a coloque sobre os livros.

— Você não vai enxergar o caminho.

Um brilho que era pura teimosia chispou em seu rosto.

— Posso dar um jeito.
— Esse seu orgulho é muito irritante, sabia? — Soltei o ar com força. — E destrutivo, se quer a minha opinião.

Uma sobrancelha se ergueu, a boca ligeiramente esticada e curvada para cima.

— Isso vindo de você é realmente irônico, Elisa.

Revirei os olhos.

— Você não tem braços suficientes para levar toda esta carga. Goste ou não, precisa da minha ajuda. — Não lhe dei chance de responder, tomando o rumo do laboratório.

Depois de escutar Lucas bufar duas vezes, o som macio de seus sapatos contra o piso começou a me acompanhar.

Ao chegar a seu laboratório, pousei a maleta sobre a mesinha perto da poltrona de couro escuro. Lucas apoiou os quinze livros sobre a bancada antes de começar a acomodá-los na estante.

Eu não pretendia me demorar ali. Sempre que ficávamos sozinhos, acabávamos por magoar um ao outro. Mas o laboratório era tão interessante! Os jarros de chá continuavam ali, sem fazer nada. No entanto, tudo parecia cheio de vida, com fogareiros incandescentes, vapores e aromas ocres. Livros se espalhavam por todos os cantos: sobre a bancada, no armário onde ele guardava os remédios que elaborava, sobre um banco alto. Três deles haviam sido empilhados ao lado do microscópio, outra pilha na escrivaninha sob a janela. Bem ao lado da mesa fora colocado um grande globo terrestre sustentado por uma estrutura de madeira escura. Entre ele e a escrivaninha, um objeto dourado cintilava com as chamas que vinham da bancada. Analisei o telescópio, dois dedos correndo pelo cilindro metálico frio, admirando a beleza de suas linhas retas, as curvas do tripé elegante.

— Isso é parte de algum experimento? — perguntei.

— O quê... — Ele me olhou por sobre o ombro, a mão empurrando um volume para o lugar na estante. — Ah, não. Sou apenas um sujeito curioso, com muitas perguntas e poucas respostas.

— E não somos todos assim?

Esquecendo os livros, ele cruzou o aposento a passadas largas até chegar bem perto de mim, a curiosidade inflamada em seu semblante, por mais que ele tivesse tentado ocultá-la.

— E quais são as perguntas que a atormentam? — ele quis saber.

— Suponho que sejam as mesmas que atormentem todo mundo. Por que estou aqui? Qual o sentido? Onde é o meu lugar neste mundo?

— E encontrou resposta para alguma delas? — Sua voz estava baixa, mas havia uma luz nova em seu olhar. Claro que podia ser o reflexo da luneta dourada que deixava seus olhos assim, tão verdes...

— Não. — Voltei a admirar o telescópio. — Mas eu vi pouco do mundo. Talvez eu ainda venha a encontrar um dia.

Senti seu olhar percorrer meu rosto, aquele arrepio me subir pela nuca. Ficamos calados por tanto tempo que o silêncio começou a me deixar inquieta. Estava prestes a me retirar quando ele pigarreou, antes de perguntar:

— Já utilizou um telescópio antes?

— Não.

— Gostaria de experimentar?

— Eu... não saberia como fazê-lo funcionar.

Isso o fez rir. Ele afastou a cortina e se esticou sobre a escrivaninha para abrir a janela. Depois ajeitou o braço do equipamento, espichando-o até atingir uma dimensão tão longa que a ponta ficou do lado de fora, e ergueu o rosto contemplando o céu.

— Não é preciso fazer muito, Elisa. Basta saber para onde apontar.

Depois de um instante, trouxe mais para perto a cadeira que fazia par com a escrivaninha e se sentou, encaixando o olho na pequena abertura na base do telescópio. Seus dedos trabalharam por alguns segundos, girando uma pequena catraca. Quando pareceu satisfeito, ficou de pé e indicou o assento.

— Dê uma olhada.

Um pouco hesitante, me acomodei atrás da luneta, minhas saias espremidas pela base da escrivaninha e as pernas da cadeira. Apoiei a mão muito de leve no metal acetinado e aproximei o rosto do equipamento, como vira Lucas fazer. Tudo ficou confuso por um momento, mas então eu fechei um olho e foquei o outro na lente. Uma bola clara surgiu em um fundo negro.

— O que... o que eu estou vendo? — perguntei.

— O planeta Júpiter.

— Isso não é possível! — Arfei, escorregando para a pontinha da cadeira, como se com isso pudesse enxergar melhor. — Não posso estar olhando para Júpiter.

— Mas está.

A mão de Lucas serpenteou entre meu rosto e o telescópio, tocando na base por onde eu olhava, empurrando-a para dentro.

Eu me afastei ligeiramente, mas ele me deteve, pousando a mão em meu ombro, que, graças a madame Georgette, estava nu. O toque provocou um estremecimento, e acho que Lucas também sentiu alguma coisa, já que rapidamente puxou a mão.

— Só estava ajustando a imagem para você — explicou, erguendo os ombros.

— Claro.

Quando voltei a colar o olho na pequena abertura, a imagem havia crescido e eu pude perceber mais detalhes, como duas listras mais escuras mais ou menos cortando a bola clara ao centro. Ela começou a subir, lentamente.

— Está se movendo, Lucas! Eu não toquei em nada, mas ele está se movendo!

Sua risada grave fez os pelos do meu braço ficarem de pé.

— A Terra está se movendo, assim como Júpiter. Você não fez nada errado. Apenas continue olhando.

E eu olhei, mal piscando para não perder nada. A imagem foi subindo, subindo, subindo, até tudo se tornar negro.

— Que pena, ele se foi. — Ergui o rosto para ele, boquiaberta. — Isso foi... minha nossa! Foi a coisa mais extraordinária que eu já vi!

Ele me ofereceu a mão, me ajudando a levantar. No entanto, não a soltou quando fiquei sobre meus próprios pés.

— Eu estaria mentindo se concordasse com você. — Ele afastou um dos cachos que pendiam do meu penteado e que me caía no ombro. A ponta de seus dedos resvalou em minha pele de leve. — Quantos desses vestidos infernais você tem? — sussurrou, correndo dois dedos na pequena manga em meu braço.

— Não sei. Eu não contei.

Minha respiração subitamente ficou irregular enquanto eu me dava conta de como estávamos próximos. Tudo dentro de mim vibrou como a corda de uma harpa esticada ao limite para depois ser solta, deixada à própria sorte. Cada pedaço de mim parecia mais vivo que nunca.

— Quero que se livre deles. — Sua voz enrouquecida provocou uma sucessão de arrepios em minha nuca... e dentro das taças de meu espartilho. — Quero que queime todos eles.

— Por quê? — murmurei.

— São perturbadores.

Franzi a testa.

— Pensei que minha aparência não tivesse efeito algum sobre você. — Que ele não me desejasse, por isso não me queria em sua cama.

Não sei como fui capaz de continuar pensando em qualquer coisa que fosse. Absolutamente tudo em meu corpo estava fora de controle com os olhos dele cintilando daquela maneira em minha direção.

— E não tem. — Mas sua mão se encaixou sob meu queixo, e minha respiração já acelerada começou a galopar.

— Então, decerto meus vestidos não podem ser um problema.

— Permita-me explicar de outra maneira, Elisa.

— De que m... — Não fui capaz de concluir a pergunta, pois Lucas abaixou a cabeça e me beijou.

Seus lábios não foram delicados. Foram brutos e selvagens, cheios de desespero e... saudade, creio eu. Fiquei tonta, buscando apoio em seus ombros conforme ele intensificava o beijo, e, minha nossa, foi uma coisa realmente muito boa meus quadris encontrarem apoio na escrivaninha, caso contrário eu teria ido direto para o chão. Acho que Lucas pressentiu essa possibilidade, pois, sem deixar de me beijar, me pegou pela cintura e me suspendeu, colocando-me sobre o tampo reclinado. A inclinação me fez escorregar para a frente, mas seu corpo me impediu de cair, encaixando-se a mim daquele jeito perfeito que eu me lembrava. E foi como em nosso primeiro beijo. Eu sentia tudo e não sentia nada. Uma existência pura, sem barreiras nem limites, na qual eu era capaz de ver estrelas explodindo atrás de minhas pálpebras.

Quando ele libertou minha boca, deduzi que era uma boa ideia respirar. Mas como eu faria isso, se ele pressionou os lábios em meu pescoço? Como, se aquele cavanhaque roçou em minha pele e provocou arrepios que fizeram meus dedos do pé se encolherem?

Um gemido grave, vindo do fundo da garganta de Lucas, reverberou em seu peito conforme envolveu as mãos em minhas coxas, me puxando para mais perto. Aquele som e a maneira como me moldei a ele me deixaram tonta, quase delirante. E, em meio àquela furiosa tormenta, eu me peguei pensando em como tinha sido tola. Fui ingênua em supor que o havia superado. Que meu amor por ele pudesse ser refreado. Naquele instante, nos braços dele, ficou muito evidente que nada poderia controlar aquele sentimento.

Ou a mim. Não existia passado, nem futuro. Não existiam mentiras ou mágoas, apenas emoções e sensações e uma saudade que extravasava na forma de gemidos, mordidas suaves e beijos arrebatadores. Foi por isso que me decidi. Não importava o que aconteceria no dia seguinte. Naquela noite eu não ouviria nada além das súplicas de meu coração.

# 29

Lucas não tinha a intenção de beijar Elisa. Realmente não tinha. Porém, quando ela ergueu aqueles olhos turquesa para ele, os lábios rosados levemente contorcidos em um desafio petulante, ele foi tolo o bastante para aceitar.

Sua ideia era fazê-la entender que aquele vestido não deveria ser usado por ela na presença de outras pessoas, para preservar a sanidade e a liberdade dele. Porque era muito provável que ele se metesse em confusão caso qualquer homem espichasse os olhos na direção dela.

Mas ela não entendia. Não compreendia o que aquele pedaço de pano amarelo fizera com ele. A maldita coisa se colava ao busto de forma pecaminosa. Lucas pensara no maldito vestido o dia todo e não conseguira ouvir uma palavra durante todo o almoço na pensão quando foi buscar os pais. Nem sabia dizer o que tinha sido servido. Bolo de carne? Torta de frango? Sapato assado? Tijolos fritos? Seu próprio cérebro?

Só conseguia pensar em Elisa. Ela exalava um aroma adocicado, como um buquê de alfazemas recém-colhidas e champanhe. E fazia o sangue dele borbulhar tal qual a bebida. E quanto àquele tom de amarelo intenso? Outras mulheres poderiam ficar apagadas por ele, mas em Elisa a cor acentuava a tez clara como madrepérola e destacava ainda mais os olhos azuis, os cabelos negros, a boca avermelhada, como se tivesse sido beijada. Ela o estava levando à loucura e não fazia ideia disso.

Agora que Lucas se rendera à urgência de beijá-la, estava queimando. As chamas o consumiam, o faziam arder em todos os lugares, sobretudo nas partes dele que tocavam as dela. E muitas partes estavam se tocando.

E o gosto? Deus do céu, era tão doce como se lembrava. Assim como era doce sua resposta. Ele a beijava com ferocidade e ela respondia com suavidade. Então ele a beijou com delicadeza e ela correspondeu enredando os dedos em seus cabelos e o trazendo para si.

Ele libertou sua boca, mas continuou a beijar seu rosto, seu pescoço, o alto daqueles seios perfeitos. Mais rente ao decote. Era tão macio ali que o mais sofisticado veludo pareceria um cacto em comparação.

Os dedos dela em seus cabelos se contraíram enquanto Lucas a saboreava, um gemido suave vibrou em sua garganta e ele se perdeu para o mundo.

Eles precisavam de uma cama! Mas, diabos, não havia uma no andar de baixo e ele não conseguiria ir tão longe. A poltrona teria de servir. Lucas a segurou firme pelo traseiro e a ergueu. Elisa passou as pernas ao redor da cintura dele, e seu cérebro deixou de funcionar. Andou às cegas com ela enrolada a seu corpo, ansiando pelo momento em que a teria daquela maneira, mas sem qualquer roupa entre eles. Mal podia esperar para vê-la — realmente vê-la —, sem camisolas de fumaça embaçando sua visão. Estava a um metro de alcançar a poltrona quando sentiu uma pancada na panturrilha que o fez cambalear. Conseguiu colocar Elisa no estofado, caindo de joelhos diante dela. Pareceu apropriado.

— O que foi? — Elisa perguntou, preocupada. — Qual é o problema?

— Não estou beijando você. Esse é o problema.

Ele a puxou pela cintura, trazendo aquele corpo delicioso para mais perto. Ela, porém, relutou, olhando além dele, e então seus olhos se arregalaram de horror.

— Ah, meu Deus, Lucas! Você está sangrando!

Seguindo a direção do olhar dela, Lucas viu o rasgo em sua calça e um talho de uns quinze centímetros em sua panturrilha.

— Humm... não é nada. Esqueça isso. — Ele a segurou pela nuca e procurou sua boca.

— Como posso esquecer que está ferido, Lucas! — Ela o empurrou, se levantando. Mas que diabos! — Precisamos de um médico!

Ele arqueou uma sobrancelha ao encará-la.

— Um médico para cuidar de você! — ela adicionou, impaciente.

Já que, por todos os demônios, ela não pretendia prosseguir com aqueles beijos enlouquecedores, Lucas tocou o local latejante em sua perna. Seu joelho então esbarrou em algo pontiagudo. Uma pedra ligeiramente triangular de ponta afiada e cortante o suficiente para causar um grande estrago. Ele pegou o objeto que o atingira, fulminando-o com raiva pela interrupção. Então, franziu a testa ao perceber que alguma coisa estava amarrada a ela. Um pedaço de papel. Removeu o cordão que o envolvia.

— O que é isso? — Elisa perguntou.

— Parece um aviso. "Fique longe de assuntos que não lhe dizem respeito ou lamentará pelo que está por vir" — ele leu, trincando o queixo.

Elisa empalideceu, ao mesmo tempo em que ele ficava de pé. Lucas enfiou o bilhete dentro do caderno sobre a bancada e foi mancando até a janela, procurando por Jeremias Duarte, mas o maldito já devia ter fugido.

Aquele canalha! Lucas pensara que, ao lhe dar dinheiro, conseguiria um pouco de paz até que a guarda tomasse uma atitude com relação a Samuel. Mas a investigação devia ter começado e Jeremias, aquele covarde, se assustara. E agora retaliava, ameaçando Lucas. Com isso ele podia lidar. O que não conseguia tolerar era que Jeremias ameaçasse Elisa. Porque, se eles tivessem permanecido um instante a mais diante da janela, pelo ângulo em que foi atingindo, a pedra teria acertado a cabeça de sua esposa.

Cerrou os punhos e socou a bancada. Tudo sobre ela estremeceu levemente. No instante seguinte, ele se dirigia para a porta.

Elisa o segurou pelo braço.

— Aonde você vai, Lucas?

— Alcançar aquele patife.

— De jeito nenhum! — A indignação coloriu as faces dela. — Você não vai a lugar algum com essa perna machucada!

— Agradeço a preocupação — murmurou, comovido —, mas o ferimento mal atingiu a derme. Não tem com que se...

A porta se abriu de repente.

— Perdoem-me. — Saulo varreu a sala com os olhos. — Pensei ter ouvido o estrondo de um elefante tombando.

Lucas não se ofendeu.

— Alguém atirou uma pedra pela janela. Havia um recado para mim. — Explicou brevemente o que dizia o bilhete e suas suspeitas. — Me faça um favor, Saulo. Peça para alguém selar meu cavalo. Vou atrás de Duarte.

— Mas você está ferido! — Elisa objetou.

Tudo o que Saulo fez foi avaliar seu irmão por um instante.

— Se ele consegue ficar de pé, então consegue cavalgar. Mas eu vou junto. Esse homem pode estar armado.

Saulo havia desaparecido antes que Lucas terminasse de concordar com a cabeça.

— Você não pode ir atrás daquele homem desse jeito! — Elisa o fitou com desespero. — Você é médico, Lucas. Recomendaria a um dos seus pacientes que subisse em um cavalo com um corte desses?

— De fato, eu não recomendaria. — Para acalmá-la, ele enfiou a mão no bolso da calça e dali tirou um lenço. Torcendo-o um pouco, apoiou o pé na armação do globo e o amarrou na perna. — Isso deve resolver.

— Você só pode ter perdido o juízo! — Elisa ergueu os braços, afastando-se.

— Era só o que me faltava. — Lucas foi atrás dela. — Até a minha mulher desconfia das minhas habilidades cirúrgicas.

— Impossível não desconfiar quando você está sendo tão pouco razoável!

Ele segurou Elisa pelo cotovelo e a fez ficar de frente para ele.

— Alguém atirou uma pedra por essa janela, Elisa. — Tomou seu rosto ansioso entre as mãos. — Mais um minuto que ficássemos naquela escrivaninha e a pedra teria atingido a sua cabeça, e nós não estaríamos discutindo agora. — Ele estremeceu ao pensar nessa possibilidade. — Não me peça para não ir atrás dele, porque eu não irei atendê-la. A intenção de Duarte foi clara. Ele queria assustar ou ferir alguém. E conseguiu as duas coisas — completou, baixinho, ao notar que ela tremia de leve.

Antes que pudesse se conter, Lucas a puxou para seu peito e a abraçou com força. Ela não ofereceu resistência. Ao contrário, afundou a cabeça contra ele, encolhendo-se como se quisesse se esconder ali dentro.

— Não tenha medo — ele disse em seus cabelos. — Eu vou protegê-la, Elisa.

— E quem vai proteger você? — Aquela voz miúda provocou uma fisgada sob o esterno de Lucas. — Ele pode estar armado. O Saulo mesmo disse isso.

— Eu também vou estar. E vou deixar alguns empregados vigiando a casa, por precaução. Não fique tão alarmada. Sei me cuidar. — Beijou seus cabelos perfumados. — Agora vá ficar com Samuel. É pelo menino que deve temer.

Ela quis contestar. Lucas sabia disso pela maneira como ergueu o queixo e arrebitou o nariz delicado. Mas o receio de que Samuel pudesse estar em perigo a fez balançar a cabeça, concordando.

Com algum esforço — de ambas as partes, para sua surpresa —, ele a soltou e saiu coxeando do laboratório. No entanto, sentiu o olhar dela queimar em suas costas enquanto se afastava.

"Por favor, tome cuidado", pensou ter ouvido sua esposa dizer.

Ah, ele tomaria. Ainda não haviam terminado a discussão sobre aquele vestido infernal.

* * *

Lucas ficou surpreso ao ver diversos empregados da fazenda montados em cavalos. Antes mesmo que o patrão pudesse pedir ajuda, eles tinham se voluntariado para percorrer todo o perímetro em busca do visitante noturno assim que a notícia do atentado se espalhara.

Quinzinho e outros dois homens já haviam vasculhado os arredores da casa, sem encontrar qualquer sinal do invasor.

— Fiquem atentos — Lucas ordenou aos três. — Não quero deixar a casa desprotegida. Algum de vocês sabe atirar?

— Eu sei, senhor — disse Baltazar, dos degraus da casa. — Sua família estará em segurança.

Lucas assentiu, sentindo-se grato por ter mantido os empregados quando comprou a casa, antes de subir no cavalo e pedir para que a pequena patrulha se dividisse. Ele e Saulo tomaram a direção da vila, e os demais seguiram para o lado oposto. Lucas não conhecia bem o lugar; tivera pouco tempo para se familiarizar com a propriedade, e por duas vezes ele e o irmão se perderam, já que evitavam a estrada. Parecia óbvia demais.

A lua estava no ponto mais alto do céu quando divisaram os limites da vila sem encontrar sinal do invasor.

— Talvez os outros tenham tido mais sorte — Saulo sugeriu.

Mas Lucas duvidava. Era mais provável que Duarte tivesse se abrigado em um local seguro. O canalha bêbado era metido a valentão, mas não um completo idiota. Devia ter imaginado que Lucas sairia em seu encalço tão logo lesse o bilhete. Por isso era inútil ir até aquela cabana caindo aos pedaços. Sabia que a encontraria vazia. Os dois irmãos fizeram a volta, retornando para casa pela estrada.

Desde que saíram, Lucas percebera que Saulo o fitava de esguelha. Depois de um quarto de hora, aquilo começou a incomodá-lo.

— Por todos os infernos, Saulo! Por que está me olhando desse jeito?

— Só estou aqui tentando entender onde eu errei com você. — Abanou a cabeça.

— Onde errou *comigo*?

— Não posso acreditar que ainda não desposou Elisa apropriadamente. — Seu irmão estalou a língua. — Você está me matando de vergonha, Lucas.

— O quê?! — Elisa tinha falado com alguém? Tinha trocado confidências com Tereza? Ou, Deus o livrasse, falado com sua mãe?

— Ora, não faça essa cara tão alarmada. — As sobrancelhas de Saulo estavam abaixadas, a boca apertada em reprovação. — Sou velho demais para não ter percebido o que está acontecendo. Você não ouviu uma palavra do que eu disse durante o almoço, está mais irritado que um boi marcado a ferro quente. Você está no limite da paciência, Lucas, explodindo a troco de nada, frustrado feito o diabo. Um homem que acabou de se casar, ainda mais com uma mulher com o aspecto de Elisa, estaria com um humor bem diferente do seu. Francamente, não sei se bato em você ou se explico de novo como são feitos os bebês. E saiba que isso é muito preocupante, pois, como médico, você deveria conhecer todo o processo de procriação.

— Não estou com paciência para brincadeiras, Saulo.

O humor de Lucas não era dos melhores, e Saulo não estava contribuindo em nada com aquela conversa. Duarte o interrompera no pior momento possível, o maldito. Por consequência, sua virilha o matava agora. Precisava de um banho frio.

— Eu não estou brincando. E estou esperando que você me dê uma explicação razoável para não ter levado para a cama aquela beleza que é a sua esposa.

— Há mais complicações do que você pode pressupor. E eu não quero falar sobre isso com você. — Fuzilou o irmão, na tentativa de fazer com que se calasse.

Pensou ter obtido êxito, já que o rosto de Saulo ficou inexpressivo enquanto assentia e olhava para a frente. No entanto, o irmão mais velho estava apenas tomando fôlego.

— Compreendo. E você deveria compreender também, como médico. Não que eu tenha sofrido com esse tipo de problema ainda, mas dizem que todo homem passa por isso em algum momento. Eu recomendaria ostras. E uma bela gemada com vinho. Também ouvi dizer que comer testículos de boi faz até um defunto se levantar. Você poderia experimentar um deles. Ou os três. Deve resolver.

Pelo amor de tudo o que era mais sagrado, Lucas ia acabar cometendo um fratricídio se Saulo não se calasse.

— Não tenho problemas nesse departamento, Saulo. — Antes tivesse. Assim ele não estaria sentindo tanta dor naquele instante. — A questão é outra, e não é da sua conta. Não me meto no seu casamento. Por que acha que pode se meter no meu?

— Seus olhos, então? — insistiu Saulo, sem parecer ter ouvido uma palavra do que Lucas dissera. — Porque acredito que até um cego consegue ver os encantos de sua esposa. Especialmente aquele par de...

Lucas encarou o irmão.

— É melhor repensar sua sentença, se pretende voltar para Tereza com todos os membros no lugar.

— ... olhos azuis — Saulo acabou dizendo. — Diabos, Lucas. Se você não tem problemas com seu mastro, se sua visão vai bem, se fica enciumado por eu destacar os atributos de Elisa, por que raios ainda não a fez sua?

— Porque um idiota atirou uma pedra pela janela! — rosnou.

Ele não teria parado. Não teria encontrado forças para parar, a menos que Elisa o impedisse — e ela não parecera nem um pouco disposta a isso. Ele não pensara no depois, nem no que poderia acontecer se a possuísse. Além do óbvio, é claro.

Se Lucas fizesse amor com Elisa? Ele temia perder muito mais do que a sanidade. Ele já estava com dificuldade para tirá-la da cabeça sem que tivessem qualquer contato mais íntimo. Partilhar uma cama o teria colocado em situação ainda mais insuportável.

No fim das contas, devia estar grato a Duarte. Longe de Elisa, em posse de suas faculdades mentais, Lucas conseguia enxergar que o homem lhe salvara a vida. Ou, pelo menos, o que lhe sobrara de dignidade. Sua esposa era um perigo ainda maior do que ele havia suposto.

— Por que não quer me dizer o motivo? — persistiu Saulo.

Porque era humilhante demais dizer ao irmão dez anos mais velho que ele estava louco de desejo pela própria esposa. Uma mulher que quase lhe dissera não durante a cerimônia de casamento e que aceitara sua proposta de união de conveniência com tamanho alívio que ele chegou a pensar que ela fosse dar uma festa.

— Ah. — Saulo deu risada. — Como sou tolo! Você a ama! É por isso que ainda não a levou para a cama. Você quer que ela retribua seus sentimentos antes de fazer amor com ela.

— Não seja idiota, Saulo. Eu não amo Elisa. Ela é minha esposa, diabos!

O sorriso malicioso que se abriu no rosto de Saulo fez Lucas desejar socá-lo.

— Eu sei que é pouco sofisticado, mas já vi acontecer. Eu mesmo sou um bom exemplo. Você não é o primeiro homem a se apaixonar pela própria esposa, e ouso dizer que não será o último.

— Mas que diabos, Saulo. Eu não amo Elisa. Agora pare de me atormentar com essa conversa fiada! — Incitou sua montaria a ir mais depressa.

Quando uma figura alta surgiu na estrada, Lucas pensou que estava com sorte e cutucou com a sola dos sapatos as costelas do cavalo, indo tão rápido que uma nuvem de poeira se ergueu atrás dele. Seu irmão vinha logo atrás. No entanto, ao chegar mais perto, Lucas percebeu que não tinha tido tanta sorte assim. Não era Duarte.

— Doutor! Quase me mata de susto — reclamou Matias, o paletó pendurado no ombro, a gravata fora da vista e alardeando um sorriso exultante de homem que acabava de se perder nos braços de uma mulher.

— Boa noite, sr. Matias. Estamos procurando o sr. Jeremias Duarte. Por acaso o viu por aí?

— Eu não conheço ninguém com esse nome, mas não encontrei ninguém na estrada até agora. Ou acho que não encontrei. Não estou prestando atenção em muita coisa. Eu... — Coçou a cabeça, exibindo ainda mais os dentes. — Bem... estou um pouco distraído.

— Logo se nota — murmurou Saulo, ajeitando-se na sela.

— Mas por que procuram esse homem? — Matias quis saber. — Aconteceu alguma coisa? O doutor precisa de ajuda?

— Não. Mas obrigado pela oferta. — Lucas manejou um sorriso. — Boa noite, senhor.

Os Guimarães esporearam sua montaria e seguiram em frente, lado a lado, enquanto o rapaz voltou a caminhar para a vila a passos lentos.

— Está vendo? — perguntou Saulo, um tempo depois. — É com aquele sorriso satisfeito que você deveria estar agora. Não com essa cara de quem está com um buraco no pé...

— Fica um pouco mais para cima, Saulo — atalhou Lucas. — O buraco é em minha panturrilha.

— ... porque você *não cumpriu* sua obrigação. Que embaraçoso para a nossa família! E, se eu fosse você, ficaria de olho. Não vai demorar para que outro queira esquentar o lugar que você deixou vago na cama da Elisa. Com aquele par de...

Lucas pulou do cavalo antes que o irmão tivesse concluído. Os dois foram ao chão. Lucas armou o soco. Saulo já estava pronto e o atingiu primeiro. Eles se atacaram sem dó; um conhecia o ponto fraco do outro, já que faziam aquilo desde sempre. Lucas conseguiu encaixar um cruzado no queixo do irmão que o fez cambalear. Saulo devolveu a gentileza com uma direita no rim que o fez tropeçar para trás. Quando Lucas se recuperou, bufou feito um touro bravo e se atirou sobre o irmão. Eles foram ao chão outra vez. Saulo caiu por baixo e aproveitou para passar o braço pelo pescoço de Lucas.

— Já chega, diabos! — resmungou Saulo. — Você provou seu argumento. Pare de me bater! Eu entendi. Nada de gracejos com Elisa.

— Nunca mais! — urrou Lucas, agitando-se.

— Prometo! Eu juro!

O mais velho dos Guimarães era inteligente o bastante para conter o mais novo durante certo tempo. Somente quando sentiu os músculos de Lucas relaxarem é que libertou a garganta do irmão. Os dois ficaram deitados na terra, arfando, fitando o céu estrelado.

— Inferno. — Saulo virou a cabeça para o lado e cuspiu. — Tenho um dente mole.

— Acho que posso ter quebrado uma costela. — Lucas levou a mão ao ponto dolorido.

Os dois se olharam. E começaram a rir.

— A senhora Rosália vai ficar muito zangada conosco — Lucas gemeu ao se sentar.

— Sorte a sua por ter só a mamãe falando nas suas orelhas. Eu ainda vou ter que aturar a Tereza.

— Poderíamos dizer que uma cobra surgiu no caminho... — Lucas encrespou a testa.

— E assustou os cavalos... — animou-se Saulo.

— ... nós caímos de mau jeito...

— Você sobre um tronco, Lucas. Bateu as costelas. — Depois de choramingar, Saulo ficou de pé e espanou a poeira das roupas.

Lucas deixou escapar uma imprecação enquanto endireitava a coluna e se levantava. Vários pontos lhe doíam. Sobretudo o corte em sua panturrilha, que se abrira durante a luta.

— E você foi atingido na boca pela pata do animal — ele disse a Saulo.

— O que, no fundo, é verdade. Você bate feito um cavalo, Lucas. — Fez uma careta ao massagear o queixo.

— Você pediu por isso.

— Creio que eu tenha pedido. Mas ao menos agora eu sei a verdade. E você também. Você ama Elisa.

Pelo amor de Deus, aquilo outra vez?

— Não, eu não amo.

— Lamento, irmãozinho. — Saulo passou o braço sobre os ombros dele. — Mas você se atirou daquele cavalo como se tivesse visto o diabo. E com toda a razão. Eu ofendi Elisa. A propósito, me desculpe. Eu não estava falando sério. Apenas queria que você enxergasse o que se passa no seu coração. Agora você sabe. — Deu dois tapinhas em suas costas e saiu arrastando um dos pés em direção a sua montaria.

Não. Não! Lucas fechara seu coração. Ninguém jamais voltaria a entrar nele, muito menos Elisa. O que ele sentia por ela era apenas físico. Não havia sentimentos envolvidos. Ele deixara para trás toda aquela bobagem de amor. Saulo estava enganado.

Tinha de estar.

# 30

Eu lia para Samuel sentada aos pés de sua cama. Ele ouvia tudo com muita atenção, como se aquela fosse a primeira vez que alguém lhe contava uma história.

— "Eu nasci lá para a Ásia, de um ajuntamento de uma Piolha e um Elefante, ainda que houve quem dissesse que uma Tarântula macha foi quem me deu o dia. Mas fosse ou não fosse, isso é coisa insignificante; porque como os Piolhos não têm morgados que herdar, as Piolhas têm pouco escrúpulo de que seja este ou aquele o Pai de seus filhos... " — interrompi a leitura. — Humm... Acho que podemos pular esta parte...

Durante o jantar, eu me encarregara de distrair Tereza e os pais de Lucas, inventando um doente que carecia de uma visita imediata. Por sorte, nenhum deles percebera que algo mais estava acontecendo, mesmo com a movimentação frenética e pouco sutil dos empregados ao redor da casa. Depois, tínhamos ido para a sala e, ao ver o novo penteado de Samuel, o sr. Guimarães desatara a contar histórias sobre piolhos, o que me fez lembrar de um livro que me fizera dar boas risadas — *O piolho viajante*, de António Manuel Policarpo da Silva. Por sorte, havia um exemplar na biblioteca.

Samuel não sabia o que tinha acontecido pouco mais cedo, e eu queria que continuasse assim. Eu tentava ao máximo esconder o frenesi que me sacudia por dentro. Meu coração se encontrava em uma agitação frenética, em parte pela ameaça do tio do menino, em parte por causa do beijo.

Lucas me beijara com mais paixão, as mãos percorrendo minha silhueta, me apertando de uma maneira que beirava o desespero. O que significara para ele? O que aquele beijo significaria para *nós*?

— Como um piolho pode ser filho de um elefante? — a voz de Samuel penetrou meus ouvidos.

— Creio que tenhamos que continuar a ler para descobrir. "Eu pouco aprendia, porque o meu pai nunca queria assistir à lição, dizendo que, quando o Mestre estava com o Discípulo, nem mesmo o pai tinha poder no filho. O Mestre aproveitava-se do tempo e, em vez de ensinar a mim, ensinava a minha mãe, que era só com quem falava. E havia lição que nem uma só palavra me dizia, do que pouco se me dava porque entretinha o tempo em me balouçar nos cabelos, divertimento de que sempre gostei muito. Meu pai foi percebendo que eu era uma besta e que não aprendia nada..."

Eu me interrompi outra vez ao ouvir Samuel gemer baixinho.

— O que foi?

— Nada. — Virou o rosto para a janela.

— Me diga, Samuel. Pensei que confiasse em mim. — Como ele balançou a cabeça, eu insisti. — Sou sua amiga.

— Você é? — Voltou o rosto para mim.

— Bem, eu gostaria de ser. — Ergui os ombros.

Ele olhou para as mãozinhas, que agora brincavam com a ponta do lençol, respirou fundo e disse:

— É que eu sou que nem o Piolho, Elisa. Também sou uma besta e não aprendo. No ano passado eu fui pra escola lá na vila, mas a professora desistiu de me ensiná porque eu sou muito burro pra aprendê. Disse que eu sou um caso perdido.

Fechei o livro, furiosa com a tal professora, e acariciei sua cabeça careca.

— Ninguém neste mundo é um caso perdido, está me ouvindo? Muito menos você. Quem não tinha capacidade de ensinar era ela, estou certa disso. — Inclinei-me e deixei o livro na mesinha de cabeceira. — Acho que podemos continuar com a leitura amanhã. Agora quero que você me conte uma história. Sobre as coisas que gosta de fazer.

Minha tentativa de animá-lo deu certo. O menino se pôs a contar suas coisas favoritas: caçar minhocas, brincar na lama, capturar vaga-lumes.

— Eu deixo os vaga-lume ir embora depois. — Ele se sentou, empolgado. — Mas gosto de segurá eles por um instante. Eles brilham mais quando estão assustados, sabia?

— Sabia. Eu tenho um irm...

A porta se abriu de repente e Lucas entrou, as roupas imundas e desalinhadas, os cabelos bagunçados e cheios de terra.

— Santo Deus! — Saltei da cama feito uma rolha de champanhe. — O que aconteceu?

— Acalme-se. Eu só caí do cavalo.

— *Só* caiu do cavalo?

— De traseiro ou de cara no chão? — Samuel se ajoelhou sobre o colchão, interessado.

Lucas levou a mão às costelas.

— Um pouco dos dois, eu acho. Eu só queria me certificar... de que Samuel já estava na cama. — Mas seu olhar dizia "Queria me certificar de que Samuel está bem."

Fiz um aceno discreto, lhe garantindo que tudo estava como deveria.

— Samuel e eu estávamos contando histórias.

— As da Elisa *é* cheia de palavra esquisita — delatou Samuel. — Como *balouçar*!

Olhei para o menino um pouco ressentida. É claro que ele teria dificuldade. Seu vocabulário era escasso, fruto de uma péssima — ou nenhuma — educação. Eu devia ter pensado nisso antes.

— Balouçar é o mesmo que balançar. E eu pensei que você estivesse gostando.

— Ah, mas eu estava, Elisa. Só não entendi algumas *palavra*. Mesmo assim, eu gosto de ouvir você falar.

— Bem, eu vou deixá-los terminar. — Lucas massageou o pescoço.

— Espere! — Pedi e então me virei para o menino. — Já está tarde, Samuel. Terminamos as histórias amanhã. Boa noite.

— Boa noite, Elisa. — Pulou para baixo das cobertas.

Abrindo a porta, Lucas esperou que eu passasse. Aguardei até estarmos longe da porta do quarto para começar a lhe fazer perguntas.

— Você o encontrou, não foi? O sr. Duarte. E acabaram lutando.

— Antes fosse — bufou. — Eu realmente caí do cavalo. Não conseguimos encontrar o sujeito, mas todos os empregados estão de sobreaviso. Deixei dois deles guardando a casa. Pode dormir tranquila.

Estávamos perto de seu quarto. Ele abriu a porta e foi entrando. Eu, no entanto, hesitei. Não devia estar ali. Mas então avistei o lenço sujo de sague e terra preso a sua perna.

— Você ainda está sangrando. — Passei pela porta e a encostei. — É melhor chamar o dr. Almeida.

— Eu posso cuidar disso sozinho. — Apontou para sua valise marrom sobre a cama. — Baltazar parece sempre estar um passo à frente, não? Preciso me lembrar de agradecê-lo.

— Lucas, a ferida parece profunda — insisti. — E, no local em que está, você teria que ser um contorcionista para conseguir costurar a si mesmo. Até eu faria um trabalho melhor com as agulhas de bordar.

— Parece pior do que realmente é. — Tirou o paletó e se serviu de um copo de conhaque.

Ele era tão teimoso!

— Perdoe-me quando digo que acho difícil acreditar nisso. Sua calça está ensopada.

— E eu que pensei que o médico aqui fosse eu. — Engolindo a bebida de uma só vez, foi se sentar na poltrona, carregando a garrafa e o copo.

Depois de se acomodar e deixar a garrafa no chão, desamarrou o lenço na panturrilha e o pressionou no ferimento. Cheguei mais perto, preocupada.

Ao levantar o lenço, Lucas examinou o corte.

— Não está tão ruim — comentou.

Mas eu discordava. Era grande, largo e se abria como um olho em meio aos pelos escuros.

— Vou pedir para alguém chamar o dr. Almeida. — Eu me virei.

A mão de Lucas se prendeu em meu pulso, me detendo.

— Vou fazer isso sozinho, Elisa.

— Mas você não vai conseguir.

Minha tentativa de convencê-lo a ceder apenas serviu para ferir seu orgulho, percebi tarde demais ao ver o desafio reluzir em seus olhos. Depois de se servir de mais um pouco de conhaque e o sorver rapidamente, Lucas se levantou e foi para a cama, levando a bebida consigo. Puxou a maleta pela alça, abrindo-a, e pegou uma caixinha prateada reluzente. Descalçou os sapatos e usou a tesoura para abrir a parte de baixo da calça.

— Você pode ficar e olhar — ele gracejou, quando percebeu que eu me recostei à cômoda castanha e cruzei os braços. Não sairia dali antes de ver até onde ele iria com aquilo. De uma coisa eu estava certa: o dr. Almeida seria solicitado em algum momento.

Lucas parou para encher o copo outra vez antes de passar a linha preta na agulha em formato de gancho. Derramou a bebida sobre a ferida e eu quase pude sentir o ardor em minha própria carne. Nem um único silvo deixou seus lábios, mas seu rosto adquiriu um tom vermelho, quase roxo.

Depois de limpar o machucado com uma atadura que tinha na valise, tentou encontrar uma posição que mantivesse a panturrilha em seu campo de visão, pegou a agulha e começou a trabalhar. No entanto, havia algo errado. O tombo realmente devia ter machucado uma de suas costelas, pois ele não conseguia manter a posição.

— Diabos! — Ele se aprumou, bufando.

— Agora posso mandar chamar o dr. Almeida? — perguntei, impaciente.

— Não — resmungou de cara amarrada. — Não vou incomodá-lo por causa de um corte à toa.

— Por que não admite que não consegue cuidar disso sozinho? Sua costela está machucada!

— Mesmo assim, não vejo motivo para tirar Almeida da cama a esta hora.

— Então, olhou para mim de um jeito estranho, uma sobrancelha se elevando.

— Quão habilidosa você é com as agulhas?

— Como disse? — engasguei.

— Um pouco de sangue não parece assustá-la.

Ele estava sugerindo... ele tinha perdido o juízo?!

— Lucas, eu não posso costurar você!

— Por que não? — Apoiou as mãos no colchão, os olhos estreitos como os de Bartolomeu. — Esta é a sua chance de exibir um dos seus talentos.

— Você só pode ter bebido demais para sugerir um absurdo desses. Ou então bateu com a cabeça, o que só me deixa mais convencida de que precisamos de um médico aqui.

— Mas quanta sorte, Elisa! Eu sou um! — Aquele meio sorriso repleto de troça fez minha mão pinicar com o desejo de esbofeteá-lo. — Eu vou guiá-la — murmurou.

— Percebe o absurdo que está sugerindo? Eu poderia acabar arrancando sua perna sem querer se tentasse suturá-lo. Nunca estive na escola de medicina. E você precisa de alguém que tenha passado por ela!

Ele não ouviu a última parte do que eu disse. Ou preferiu ignorar.

— Para arrancar minha perna — gracejou —, você iria precisar de um bom serrote, e, sorte a minha, o meu está trancado no laboratório. Vamos, Elisa. Um pontinho ou dois e estará feito.

— Não!

— Está bem — ele grunhiu, desabando de costas no colchão. — Chame Almeida, se isso a fará feliz! Mas vá depressa. Já perdi muito sangue. Talvez não seja o conhaque, afinal, que esteja embaçando minhas vistas. — Dobrou o braço e o colocou sobre o rosto. — Deus, espero que não seja tarde demais...

Parei a meio caminho da porta. Ele não estava falando sério, estava? Não corria nenhum risco, corria? Apenas pretendia me convencer a pegar a agulha pendurada em sua perna e continuar de onde ele havia parado.

Mas a cor de seu rosto... Podia ser a luz das velas, mas eu o achei tão pálido... Fechei os olhos, inspirando fundo, e voltei para perto de Lucas. Não pude deixar de notar que, mesmo sendo imensa, ele ocupava grande parte daquela cama.

— Está bem — respondi, derrotada. — O que eu devo fazer?

Os cantos de sua boca se ergueram de leve, então ele destapou os olhos e ergueu o tronco, apoiando-se nos cotovelos.

— Eu a aconselharia a fingir que eu sou uma cortina grossa que precisa de reparo. Você tem bastante apreço por ela e quer muito mantê-la. — Ele rolou, ficando de bruços. O ferimento parecia ainda mais profundo daquela distância.

Engoli em seco.

— Não tenho certeza se consigo, Lucas.

— Não tenho qualquer dúvida de que consegue. Faça pontos firmes, mas não muito apertados. Deixe um espaço de mais ou menos meio centímetro entre um e outro.

Eu me sentei na beiradinha do colchão.

— Mas vai doer.

— Se a consola, está doendo bastante agora.

Inspirei fundo e levei os dedos trêmulos à agulha. Apoiei a mão livre em sua panturrilha musculosa.

— Use essa mão para manter a ferida fechada — ele instruiu. — E não vá muito fundo, mas também não perfure muito superficialmente ou a pele não vai aguentar a pressão.

Assenti, embora ele não pudesse ver.

— Está bem. Eu consigo. — Gotas de suor brotaram em minha testa. — Eu consigo — repeti.

Ele dobrou os braços e deitou a cabeça neles, virando o rosto para mim.

— Eu sei. Ou jamais teria pedido que fizesse.

— Eu não estava falando com você. E fique parado!

— Sim, doutora.

Posicionei a agulha, os dedos ligeiramente trêmulos.

— Está bem. Lá vamos nós. Agora mesmo. — Tentei engolir, mas não consegui. — Neste... minuto. Bem... agora.

— Estou sangrando, Elisa.
— Não me pressione!

Tudo bem. Eu podia costurar uma cortina. Não seria difícil. A agulha só tinha de ir até o ponto certo, voltar à superfície e então repetir tudo de novo até que o rasgo se fechasse.

Ele afundou a cabeça nos braços, escondendo o rosto. Puxando uma grande lufada de ar, comecei o trabalho. A panturrilha dele estremeceu de leve, mas nem um único gemido foi ouvido. Sete pontos depois, eu finalizava o último nó com a mesma firmeza que empregava nos bordados. Cortei a linha e descansei a agulha na tampa do estojo.

Ele ergueu a cabeça, mas não a virou.

— Jogue um pouco de conhaque, por favor.

Fiz o que ele ordenou. Os músculos de seus ombros se contraíram, mas de novo ele sofreu em silêncio. Secando o excesso da bebida com a atadura limpa, fiquei de pé. Lucas se remexeu com cuidado — as costelas deviam estar lhe matando — e se sentou. Examinou meu trabalho com a sobrancelha franzida.

— Meu Deus, Elisa! Você é realmente boa! Ficaram mais bonitos que os que eu faço. — Então olhou para mim e me mostrou um sorriso esplêndido. — Você daria uma excelente cirurgiã.

Apesar de estar feliz por ter feito tudo direito, havia um probleminha. Eu tinha dificuldade para fazer o ar entrar em meus pulmões, e uma camada pegajosa e fria de suor recobria minha pele.

— Precisa de mais alguma coisa? — perguntei, com a boca seca.

— Não. Obrigado. Você foi perfeita — falou, um toque de deslumbramento e orgulho fez algo dentro de mim se empertigar, contente.

Apenas anuí com a cabeça e comecei a andar. Manchas pretas piscavam nas bordas de meu campo de visão. Apenas seis passos. Eu só tinha de aguentar mais seis passos e então chegaria ao meu quarto e poderia me deitar um pouco.

As manchas pretas se uniram, formando um véu negro, quando eu dava o segundo passo. No terceiro, minhas pernas adquiriram a consistência de fumaça. E no terceiro...

— Elisa!

*Que inconveniente desmaiar agora!*, pensei, enquanto tombava de cara no chão.

# 31

Lucas alcançou Elisa antes que ela colidisse com o assoalho.
Imbecil. Ele era um maldito imbecil! Quantas vezes na escola de medicina tinha visto homens feitos, altos e pesados como o tronco de uma árvore, caírem ao menor sinal de sangue, um osso exposto ou uma ferida purulenta? Por que diabos ele incitara Elisa a suturá-lo?

De fato, não queria ter de recorrer ao seu bom amigo Almeida por razões exclusivamente provenientes de seu orgulho. Era um corte de menor importância que, se tratado com descaso, deixaria uma cicatriz pouco atraente. Mas ele tinha dado a entender que corria algum risco, não? E Elisa era boa demais para acreditar nele.

Talvez pudesse culpar o conhaque pela falta de discernimento. Ou os socos de Saulo.

Entretanto, a verdade era ainda mais embaraçosa: ele queria que Elisa o tocasse, queria sentir as mãos delicadas dela em seu corpo, pouco importava o motivo.

Pegando-a nos braços, Lucas a levou até a cama, afastando os lençóis sujos de terra antes de deitá-la. Ajeitou cuidadosamente a cabeça de Elisa no travesseiro, empurrando as mechas de azeviche para longe do rosto, e levou dois dedos à lateral do pescoço da esposa. O pulso fraco aliado à falta de cor em sua face e à frieza de sua pele provocaram um aperto no peito de Lucas.

— Me desculpe. Me perdoe, Elisa. Volte para mim. — Ele trabalhou depressa, embora seus dedos tremessem. Arrancou os sapatos dela, esfregou seus tornozelos, depois os pulsos. Ali ele usou um pouco de conhaque para aquecê-la. Mas a jovem ainda estava desacordada.

Com extrema gentileza, passou um dos braços por baixo dos ombros dela, sustentando a base do pescoço e a cabeça com seu antebraço. Aproximou a bebida do rosto de Elisa, sacolejando de leve o líquido ambarino para que o álcool fosse liberado. Quando avistou um ligeiro franzir no narizinho delicado, seguido de uma longa inspiração, sentiu o corpo desmontar de alívio. Deixou a garrafa sobre a mesa de cabeceira para tomar o punho dela entre os dedos de uma mão, friccionando a pele sobre a veia vital em seu braço. A pulsação ganhava força.

Os olhos de Elisa tremularam. Quando se abriram, miraram direto nele.

— Olá — sussurrou ele.

— Olá. — Uma faísca de confusão relampejou naquelas íris turquesa. — O que aconteceu?

— Você perdeu os sentidos.

Ela encrespou a testa.

— Estranho. Não costumo sentir isso.

— Tampouco está acostumada a operar. — Ele afastou com os dedos alguns fios de cabelo que lhe caíam no rosto. — Perdoe-me, Elisa. Eu não devia tê-la incitado a cuidar da minha perna. Fui extremamente...

— Irresponsável?

— ... estúpido. — Fez uma careta. — E irresponsável também.

— Ah, bem. Eu já estou me habituando a sua estupidez.

Ele riu.

— Ouvir isso alivia meu coração.

— Posso beber alguma coisa? Minha garganta está seca.

Ele não queria soltá-la. Sentia que a deixaria exposta, vulnerável aos perigos do mundo. Mas seu conhecimento era necessário ali, então, beijando sua testa — demorando-se um pouco mais do que deveria —, obrigou-se a acomodá-la no travesseiro.

Lucas serviu um copo de água e, depois que ela bebeu, chamou Baltazar, pedindo que o mordomo providenciasse algumas bebidas açucaradas. Foi muito específico ao dizer que não deveria demorar. O sujeito assentiu, relanceando as roupas imundas de Lucas, mas não fez qualquer comentário.

Em questão de sete minutos, a sra. Veiga colocava a bandeja na mesa de cabeceira e saía em silêncio. Lucas adicionou duas colheres generosas de mel ao chá de erva-doce e o ofereceu a Elisa.

— Mas eu só queria um pouco de água. — Ela se sentou.

— Beba mesmo assim. O açúcar vai ajudar a diminuir o mal-estar e a restabelecer seu ritmo cardíaco.

Elisa foi uma boa paciente. Tomou o chá e permitiu que ele colocasse um punhado de açúcar sob sua língua. Foi com alívio que ele acompanhou o rosto dela adquirir cor, o pulso retornar ao normal, o suor desaparecer de suas têmporas.

Quando a jovem bocejou, Lucas relanceou o relógio em seu bolso e se deu conta de como era tarde. Estava exausto, as costelas doíam e a queimação em sua panturrilha dificilmente lhe permitiria dormir. Mas Elisa ainda estava abatida. Tivera uma noite agitada. Um pouco de descanso a faria recuperar-se mais rapidamente.

— Eu preciso ir para a cama — murmurou ela.

— Você está na cama.

— Eu quis dizer a minha.

Lucas desejou ter dito as palavras que a fariam ficar. Gostava de tê-la em seu quarto. E foi precisamente por esse motivo que não a impediu de se levantar, nem de ir para o aposento ao lado. Mas a acompanhou de perto.

— Estarei bem ali se precisar de mim. — Indicou seu quarto.

— Obrigada, mas me sinto bem. Realmente. — Ela exibiu as encantadoras covinhas.

Deus, como ele queria beijar aqueles dois lindos pontinhos. E depois ir um pouco adiante e lamber a boca pequena.

— Boa noite. — Ele precisou cerrar os punhos para manter as mãos longe dela e obrigar as pernas a se moverem

— Lucas — chamou ela, antes que ele se retirasse. O rapaz a olhou por sobre o ombro, e só então Elisa prosseguiu: — Ian costuma fazer uma mistura de babosa e arnica para cuidar dos hematomas quando algum cavalo o derruba. É uma antiga receita de família. Você devia usá-la nas costelas.

Ele girou sobre os calcanhares, os braços cruzados sobre o peito, e lutou para não rir.

— Você está tentando ensinar um médico, com quatro anos de experiência, sendo dois deles em um caótico hospital na região da Lombardia, a cuidar de um hematoma?

Seu rosto se encheu de cor — o que deixou Lucas ridiculamente aliviado. Apesar do visível embaraço, ela empinou o nariz.

— Estou.

Ele sentiu uma fisgada no centro do peito diante do atrevimento.

— Suspeitei disso. Está bem, Elisa. Me ensine sua receita milagrosa.

— Bem, você deve ferver as flores de arnica e deixar amornar. Amasse um pouco das folhas também e...

Enquanto ela explicava o preparo do unguento que ele mesmo utilizava havia anos, Lucas não pôde deixar de dar razão a Samuel. Também gostava de ouvi-la falar. Sua voz era macia, nem aguda nem grave demais, e a doçura com que proferia cada sílaba conflitava com a firmeza com que as dizia.

E a boca. O movimento daqueles lábios provocava os sentidos de Lucas. Despertava nele sensações que ninguém jamais chegou perto de conseguir. Aquecia seu peito, deixava seus pensamentos à deriva, e ele só conseguia pensar em beijá-la, bem ali, bem agora, do contrário iria explodir feito um barril de pólvora. Era assim que ele se sentia perto de Elisa desde a primeira vez que a vira, cinco anos antes. Desde que colocara os olhos nela, Lucas soube que a amaria porque sentira uma fisgada no peito e um zumbido nos ouvidos que o impedia de completar um racio...

Deteve o pensamento naquele ponto, assustado, e buscou no próprio corpo as respostas para a pergunta absurda que subitamente brotou em sua mente.

Sim, a fisgada ainda estava ali, sob seu esterno. E parecia ficar cada vez mais violenta.

Não. Não podia ter acontecido de novo. Ele não podia ter se apaixonado por Elisa outra vez. Ele tinha fechado o coração, sobretudo para ela. Não era possível que ela tivesse conseguido derrubar suas barreiras.

— ... depois é só aplicar no ferimento. Se quiser, pode fazer uma compressa com o unguento. Posso ir até a cozinha preparar um...

— Não preciso de suas receitas — atalhou, categórico. — Não preciso de nada que venha de você.

Elisa estacou, piscando diante da ira repentina. Ele mesmo estava surpreso. Estava com raiva. Meu Deus, tanta raiva que queria chutar alguma coisa! Mas não era raiva dela. Era de si mesmo. Tinha sido tolo o bastante para se apaixonar por uma mulher que quase o destruíra uma vez.

Ele começou a andar pelo quarto, bufando, rindo sem qualquer humor. Queria bater a cabeça na parede. Queria socar alguma coisa até moer os ossos da mão. Queria chorar em desespero.

— Eu só quis ajudar. — A voz dela mal passou de um murmúrio.

— Você já fez mais que o suficiente. — Precisava sair dali antes que a tempestade dentro dele arrebentasse.

— Lucas, eu não quis parecer arrogante. — Ela o seguiu. — Desculpe. Só quis cuidar de você do mesmo jeito que você cuidou de mim.

A tormenta ganhou força ao ouvir a voz de Elisa tremer. Dentro dele, tudo chacoalhou, ruiu, antes de ser engolido pelas ondas de desespero. A última coisa que ele queria era que ela o temesse agora. Tinha de ir para longe daquela mulher. Ele se virou para ela.

— Não confunda minha profissão com outra coisa, Elisa. Eu fiz um juramento: jamais negar auxílio a quem precisa de meus cuidados. Eu cuidei de você como cuidaria de qualquer pessoa.

Ela recuou um passo, a dor evidente nas íris azuis. Acabou batendo as costas em uma cadeira. Teria caído se não tivesse apoiado uma das mãos na mesa. No entanto, ao se firmar, o decote do vestido baixou um pouco, não oferecendo muita sustentação, de modo que um mamilo rosado ficou visível.

Lucas quis sacudir Elisa. Quis colocá-la para fora daquele quarto, daquela casa, da vida dele. Quis jogá-la na cama e beijá-la em todos os lugares. Sobretudo naquele mamilo perfeito.

Sacudiu a cabeça feito um touro bravo. Ele a amava. Depois de tudo, não conseguiu tirá-la do coração.

— Pelo amor de Deus, Elisa, livre-se desse vestido de prostituta!

Ela olhou para baixo, e só então percebeu que estava exposta. Corando violentamente, se recompôs, erguendo o rosto para ele, os olhos reluzindo com mágoa. E lágrimas.

Lucas praguejou baixinho. Não queria ter dito aquilo. Mas estava fora de controle por descobrir que ainda amava a mulher que o fizera de bobo diante de todos. Teria rido, se não se sentisse tão miserável.

Ainda segurando o vestido de encontro ao peito, ela atravessou o quarto até ficar a meros centímetros dele. Lucas devia ter previsto aquele tapa. Era o que merecia.

— Pois saiba que sou diferente das prostitutas com quem costuma lidar. — Apesar das lágrimas, havia agora raiva em seu olhar. — A mim você não terá nem se tiver o poder de transformar os pedregulhos do planeta em ouro! Agora saia do meu quarto!

Ele a obedeceu, batendo com força a porta que ligava um cômodo ao outro. Bufando, perambulou pelo quarto, praguejando, chutando o que encontrava pelo caminho — e os belos pontos em sua panturrilha o lembraram de que chutar coisas não era uma boa ideia no momento. Parou diante da janela e a abriu, recebendo com alívio o ar fresco em sua face quente pela bofetada. Apoiou as mãos no parapeito e fechou os olhos, deixando a cabeça pender para a frente.

Ele nunca a teria. Estava tão certo disso quanto de que nunca seria capaz de deixar de amá-la. Porque ele tinha tentado. Meu Deus, por três anos ele tentara matar aquele sentimento dentro de si. Achou que tivesse conseguido. Mas voltar a ver Elisa, conviver com ela, fez tudo despertar, reavivar e se intensificar.

No fundo, seu irmão estava certo. Lucas dizia a si mesmo que tinha se casado com Elisa apenas para não ter o peso da ruína da jovem apunhalando sua consciência, mas a verdade era mais complexa. Ele queria que ela o conhecesse, que o admirasse, talvez viesse a gostar um pouco dele e se arrependesse de ter brincado com seus sentimentos no passado.

Isso, como ela o lembrou, não iria acontecer nem que ele se transformasse no rei Midas. Lucas socou o parapeito. A madeira — ou foram seus ossos? — estalou com o golpe. Passou a mão na garrafa de conhaque e a levou a boca. Tinha de beber até cair. Do contrário, corria o risco de invadir o quarto de Elisa, se ajoelhar a seus pés e implorar que ela aceitasse seu amor.

## 32

O sol nascera havia certo tempo. Eu estava assistindo ao gracioso balé de partículas de poeira em um feixe de luz que entrava pela janela entreaberta já fazia mais de uma hora e não conseguia me obrigar a sair da cama. Ao menos eu tinha parado de chorar.

Uma prostituta. Lucas me comparara a uma de suas cortesãs enquanto tudo o que eu tinha feito fora amá-lo de todo o coração.

Deus do céu, como eu tinha sido estúpida!

Depois que ele saíra do meu quarto, eu me livrara do vestido furiosamente e o enfiara dentro do baú. Bem lá no fundo, como se com isso eu pudesse ocultar também minha vergonha.

Eu estava mortificada.

O beijo em seu laboratório tinha significado tanto para mim, a maneira carinhosa como ele me tratara depois, o calor em seus olhos... Cheguei a pensar que poderíamos nos entender. Acreditei que pudéssemos, quem sabe, superar as desavenças do passado. Recomeçar.

Quando eu desmaiara, não perdera a consciência de todo. Era como se ouvisse o mundo de um lugar pequeno, escuro e muito distante. Mas eu o ouvira falar comigo, carinhoso e preocupado. Como a tola que era, pensei que quem me chamava era o homem por quem eu me apaixonara. Mas não! Era apenas o médico tentando fazer uma paciente qualquer recobrar a consciência. E ele havia percebido meu engano. Zombara de mim. Estilhaçara meu coração em milhares de pedaços e depois sapateara sobre os cacos, até moê-los.

Da mesma maneira que eu tinha feito com ele anos antes, como se o universo estivesse me devolvendo o favor.

Gostaria de ser capaz de arrancar de dentro de mim todos os sentimentos que tinha por ele e de jogá-los na correnteza de um riacho, para que nunca mais voltassem. Ele já me magoara outras vezes, mas nunca tão profundamente quanto na noite passada.

E ainda assim... ainda assim meu coração tolo sussurrava que algo estava errado. Que o homem carinhoso que cuidara de mim depois do desmaio fora mais que um médico exercendo sua profissão.

Ele beijava a testa de suas pacientes? Isso fazia parte do tratamento? E a maneira como me olhara quando finalmente consegui recobrar a consciência, tão cheio de angústia e... algo mais quente? Ele olhava para as outras assim também?

Não. Eu estava sendo estúpida outra vez. Tentando encontrar uma brasa qualquer que pudesse manter acesas minhas esperanças onde não havia nada além de cinzas.

Uma movimentação sutil me fez olhar para a cômoda. Um vulto pequeno e marrom saltou dela para o tapete, correu pelo assoalho e subiu no colchão.

— Aaaaaaaaaah! — Dei um pulo da cama no mesmo instante, indo para o outro lado do cômodo, o peito subindo e descendo. O rato havia se escondido nos lençóis.

Mantendo as costas coladas à parede, peguei a primeira coisa que meus dedos tocaram — um candelabro — e fui me aproximando da cama, pé ante pé.

Tive um pouco de dificuldade para segurar o pesado objeto. O toco da vela, agora apagada, caiu quando apontei a peça maciça para a cama. A porta se abriu de repente. Uma sombra passou por ela. Joguei o castiçal com força.

— Mas que inferno, Elisa! — Lucas gemeu, esfregando a parte do ombro onde eu o atingira. — Por que está me atacando? E que diabos é toda essa gritaria logo cedo?

Ele estava uma bagunça. Ainda vestia as roupas sujas e rasgadas da noite anterior, as pontas do cabelo longo espetadas em todas as direções, cobrindo parte dos olhos. Aquela careta sugeria que sua cabeça lhe matava. Ótimo!

Mas eu tinha um assunto mais urgente que o sofrimento de Lucas.

— R-rato! — Apontei para a cama.

Ainda friccionando o ombro, ele se aproximou da bagunça de lençóis e os puxou com um safanão. Dei um pulo para trás quando a bolota marrom saltitou no colchão.

— É só um esquilo — Lucas resmungou.

— Tem certeza?

— Veja você mesma.

Ele tentou pegar o animalzinho, mas o bicho era rápido. Pulou na mesa de cabeceira e de lá para o peitoril da janela, correndo sobre as telhas até alcançar o galho da árvore e desaparecer na folhagem.

— Pronto. Já foi embora. — Lucas encostou a janela. — Era só isso? Posso voltar a dormir?

— Não me lembro de ter chamado você. — Caí sentada sobre o baú, a mão sobre o coração, tentando acalmá-lo.

— E quem consegue dormir com todo esse escândalo? — Marchou em direção à porta, mas se deteve, me olhando com um dos cantos da boca curvado para cima. — Então você ainda tem medo de ratos. E de coelhos. E de esquilos. Já parou para pensar que na verdade sente medo de animais com dentes fora do padrão?

— Pode, por favor, retirar essa carcaça asquerosa do meu quarto?

— O esquilo já foi embora.

— Eu não me referia a ele.

Fechando a cara, Lucas grunhiu alguma coisa ininteligível antes de bater a porta. Quase no mesmo instante, Berta entrou pelo outro lado, disposta a preparar minha toalete.

— Oh, sim. Obrigada, sra. Veiga — eu disse a ela. — E eu ficaria muito agradecida se pudesse avisar Eustáquio de que vou sair daqui a pouco.

— Sair outra vez? A senhora anda passando muito tempo fora de casa, para alguém casada há apenas alguns dias.

Optei por ignorar o comentário e abri o guarda-roupa. Meus vestidos estavam pendurados metodicamente, separados por cores. Dos mais claros aos escuros, os antigos e os novos brigando por espaço. Toquei a saia de um deles, um azul-claro estampado com minúsculos buquês pálidos. Era um de meus vestidos preferidos. Ao lado dele estava um dos novos, de um xadrez vibrante em azul e vermelho, com decote de ombro a ombro e sem qualquer traço que remetesse à infância. Foi ele que escolhi.

Meu casamento podia estar uma bagunça, mas havia algo que precisava ser solucionado o mais rápido possível: o destino de Samuel.

Se eu não era capaz de colocar minha vida nos eixos, iria me certificar de que o menino teria um destino diferente do que imaginara até agora.

\* \* \*

— Para onde a gente tá indo? — Samuel saltitava a meu lado enquanto atravessávamos a casa.

— Para a minha casa. — Terminei de abotoar a luva.

— Mas pensei que aqui fosse a sua casa.

*Como eu gostaria que fosse assim.*

— A casa onde eu morava antes de me casar — expliquei.

— E por que eu tenho que colocá gravata? Eu fico sufocado. — Ele coçou o pescoço.

— Não pode ser tão ruim a...

Lucas surgiu no fim do corredor. Ele se deteve por um instante, me examinando de cima a baixo. Não foi uma surpresa vê-lo torcer o nariz para o vestido xadrez. Endireitei os ombros, mantendo o chapéu junto da saia. Tinha coisas mais importantes a fazer do que me importar com sua opinião sobre minha aparência de prostituta.

— Vai sair? — perguntou, quando passei por ele.

— Vou passar o dia na casa do meu irmão.

Arqueando as sobrancelhas, Lucas abriu a porta da sala de música e olhou para Samuel.

— Samuel, espere na sala — ordenou ao menino. — Quero falar com Elisa em particular.

— Posso tirá a gravata?

— É tão desconfortável assim? — perguntei a Samuel.

— Sim — Lucas e ele responderam em uníssono.

— Oh, está bem, então. — Revirei os olhos. — Mas tente se manter limpo.

— Vou tentá. — Ele não perdeu tempo. Enquanto se dirigia à sala, a gravata já estava em seu bolso.

Lucas fechou a porta tão logo adentrei a sala de música. Ficou me observando de cara amarrada por um instante, antes de dizer:

— Não sei se é boa ideia meter seu irmão nesse assunto, Elisa.

— Que assunto? — indaguei, cautelosa.

Ele estreitou os olhos para mim, cruzando os braços.

— Você vai falar com Ian sobre o que aconteceu ontem à noite... a respeito de Samuel —apressou-se, o rosto adquirindo um suave rosado.

— Acho que ele pode encontrar uma solução para que Samuel se liberte daquele brutamontes e o que aconteceu ontem à noite não volte a se repetir.

— Você sabe que a primeira coisa que ele vai fazer é ir atrás daquele calhorda, não?

Estava pronta para dizer que estava enganado, mas não pude. Ele tinha razão. Eu teria sorte se Ian me deixasse chegar até o fim da história antes de sair atrás de Duarte.

— Está bem. — Soltei o ar com força. — Eu não posso colocar meu irmão e minha família em perigo. Não vou mencionar a visita noturna.

Lucas anuiu, parecendo satisfeito com a resposta.

— Mandei chamar meu advogado. Vou encontrar uma solução. Tem minha palavra.

Aquilo me surpreendeu. Em parte, pelo menos. Eu já tinha percebido sua preocupação com o menino, independentemente de seus sentimentos por mim.

Sua postura relaxou quando eu assenti. Então ele caminhou por entre os instrumentos, se detendo ao parar diante do piano e examinar as teclas com atenção.

— Por que se importa tanto com ele, Elisa? Quer dizer, qualquer um se sensibilizaria com a história do menino, mas, para você, parece pessoal.

— E é. Eu também fiquei órfã quando tinha a idade dele. A diferença é que eu tinha Ian para cuidar de mim, e Samuel não tem ninguém.

Mantendo os olhos no teclado, ele arriscou algumas notas — uma escala de dó maior supreendentemente bem executada —, parecendo imerso em uma profunda reflexão.

— Bem, até logo. — Me virei para sair.

Minha mão estava na maçaneta quando ele disse:

— Pensei que você daria um fim nesses vestidos infernais.

— Ah, não. Essa foi a *sua* sugestão, doutor. Eu nunca cheguei a concordar.

Ele se mantinha de costas, mas juro que vi seus malares se elevarem de leve. Ele estava sorrindo?

Deixei a sala de música, irritada e confusa. Menos de vinte e quatro horas antes, um vestido muito semelhante ao que eu usava fora o estopim para uma conversa regada a ofensas (da parte dele), mágoa (de minha parte) e tapas (também de minha parte). E agora a ideia de manter meu novo guarda-roupa o divertia?

Ora, quem podia entender os homens, afinal?

— Minha querida! — Rosália me interceptou tão logo passei pela sala. — Aonde vai com tanta pressa?

— Vou até a minha.... até a casa do meu irmão, sra. Guimarães.

— Ah. — Seu sorriso murchou. — Pensei que poderíamos nos conhecer melhor hoje. Estava planejando um passeio pelos jardins. A sra. Veiga me deixou intrigada. Disse que a antiga senhora da casa tinha um gosto muito exótico para plantas, e assim que se mudou para esta casa mandou destruir o jardim da antiga dona para acomodar suas flores. Como se fossem plantas de estimação, veja só!

— Miranda tem um gosto exótico de modo geral — falei, me recordando dos decotes que ela usava, que faziam meus novos vestidos parecerem tão ousados quanto o hábito de uma freira. — E realmente lamento não poder ficar, sra. Guimarães.

Lidar com Rosália agora, por mais amável que ela fosse, estava além dos meus limites. Eu queria matar um dos filhos dela. Imaginei que ela também não fosse me querer por perto se soubesse disso.

— Podemos marcar o passeio para amanhã? — sugeri, para não magoá-la. Ela voltou a sorrir.

— Claro que podemos. Mande lembranças aos Clarke. E, já que vai sair, poderia me fazer um imenso favor, querida? Peça ao cocheiro para levar uma carta minha até o correio.

— Claro, sra. Guimarães. Eu ia mesmo até a casa do sr. Bregaro. Tenho uma carta para Valentina. — Quem sabe essa ela responderia.

Depois de pegar a correspondência de Rosália, eu me juntei a Samuel no hall de entrada. Ele estava empolgado além da conta.

— A gente pode ir?

— Sim. E tenho sua primeira missão! — Mostrei-lhe os dois envelopes.

— Eu cuido disso. Sou muito bom em levá cartas ao seu Bregaro — falou, meio presunçoso, pegando os envelopes e os guardando no bolso com uma gravidade que me fez rir.

Ele nunca tinha entrado numa carruagem antes. E tinha muitas perguntas a respeito de tudo. Quantas pessoas cabiam nela? Ele poderia voltar da casa de Ian do lado de fora? Podia conduzi-la? Apenas por alguns metros?

Em determinado momento, quando estávamos quase chegando à casa do correspondente do correio na vila, Samuel me avaliou por um longo tempo.

— Você tá zangada — concluiu.

— Como sabe disso?

— Porque seus olhos ficam da cor do céu nublado. O que aconteceu? Seu mingau não estava bom?

— Algo assim. — Acariciei a penugem em sua cabeça.

— Eu sabia. Só a fome deixa alguém com essa cara. — Enfiando a mão no bolso da calça, fez surgir um pãozinho doce, do pacote que eu dera a ele no dia

anterior. — Guardei este para uma emergência. — Puxou alguns fiapos que haviam se grudado ao creme. — E esta é uma emergência. Toma. Pode comê.
Oh, como alguém algum dia ousou maltratar aquela criatura?
— Eu aceito se você dividir comigo — murmurei, emocionada.
— Está bem. — Ele partiu o pãozinho e me entregou metade.
— Obrigada, Samuel.
— Não precisa agradecê. É isso que os amigos fazem. Eles cuidam um do outro. — E deu uma dentada em sua metade.
Não pude evitar sorrir enquanto levava o pãozinho à boca.

* * *

— Não sabia que você viria! — Sofia disse quando nos sentamos no banco do jardim. — Ian teria te esperado, se soubesse. Ele acabou de sair nem faz meia hora. Foi até uma fazenda aqui perto. Parece que um dos cavalos de lá tá dando trabalho e seu irmão é a única esperança para domar a fera.
— Eu não tive tempo de avisar. — Afundei os dedos nos pelos de Bartolomeu, aninhando-o junto a meu quadril. Ele fechou os olhos e um *purrrrrrrrr* reverberou pelo seu peito. — Só queria vir para casa.
Uma das sobrancelhas de Sofia arqueou, os olhos totalmente atentos.
— Elisa, tá tudo bem entre você e o Lucas?
— Sofia... — Naquele instante, desejei poder contar tudo a ela. Pedir seus conselhos, saber o que ela pensava das atitudes incongruentes de Lucas. Mas isso implicaria magoá-la, pois eu teria de explicar o motivo pelo qual Lucas passara a me odiar. Reunindo toda a coragem de que dispunha, abri o sorriso mais radiante de toda a minha vida. — Estar com ele é tão maravilhoso que parece que estou sonhando. — Minhas bochechas enrubesceram conforme a vergonha por mentir para ela me inundava.
Ela interpretou meu constrangimento de outra maneira.
— Ah! — E sorriu.
Madalena apareceu com uma bandeja de refresco, um pouco esbaforida.
— Oh, querida Elisa, que surpresa maravilhosa. Eu estava tão preocupada com a senhorita! Quero dizer, com a senhora. Oh, minha nossa, nunca vou conseguir olhar para você e imaginá-la como uma mulher casada. Você tem comido? As pessoas na casa do seu marido lhe tratam bem?
Acabei rindo.
— Todos são muito gentis. Mas eu realmente sinto sua falta, sra. Gomes.

Ela pareceu satisfeita com o comentário e me fez mais algumas perguntas. Sua animação acabou despertando Bartolomeu, que desceu do banco e decidiu explorar o jardim.

— Ficará conosco até o jantar? — Madalena quis saber, depois que respondi a todas as suas perguntas.

— Claro que sim. Essa é a casa dela também — interveio Sofia. — E se dirigindo a mim: — Ian provavelmente vai demorar, e vai ficar muito chateado se você for embora antes de ele chegar.

— Sim, vou ficar até o jantar. — Eu estava morta de saudade de Ian. Morta de saudade de tudo. E, no entanto, quando eu chegara ali esperava aquela sensação reconfortante de estar em casa, mas não foi o que aconteceu. Não que alguém tivesse me tratado de maneira diferente, justamente o contrário. Eu é que estava diferente.

Gomes me recebera com surpresa, mas muita alegria. Samuel parecia desconfiado, mas tentara ocultar seu receio da melhor maneira que pôde, mantendo uma postura grave e quase austera. Laura fora a primeira a correr para mim. Marina viera logo atrás, e sua recepção fora tão calorosa quanto a da irmãzinha. No entanto, ela olhara para Samuel com a testa franzida.

— Quem é você?

— Sou o Samuel.

— Ele é meu amigo — expliquei, acomodando Analu em meus braços. — Samuel, estas são minhas sobrinhas, Marina e Ana Laura.

O menino fez uma mesura um tanto exagerada. Algo caiu de seu bolso. Depressa, ele se agachou para pegar o objeto, porém Marina foi mais ligeira.

— O que é isso? — perguntou, virando o que parecia ser um ossinho de frango. O que mais ele guardava ali?

— É o meu cavalo — respondeu, com dignidade.

Marina continuou a observar o osso por diversos ângulos. Por fim, algo fez sentido para ela, que assentiu, com toda a seriedade de seus quatro anos e meio.

— É bonito. Como se chama?

— Casco Fino.

— É um bom nome. — Devolveu o osso-cavalo ao menino. — Quer brincar de fazendinha? O Casco Fino pode brincar também.

Ele olhou de mim para a menina e de volta para mim. Eu o encorajei com um movimento de cabeça. Impaciente, Marina não deu tempo para que ele respondesse e o pegou pela mão antes de correr para o jardim.

Laura, ainda em meu colo, colocou as mãozinhas em minhas bochechas e pressionou os lábios contra meu nariz. Assim que eu a coloquei no chão, saiu aos pulinhos atrás das outras crianças.

— Samuel parece um bom garoto. — Sofia comentou, me arrancando do devaneio. — Ele está morando com vocês?

— Sim, por uns tempos. — Contei-lhe tudo sobre ele e o tio, exceto os acontecimentos da noite anterior.

Sofia estava furiosa quando terminei meu relato.

— E cadê a assistência social quando a gente mais precisa dela?

— Assistência social?

— Acho que ainda não foi inventada. Mas a gente tem que fazer alguma coisa por ele, Elisa. O menino não pode mais sofrer maus-tratos. E aquele canalha não pode ficar solto por aí. Alguém devia prender esse cara!

— Lucas vai se reunir com o advogado hoje. Tenho esperança de que eles consigam pensar em uma solução. Talvez exista outro parente que possa ficar com ele. — Então uma ideia me ocorreu. Fitei minha irmã demoradamente. — Sofia, já pensou em procurar sua família? Neste tempo? O que sabe sobre os seus ancestrais?

— Não muita coisa além do fato de que o meu tataravô espanhol casou com a minha tataravó brasileira e os dois foram morar na Argentina. Só depois de um tempo que a minha família voltou para o Brasil. Nem sei os nomes. Se passaram muitas gerações até chegar em mim. — Deu de ombros. — A história se perdeu com o tempo.

— Que pena. Seria maravilhoso se você tivesse a chance de recuperar ao menos uma parte da sua família, não é?

Ela passou um braço pelos meus ombros, me abraçando com força enquanto contemplava as filhas e Samuel escavando a grama.

— Mas eu já tenho uma família, Elisa.

Deitei a cabeça em seu ombro e nós ficamos ali, admirando as crianças, até que o almoço foi servido. Então Ian chegou e minha alegria podia ser comparada com a de minhas sobrinhas. Eu o abracei por tanto tempo que ele acabou rindo. Assim como Sofia, meu irmão cancelou os compromissos daquele dia e passou a tarde toda comigo. Mas a noite chegou e eu não tinha mais desculpas para permanecer ali.

— Não parece muito animada para voltar para casa — meu irmão constatou ao me acompanhar até a carruagem. Claro que Ian perceberia que algo não ia bem comigo. De todas as pessoas no mundo, ele era a que me conhecia melhor.

— Acho que é você quem não parece muito animado em me ver indo embora — tentei brincar.

Samuel já estava sentado na carruagem ao lado de Eustáquio, tentando convencê-lo a lhe deixar segurar as guias.

— De fato. — Meu irmão fez uma careta. — Tem sido difícil me acostumar com a sua ausência.

— Pois saiba que para mim também. E isso é culpa sua! Eu não estaria sofrendo agora se você tivesse sido um irmão egoísta e se preocupado mais com a sua vida do que comigo.

Seus olhos negros chisparam em minha direção.

— Ainda me preocupo com você, Elisa.

— Eu sei, Ian. — Eu o abracei bem apertado, escondendo o rosto. — Mas não é necessário. Eu escolhi o meu caminho e estou feliz com a escolha que fiz.

— O que o seu marido pensa dessas suas visitas longas logo após o casamento? — perguntou quando o soltei.

— Ele tem suas pesquisas. Se eu saio, é para não distraí-lo.

A explicação pareceu convencê-lo. Ao menos em parte, já que, depois de me ajudar a entrar na carruagem, ele disse:

— Sabe que esta casa sempre será sua, não?

Fiz que sim. Ele fechou a porta e nós partimos, graças aos céus, com Eustáquio no comando.

Afundei no assento conforme deixávamos a propriedade, soltando um suspiro pesado e melancólico. Ian estava enganado. Aquela já não era mais minha casa. Por mais que todos tivessem se esforçado e me tratado com o mesmo carinho de sempre, eu me senti uma visita. Algo havia mudado dentro de mim.

Se ali não era a minha casa, e tampouco eu me sentia em casa junto dos Guimarães, então, onde era? Onde era o meu lugar no mundo?

## 33

— Infelizmente, doutor — dizia o sr. Andrada —, este bilhete não prova nada. Não foi assinado e, além disso, uma pedra atirada pela janela não é exatamente uma ameaça de morte. O senhor foi atingido por azar. Se o sr. Duarte insistir, poderá reaver o menino. A justiça ficará do lado dele. A guarda andou falando com alguns vizinhos, que confirmaram que ele espanca o garoto com frequência. Mas não existe nada que possa ser feito enquanto a guarda de Samuel estiver em poder do sr. Duarte. O único jeito de manter o menino permanentemente longe do tio é encontrar outro tutor para Samuel. Um parentesco, mesmo que distante, serviria.

— Então encontre esse parente. O garoto não vai voltar para as mãos daquele verme. Não vou permitir.

Quando o advogado foi embora com a promessa de fazer tudo o que pudesse para descobrir alguém da família do garoto, Lucas se deixou afundar na cadeira. Ele não precisava de mais esse problema. Já tinha dezenas! Mas, inferno, agora que se envolvera, não podia permitir que Samuel voltasse para as mãos daquele crápula. Gostava do menino. Era inteligente e curioso, e o fazia lembrar de sua própria infância, de certa maneira.

— Posso entrar? — A cabeça de Saulo surgiu entre o batente e a porta.

— Você já está com meio corpo do lado de dentro.

— Mamãe quer saber se você vai jantar em casa. — Ele passou pela porta e a encostou. — Ela pretende fazer seu famoso guisado de carneiro, para desespero da cozinheira e meu.

— Deus do céu. — Lucas estremeceu.

— Pois é. Vim aqui na esperança de que você tenha um compromisso. E que ele exija a minha presença.

— Lamento, Saulo — Lucas lutou contra o riso. — Eu não pretendo sair hoje. Vou para o laboratório preparar um pouco de pó antiasmático daqui a pouco. O que eu tenho está acabando.

— Diabos! — Seu irmão começou a se retirar, os ombros arriados. — Vou tentar Elisa, então. Quem sabe ela precise que eu busque uma compra na vila ou alguma outra coisa?

— Ela ainda não voltou da casa do irmão. — Lucas pegou alguns papéis e começou a ajeitá-los sobre a mesa.

Saulo fez a volta, as sobrancelhas arqueadas.

— Como sabe disso, se não saiu deste escritório a tarde toda?

Lucas deu de ombros. Não ia admitir que ficara com as orelhas em pé, aguardando ouvir o chiado das rodas da carruagem contra as pedras da entrada da casa. Ele tinha de se desculpar com ela. Tentara naquela manhã, mas Elisa usava um daqueles vestidos demoníacos que o faziam perder a linha de pensamento. Agora estava mais preparado. Assim que ela chegasse, Lucas se desculparia pelo comentário da noite anterior e seguiria com sua vida.

Tinha de voltar logo para a Europa, ponderou, ou então acabaria perdendo o juízo.

— Escute, Lucas — começou Saulo. — Não quero ser intrometido...

— Então não seja.

— ... mas não é assim que se conquista o coração de uma mulher. Ao contrário. Sua indiferença está afastando Elisa.

— Então está funcionando.

Seu irmão atravessou o cômodo até parar atrás de uma das cadeiras forradas por um tecido listrado em marrom e cinza e apoiou as mãos no espaldar.

— Estaria, se essa indiferença fosse verdadeira, Lucas. E nós dois sabemos que não é. O que aconteceu entre vocês para que se tornasse tão amargo? Pode me contar. Talvez eu consiga ajudar. Eu tenho mais experiência com casamento do que você.

— Já disse para esquecer esse assunto. — Lucas empurrou os papéis para o lado.

— Lamento, mas não posso fazer isso. Só me sobrou você de irmão para cuidar.

A porta foi aberta abruptamente. A sra. Veiga, pálida feito uma vela, balbuciou umas poucas palavras que fizeram o sangue de Lucas gelar.

— Houve um acidente com a carruagem. Um capotamento na estrada entre a propriedade dos Clarke e esta, doutor!

— Meu Deus... — murmurou Saulo.

A camareira seguiu falando. Lucas achava que sim, pelo menos. Ele a via gesticular e seus lábios se moverem, mas não entendia uma palavra. Seus pensamentos estavam em Elisa.

Ele estava passando pela porta antes que se desse conta, atravessando a casa sem nem perceber que corria. Alguém devia ter avisado Quinzinho sobre o acidente, pois havia um cavalo selado e pronto na estrebaria.

Enquanto esporeava sua montaria, correndo a uma velocidade quase impossível, Lucas não via nada, não ouvia nada. Seu pulso trovejava nos ouvidos, e ele tentava rebater as imagens que teimavam em se infiltrar por seus pensamentos. Elisa caída na estrada. Elisa sob a carruagem. Elisa sob um dos cavalos...

Parecia que seu coração ia sair pela boca a qualquer instante, e nunca lhe pareceu tão penoso se manter sobre uma sela. Ele então fez algo que não fazia desde que Rebeca adoecera. Rezou. Implorou a Deus que não levasse Elisa. Ele já tinha lhe tomado Beca. Lucas não podia perder Elisa também.

A noite sem lua lançava uma cortina escura sobre tudo, dificultando distinguir qualquer coisa, mas Lucas reconheceu a silhueta de uma carruagem tombada. Seu coração ameaçou parar. Um dos cavalos estava caído. O outro tentava se livrar do cabresto. Lucas saltou da sela antes que sua montaria parasse de todo e disparou para a cabine do veículo, escalando a roda para alcançar a porta. Ele temia, tanto e tão intensamente, o que iria encontrar lá dentro que foi difícil manter os dedos estáveis e lidar com o trinco. Por fim conseguiu abri-lo e enfiou metade do corpo para dentro da cabine.

— Elisa!

Estava escuro demais para ver qualquer coisa. Foi tateando às cegas, tentando encontrá-la, quando algo viscoso encharcou seus dedos. Ele já estava em posse de seu diploma fazia tempo demais para confundir aquilo com qualquer outra coisa que não fosse sangue. Com cuidado, pulou para dentro, procurando...

— Elisa! — chamou ao encontrar um corpo.

Mas era um corpo masculino. Onde estava Elisa?

— Você podia ter me esperado, diabos! — A cabeça de seu irmão apareceu no vão da porta.

— Ajude-me a tirá-lo daqui, Saulo.

Os irmãos trabalharam juntos, e foi com algum custo que conseguiram remover o homem de lá de dentro. Enquanto o deitava no chão de terra batida ao lado da lamparina, que resistira ao tombamento, na dianteira do veículo, Lucas começou a perceber algumas coisas. Por exemplo, que sua carruagem não tinha detalhes em verde na lateral e o que o par de cavalos que Eustáquio conduzia eram castanhos e não cinzentos, como aqueles atrelados ao veículo capotado. Elisa não estava ali. Não havia se acidentado. Devia estar bem e a salvo na casa do irmão. Lucas gostaria de dizer que sentiu alívio, mas sabia que isso só aconteceria quando pudesse colocar os olhos nela, tocá-la.

A luz alcançou o rosto da vítima. Lucas não conhecia o sujeito, mas o avaliou rapidamente. Um corte no queixo precisava de dois ou três pontos, e provavelmente a pancada ali tinha sido a causa do desmaio. Havia escoriações em suas mãos, e o braço direito estava num ângulo errado. Saulo tivera a presença de espírito de levar sua maleta, então a abriu, retirou de dentro dela um rolo de tecido e o levou ao ferimento do homem.

— Segure firme, Saulo.

— O quê? Aonde você vai?

— Procurar mais vítimas. — No entanto, ele se deteve ao ouvir outro veículo se aproximar.

Virou-se na direção do som, e algo pequeno e ágil desceu pela parte da frente. Alguém saltou da cabine às pressas. Lucas não sabia explicar como, mas seu coração teve certeza de que era Elisa. Ele começou a correr em direção a ela.

— Alguém morreu? Alguém morreu? — Samuel perguntou ao passar.

— Não. Volte para a carruagem. — Lucas mantinha a atenção na figura feminina.

— O que houve? Alguém está... — Elisa começou assim que ele estava perto o bastante, mas acabou se interrompendo.

Lucas deduziu que a culpa fosse dele. Devia ser difícil para ela continuar falando quando ele a abraçava daquela maneira. Enterrou o rosto naqueles cabelos perfumados e inspirou seu aroma de alfazema, o calor vital que vinha dela, sentindo contra o próprio peito as batidas urgentes e surpresas do coração da jovem. Ela estava viva. Deus do céu, ela estava bem.

— Ah, Elisa... — Fechou os olhos e beijou sua testa.

A surpresa do ataque dele a deixou rígida, a princípio. Mas ela deve ter sentido o desespero que o dominava, pois aos poucos foi relaxando, até que o abraçou de volta.

Por um momento enquanto seguia para a cena do acidente, Lucas pensara que jamais ouviria a voz dela outra vez. Que nunca voltaria a ver reluzir aqueles olhos turquesa. Que não voltaria a ter a chance de segurá-la em seus braços, como fazia agora. Ele estava grato. Deus do céu, tão grato por ela estar a salvo que poderia chorar.

— Lucas, o que aconteceu? — Suas mãos delicadas tocaram seus braços. Ela se afastou apenas o suficiente para poder encará-lo. — Você está me assustando. É algum conhecido? Não pode ser da minha família. Eu os deixei não tem nem dez minutos. Por favor, diga que não é Teo...

A agonia que ameaçou dominá-la o fez abrir a boca.

— Não é Teodora, nem ninguém da sua família. Não é ninguém que eu conheça.

— Tem certeza?

Ele fez que sim, e com muita relutância se obrigou a soltá-la. Precisou de três tentativas.

— Tem mais um ali! — Samuel gritou, em pé sobre a carruagem tombada.

Lucas praguejou baixo. Não podia permitir que Elisa se aproximasse daquela cena, e tinha de tirar o menino de lá.

— Quero que vá para casa, Elisa. Não sei em que condições a outra vítima está.

Ele assistiu, aborrecido e maravilhado, ela empinar aquele nariz arrebitado.

— Posso lidar com isso.

— Sim, eu notei na noite passada...

— Aquilo foi diferente. — Aquele maldito orgulho que parecia ser a marca registrada na família Clarke reluziu em seu olhar. — Eu nunca tinha costurado ninguém antes. Estou mais preparada agora.

Ele não tinha certeza. E não poderia parar para acudi-la, caso perdesse os sentidos. Além disso, ela realmente podia ajudá-lo.

— Eu fico comovido que queira ajudar essas pessoas. Tenho certeza de que elas também ficarão, quando eu contar. Mas agora preciso que volte para casa e peça a Quinzinho que traga a carroça. Preciso tirar os feridos daqui. Mande alguns homens também. Temos que remover a carruagem da estrada antes que cause um novo acidente.

— Que decepcionante! — Samuel parou perto dele, pulando feito um gafanhoto. — Um capotamento e nenhuma morte.

— Você vai acompanhar Elisa até em casa agora — ordenou Lucas.

— Mas eu quero ficá e assistir tudo!

— Não é um ambiente adequ... — Elisa começou, mas se calou quando Lucas pousou a mão na dela e a apertou de leve.

— Samuel, tenho uma missão para você. Leve minha esposa para casa em segurança. Você é o único em quem eu confiaria tal tarefa. Pode fazer isso?

O menino parou de pular e estufou o peito.

— Sim, doutor.

Lucas assentiu com a mesma gravidade do garoto e viu Samuel pegar o cotovelo de Elisa, como um perfeito cavalheiro, e começar a conduzi-la de volta para a carruagem. Ele ainda segurava a mão dela, e foi com muito custo que a libertou e obrigou-se a se mover. Seu coração batia forte, aos coices, querendo escoltá-la até em casa para garantir que nada lhe acontecesse, mas havia feridos que precisavam de sua ajuda. Era nisso que ele tinha de se concentrar agora.

O cocheiro do veículo capotado fora atirado no mato e escapara praticamente ileso. Saulo estava falando com o homem que haviam tirado da cabine. Era bom sinal. Ele recobrara os sentidos por si mesmo, então não devia ter sofrido nenhum trauma maior. Lucas e o irmão o moveram com cuidado para a beira da estrada quando Eustáquio manobrou o veículo que levava Elisa. Assim que eles desapareceram numa fina cortina de poeira, Lucas começou o seu trabalho.

— Eu não vou perder o braço, certo? — o sujeito perguntou enquanto Lucas cortava a manga de seu casaco e de sua camisa e se deparava com um membro roxo, inchado e curvado para o lado errado.

— Hoje é seu dia de sorte, amigo. — Nenhum osso exposto. Sem perfurações. Ótimo. — Estou sem meu serrote. Mas lamento dizer que endireitar esse osso vai doer como o diabo. Prefere ópio ou aguardente?

— A cachaça é da boa?

— A mais forte que eu consigo encontrar.

— Que seja ela, então.

Apanhando a garrafinha dentro da maleta, Lucas a entregou ao homem, separando alguns materiais de que iria precisar assim que a carroça chegasse. Não podia colocar um osso no lugar naquela superfície irregular. Olhou para o sujeito, que virava a bebida em longos goles. Achou melhor não mencionar que tanto a aguardente quanto o ópio teriam pouca serventia em um osso quebrado. Lucas só podia torcer para que, assim que começasse a trabalhar naquele braço, o homem desmaiasse.

— Segure a lamparina, Saulo. Tenho que fechar este talho antes que ele perca sangue demais.

Seu irmão obedeceu, bufando.

— Sabe de uma coisa? Se era para ficar com o estômago revirado, eu preferia ter ficado com o guisado da mamãe.

* * *

A madrugada já avançava quando Lucas terminou de cuidar do sr. Alex alguma coisa. Não se recordava do sobrenome do sujeito. Sua cabeça estava um pandemônio com todos aqueles gritos. O homem era forte e custara a desmaiar. Fora preciso que Saulo e Quinzinho o mantivessem imobilizado para que Lucas conseguisse colocar o osso no lugar. Até mesmo Samuel, que havia voltado com a carruagem, tinha sido de alguma serventia.

Depois de deixar Alex dormindo o abençoado sono dos bêbados na cama confortável da pensão que um dia pertencera à finada sra. Herbert — agora comandada por seu primo distante —, Lucas foi procurar o irmão. Encontrou Saulo do lado de fora da pensão, sentado nos degraus da carruagem.

— Se veio perguntar se eu estou melhor do estômago — começou seu irmão —, eu preferiria que me desse um tiro.

— Não fique tão aborrecido. A medicina não é para todo mundo. — Deu dois tapinhas em seu ombro.

— Samuel não passou mal, e ele é só um garotinho — cuspiu, ultrajado.

— Eu sei, e isso me preocupa. — Lucas relanceou o menino adormecido dentro da carruagem. — Ou ele tem sérios problemas ou um dia será um grande médico. Podemos ir agora. O rapaz está dormindo.

— Eustáquio foi aliviar o joelho. Já deve estar voltando. E você, como está? — Ao ver a surpresa em seu rosto, Saulo tratou de se explicar. — Não finja para mim. Você ficou apavorado com a ideia de que pudesse ser Elisa no acidente.

Colocando a maleta dentro da carruagem pela janela aberta, Lucas massageou o pescoço e se recostou no veículo, fitando as pedras da via.

— Sim, eu pensei que fosse ela. Pensei que Elisa estivesse... Deus do céu! — Esfregou o rosto para se livrar das imagens que seu cérebro ansioso criara.

— Eu sei. Acredite, eu também pensei, Lucas. Aquela camareira não é muito jeitosa em repassar recados. Mas o que importa é que sua mulher está bem.

Ele encarou Saulo.

— Não, ela não está. Eu a magoei ontem. E muitas outras vezes antes disso. — Fechou os olhos e deixou a cabeça pender, batendo de leve na madeira. — Porque eu a condenei por amar outro homem. Porque ela não pode retribuir o que eu sinto por ela.

— Agora estamos chegando a algum lugar. — Saulo franziu as sobrancelhas. — Como sabe que ela não pode retribuir o que você sente?

— Ela me garantiu isso faz muito tempo. E reafirmou ontem.

— Assim, de repente?

— Não. — Esfregando o rosto outra vez, como se com isso pudesse calar todos aqueles gritos, ele puxou o ar com força e encarou o irmão. — Foi depois que eu a comparei com uma prostituta.

— Caralho, Lucas! Agora entendo por que ela decidiu passar o dia todo fora em plena lua de mel. Ela está com raiva de você. Até eu estou!

— Eu tenho que me desculpar com ela. — Empurrou os cabelos para longe do rosto. — Tenho que explicar que eu disse aquele monte de besteiras porque percebi que ainda... mesmo que ela nunca possa retribuir... que eu a amo.

— Opa, espere aí! — Saulo ficou de pé. — E esse outro homem que você mencionou?

— Eu não sei ao certo. Não sei se ele está morto para ela, se está morto literalmente, ou alguma outra coisa. Mas não faz diferença. Não vê, Saulo? Eu fiz tudo o que podia para que ela pensasse que eu sou indiferente a ela, por puro orgulho ferido. Eu preciso dizer a verdade. Não importa se ela vai rir de mim outra vez. Se tivesse sido ela naquela carruagem... — Engoliu em seco. — ... Ela teria partido sem saber como eu realmente me sinto. E eu amo essa mulher desde sempre, inferno! Ela precisa saber quanto é importante para mim. Que tudo na minha vida parece girar ao redor dela.

— Calma, rapaz. — Saulo colocou a mão em seu ombro. — Não é assim que as coisas são. Pense no amor como uma vinícola. Primeiro você prepara a terra, depois planta as sementes da uva e cuida, cuida muito bem, para que nenhuma praga estrague aquele milagre e você possa colher as frutas e só então, depois de muito trabalho e dedicação, saborear um excelente vinho. Antes de se declarar para Elisa, você precisa preparar o terreno. Precisa de um plano. E um muito bom, se quer saber minha opinião.

Lucas levou a sério o conselho do irmão, e passou o caminho até em casa pensando em uma maneira de "preparar a terra". Mas não tinha conseguido chegar a conclusão nenhuma ao descer da carruagem, nem quando carregou um adormecido Samuel para o quarto. Quando cruzou o corredor e ouviu os acordes melancólicos e abafados de um piano, desceu as escadas aos pulos. Aos diabos com as parreiras. Ele ia fazer do jeito dele.

# 34

Eu zanzava de um lado para o outro na sala de estar, olhando de cinco em cinco minutos para o imenso relógio encostado à parede. Duas horas da manhã e Lucas ainda não voltara. Os empregados que tinham ido ajudá-lo haviam retornado fazia muito tempo. Eu mandara Eustáquio atrás dele, pois imaginei que estaria exausto demais para cavalgar. Samuel fora junto. Não houve maneira de convencê-lo a ficar.

Agitada demais, como se tudo dentro de mim zumbisse, comecei a andar pela casa, já que todos tinham ido para a cama fazia muitas horas. Acabei na sala de música, diante do piano. Tocar sempre fazia aquela agitação ceder.

Eu me sentei na banqueta e aqueci os dedos com *Für Elise*, de Beethoven. Era a música favorita de mamãe, a que inspirara o meu nome. Depois passei por *Au clair de la lune*. Papai sempre pedia para que eu tocasse essa para ele. Arrisquei até *Home, Sweet Home*, de John Howard Payne — talvez a alusão ajudasse a me sentir mais em casa. Mas foi inútil.

Eu não conseguia parar de pensar no que vira no rosto de Lucas mais cedo na estrada. Ele viera em minha direção com o rosto tomado de dor, alívio e algo mais profundo que não consegui nomear. Ainda me perguntava o que o assustara tanto a ponto de deixar nossas desavenças de lado e me abraçar daquele jeito. Depois da discussão na noite anterior, eu não pretendia permitir que ele chegasse perto de mim. Ainda estava furiosa com ele. Mas a urgência em seu rosto e aquela vulnerabilidade que eu nunca tinha visto me desarmaram e me comoveram intensamente. Era como se ele precisasse daquele abraço. Como se precisasse *de mim*!

Enquanto ele me segurara contra o peito, senti uma emoção nova nascendo dentro de mim. Por um momento pensei que tivesse encontrado as respostas para as perguntas que andavam me corroendo. Mas então ele me soltou e eu tive de deixá-lo fazer seu trabalho.

Porque eu não conseguia parar de pensar nele, uma certa melodia me veio à mente. Quando estive no tempo de Sofia, a música me ajudara a manter-me longe do pânico. Algumas eu não compreendia — muitos instrumentos ao mesmo tempo, muitas batidas graves —, mas outras eu tinha adorado. Alexander me levara àquele concerto, e uma das canções mexera muito comigo, como se quem tivesse escrito a letra conhecesse os segredos de meu coração. Cada nota me fazia pensar em Lucas. Graças à ajuda de Alexander e a algo que ele chamava de iPod, pude ouvi-la muitas vezes, até decorá-la.

Fechei os olhos e arrisquei algumas teclas do piano.

— Não. Talvez ré maior.

Oh, sim! O tom era esse! Meus dedos voaram pelas oitavas, buscando as claves certas. Conforme as encontrava, a música foi se desenhando sob meus dedos. Ela me envolveu como um abraço etéreo e confortável onde eu me permiti repousar até sentir que me dissolvia, me fundia às notas, me tornava parte da melodia. Não tenho certeza se a reproduzia à perfeição, mas não importava. Ela tocava meu coração, falava com minha alma. É disso que a música é feita.

Estava tão absorta na composição, mesmo quando minhas mãos pairaram imóveis pelas oitavas, que demorei para perceber a figura recostada ao batente, em completo desalinho, olhando para mim. Eu me sobressaltei.

— Perdoe-me — Lucas se apressou em dizer. — Eu não pretendia assustá-la, mas não quis interromper.

— Como foi?

Muito abatido, ele entrou na sala, se serviu de um pouco do vinho sobre o aparador e caminhou pelo cômodo, segurando duas taças, até parar diante do piano.

— Tão terrível quanto podia ser. — Soltou o ar com força, como se sentisse o peso do mundo em suas costas. — Uma fratura é sempre muito difícil. A boa notícia é que eu não precisei usar o serrote.

Estremeci.

— Fico contente em ouvir isso.

— Acredite, eu também fico em dizer. — Ele colocou a taça sobre o piano, em uma oferta silenciosa.

Aceitei, experimentando um golinho. Lucas ficou ali, me observando fixamente. Notei que algo mudara em seus olhos. Havia uma faísca quente em meio à tormenta.

— Elisa, eu preciso me desculpar pelo que eu disse ontem sobre o seu vestido. Eu tinha bebido um pouco além da conta, e algo em você desperta o meu lado mais perverso. Eu não quis dizer aquilo. Seus trajes são lindos e elegantes. O problema nunca foi seus vestidos, mas eu. Me perdoe.

— Você?

Ele mirou aqueles olhos ardentes em mim.

— Sua aparência mexe demais comigo. Muito além do que o meu autocontrole é capaz de tolerar.

— Aaaah. — Surpresa, pisquei algumas vezes antes de desviar o olhar. Não queria que ele visse o quanto seu pedido de desculpas havia significado para mim. Ou o que tinha dito sobre minha aparência.

Ele sentia atração por mim. Eu mexia com ele! E tudo isso dito com uma voz rouca e aveludada que fez os dedos de meus pés se contraírem dentro dos sapatos.

Onde estava o ar quando eu mais precisava dele?

— Gostaria que tocasse mais uma vez, se não se importar — ele sussurrou.

— Vou acabar acordando a casa toda.

Ouvi seus passos ecoando pela sala e o protesto da porta ao ser fechada. No instante seguinte, ele estava diante de mim outra vez, uma mão apoiada na tampa do piano.

— Pronto. Assim ninguém irá nos ouvir.

— Eu... — Fitei o painel de madeira que ele acabara de fechar. Sempre que estávamos a sós, as coisas não acabavam muito bem.

— Minha cabeça está um pandemônio agora, Elisa — disse, com intensidade. — Tudo o que ouço são ecos de gritos e palavras que me recuso a proferir na sua frente. Por favor, toque para mim. A música me ajuda a esquecer tudo isso.

Seu rosto sujo de terra e exaurido nunca me pareceu mais franco.

— Alguma canção em especial? — Reprimi um gemido. — Qual é a sua favorita?

— Não tenho uma. — Mas uma centelha chispou em seu olhar. — Toque qualquer coisa que lhe agradar.

Depois de examiná-lo por um breve instante — e sentir as bochechas esquentarem sem qualquer razão —, posicionei os dedos sobre as oitavas. Não precisava de partitura para aquela. Eu a tocava desde os oito anos. Era uma de minhas preferidas.

Lucas observou meus dedos se movendo sobre as teclas brancas e pretas. Perdi um pouco da agilidade costumeira, mas ele não pareceu notar meus pequenos erros.

— É uma bela peça — elogiou.

— Se chama *Water music*.

A diversão suavizou o cansaço em seu rosto.

— O recado foi transmitido com sucesso. — Examinou as próprias roupas. — Realmente preciso de um banho.

Dei risada.

— Não era minha intenção. É que essa é uma das peças que eu mais adoro. Handel é meu compositor preferido.

— E era dele a canção que tocava ainda agora? Era muito bonita. — Ele bebericou seu vinho, o olhar em minhas mãos, mas aquela faísca ainda estava ali.

— Você... a executava com o coração.

— Não é de Handel. Aquela eu ouvi quando estive... — Meus dedos se detiveram. Olhei fixamente para o piano.

Lucas inspirou fundo e eu me vi prendendo o fôlego.

— Quando esteve no vilarejo de Sofia — ele murmurou, quando fiquei em silêncio.

Assenti, devagar. E me preparei para sua explosão.

Mas ela nunca veio.

— Elisa, eu lamento que as coisas tenham terminado dessa maneira. — Ele não conseguiu disfarçar a ansiedade em sua voz. — Realmente lamento que você não possa continuar sonhando. Eu não tinha ideia do quanto aquele mal... o tal Alexander significava para você. Se soubesse, jamais a teria acompanhado até aquele jardim e nós nunca... enfim.

Ergui o rosto para ele, perplexa.

— Você lamenta? — Meu coração começou a retumbar. Ele estava dizendo que lamentava que meu suposto caso de amor secreto com outro homem não tivesse sido bem-sucedido? — O que está tentando dizer?

Seu olhar, uma mistura perfeita de castanho e verde, se prendeu ao meu.

— Que nós não precisamos viver nesta guerra constante. Estou farto deste jogo de gato e rato. Já fomos amigos uma vez. Bons amigos, pelo que me lembro. — Ele me encarou com expectativa. Apenas concordei com a cabeça, devagar, incapaz de proferir qualquer coisa. — Acredita que possamos voltar a ser? — ele perguntou, baixinho.

— Eu... eu não sei, Lucas. Você mudou muito.

— Você também. — Seus olhos passearam pelo meu rosto por um instante mais longo do que eu consideraria prudente.

Mas ele tinha razão. Eu não era a mesma menina tola que ele havia conhecido. Por isso eu me perguntava o que teria acontecido para que ele mudasse de ideia repentinamente.

— Por que está me propondo isso agora?

— Tenho muitos motivos, mas digamos que eu quero acordar e não ser atacado por um candelabro. — Me mostrou um meio sorriso. — Parece razoável?

— Suponho que sim. E me desculpe por aquilo. Eu pensei que você fosse o rato.

— Ah. — Os cantos de sua boca tremeram. — Nesse caso, não posso culpá-la pela reação. Eu também temeria se visse um rato de um metro e oitenta. Diga-me, foi o meu cabelo desarrumado que lhe deu essa impressão, ou a falta de banho?

Deixei escapar uma risada.

— As duas coisas.

Ainda rindo, ele deixou a taça sobre o piano e se sentou ao meu lado na baqueta. No entanto, permaneceu virado para a sala, e não para o instrumento, como eu.

— Amigos? — Me estendeu a mão.

Tive a impressão, talvez pela ansiedade que ele não conseguiu ocultar no olhar, que ele me oferecia mais que uma convivência amistosa. Eu estava quase certa de que essa não seria boa ideia para meu coração, mas estava cansada daquele atrito todo, das palavras duras, de odiá-lo mesmo que por poucos minutos.

— Eu gostaria disso. — Coloquei a mão na dele.

Seus dedos se fecharam ao redor dos meus e permaneceram assim. O calor que irradiava dele percorreu meu braço, se espalhando por todo o meu corpo.

— Eu pensei que a tivesse perdido hoje — confessou, observando nossas mãos unidas. Seu polegar desenhava pequenos círculos em minha pele. — Quando a sra. Veiga me contou do acidente, eu pensei que fosse você. — Sua voz diminuiu até se tornar um sussurro.

Seu rosto e seu tom torturados me sacudiram por dentro. Aquilo explicava o abraço ensandecido. Mais que isso, me dizia que ele se importava comigo. Que ainda nutria algum sentimento por mim além da raiva. Que minhas mentiras não conseguiram matar tudo.

Ele ergueu a cabeça. Desespero e temor reluziam em suas íris, e aquele tremor em minhas entranhas se repetiu. Meu coração perdeu o compasso, ressoando forte e alto nas orelhas e na base da garganta.

— E eu me dei conta, Elisa — prosseguiu —, de que jamais me perdoaria se você tivesse partido. Porque a culpa seria minha. Eu a obriguei a sair de casa quando agi como um idiota. Por muito tempo pensei que o pior tivesse acontecido: você entregou seu coração a outro homem. Mas hoje descobri que eu estava errado. O pior não é ter que conviver com esse ciúme que me corrói por dentro. — Levou minha mão aos lábios e a beijou demoradamente. — O pior seria ter que continuar vivendo em um mundo onde você não existe.

Sem me dar a chance de dizer qualquer coisa, ele se levantou e me deixou ali, com o coração aos gritos.

*Mas eu não entreguei meu coração a outro,* eu quis dizer. *Ele sempre foi seu. Até quando eu não quis que fosse.*

## 35

Lucas estava se barbeando quando um pedaço de gente de pouco mais de um metro entrou em seu quarto e o observou terminar o serviço
— Você está indo visitá o paciente do acidente? — Samuel quis saber
— Sim, Samuel. E mais alguns. Por quê?
— Eu quero ir junto.
— Acho que não seria apropriado. — Lucas ergueu o queixo e correu a navalha pelo pescoço com muito cuidado.
— Mas eu ajudei ontem! Sou médico dele também.
Lucas limpou a lâmina na toalha e olhou para o menino, tentando não rir.
— Ajudou mesmo. Mas o que viu ontem não o assustou, Samuel? Nem um pouquinho?
— Bom, eu não gostei da parte dos gritos — contou, depois de refletir por um instante, apoiando as mãos no toucador e batendo a ponta da bota na perna do móvel. — Mas eu gostei muito de ver você consertando aquele moço. Eu quero fazê isso quando eu crescer, consertá as pessoas. Quero ser médico.
— Era o que eu temia — brincou, deixando a lâmina sobre o toucador. Lucas cruzou os braços e fitou a criança — E está disposto a estudar bastante para isso? Porque é preciso ler muitos livros para ser médico. Centenas.
— Centenas? — Arregalou os olhos. — Você teve de ler todos aqueles livros que estão no seu laboratório?
— E mais alguns.
Seus ombros mirrados arriaram

— Vou repensá minha escolha, então. Mas pode deixá que eu levo suas coisas.

— O menino correu para pegar a maleta sobre a poltrona. — Eu vou esperá no estábulo.

— Samuel, não é preciso. Além disso, você não vai... — Mas o garotinho saiu ventando pela porta, sem lhe dar a menor atenção.

Rindo, ele voltou a cuidar do rosto. Havia pensando em tirar o cavanhaque, mas desistiu da ideia. Elisa gostava dele. Quem era ele para privá-la de algo que lhe agradava?

Ao terminar de se barbear e se vestir, Lucas encarou a porta que levava ao quarto dela. Elisa ainda dormia, e isso fez seu peito se aquecer. Desde que chegara àquela casa, ele a escutava se revirar no colchão durante a noite toda. A conversa franca da noite anterior devia ter trazido um pouco de paz a ela, e isso alegrou Lucas. Ele pedira sua amizade, e ela não negara. Agora faria tudo o que estivesse a seu alcance para que ela apagasse a imagem que tinha dele, a imagem em que Lucas a fizera acreditar. Se não podia amá-lo, ao menos poderia ter sua admiração e sua amizade. Era mais do que ele esperava. Foi por isso que pegou um pedaço de papel e escreveu algumas linhas, passou o bilhete por baixo da porta e saiu.

— Lucas, meu querido, não pode sair assim, de estômago vazio! — Sua mãe o deteve no momento em que o viu passar direto pela sala de jantar. — Você nem jantou ontem!

— Perdoe-me, mãe. Mas a vida e a morte não podem esperar que eu encha a barriga.

— Ao menos leve algo para comer no caminho! — Enfiou dois pãezinhos em sua mão.

Era mais rápido ceder que tentar argumentar, ele ponderou.

Ao chegar à estrebaria, encontrou seu cavalo selado e pronto, com Samuel agarrado a sua maleta sobre o lombo do animal.

Algo entre um suspiro aborrecido e uma risada lhe escapou.

— Tome! — Atirou um dos pães para o garoto, que o pegou no ar. — Eustáquio, preciso de um favor. — Explicou o que queria e então subiu em sua montaria, mantendo o menino entre os braços ao esporear o bicho e tomar o rumo da vila.

\* \* \*

A fumaça subia pela chaminé da pensão, avisando aos passantes que o almoço já estava sendo preparado. Samuel foi o primeiro a apear, e bateu na porta com os ombros eretos e a maleta nas mãos enquanto Lucas amarrava o cavalo. O sr. Herbert-Foster os levou até o quarto do paciente, e Lucas ficou feliz ao ver Alex sentado na cama, comendo o mingau de aveia que havia recomendado no dia anterior, o braço imobilizado dentro da tipoia.

O sujeito, no entanto, teve uma reação um pouco diferente.

— Não deveria estar aqui a esta hora, doutor. — As sobrancelhas dele se abaixaram.

— Sei que é cedo para uma visita de cortesia. Mas estou aqui a trabalho. Como se sente?

— Um bocado frustrado, se quer saber. Por que você não fez a sua parte? — Alex empurrou o prato e bandeja.

— Eu acredito que esteja fazendo. Samuel, deixe a maleta naquela cadeira.

— Sim, doutor.

Aproximando-se da cama, Lucas fez uma rápida avaliação. Alex parecia bem. Os dedos ainda estavam roxos sob a tala, mas em três ou quatro semanas voltariam à coloração natural.

— Me diz uma coisa. — Alex estreitou os olhos para ele. — Você não devia estar em casa, com sua bela esposa, em vez de estar aqui, me cutucando a esta hora da manhã?

— Como sabe que sou casado?

Alex fez um movimento de cabeça em direção à aliança em sua mão esquerda.

— Caramba, doutor. Você já fez o bastante por mim. Agora vá cuidar da sua vida. Tenho certeza de que tem coisas mais importantes para fazer e resolver.

Sim, Lucas tinha. Mas teria de esperar até as duas da tarde para isso. Se Elisa aceitasse seu convite, é claro.

— Sempre acorda assim de tão bom humor? — perguntou, enquanto examinava os pontos no queixo do rapaz. Secos e limpos. Excelente.

Olhos cinzentos se estreitaram na direção de Lucas.

— Só quando as pessoas estragam os meus planos.

— E eu estraguei os seus de que maneira?

Mais do que habituado a pacientes ranzinzas, Lucas achou graça da careta irritada que Alex lhe dirigiu, e fez o melhor que pôde para não rir enquanto abria a maleta em busca do unguento para aplicar nos pontos.

— Você nem faz ideia, doutor!

— Então que tal me deixar terminar logo? Assim poderei parar de atrapalhar seus planos. De acordo?

— É o que eu espero. De verdade. — O sujeito abaixou as sobrancelhas, mas sua boca se esticou selvagemente. A antiga cicatriz na lateral de sua têmpora, que ia da testa até a linha dos cabelos castanhos, pareceu ficar mais larga, como se também sorrisse.

# 36

A primeira coisa que notei ao sair da cama naquela manhã foi uma folha de papel perto da porta de ligação entre as duas suítes. Devagar, me abaixei para pegá-la. A letra de Lucas, corrida e ligeiramente inclinada, era inconfundível.

*Querida Elisa,*

*Perdoe-me, mas não pude esperá-la para o café. Tenho que visitar alguns pacientes, e isso provavelmente me tomará a manhã toda e parte da tarde. Suponho que perderei o almoço também. Mas adoraria encontrá-la mais tarde. Se estiver disposta — e eu espero, fervorosamente, que esteja! —, basta entrar na carruagem por volta das duas.*

*Caso esteja interessada em saber, sua música fez muito por minha cabeça atormentada. Diferentemente do que acontecia na Itália depois que eu lidava com um trauma, dormi o sono dos justos. Obrigado.*

*Seu,*
*L.G.*

*P.S. Não fique zangada, mas estou levando Samuel comigo. Não tive alternativa, já que ele sequestrou minha maleta.*

Enquanto me arrumava para me encontrar com Rosália, como havia combinado no dia anterior, reli o bilhete por três vezes. O tom de Lucas estava diferente — ou retornara ao normal? Não sei se cheguei a crer em uma mudança, mas eu queria acreditar. Queria que voltássemos a ser amigos e ter uma convivência menos turbulenta. Meu coração sussurrava que ele fora franco na noite anterior, que seu constrangimento e embaraço ao admitir que se importava comigo eram verdadeiros. E meu coração também sussurrava que "amigos" não era bem o termo que teria escolhido. Mas eu já havia me metido em muitas confusões por causa dele — meu coração.

Eu estava mais confusa do que nunca. Estar perto de Lucas turvava minha mente, deixava tudo caótico e desconexo. Eu não devia ir ao seu encontro. Podia ter me enganado, sua mudança não durar até a hora do almoço e acabarmos discutindo e piorando tudo outra vez.

*O pior seria ter que continuar vivendo em um mundo onde você não existe*, sua voz ecoou em minha cabeça.

Admirei-me no espelho, conferindo se estava apresentável, e passei a mão em um chapéu e um par de luvas antes de deixar o quarto.

* * *

A carruagem começou a diminuir a velocidade ao chegarmos ao centro da vila. Avistei Lucas encostado na fachada de um prédio na rua principal, o longo paletó azul-marinho tremulando de leve. Samuel mantinha uma postura emburrada, sentado na calçada perto de onde o cavalo de Lucas havia sido amarrado.

— O que aconteceu? — perguntei assim que Lucas abriu a porta da carruagem e eu desci o degrau. — Por que Samuel está triste?

— Eu não permiti que ele mexesse em uma tintura. — Revirou os olhos.

— Nem me deixou chegar perto! — acusou o menino, de cara amarrada.

Quinzinho, que nos acompanhara até ali, saltou da frente do veículo. Ele e Lucas trocaram um rápido olhar antes de o rapaz ir cuidar do cavalo do patrão.

— Eu já expliquei, Samuel — Lucas suspirou, exasperado. — Existem substâncias que podem fazer mal para você.

— Mas como eu vou me torná um médico se você não deixa eu aprendê? — O menino ficou de pé, as mãos fechadas em punhos apertados ao lado do corpo.

Lucas esfregou o pescoço.

— Como eu também já disse, você vai ter que estudar muito antes de colocar esses dedinhos ansiosos em qualquer componente químico.

— Pois então o doutor me explique como eu vou fazê isso se eu sou burro demais para aprender a ler.

— Eu já disse que você não é burro — falei, magoada. Ninguém devia se ter assim em tão baixa conta. Muito menos uma criança. — E eu adoraria provar quanto está equivocado a esse respeito ensinando você a ler. Não tenho dúvida de que será capaz de aprender.

O menino arqueou as sobrancelhas, abriu a boca para dizer alguma coisa, mas mudou de ideia.

— Será que podemos comê? Eu estou com fome. — Ele não esperou que um de nós respondesse e rapidamente subiu na carruagem, sentando-se ao lado de Eustáquio.

Lucas olhou para mim, uma expressão divertida no rosto corado de sol.

— Eu diria que o apetite de Samuel é algo a ser estudado. Não faz duas horas que almoçamos.

— Então... estamos indo comer alguma coisa na confeitaria? — perguntei, curiosa.

— Vamos comer. — Ele pegou minha mão e segurou a porta para que eu entrasse, aquele meio sorriso iluminando seu rosto. — Mas não na confeitaria.

— Onde, então?

— Você vai ver.

A carruagem deixou a vila e tomou a direção da cidade. Acompanhei a paisagem mudar de campos verdejantes para montanhas rochosas e de novo para planícies. Pensei que ele estivesse me levando a algum restaurante na cidade, mas a carruagem parou na metade do caminho, em uma taberna de beira de estrada.

Olhei para o lugar pela janela. O prédio de dois andares tinha tábuas em toda a fachada e uma larga varanda em um dos lados. Lá dentro havia música e a chaminé cuspia fumaça sem parar. O aroma de comida dançava no ar.

— Imagino que conheça os mais finos restaurantes — Lucas abriu a porta —, mas aposto que nunca tomou uma boa caneca de cerveja em uma taberna.

— Eu nunca tomei uma caneca de cerveja em lugar nenhum.

Seus olhos se arregalaram em um espanto fingido.

— Uma jovem refinada como você nunca tomou uma caneca de cerveja? Não! Não pode ser! Tenho que retificar esse erro imediatamente! Venha.

Dei risada, aceitando a mão que ele me ofereceu para me ajudar a descer. E não a soltou de imediato quando eu estava do lado de fora.

— Você me disse que viu pouco do mundo. — Ele me encarou com ansiedade. — Sei que uma taberna não parece ser grande coisa, mas achei que gostaria de ampliar seus horizontes.

— Foi por isso que me trouxe aqui? — Pisquei, surpresa.

— É um dos motivos. — Seu polegar agora acariciava a pele sensível do meu pulso, rente à luva. — O outro é que eu quero passar uma tarde com você sem ter minha família por perto. Por mais que eu os ame, quero estar apenas com você. E Samuel — adicionou, relanceando o menino, que pulava da carruagem.

— Contanto que ele tenha comida no prato, teremos paz.

— Por quê? Por que quer ficar sozinho comigo?

Eu não estava conseguindo pensar com muita clareza naquela tarde. Como poderia, se os cantos da boca de Lucas se ergueram de leve em um sorriso travesso que fez meus joelhos tremerem?

Ele estava... flertando comigo?

— Porque somos amigos. — O sol da tarde fez com que seus cabelos brilhassem como ouro. — E porque eu seria um tolo se não quisesse ter alguns momentos a sós com uma mulher como você. A propósito, este seu vestido é demoníaco, Elisa.

Oh, sim, ele estava! Senti as bochechas esquentando e baixei os olhos para meu traje verde-escuro com renda dourada na cintura e no decote. Estava tão aturdida que mal registrei que ele e Samuel me escoltaram para dentro da taberna.

O lugar tinha cheiro de álcool, comida e suor. Um homem cuja uma perna lhe faltava tocava animadamente um violino em um canto. As mesas de madeira rústica estavam todas ocupadas. Ao passar por uma delas, meus olhos cruzaram com os do sr. Matias. O rapaz estava sozinho, um jornal nas mãos, e pareceu surpreso ao me ver ali. Ainda assim, fez um educado aceno de cabeça. Lucas não foi tão entusiasmado ao cumprimentá-lo enquanto puxava uma cadeira para mim.

Um garçom logo apareceu e Lucas pediu alguns petiscos, um refresco e duas canecas de cerveja. Samuel olhou pela janela, para um grupo de crianças que brincava com tacos nos fundos do estabelecimento.

Lucas foi todo atenção, perguntando sobre minha manhã pouco produtiva — eu havia almoçado com a mãe dele e elaborado o cardápio da semana. Fim.

Assim que o garçom trouxe a comida e as bebidas, Samuel voltou sua atenção para os pratos. Salsichas, carne de porco, pão, manteiga, batata cozida, tortas frias e cerveja. Experimentei um gole da bebida...

E quase a cuspi de volta. Era amarga e densa. Não tinha bolhas, mas a espuma que se prendeu em meus lábios fez cócegas, e achei interessante a maneira como adormeceu de leve minha língua. No segundo gole eu a apreciei ainda mais.

Samuel comeu em menos de um minuto a pequena montanha que Lucas colocara em seu prato, e tudo o que restou sobre a porcelana decorada em azul foram migalhas. Voltou a olhar as crianças.

— Por que não vai até lá? — sugeri. — Talvez precisem de mais um na equipe. Mas fique sempre onde eu possa vê-lo, está bem?

— Sim, está bem!

Com quatro saltos, ele estava na saída. Mais alguns e parava ao lado de um garoto. No instante seguinte, tinha um taco nas mãos.

— Que tal a cerveja? — Lucas perguntou, atraindo minha atenção.

— Bem, não tem bolhas, mas eu diria que pode ser promissora. — Levei a caneca de volta aos lábios.

Os cantinhos de sua boca estremeceram enquanto ele pegava sua bebida.

— É verdade. Você gosta da sensação das bolhas em seus lábios. E do meu cavanhaque. — Deu um gole em sua cerveja.

Engasguei com a minha.

Lucas fez menção de se levantar para me acudir, mas fiz um gesto para que permanecesse onde estava. Procurei um guardanapo sobre a mesa enquanto tossia e não encontrei nenhum. Ele me estendeu seu lenço.

— Costumava frequentar a taberna? Achei que o garçom o reconheceu — falei, assim que me recompus, tentando distraí-lo. Por que ele não esquecia que eu tinha dito aquilo?

— De vez em quando. A comida é muito boa. — Espetou um pedaço de porco frito. — Às vezes meu horário de almoço é um tanto tumultuado.

Ele começou a me contar um pouco mais sobre seus atendimentos, que às vezes acabava almoçando na casa de um paciente e, quando chegava em outra casa, o convidavam para almoçar de novo e Lucas aceitava para não ofender a família, mesmo sentindo que se comesse mais um pedaço de pão ele lhe sairia pelas orelhas. Depois me narrou algumas histórias de sua infância, e eu fiz o melhor que pude para prestar atenção. Não foi fácil, já que meu cérebro parecia flutuar dentro da cabeça.

— Passei a maior parte da infância de castigo — confessou. — Beca sempre me culpava, e minha mãe acreditava nela. Ela era a queridinha de todos nós, então ninguém a achava capaz de aprontar alguma traquinagem. Se ela havia aprontado alguma, a culpa só podia ser minha. Eu a influenciara a sair da linha. E isso acontecia *só* de vez em quando.

Acabei rindo.

— Você não devia rir. — Ele fitou sua caneca, a desolação estampada no rosto. Exceto nos olhos. Havia diversão neles. — Devia ficar com pena de mim e um pouco revoltada com tamanha injustiça. Desmoralizado outra vez... — Abanou a cabeça. — Eu já devia estar acostumado.

Gargalhei de novo, e ele prosseguiu com sua história. Fui beliscando um pouco da comida, bebericando a cerveja enquanto o ouvia falar, fascinada. Ele não era exatamente o Lucas por quem eu me apaixonara aos quinze anos, e também não era o homem com quem me casara aos vinte, mas uma mistura perfeita dos dois. E falou mais naquela tarde do que todo o período em que estávamos casados. Não vi o tempo passar, assim como também não sei o que aconteceu com o conteúdo da minha caneca. Só percebi que estava vazia quando o garçom apareceu com outra cheia.

O grito animado das crianças me fez olhar para fora. Samuel ria às gargalhadas enquanto corria de um lado para o outro com o taco na mão. Lucas também o observava.

— Você também sonhava em ser médico quando tinha a idade de Samuel? — eu quis saber.

Ele ergueu os ombros.

— Não sei se era tão curioso quanto ele, mas as doenças nunca me assustaram. Até a Beca ficar doente — adicionou em voz baixa.

— Ela deve estar orgulhosa de você, Lucas. Esteja onde estiver.

Ele fez um gesto de cabeça, mas seus lábios estavam apertados enquanto seu dedo desenhava a alça da caneca.

— Quer ouvir algo engraçado, Elisa? Não sou capaz de contar quantas vidas eu ajudei a salvar desde que me tornei um médico. Foram centenas. Acho até que milhares. Mas não consigo lembrar quantos pacientes foram, nem os nomes da maioria. — Seu olhar vagou para a janela outra vez. — Já os que eu não pude ajudar, lembro-me de cada um dos vinte e sete nomes, de cada um dos vinte e sete rostos. Às vezes sonho com eles.

— Eu imagino que não seja fácil. Mas você não pode se sentir culpado. Fez o que pôde por eles.

— Não tenho certeza disso. Ao menos com um deles. — Voltou o rosto para mim. — Conheci um jovem médico inglês, enquanto estive na Itália, que também não acredita na teoria miasmática.

Eu devia ter bebido muito àquela altura, porque não entendi para onde ele estava indo com aquela conversa. Ao perceber que o que falou não fez sentido para mim, Lucas acrescentou:

— A teoria afirma que doenças como o cólera ou o tifo são causadas pela poluição ou pelo ar venenoso. Assim como eu, John Snow tem outra teoria. Suspeita de que a doença ocorra por meio de contaminação direta, em alimentos ou bebidas, por aqueles minúsculos animais que eu lhe disse que existem no ar. Ele está determinado a descobrir a origem do cólera. Os casos da doença só aumentam em Londres.

— Espero que consiga — falei, pensando em tia Margareth, que vivia naquela cidade. — Mas não entendo o que isso tem a ver com o que estávamos discutindo.

Ele cruzou os braços sobre a mesa, inclinando-se para mais perto.

— Acontece que a sra. Albuquerque foi a única vítima de tifo na região no ano em que morreu. Como isso soa para você?

Pisquei uma vez. Não estava certa se queria pensar no que ele sugeria, embora a compreensão já estivesse se instalando sorrateiramente em meu cérebro.

— Se considerarmos a teoria miasmática — prosseguiu —, então o ar seria o causador da doença e teria contaminado a vila toda. Não foi o que aconteceu. Se levássemos em consideração a teoria de Snow, segundo a qual a água ou os alimentos estariam contaminados pela doença, acabaríamos com o mesmo resultado.

Franzi as sobrancelhas.

— Está me dizendo que não foi o tifo que matou Adelaide?

— A sra. Albuquerque não tinha viajado recentemente, então, não, eu não acredito que tenha sido tifo. — Ele pegou sua cerveja, mas não a bebeu. — Eu vi o tifo acabar com a minha irmã, Elisa. Vi a doença recair sobre a região onde morávamos e levar ao menos uma pessoa de cada família. Apesar de algumas semelhanças, o quadro de Adelaide era diferente. Não houve febre, por exemplo. Eu não tinha experiência suficiente para manter minha convicção na época, mas hoje, depois de tudo o que vi no hospital de Lodi, eu apostaria minha vida nisso. Salvei uma criança com um quadro muito semelhante ao da sra. Albuquerque. Eu suspeito de que o que a matou foi o oleandro, uma planta altamente venenosa cuja ingestão causa sintomas parecidos com os do tifo e outras doenças do estômago.

Meu coração começou a retumbar em meus ouvidos conforme meus pensamentos se organizavam e eu compreendia o que ele havia dito.

— Lucas, você está me dizendo que Adelaide foi...

— Envenenada. Sim, eu estou. — Seus olhos foram nublados por uma cortina sombria.

— Mas, Lucas, isso não faz sentido! Quem teria intenção de fazer mal à sra. Albuquerque?

Assim que a pergunta deixou meus lábios, a imagem de Miranda saindo da confeitaria enquanto Adelaide se contorcia me veio à mente. Ela tinha muito a lucrar se a esposa do amante morresse. Como de fato aconteceu depois.

Lucas pareceu ler meus pensamentos, recostando-se na cadeira e soltando uma pesada lufada de ar.

— Foi o que Almeida me perguntou quando lhe contei de minhas suspeitas. Mas acredito que você tenha chegado à mesma conclusão que eu.

— Mas... meu Deus! — Se ele estivesse certo, então Adelaide havia sido assassinada pela amante do marido. Pela madrasta de Valentina! — Lucas, não pode ser. Eu estava com Adelaide. Miranda não se aproximou dela naquela tarde.

— Ela pode ter sido envenenada antes de sair de casa. O oleandro pode demorar a agir ou matar instantaneamente. — Encolheu os ombros. — Tudo depende da quantidade usada.

Antes de sair? Ele estava sugerindo que o sr. Albuquerque, o pai de uma de minhas melhores amigas, o homem a quem meu pai recebera em casa toda semana durante mais de uma década, tramou a morte da esposa? Teve participação nela?

Um arrepio gélido me subiu pela espinha e eu tremi na cadeira. Um ruído agudo vindo do meu lado direito me sobressaltou. Virei a tempo de ver o sr. Matias meio em pé e o garçom tentando equilibrar a bandeja para que o caldo fumegante sobre ela não tombasse. Mas não deu tempo. O sr. Matias gritou quando a sopa quente lhe escaldou o peito.

Houve uma comoção. As pessoas falavam ao mesmo tempo em que o garçom tentava se desculpar e Matias gemia de dor. Lucas estava ao lado dele em um piscar de olhos.

— Tem algum lugar para onde eu possa levá-lo? — perguntou ao garçom.

— Há uma despensa nos fundos, doutor.

Lucas olhou para mim.

— Poderia pegar minha maleta na carruagem?

Fiz que sim e saí correndo.

\* \* \*

— Conseguiu ver alguma coisa quando levou a maleta pro doutor? — Samuel quis saber.

— Humm... bem pouco.

Eu tinha batido à porta, um dos garçons abrira apenas uma fresta a mando de Lucas e pegara sua valise. Tudo o que pude ver foi parte das pernas do sr. Matias e Lucas meio curvado, aplicando alguma coisa em seu tórax.

Samuel e eu esperávamos Lucas do lado de fora da taberna, sentados no degrau da varanda. O menino cogitara entrar na despensa do estabelecimento, mas acabou desistindo da ideia para não me deixar sozinha, o que achei muito galanteador. Mas eu estava desatenta, mal ouvia o que ele dizia. Tudo o que Lucas me contara girava por minha cabeça até ela começar a doer.

Não era possível. Adelaide não podia ter sido assassinada. E o sr. Albuquerque não podia ter qualquer relação com isso. Eu o conhecia a vida toda! Ele era o pai de Valentina, um pai um tanto relapso nos últimos tempos, mas, antes de Miranda aparecer, ele sempre foi um pai... bem, amoroso não seria a palavra, mas atencioso. Ele não podia estar envolvido em um assassinato.

E Valentina... meu Deus, se tudo aquilo fosse verdade, minha amiga estaria correndo perigo?

— Eu gosto de assistir o doutor consertando as pessoas. — A voz de Samuel me chegou aos ouvidos. — Ele é bom. Você tinha que ver como o paciente do acidente reclamou hoje de manhã, Elisa. Parecia um bebê! Mas o dr. Lucas nem ficou irritado e não respondeu às provocações. Ele é muito concentrado. Quer dizer, se você não estiver por perto. Aí então ele se embanana todo.

Afastei uma mecha que me caía no rosto.

— Isso não é verdade, Samuel.

— É sim. Pode perguntá para qualquer um. É por isso que eu nunca vou me apaixonar. Homens apaixonados se tornam uns bobalhões!

— Samuel! — Meu rosto pegou fogo. — Lucas não está apaixonado por mim.

— Está sim. Ele a importuna o tempo todo! E pensa em você o tempo todo. Sei disso porque ele fica com a cara esquisita assim. — Fez uma careta.

— É mais provável que ele faça essa cara engraçada porque está irritado comigo o tempo todo.

— Pois então! Uma mulher só consegue irritá um homem desse jeito se ela é importante para ele. Acredite em mim. Eu sou um homem. Sei como os homens pensam — falou, como quem sabe das coisas. — Por falar nisso, Elisa, eu andei pensando em outra coisa também. Você acha mesmo que eu posso aprendê as letras? Mesmo que a professora tenha falado que...

Já falei para esquecer o que ela disse. — Apertei sua mão. — Foi crueldade, Samuel. Se você quiser aprender, eu vou ter prazer em ensinar.

— Eu quero. E prometo que vou ser um bom aluno! Ou vou tentá, pelo menos. Eu preciso aprendê a ler bem depressa. — Uma ruga de preocupação surgiu entre suas sobrancelhas. O hematoma ainda era visível, mas começava a esmaecer nas bordas.

— Ora, e por quê?

— O dr. Lucas só vai me deixá mexê nos vidros de remédio quando eu puder ler as etiquetas neles.

Foi nesse instante que Lucas saiu da taberna, a maleta pendendo na mão.

— Ele está bem? — eu quis saber, me levantando.

— Sim. Eu o levei para um dos quartos, no andar de cima. Tive que dar a ele um pouco de ópio para que eu pudesse cuidar das queimaduras. O pobre acabou desmaiando. — Soltou o ar com força. — Eu sinto muito, Elisa. Não era esse o fim que eu havia planejado para esse encontro.

Queria ter perguntado qual final ele havia imaginado. Mas Samuel se adiantou.

— Então, se já acabô, a gente pode ir jantar?

— Outra vez? — Lucas e eu perguntamos, em uníssono.

— É que o cheiro que está vindo lá de dentro está me deixando com fome.

Lucas olhou para mim, uma sobrancelha arqueada.

— E por que não? — Dei de ombros. — Deve ter mais um pouco de cerveja, não? Você parece precisar de uma, doutor.

— Deus, sim! — Esfregou o rosto. — Obrigado.

Nós retornamos para dentro e aos poucos Lucas voltou ao humor de antes. O meu, porém, sofrera uma drástica mudança. No canto, perto do sujeito com o violino, um grupo de homens jogava cartas. Houve uma pequena discussão e então eles ficaram de pé. Pensei ter visto o rosto do sr. Duarte surgir entre a baderna. Estendi o braço, pegando a mão de Samuel.

— Elisa, assim eu não consigo comê! — resmungou.

— O que foi? — Lucas me perguntou.

Uma senhora de pouco mais de um metro e meio e em idade avançada se interpôs entre os cavalheiros, desferindo golpes com uma longa colher de pau enquanto falava palavras que eu pouco ouvia fora do estábulo. A confusão se dissolveu e os homens voltaram a se sentar. E, Duarte, graças a Deus, não estava entre eles. Eu devia ter imaginado ou confundido a figura dele com outro homem.

— O que foi, Elisa? — Lucas perguntou de novo, soando preocupado.

Voltei o rosto para ele e tentei sorrir.

— Não é nada. — Soltei a mão de Samuel, que rapidamente voltou a comer. — Foi bobagem minha.

Depois de estudar meu rosto por um instante, um pequeno V se formou entre as sobrancelhas de Lucas.

— Você também parece precisar de uma cerveja, Elisa.

— Sim. Creio que sim.

A história de Adelaide mexera comigo muito mais do que eu havia me dado conta, e agora estava vendo coisas. E a cerveja, aliada à conversa macia de Lucas, me ajudou a colocar as emoções no lugar, e então entorpecê-las. O que deveria ser uma caneca tornou-se duas, depois três, e então parei de contar, pois o mundo começou a girar e tudo me parecia engraçado. Tão engraçado!

— Acho que é hora de irmos. — Rindo, Lucas puxou minha caneca.

Precisei de ajuda para sair da taberna. Minhas saias teimavam em encontrar as mesas... ou as mesas é que encontravam minhas saias... Não tenho certeza. Ao chegar ao lado de fora, longe das vistas curiosas, Lucas passou um braço pelas minhas costas, o outro sob meus joelhos, e me içou do chão. Seu rosto ficou a poucos centímetros do meu, de modo que meus dedos foram atraídos para aquele queixo bem desenhado e o cavanhaque aveludado.

— Eu realmente gosto dele — murmurei.

— Tenho certeza de que amanhã você não vai se lembrar de ter me dito isso, mas, ah, eu vou. — Seus olhos faiscaram.

— É provável que eu não lembre. — Abri os braços. — Sinto que posso voar... opa! — Me agarrei a seu pescoço quando me desequilibrei. — Não, não posso.

— Não sei, não, Elisa. Você parece tão leve quanto uma de suas bolhas agora.

Senti um arrepio perpassar meu corpo, mas não era um daqueles bons, como os que Lucas provocava. Ao olhar para trás, pensei ter visto um vulto no andar de cima, me encarando. Balancei a cabeça para tentar me livrar da visão embaralhada e, quando voltei a fitar a janela, não havia nada ali.

Lucas me acomodou na carruagem e se sentou a meu lado. Samuel preferiu ir na frente com Eustáquio. Assim que nos pusemos a caminho de casa, o movimento me deixou sonolenta. Deitei a cabeça no braço de Lucas.

— Durma — sua voz suave soou como uma cantiga de ninar. — Eu ficarei aqui, velando seu sono.

— Não posso dormir com você. — Mas fechei os olhos, me aconchegando mais a ele. — Nós fizemos um acordo.

— Não há um dia em que eu não me lembre disso — murmurou, mas seus braços me puxaram para mais perto.

Minha cabeça encontrou apoio em seu peito, o tum-tum-tum urgente ali dentro criando uma melodia sussurrada. Lucas fez tudo ficar ainda melhor quando espalmou uma das mãos em minhas costas e a outra se prendeu a meus cabelos, acariciando-os lentamente. Suspirei, contente, sentindo-me tão bem e protegida, como se tivesse acabado de chegar em casa depois de uma longa e cansativa jornada.

Acabei adormecendo, mas, em vez de voar, fui lançada a um pesadelo onde eu retornava àquela confeitaria e assistia a Adelaide morrer enquanto o sr. Albuquerque e sua amante riam em júbilo.

# 37

O sol bateu em minha pálpebra e pareceu perfurar meu crânio. Gemendo, virei-me para o outro lado. Não foi boa ideia, já que me cérebro parecia ter sido usado para lustrar os móveis. De todas as casas da vila!

Levei as mãos à testa e me sentei.

— Oh, minha nossa! — Caí de volta nos travesseiros, a pontada insistente dentro da minha cabeça ficando cada vez mais forte. Minhas costelas latejavam. Também, pudera: eu dormira totalmente vestida, inclusive com o espartilho. Com algum custo, abri os olhos e notei que não estava em meu quarto, mas no de Lucas.

Eu me sentei no mesmo instante. Meu cérebro pareceu não entender o movimento e protestou, latejando.

— Meu Deus — gemi.

Um ronco ressoou pelo cômodo. Lucas dormia — em uma posição muito ruim para sua coluna — na poltrona.

Ele devia ter me levado até seu quarto quando chegamos da taberna, mas não se atrevera a tirar minhas roupas. Diante da dor nas costas, desejei que ele não tivesse sido tão cavalheiro.

Girei as pernas para o lado e, na pontinha dos pés, comecei a atravessar o aposento. Estava quase na porta quando me detive, fitando Lucas adormecido. Não sabia quanto tempo sua transformação iria durar, mas esperava que fosse permanente e eu pudesse reencontrar o homem que me fizera rir tanto na tarde/noite anterior.

Ele inspirou fundo, gemendo enquanto tentava ajeitar o corpanzil na poltrona estreita, e eu corri para sair dali antes que ele despertasse.

Assim que estava em meu quarto, tratei de me despir, louca para me livrar do espartilho por alguns instantes. Mal havia acabado de desfazer os laços da peça e respirar aliviada quando Samuel entrou.

— Elisa, Elisa! Eu já estou pronto!

— Samuel! — Puxei o vestido que acabara de jogar sobre a cama para me cobrir. Eu estava só de chemise, pelo amor de Deus. — Fale baixo! E nunca entre em um quarto sem bater antes. Sobretudo no quarto de uma dama.

— Mas...

— Por favor, pode sair por um instante? Eu preciso me vestir, antes de mais nada.

Ele fez uma careta e, muito contrariado, deixou o quarto.

Eu me enfiei no vestido de qualquer jeito, fechando apenas alguns botões antes de ir para a porta. Samuel entrou antes que eu a abrisse totalmente.

— Eu tô pronto pra nossa aula! — gritou. Sua voz badalou como sinos em minha cabeça.

— Está bem. — Massageei as têmporas na esperança de fazer a dor desaparecer. — Começaremos daqui a pouco, mas antes eu preciso me arrumar. Poderia, por favor, pedir para a sra. Veiga preparar a banheira para mim? — Fui me sentar na cama, gemendo.

Ele chegou mais perto, a testa franzida e o olhar preocupado.

— Você está doente? Qué que eu chame o dr. Lucas?

— Não, querido. Eu só preciso... — *ficar longe de cerveja de hoje em diante* — ... de um banho quente.

— Está bem. Vou falá para a sra. Veiga esquentá a água. Qué que eu pegue alguma coisa pra você comê?

— Oh, não! Por favor, não é necessário. — A simples lembrança da palavra "comida" fez meu estômago se rebelar.

— Vou esperar você na biblioteca.

— Descerei em meia hora. Por favor, não bata... — Mas ele saíra correndo e fechou a porta com força ao passar por ela. O som se propagou em meu cérebro — ... a porta.

Deixei-me cair no colchão. Seria um longo dia.

\* \* \*

Levei quase uma hora para conseguir me arrumar. O cabelo foi a parte mais difícil. Minha cabeça doía demais e eu não consegui prendê-lo como de costume, então puxei os fios para o lado e o trancei, não muito apertado.

Uma suave batida ressoou pelo quarto.

— Entre — eu me virei na banqueta da penteadeira.

A porta que separava meu quarto do de Lucas se abriu e ele surgiu, lindo e corado, como se não tivesse dormido naquela poltrona pequena demais para seu corpo. Não era justo.

— Bom dia, Elisa — falou bem baixinho. — Como se sente?

— Miserável. Nunca mais vou chegar perto de outra cerveja enquanto eu viver.

Ele engoliu o riso e colocou uma bandeja sobre o toucador. A xícara sobre ela tilintou.

— Vai ajudar com o enjoo e com o pandemônio em sua cabeça. — Indicou o chá.

— Oh, graças aos céus. Pensei que ficaria assim para todo o sempre.

Peguei a xícara e sorvi alguns goles. Gengibre, forte a ponto de arder. Mas não reclamei e tomei até a última gota.

— Não era minha intenção que se sentisse tão mal — ele falou enquanto eu pousava a xícara sobre o pires.

— A julgar pelo que já vi acontecer com Ian, quando Sofia desapareceu e ele se entregou à bebedeira, devo melhorar em algum tempo, então não se sinta culpado por algo que eu mesma procurei.

Ele recostou os quadris na penteadeira, apoiando as mãos ao lado deles, e olhou para mim com expectativa.

— Se estiver se sentindo melhor mais tarde, gostaria de me acompanhar em um passeio pela propriedade? Acredito que você a conheça melhor do que eu.

Então a mudança persistia.

— Claro. Eu adoraria andar um pouco. Isto é, se este sino parar de repicar em minha cabeça.

Ele riu baixinho, se aprumando.

— Ele vai ficar quieto em uma ou duas horas. Até mais tarde.

Lucas estava saindo quando meu cérebro latejante me lembrou de algo muito importante. Eu o chamei de volta.

— Sobre o que me disse ontem, Lucas... que a sra. Albuquerque foi envenenada. Realmente acredita nisso?

Ele esfregou a testa, enquanto seus pés batiam suavemente contra o tapete ao se aproximar.

— Eu não tenho dúvida sobre a causa da morte de Adelaide, mas não posso provar nada já que Almeida discorda de mim. — Abriu os braços. — Além disso, já faz tempo demais.

— Mas, Lucas — eu me levantei —, se existiu um crime, ele tem que ser investigado e os culpados devem pagar!

Ele pressionou os lábios até se tornarem uma pálida linha fina.

— Acho que eu posso ter exagerado ontem, Elisa. Envenenamento acidental foi uma das situações que mais atendi em Lodi, sobretudo em crianças. Adelaide pode ter ingerido o veneno pensando que se tratava de outra coisa. Não seria a primeira nem, infelizmente, a última vítima.

Ouvir aquilo me trouxe um pouco de alento. Porque ainda pior que pensar que Adelaide tivesse morrido envenenada era pensar que alguém poderia ter planejado aquilo.

— Esqueça isso. — Ele estendeu a mão e tocou meu braço de leve. Minha pele se arrepiou em resposta. — Eu não devia ter dito nada. Não pretendia preocupá-la.

— Não, eu fiquei... não posso dizer que fiquei feliz, diante das circunstâncias, mas gostei que tenha dividido isso comigo, Lucas. Você quase nunca me conta o que está pensando.

Uma faísca chispou em seus olhos, deixando-os esverdeados.

— Isso ficou para trás — murmurou. — Eu juro.

Assenti uma vez, e não pude impedir que meu coração tolo se enchesse de esperanças de que as coisas entre nós finalmente pudessem se ajeitar.

Depois de um instante, ele fez uma mesura elegante e me deixou sozinha.

* * *

As aulas não tinham começado muito bem. Iniciei sondando o que Samuel aprendera no período em que frequentara a escola, e a resposta foi: coisa nenhuma. Passei a tarde toda lhe apresentando as vogais. Enquanto debatíamos, ele foi rápido em suas respostas, me dando exemplos de palavras que começavam com as letras que eu pedia. Mas, quando as analisava no caderno, algo dava errado e ele se perdia. Sentindo sua frustração — e a minha própria —, encerramos a aula pouco antes do almoço, mas dei a ele a tarefa de encontrar um objeto para cada vogal.

Enquanto esperava Lucas na sala em companhia de sua família, descobri que os Guimarães eram pouco convencionais e eu adorei ainda mais. Já sabia que Rosália gostava de cozinhar, e descobri que o sr. Alfredo tinha uma vasta coleção de insetos. Ele encontrara um besouro-bombardeiro em suas andanças naquela manhã e parecia dez anos mais jovem enquanto me explicava sobre o bicho. Tereza ficou um pouco enojada com a conversa do sogro, e começou a cantarolar baixinho, a cabeça balançando suavemente. Saulo, sentado em uma poltrona, olhava para ela com um dos cantos da boca repuxado em um sorriso muito semelhante ao de Lucas. Eles eram felizes, cada um a seu modo.

Um pouco mais tarde, encontrei-me com Lucas na entrada da casa. Ele tinha uma cesta pendurada no braço.

Espero que não se importe de almoçar ao ar livre.

— Pelo contrário. Eu adoro piqueniques.

Andamos por algum tempo na trilha que margeava o riacho e que cercava quase toda a propriedade. Reconheci tantos lugares em que eu e Valentina costumávamos brincar que meu coração se encheu de saudade. Ela ainda não tinha escrito. Seu silêncio estava me deixando cada vez mais preocupada. Não sabia se devia escrever a ela contando das suspeitas de Lucas. Uma parte de mim insistia que ela devia saber do destino da mãe. A outra dizia que isso só a faria sofrer ainda mais neste momento de mudanças, e que nada traria Adelaide de volta.

— Olhe! —Lucas entregou-me a cesta e saiu da trilha. Abaixando-se, ele pegou alguma coisa na margem de terra dura. Uma concha de água doce. Levou a mão ao bolso da calça e pegou um pequeno canivete, um sorriso enviesado deixando seu rosto ainda mais bonito quando olhou para mim. — O que acha? Será que terá sorte e ganhará uma pérola hoje?

Esperando que eu me aproximasse, Lucas enfiou a lâmina na fenda da concha delicadamente e a passou por toda a extensão antes de torcer de leve. Empurrou a parte superior com a ponta do canivete.

— Que pena — murmurei. — Nada de pérolas hoje.

— Não desanime. — Ele fechou a concha e a devolveu ao rio, então voltou o rosto para mim e tomou a cesta de minhas mãos. Seus olhos brilhavam, um sorriso travesso como se guardasse um segredo. — Talvez você ainda encontre alguma por aí.

— Uma moça sempre pode sonhar — brinquei. — O que estamos procurando, afinal?

— Uma campina. Tenho certeza de que vi uma quando estive aqui conhecendo melhor a propriedade depois de comprá-la

— Existem algumas. Como ela era? Talvez eu possa ajudar.

— Tinha grama. E algumas árvores e... humm... — Ele coçou o queixo. — ... mais grama.

Dei risada.

— Não ajuda muito. Mas eu sei que o jardim é bem grande e há um gramado sob uma castanheira que seria um bom lugar para um piquenique.

— Excelente! — Esticou o braço para que eu lhe mostrasse o caminho.

Fizemos a volta e estávamos próximos da casa quando avistamos os portões do jardim.

Lucas me encarou.

— A sra. Veiga me disse que Miranda mandou destruir as flores de Adelaide.

— Ele me puxou um pouco para o lado para que eu desviasse de um buraco no gramado.

— E trouxe as que tinha em casa — confirmei. — Valentina ficou muito chateada na época. Miranda fez questão de eliminar tudo o que pudesse lembrar Adelaide.

Ao chegarmos ao portão que cercava o jardim, Lucas empurrou a grade, abrindo-a. Eu entrei primeiro e logo notei que as roseiras de Adelaide haviam sido substituídas por samambaias, copos-de-leite e antúrios. Conforme meus pés avançavam, esmagando a trilha de cascalho, as plantas foram se tornando mais estranhas, até que eu não reconhecia mais os nomes.

Estudei um largo vaso com uma planta bastante esquisita. Tinha um galho vermelho de onde pendia um cacho de bolotas brancas com uma pequena mancha preta ao centro, quase como um cacho de olhos. Ao lado havia outra, com talos finos e pequenas flores brancas espinhosas. Mais à direita, um pequeno arbusto exibia uma centena de flores delicadas em todos os tons de rosa. Eu me inclinei para a frente, desejando sentir seu aroma.

— Não faça isso! — gritou Lucas.

Ouvi o ruído de algo caindo no chão e vidro se estilhaçando enquanto ele passava um braço pela minha cintura e me puxava para trás.

— Fique longe delas! Não quero você perto de nenhuma dessas plantas, especialmente desta! — Indicou o arbusto com a cabeça.

A cesta no chão se abrira, a garrafa de vinho se quebrara e o líquido rubro agora escorria pelo cascalho como sangue. Contemplei Lucas sem entender. Seu rosto havia perdido a cor.

— Esta, especificamente, e aquela que se parece com olhos são extremamente venenosas quando ingeridas. Esse arbusto é um pé de flor-de-são-josé. — Engoliu em seco, observando a planta em completo horror. — Também conhecida como oleandro.

Lutei contra a compreensão. Fiz tudo o que pude para impedir que ela se instalasse em meu cérebro, mas não adiantou, e as imagens começaram a explodir em minha cabeça. O rosto de Adelaide contorcido de dor, Miranda deixando a confeitaria, o sr. Albuquerque saindo da igreja com a amante. Era sórdido. Era vil! Tão cruel que meu estômago embrulhou e eu pensei que fosse vomitar.

— Não. Lucas, não pode ser! Não pode ser verdade. — Levei a mão à boca, os olhos nublados pelas lágrimas.

Lucas me puxou para si, passando os braços protetoramente ao meu redor, enquanto eu arrebentava por dentro e caía em prantos.

— Eu sinto muito. — Ele disse em meu ouvido. — Lamento tanto, Elisa. Sinto muito. — Beijou meus cabelos.

As plantas de Miranda não eram apenas exóticas. Eram letais.

As suspeitas de Lucas haviam se confirmado. Adelaide tinha sido assassinada.

## 38

— Não podemos ser precipitados em fazer um julgamento, Lucas. — Almeida olhava para o jardim e abanava a cabeça. — Pode ser apenas coincidência.

Lucas bufou feito um bicho enjaulado. Como é que aquele homem brilhante poderia ser tão teimoso?

— Não estou sendo precipitado, Almeida. Eu atendi a sra. Albuquerque instantes depois que ela passou mal. Acompanhei todos os estágios de sua piora. Não era tifo. E você sabe disso tão bem quanto eu.

— Não pode ser. — Alberto voltou a sacudir a cabeça. — Se eu acreditar no que diz, então um dos meus melhores amigos estará envolvido em um crime. Ou se casou com uma criminosa. De qualquer maneira, é sórdido demais.

Então esse era o problema.

— Talvez estejamos vendo tudo pelo ângulo errado. — Lucas massageou a nuca, exaurido. — Talvez o sr. Albuquerque seja tão inocente quanto Adelaide. Miranda pode ter subornado uma das criadas para envenenar a patroa. — E isso o preocupava muito. Se havia um traidor naquela casa, ele o queria bem longe de Elisa e de sua família.

— Walter sempre foi mulherengo — contou seu mentor. — Mas nunca fez mal a uma mosca. Ele jamais teria executado ou concordado com um plano tão... ardiloso. E qual motivação ele teria? Ele tinha Adelaide *e* Miranda, a esposa e a amante. Parecia bastante satisfeito com isso. Não, Lucas. Ele não faria uma coisa dessas. Deve ter sido um criado.

— Precisamos descobrir quem foi. E acho que eu devia dar queixa contra Miranda. Ela pode ser mais perigosa do que nós pensamos. Talvez Walter e sua filha estejam correndo perigo. Elisa está preocupada. Valentina não mandou notícias a nenhum dos amigos.

— Walter não permitiria que nada acontecesse a Valentina. — Almeida o encarou, sério.

As sobrancelhas de Lucas quase se uniram conforme ele as abaixava.

— Assim como cuidou da esposa?

Os lábios de Almeida se tornaram pálidas linhas finas, o olhar tomado de angústia e desolação.

— Meu Deus. Isso piora a cada instante. — Friccionou os olhos antes de mirá-los em Lucas. — Está bem. Vou escrever a Walter avisando que pretendo fazer uma visita. De perto, poderei avaliar melhor o caráter de Miranda e tentar descobrir se as suas suspeitas têm algum fundamento.

— Não sabe quanto eu gostaria de estar errado, doutor. Mas olhe para tudo isso. — Fez um gesto abrangente para o jardim macabro.

Almeida apoiou a mão em seu ombro e apertou de leve.

— Eu sei, garoto. Mas você é brilhante demais para se permitir cegar por laços afetivos feito este seu velho amigo.

Mais tarde, pouco depois da partida de Alberto, Lucas chamou dois empregados e ordenou que aquele jardim fosse lacrado. Não podia correr o risco que alguém entrasse ali e por engano acabasse envenenado, sobretudo Samuel. As crianças, sempre curiosas, são as principais vítimas de envenenamento acidental.

Sua vontade era atear fogo ao lugar, mas não podia. Era a única prova concreta do envolvimento de Miranda com a morte de Adelaide. Além disso, tinha de descobrir se algum de seus empregados tivera participação no crime. Não fazia ideia se as autoridades lhe dariam algum crédito, se investigariam um crime que acontecera três anos antes, mas precisava arriscar. Não pôde salvar a sra. Albuquerque, mas ao menos ia tentar fazer com que seus assassinos pagassem.

\* \* \*

— Doutor, há uma pessoa esperando pelo senhor — a sra. Veiga anunciou assim que ele pisou em casa. Tinha ido visitar Alex e lhe dera alta, embora tivesse recomendado que o rapaz não se esforçasse muito e não tirasse o braço da tipoia. Depois decidira ir até a guarda para saber se haviam chegado a alguma conclusão a respeito de algum dos casos.

No que se referia a Duarte, estavam na mesma. O sujeito desaparecera depois que os guardas o abordaram exigindo explicações sobre seus cuidados —

ou a falta deles — com Samuel. E, no que se referia a Adelaide, ainda não tinham chegado a nenhuma conclusão. Fazia uma semana que Lucas contara ao sr. Rosemberg, o chefe da guarda, tudo o que se lembrava na ocasião da morte da sra. Albuquerque. Falara também sobre as flores que encontrou no jardim da própria casa. No entanto, teve a impressão de que o homem não pareceu confiar no que ele dizia. Não havia mais nada que Lucas pudesse fazer agora além de aguardar.

Lucas começou a estudar seus empregados, discretamente investigando se algum deles demonstrava qualquer comportamento estranho, mas todos pareciam pessoas de bem, o que dificultava tudo.

— É um paciente. Eu o deixei esperando — disse a camareira. — Também chegou esta correspondência. — Apontou para a pequena bandeja de prata na beirada da larga mesa de carvalho. — Baltazar ia deixá-la no seu laboratório, já que pouco usa o escritório, mas sua mãe pediu que a ajudasse a encontrar um caderno de receitas. Ainda não me conformo que ela cozinhe. É tão inapropriado!

— E sofrido, sra. Veiga — brincou, rasgando o lacre da carta sobre a bandeja esquecida na mesa.

Ora! Segundo dizia a carta, Henrique Bastos estava nas redondezas! Não via o amigo e ex-colega de apartamento desde que terminaram o curso de medicina. Soube que Henrique se casara enquanto esteve na Europa. Agora ele e a esposa dariam um baile para se apresentarem aos vizinhos como novos donos de uma propriedade que ele herdara do tio-avô. Não ficava longe dali. Uma hora de viagem no máximo.

Um baile, pensou, batendo a carta na palma da mão. Fora assim que toda a sua história com Elisa começara. Também fora em um baile que tudo entre eles azedara. Talvez essa fosse a maneira que a vida tinha encontrado de lhes dar uma nova chance.

— Onde está Elisa? — ele perguntou à sra. Veiga.

— Na sala de música, com o menino. — A mulher revirou os olhos. — Diz que está ensinando Samuel a escrever com música. Eu falei que é perda de tempo, que ela está enchendo a cabecinha dele de sonhos que jamais irão se concretizar, mas ela não me deu ouvidos. Está determinada a ensiná-lo a ler!

Um meio sorriso esticou os cantos de sua boca.

— Não seja tão precipitada em julgar a capacidade de alguém por sua dificuldade, senhora. A inteligência não se mede pela rapidez com que se aprende, mas pela astúcia em driblar as dificuldades do aprendizado. Ou na maneira de encontrar novas formas de ensinar.

Saiu para encontrar seu paciente pensando que, determinada como Elisa era, Samuel ainda iria surpreender a todos eles.

Ao chegar à sala, porém, encontrou-a vazia. Meio que gemeu, meio que riu enquanto fazia a volta e ia para o laboratório. Precisava encontrar uma governanta e rápido, pois Veiga, com sua pouca habilidade em transmitir recados, acabaria por deixá-lo maluco.

# 39

Samuel e eu estávamos na sala de música, ainda presos às vogais. Não havíamos avançado muito em uma semana. Eu tinha recorrido ao piano para fazê-lo decorar o a-e-i-o-u, e ele se saíra muito bem. O ouvido do menino era ligeiro, e ele agora sabia as vogais de trás para frente. Ao menos enquanto as recitava para mim. Quando tentava encontrá-las no papel, porém, se perdia.

— Eu disse que era muito burro! — Ele empurrou a revista *Espelho Diamantino* depois que pedi para circular todas as letras A que encontrasse nela.

— Você não é burro! Não quero que se refira a si mesmo assim novamente.

— Mas eu não consigo aprendê, Elisa!

— Isso também não é verdade. — Separei uma folha e desenhei um grande A, depois comecei a rabiscar. — Você me trouxe tudo o que eu pedi durante a semana. Apontou cada objeto e sua letra inicial. E tudo estava certo. Também decorou as vogais direitinho.

— Isso não é ler. — Ele cruzou os braços, fazendo uma careta.

— É um começo, Sam.

Ele se curvou para a frente e observou com muita atenção o papel que eu rabiscara.

— Isto é uma amora?

— Sim. E esta letra é o A da amora que você me trouxe logo no início da semana. — Contornei a letra com o lápis. — Não vou desistir de você, Samuel, então, por favor, não desista de si mesmo. Vou pegar umas revistas novas. Talvez uma brincadeira nos ajude a superar esse obstáculo. Enquanto subo, quero que desenhe algo que comece com a letra A e a copie no caderno várias vezes.

O menino concordou, parecendo emburrado. Pegou a folha onde eu desenhara e a encarou com a testa franzida.

Subi até meu quarto e coloquei a mão na maçaneta, mas ela se abriu sozinha.

— Sr. Matias! — exclamei, surpresa ao vê-lo sob o batente. — O que o sr. faz no meu quarto?

— Senhora! Graças a Deus! — Seu rosto era puro alívio. — A sra. Veiga me pediu para ir até o laboratório do seu marido enquanto ia chamá-lo, mas já entrei em seis cômodos diferentes e não consigo achar.

— O laboratório fica no andar de baixo. Eu o levo até lá. — Indiquei as escadas, no fim do corredor. Ele começou a me acompanhar a passos lentos, como se sentisse dor. — O senhor está melhor?

— Graças ao seu marido, sim. Um grande médico! Foi Deus que o enviou à taberna naquela tarde.

— Lamento pelo acidente. O garçom parecia desatento.

— Eu é que me levantei na hora errada. Tinha um compromisso e já havia me demorado demais. O pobre não teve culpa. Quando a casa está cheia, é sempre mais difícil ser cuidadoso. Tudo em que se pensa é em ser rápido no atendimento para não desagradar ao patrão. Acredite em mim, ele não teve culpa. — Abriu um sorriso curto, o olhar um tanto perdido, como se lembrasse da época em que servia as mesas. — E nem doeu tanto assim. Seu marido me deu um pouco de ópio e eu desmaiei antes que ele saísse do quarto. Nem tive tempo para agradecê-lo ou acertar o que devo.

— Estou certa de que Lucas não esperava que o senhor fizesse nem uma coisa nem outra.

— Porque ele pensa primeiro no povo, para depois pensar no dinheiro. Isso é raro hoje em dia. É uma bela casa, não? — comentou, olhando ao redor, quando chegamos ao térreo e tomamos a direção do laboratório. — Nunca estive aqui antes. A antiga família não era muito tolerante com os novos ricos. Sobretudo aquela argentina. Só faltava cuspir quando eu passava.

— Miranda é uma... — *assassina!* — ... criatura peculiar.

— Foi o que eu ouvi dizer. Uma pena que a srta. Valentina tenha ido embora com a família. Uma jovem tão educada e amável. Deve estar sentindo falta da sua amiga, não?

Se ele soubesse...

O silêncio de Valentina estava me deixando em pânico agora que eu sabia a verdadeira causa da morte de sua mãe. As flores que Lucas e eu encontramos não deixaram qualquer dúvida, e eu temia por minha amiga. Ela estaria bem? Miranda poderia fazer mal a ela? O sr. Albuquerque sabia o que tinha acontecido? Ou Lucas tinha razão quando dizia que poderia ter sido um dos empregados a mando de Miranda? Mas qual deles? O sempre eficiente Baltazar? A prestativa sra. Veiga? Ou seria Eustáquio? Talvez Quinzinho?

Todas aquelas dúvidas estavam me deixando zonza. Graças aos céus eu tinha Samuel para ocupar-me a cabeça. Mas mesmo ele me causava preocupação. Duarte havia desaparecido da vila, no entanto sua ameaça ainda pairava no ar. Toda aquela calma me causava a mesma angústia que acontece com o tempo: ventos suaves e frescos antes de uma tempestade desabar.

— Sr. Matias! — a voz de Lucas me chegou aos ouvidos, me despertando. — Creio que a sra. Veiga tenha se confundido e nós nos desencontramos. Como vai?

Ele manteve a porta do laboratório aberta e diminuiu a distância entre nós. Não pareceu muito contente em me ver ao lado do rapaz, a julgar pelo franzir entre suas sobrancelhas e pela maneira como pressionou a boca.

Se o sr. Matias percebeu alguma coisa, não demonstrou, pois respondeu com amabilidade:

— Melhor, graças aos seus cuidados.

— Vamos dar uma olhada nessas queimaduras. Pode entrar. Eu irei em um minuto.

Diógenes se virou para mim e tentou fazer uma mesura. As queimaduras não permitiram.

— Foi um prazer revê-la, senhora. — Então entrou no laboratório, arrastando os pés.

Lucas encostou a porta, me puxando para o lado

— Elisa, eu acabo de receber um convite. Para um baile. — Seu rosto reluzia com uma empolgação que ele tentava refrear. — Um antigo amigo da escola de medicina está visitando a propriedade que herdou de um parente. Henrique Bastos. Acho que devo ter mencionado o nome dele em uma de minhas cartas. Mas posso recusar se não estiver disposta a ir. Sei quanto os últimos dias foram difíceis para você.

Lucas se provara um amigo inestimável. Deixara-me chorar em seu ombro, me consolara com as palavras certas, me ouvira quando eu mais precisava ou apenas ficara ali, segurando minhas mãos, quando a preocupação com Valentina as fazia tremer. Eu já não duvidava dele. O homem frio e indiferente desaparecera e agora eu o amava ainda mais do que no passado.

Percebi, pela expressão ansiosa de Lucas enquanto aguardava a reposta, que o baile na casa do amigo parecia importante para ele.

— Eu... Não, não cancele, Lucas. Um pouco de distração vai me fazer bem. E eu vou adorar conhecer Henrique.

— Imagino que não conheça ninguém lá, mas não se preocupe. Henrique é um bom anfitrião, e sua esposa deve ser uma santa, já que se casou com ele. Sei que se tornarão amigos muito depressa. — Então ele chegou mais perto. Tão perto que suas pernas foram engolidas por minha saia ampla. — Além disso, agora que somos casados poderemos dançar como se estivéssemos costurados pelas roupas sem causar escândalo.

— Está enganado. — Inclinei a cabeça para poder mirar seu rosto. — Pode imaginar? Duas pessoas casadas se divertindo uma com a outra? Oh, céus, que mundo perdido!

Seus lábios se esticaram lentamente, até que tudo o que eu podia ver era seu sorriso e aquele fogo selvagem crepitando em suas íris, me fazendo promessas que eu não sabia interpretar, mas que fizeram um arrepio me subir pela nuca, meu estômago dar uma cambalhota e meu pulso disparar.

— Será uma noite inesquecível, Elisa. — Ergueu a mão, e seu indicador correu devagar pela lateral do meu pescoço, bem naquele ponto onde minha pulsação enlouquecia.

Ergui o rosto para ele, a boca formigando em antecipação. O fogo em seus olhos se transformara em fogueiras altas enquanto eu o via umedecer os lábios e inclinar a cabeça em minha direção.

— Elisa! Eu estava procurando você, minha querida!

Lucas se afastou e eu recuei um passo, engolindo em seco, o coração palpitando tão forte que me doía, enquanto Rosália avançava pelo corredor, um caderno nas mãos, sem parecer ter notado que nos interrompera.

Antes que ela nos alcançasse, Lucas fez a volta e entrou no laboratório para atender seu paciente, mas sorria ao olhar para mim — as chamas ainda presentes em seu semblante — e encostar a porta devagar.

Soltei o ar com força, e só então percebi que o estivera prendendo, o coração ainda aos pulos.

— Minha querida — disse Rosália —, o sr. Baltazar me informou que você sugeriu cordeiro ao molho de alecrim no cardápio semanal, mas eu nunca preparei a receita. Poderia me explicar como gosta que seja preparado?

— Eu... — Clareei a garganta. — Lamento, sra. Rosália, mas eu não faço ideia. Por que não prepara uma de suas especialidades? Tenho certeza de que será maravilhoso.

— Ora... eu poderia preparar um pato com laranja. — Ela piscou, parecendo acanhada. — Não quero me gabar, mas é realmente saboroso.

— Parece ótimo.

— O segredo está em regar o pato... — Ela continuou falando e eu tentei controlar minhas emoções, mas como faria isso se a promessa de Lucas rodopiava por minha cabeça como um furacão?

"Será uma noite inesquecível", ele prometera.

O que, exatamente, isso significava?

\* \* \*

Terminei de me arrumar e me olhei no espelho. Minha aparência não estava em seus melhores dias. As olheiras estavam um pouco evidentes, e minha pele parecia mais pálida que o normal. Torci os cabelos na parte da frente, e, como mais cedo tinha enrolado as madeixas com fitas, cachos pesados me caíam nas costas agora. Esperava que isso e o vermelho intenso do vestido que eu usava distraíssem Lucas e ele não notasse meu aspecto abatido.

Toquei meu pulso, que ostentava a pulseira que ele havia me dado na noite em que retornara ao Brasil. Ele havia dançado comigo de maneira escandalosa naquela ocasião. E agora prometia fazer o mesmo. O que mais ele pretendia?, me perguntei ao sair do quarto. Meu histórico em bailes chegava a me causar calafrios, mas, agora que eu era uma mulher casada, não haveria nenhum inconveniente se ele decidisse me levar para o jardim e me tomar em seus braços. Eu não me oporia se ele trouxesse a boca para junto da minha e...

Trombei com o aparador. O vaso repleto de hortênsias rodopiou perigosamente, e tive de me esticar para ampará-lo. Um pouco de água respingou em minha saia.

— Porcaria. — Espalmei a mão enluvada na mancha, tentando secá-la. — De onde saiu esse vaso?

*Se tivesse prestado atenção aonde estava indo, teria visto*, meu cérebro recriminou. *Se não estivesse tão ocupada pensando em beijos, teria visto!*

— Cale a boca, ora bolas! — resmunguei.

— Mas eu não disse nada!

Eu me virei. Saulo me encarava com diversão, da porta de seu quarto.

— Perdoe-me, Saulo. Eu estava falando sozinha.

— Não me parecia uma boa conversa. — Chegou mais perto, ajeitando a lapela do paletó. — Que tal pegar uma taça de vinho? Isso sempre me ajuda a vencer uma discussão.

— Não posso. Seu irmão deve estar me esperando. Vamos...

— A um baile. Eu sei. Raios! Se mamãe não tivesse aceitado tão depressa o convite da sra. Moura para jogar gamão, eu iria com vocês. — Ele me ofertou o braço, me conduzindo escada abaixo. — Animada com a noite de hoje?

Tropecei na barra do vestido, mas consegui recobrar o equilíbrio antes que me precipitasse degraus abaixo. Por um momento, pensei que Lucas tivesse dito alguma coisa a ele sobre o que havia planejado. Precisei de um minuto para entender que Saulo se referia ao baile.

— Não faz ideia de quanto, Saulo.

Avistei Lucas ainda das escadas. Ele estava tão lindo quanto no baile de máscaras, com um traje negro e aquele cabelo indomável, mas agora seu rosto não exibia mais a frieza estudada nem a raiva.

Assim que me viu, levantou-se imediatamente, apressando-se aos pés da escada, o rosto tão perplexo que eu quase dei risada. Seus olhos percorreram minha silhueta por duas vezes.

— Esse vestido... — começou, assim que Saulo me entregou a ele.

— Eu sei. Infernal.

— Não. *Diabolicamente* infernal — enfatizou.

Senti o rosto esquentar, mas desta vez não desviei o olhar. Nem ele.

— Elisa, minha querida! — ouvi Rosália dizer.

— Você parece uma fada! — exclamou Samuel.

— De fato — concordou o sr. Guimarães. — Uma belíssima fada saída de um poema de Shakespeare!

— Com tanto vermelho, seria mais uma das musas de Byron — murmurou Tereza.

No entanto, eu ainda estava presa ao olhar de Lucas. Mesmo quando nos despedimos de sua família, seus olhos permaneceram travados nos meus. Quando saímos e ele não permitiu que Eustáquio me ajudasse, abrindo ele mesmo a porta para que eu entrasse na carruagem, aquelas íris tão únicas ainda me encaravam.

O encanto se quebrou quando me acomodei no banco. Como na noite da taberna, ele se sentou a meu lado, mas olhou fixamente para a frente. Assim que tomamos a estrada, a tensão preencheu a cabine e eu não soube apontar o motivo, embora estivesse corando, com muito calor, e tivesse a respiração descompassada. Lucas parecia senti-la também, já que mantinha as mãos cerradas sobre as coxas.

— Quer que eu abra a janela? — ele perguntou. — Você parece quente.
— Eu me sinto quente.

Virou a cabeça e lançou a força daqueles olhos em mim.

— Por quê?
— Acredito que seja todo este vermelho — improvisei. — Nunca usei nada tão chamativo na vida.

Seus olhos passearam por meu corpo, fazendo o calor aumentar. Então desviou os olhos para as mãos. E as uniu. Bem apertadas, até os nós de seus dedos ficarem esbranquiçados, como se as obrigando a ficarem onde estavam.

— Olhe só para você. — Apesar do tom brincalhão e do pequeno sorriso que erguia os cantos de sua boca, Lucas parecia tenso. — Invadindo casas para resgatar garotinhos, enfrentando bêbados, se embriagando em tabernas, acordando com a pior ressaca de todas, usando esses vestidos infernais que podem fazer um homem perder o juízo.

Bem, agora que ele havia mencionado, até que minha vida andava bastante movimentada.

— Grande parte disso é culpa sua — eu disse, estudando seu perfil. — Alguma coisa em você mexe com alguma coisa em mim.

Ele voltou sua atenção para meu rosto, me observando atentamente, mas não fez pergunta alguma.

— Você desperta um lado meu que eu não sabia que possuía — expliquei.
— Ou fingia não saber.

— Eu sei. Eu sinto isso — murmurou. — Há algo borbulhando sob a superfície recatada que você criou. Mas comigo você não precisa pensar no que vai dizer, medir suas palavras nem seus atos. Comigo, e apenas comigo, você se permite ser você mesma.

— Sim — concordei, um tanto atordoada que ele pudesse ter compreendido tudo aquilo quando eu mesma só compreendia agora.

— Por quê, Elisa? — Algo maravilhoso reluziu naquelas íris misteriosas. — Por que permite que apenas eu veja você?

*Porque eu amo você. Porque eu quero que me veja como sou. Porque não quero mais mentir para você.*

Mesmo agora, tanto tempo depois, minha decisão ainda seria a mesma. Não estava arrependida da escolha que fiz. Faria tudo para proteger minha família. Mas havia aquela parte minha — aquela egoísta — que se ressentia e lamentava não ter encontrado uma alternativa para protegê-la e ao mesmo tempo manter o afeto de Lucas.

Mas, se eu não podia dizer, podia tentar fazê-lo entender.

— Me beije, Lucas. Me faça me sentir sua.

Antes que aquele tremular em seu rosto se concretizasse em uma expressão confusa, levei a mão a seu pescoço e o puxei para mim.

Fui muito bem educada. Aprendi desde muito cedo o que a sociedade esperava de mim, meus deveres e minhas obrigações. Sabia de cor como devia me comportar, o que me era permitido, obedecer às regras sem jamais questioná-las. Fui criada para ser uma dama refinada. Naquele instante, porém, tudo isso desapareceu da minha mente. Eu não era uma dama da sociedade. Era simplesmente uma mulher apaixonada.

Lucas se sobressaltou quando meus lábios encontraram os seus. Mas sua hesitação durou apenas um instante. Ele encaixou uma das mãos em meu rosto, a outra deslizou por meu ombro, meu braço, até chegar a minha cintura e me puxar para mais perto. Sua língua serpenteou, sedutora, para dentro da minha boca. Dediquei-me àquele beijo como jamais me dedicara a coisa alguma. Cada carícia, cada toque, tinha um significado para mim.

*Eu o amo. Eu nunca traí o nosso amor. Me perdoe. Eu o amo. Sempre o amei.*

Não sabia se estava conseguindo me fazer entender, se ele compreendia tudo o que eu estava dizendo. E, pela maneira como ele retribuía — com paixão e urgência —, tive a impressão de que ele também tentava me dizer alguma coisa.

Sua boca deixou a minha por um instante, apenas para se aventurar em meu pescoço enquanto suas mãos percorriam minha silhueta. Minha cabeça pendeu para trás, encontrando apoio na lateral da cabine, e eu enrosquei os dedos em seu cabelo sedoso. Com um puxão não tão sutil, eu trouxe Lucas para minha boca. Seu corpo caiu sobre o meu, pesado e quente, repleto de asperezas. Eu o senti em todos os lugares. *Todos!* E, oh, como era maravilhoso!

Meus dedos curiosos se aventuraram em uma exploração por seu pescoço, seus ombros. Arrisquei movimentá-los, conhecendo a força daqueles braços, experimentando a sensação daqueles músculos rígidos em suas costas, na base da coluna. Lucas pareceu ter a mesma ideia, descobrindo com a ponta dos dedos minhas curvas, os lábios escorregando para meu queixo, o cavanhaque resvalando por todo o pescoço, os dentes capturando o lóbulo sensível de minha orelha.

— Você tem gosto de caramelo — ele murmurou em meu ouvido. — Minha doce Elisa.

Eu não sabia o que estava fazendo. Não sabia se ficar ofegante daquela maneira era natural. Suspeitei de que, como Lucas era médico, teria dito alguma coisa caso achasse que eu estava à beira de um ataque apoplético.

Mas ele não disse nada. Em vez disso, sua mão encontrou meu tornozelo e se enfiou por baixo do vestido, suspendendo o tecido ao mesmo tempo em que acariciava minha pele. Continuou subindo, até chegar ao meu joelho, depois minha coxa. Seus dedos afundaram ali, conforme ele pressionava um joelho entre os meus, incitando que eu os afastasse. Em outras circunstâncias eu teria ficado escandalizada, mas não consegui encontrar forças para isso com aquela língua atrevida delineando o decote de meu vestido. Sem pensar muito no que fazia, separei as coxas. Os quadris de Lucas se encaixaram ali e, sem a barreira de minhas saias, restando apenas meus culotes e suas calças, eu o senti. Em toda a sua rigidez. Em todo o seu comprimento.

Aquilo teria me assustado se Sofia não tivesse me explicado algumas coisas. No entanto, ela não explicara nada a respeito da dor latejante entre minhas coxas, que pareceu piorar quando ele envolveu os dedos atrás do meu joelho e empurrou o quadril de encontro ao meu, gemendo meu nome em meu ouvido como uma prece desesperada. E eu o entendia. Não conseguia compreender o que estava acontecendo comigo também, mas eu me encontrava em agonia.

Pensei que fosse morrer de constrangimento quando ele desencaixou meus seios do corpete e tomou um deles na mão. Estava prestes a empurrá-lo, mas então a ponta de seu nariz circundou meu mamilo antes de fechar os lábios quentes e macios sobre ele e sugá-lo com delicadeza.

Resmunguei alguma coisa. Não sei ao certo o quê. Estava perdida demais em todas aquelas sensações para me importar. Quando não aguentei mais aquela doce tortura, puxei seu cabelo e o trouxe para minha boca, agora faminta. Ele me abraçou pela cintura, seus quadris investindo contra os meus; a fricção produziu uma faísca em minha barriga. Arregalei os olhos, incerta do que aquilo significava. Fazia a dor entre minhas coxas aumentar. Mas, de certo modo, também parecia aliviá-la. A faísca voltou a se repetir. Colocando a mão em sua barriga chata para ter apoio, experimentei mover os meus quadris, e o efeito foi ainda mais intenso. Fechei os dedos no tecido de sua camisa.

— Lucas, o que... oh, Deus! — Ele se moveu de novo, lentamente. Acabei fechando os olhos e gemendo alto.

Sua boca exigiu a minha, furiosa e faminta, quando ele passou um braço por minha cintura, me trazendo para ainda mais junto de seu corpo, e começou a movimentar os quadris em um ritmo cadenciado. Um frenesi correu por cada pedaço de mim e se concentrou em meu baixo-ventre. Eu me sentia viva, oh, tão viva!

E também muito assustada, especialmente quando tudo dentro de mim se retesou, ficou suspenso — meus pensamentos, minha respiração, as batidas do meu coração — naquele breve instante de um nada absoluto. E então eu arrebentei em centenas de pedacinhos brilhantes, me abraçando ao pescoço dele e enterrando o rosto ali, com medo do que estava sentindo e ao mesmo tempo temendo que aquilo acabasse.

A sensação pareceu durar horas, anos, e foi com tristeza que eu a vi desvanecer. Lânguida e ainda sem fôlego, me agarrei à lapela do paletó de Lucas a fim de olhar para ele. Seu rosto ainda estava tenso, e as chamas haviam se tornado labaredas.

— Nós... você... nós... — Nós havíamos feito amor? Quer dizer, algumas coisas que Sofia me disse, sim, havíamos feito. Mas não tudo. Ele permanecera vestido o tempo todo, para começar, e eu também. E ele não chegou a... oh, eu estava confusa.

— Você me deixa sem palavras, Elisa. — Então ele me beijou com delicadeza, depois seus lábios roçaram em minha têmpora, minha bochecha, minha boca uma última vez antes de sair de cima de mim com um suspiro melancólico e arrumar metodicamente minhas saias, puxar o corpete do vestido de volta ao lugar e espalmar uma das mãos em minhas costas para me ajudar a sentar.

Então arrumou as próprias roupas, a mandíbula trincada o tempo todo.

— Como eu lhe pareço? — Correu os dedos pelo cabelo.

— Hã... Zangado? — arrisquei.

Ele deu risada.

— Não estou zangado. Apenas frustrado. Perguntava sobre minha aparência. Pareço decente?

Ele não parecia decente. Parecia incrivelmente lindo com o cabelo levemente desalinhado e aquele fogo crepitando no fundo dos olhos.

— Sim — acabei dizendo. — E está frustrado com o quê?

A porta da carruagem se abriu de repente. Um criado em um libré verde e dourado fez uma profunda reverência.

— Bem-vindos à residência dos Bastos!

Lucas abriu um sorriso torto que fez meus joelhos se chocarem.

— Com isso. — E desceu da carruagem.

# 40

A residência dos Bastos ficava a uma hora da nossa e era absurdamente grande. Os dois andares pintados de branco se estendiam por grande parte do gramado, onde a fileira de veículos se amontoava. Tochas foram acesas, formando um corredor de cascalho iluminado.

— Henrique sempre gostou de exibir suas posses. — Lucas me contou quando chegamos ao hall, enquanto esperávamos na fila para cumprimentar os donos da casa. — É um dos homens mais ricos que eu conheço. Mas um dos mais desleixados com o próprio patrimônio também. Decidiu ser médico para não ter que cuidar de sua fortuna. Ele odeia números. A grande surpresa é que ele realmente leva jeito para a medicina. Sobretudo no que se refere a ossos quebrados. O pai dele quase o deserdou. Mas, depois que o marquês de Bourbon quebrou o pé em uma caçada e Henrique o ajudou a se recuperar, o velho sr. Bastos mudou de ideia.

Meu corpo ainda não havia se recuperado do... das coisas que Lucas me fizera sentir. Minhas pernas não tinham firmeza e meu coração parecia que nunca mais voltaria a bater em um ritmo saudável. Mas eu tentava manter a compostura a todo custo e prestar atenção ao que ele dizia. Era uma boa coisa ter seu braço para me amparar.

No entanto, eu não conseguia olhar em seu rosto. Havia muita coisa acontecendo dentro de mim e eu temia que ele as compreendesse.

— Ele parece agradável — comentei quando consegui avistar seu amigo. Henrique era um pouco calvo, apesar de jovem, e parecia alegre, distribuindo sorrisos e gargalhadas ao lado de uma das mulheres mais bonitas que eu já tinha visto na vida.

— Não diga isso a ele — sussurrou. — O orgulho de Henrique é ainda pior do que o de Bartolo...

— Lucas, meu caro amigo! Não acredito que veio! — exclamou Henrique.

Os dois se cumprimentaram com entusiasmo. Trocaram algumas palavras antes de Lucas me apresentar a ele e a Isabela Bastos.

— Então você é a famosa Elisa Clarke. — O rapaz me admirou por um momento. — Agora posso me convencer de que você de fato existe. Encantado em *finalmente* conhecê-la.

Devolvi seu cumprimento galante, observando Lucas pelo canto do olho. Seu rosto adquiriu quase o mesmo tom do meu vestido.

— Ah, Elisa — Isabela me disse —, como é bom conhecê-la! Sinto que, entre todas as mulheres que conheço, você é a única que irá compreender o tormento que é estar casada com um médico.

Pensando no que acabara de acontecer dentro daquela carruagem, não pude discordar. Lucas provocara uma tormenta em mim.

— Devíamos nos tornar melhores amigas imediatamente e trocar confidências! — ela brincou, pegando minha mão.

— Eu adoraria, Isabela.

— O que houve com seu cabelo? — Henrique perguntou a Lucas, estreitando os olhos para as mechas cor de areia um tanto bagunçadas. — Está ostentando essa juba apenas para me irritar, não é? Não acredito em tamanho insulto!

Lucas abriu aquele meio sorriso.

— Um insulto tão grande quanto um sujeito que tem mais dinheiro do que consegue gastar ir para a escola de medicina apenas para fugir da tarefa de administrar sua imensa fortuna, Bastos?

— Ah, sim — Henrique gargalhou. — Tão ultrajante quanto isso!

A fila de convidados atrás de nós começou a crescer, de modo que, depois de mais uma provocação ou outra, Lucas e eu os deixamos.

O salão decorado por enormes vasos com flores e velas estava cheio. As imensas pinturas nas paredes quase passavam despercebidas pelos convidados, assim como os cristais do gigantesco lustre pendente sobre a cabeça de todos nós. Bastou uma rápida olhada no salão para que minha suspeita se confirmasse. Eu realmente não conhecia ninguém, coisa que Lucas logo tratou de remediar, me apresentando a uma dezena de ex-colegas. Bastos e Lucas eram os únicos casados.

— Então esta é a famosa srta. Elisa Clarke — disse um deles ao sermos apresentados. César Marcone. — Encantado, senhora.

— Agora o compreendo, Lucas — comentou um outro.

Eu enrubesci e tive a sensação de que Lucas também, embora não conseguisse olhar para ele. Essa situação se repetiu algumas vezes. Assim que ficamos sozinhos, houve um instante de silêncio embaraçoso entre mim e ele.

— Imagino que não lhe tenha passado despercebido — começou Lucas, muito sem jeito — o fato de meus colegas a conhecerem pelo nome de solteira.

— Não.

— Imaginei que não. — Esfregou a nuca. — Pode ser que eu tenha mencionado seu nome uma vez ou outra enquanto estive na escola de medicina.

— Eu deduzi que tivesse sido algo assim. Embora não entenda por quê.

— Não? — Aquele olhar levemente esverdeado buscou o meu.

Meu estômago respondeu dando uma pirueta pouco sutil.

As pessoas ao nosso redor começaram a aplaudir quando os primeiros acordes repercutiram pelo ambiente. A dança iria começar. Lucas se virou para mim.

— Sei que não é muito sofisticado ter a primeira dança em um baile com a própria esposa, mas me concederia essa honra?

Pouco me importava a sofisticação. Tudo o que eu queria era poder voltar para os braços de Lucas, por isso concordei com a cabeça.

Como em outros bailes, que pareciam ter acontecido em outra era, ele levou minha mão aos lábios antes de descansá-la na dobra do cotovelo e então me acompanhar até o centro do salão.

— Lembra-se da primeira vez que dançamos? — perguntou, pouco depois que o minueto começou.

— Como poderia esquecer? Você me contou sobre os porcos.

Ele deu risada.

— Ainda não acredito que não me deixou falando sozinho. Outra jovem teria corrido, implorando ajuda. *Eu* teria.

— Mas, Lucas, eu achei divertido. Foi inusitado e mais interessante que todas as outras conversas que já tive em bailes. Os cavalheiros gostam muito de falar de si mesmos nessas ocasiões. É um pouco entediante.

— Ah. Então será que devo começar a discorrer sobre as larvas do bicho-da-seda? Porque, a esta altura, eu me tornei um especialista. — Fez uma cara engraçada.

— Eu adoraria ouvir sobre elas, mas talvez em outro momento. O que eu gostaria de ouvir agora é sobre os lugares onde esteve. As coisas que viu.

Um dos cantos de sua boca se ergueu de leve.

— Mas isso não me colocaria na mesma categoria que os outros cavalheiros que a entediam em bailes?

— Por favor, Lucas — supliquei.

Ele revirou os olhos, me fazendo rodopiar uma vez antes de começar a falar.

— Muito bem. Lodi é uma província muito bonita. Há uma praça central onde se concentram os mais importantes órgãos. Igreja, prefeitura, uma torre com um grande relógio. Piazza della Vittoria. É sempre movimentada perto da hora do almoço. Eu gostava de caminhar por ali nos fins de tarde, quando conseguia uma folga no hospital. Gostei do tempo que passei por lá, apesar do clima. Muito quente no verão e frio demais no inverno. Neva, mas não é nada muito grandioso. Apenas o suficiente para congelar os pés dentro das botas.

— Eu nunca vi a neve. Como ela é?

Ele pensou um pouco.

— Gelada. Molhada.

— Você pode fazer melhor! — Não pude evitar o riso. — Que gosto tem?

— Eu temia que perguntasse isso. — Ele estalou a língua. — Lamento decepcioná-la, Elisa, mas neve tem gosto de nada.

— Ah. — De fato, decepcionante. — E Veneza? Também é assim, de clima instável?

— Fiquei pouco tempo lá. Uma semana, e choveu praticamente todos os dias. Mas é uma cidade muito bonita. Você iria adorar. Para onde se olha há arte. Vi o sol aparecer apenas uma vez, mas compensou toda aquela chuva. O céu ficou rosa no entardecer, e refletiu nos canais. Nesse dia eu desejei que você estivesse lá para ver. Estou certo de que mudaria de ideia quanto a preferir o nascer do sol.

Pisquei uma vez, surpresa que ele ainda se lembrasse das coisas que eu lhe escrevera havia tantos anos e por algo muito mais importante.

— Você pensou em mim enquanto esteve fora?

— Ah, Elisa... — Seu rosto foi tomado pela angústia e urgência.

Só então percebi que havíamos parado de dançar. Ele me puxou para o canto, para longe do tumulto dos casais e das pessoas que os assistiam, antes de começar a falar, com uma intensidade que beirava a paixão.

— Elisa, eu estou há dias ensaiando o que dizer, e mesmo assim não consigo encontrar as palavras certas agora. Perdoe-me se eu for direto demais, mas, como vê, eu me encontro em completa agonia. Sobretudo depois do que aconteceu na carruagem. — Soltou o ar com força antes de mirar os olhos (em toda a sua intensidade) em mim. — Eu peço desculpas. Não devia ter ido tão longe.

Nós fizemos um acordo e eu não honrei minha palavra. E nem posso tentar me justificar e dizer que tentei lutar, porque não tive forças para isso. Eu me embriaguei com sua beleza, com seus beijos e seus gemidos... — Esfregou o pescoço rindo, mas era um som diferente, atormentado. — A tortura na qual meu corpo se encontra agora é mais do que merecida.

Eu não entendia exatamente o que ele estava dizendo, mas compreendi que estava sofrendo por culpa minha.

— Também não honrei minha palavra, Lucas — murmurei. — Eu não sei... o que deu em mim. Eu sinto muito.

— Não sinta! — Encaixou as mãos em meu rosto. — Jamais lamente por me dizer o que quer. E o que não quer. Já tivemos muitos desentendimentos. Não posso admitir que exista qualquer engano agora. Por isso eu vou ser franco, Elisa. E prometo que vou aceitar sua decisão, seja ela qual for. — Inspirou fundo. — Eu gostaria de mudar o nosso acordo.

— Mudar? — perguntei, com o coração aos pulos.

Ele fez que sim.

— Quero ser seu marido.

— Mas... mas você já é — falei, confusa.

Ele abanou a cabeça.

— Eu quero que sejamos marido e mulher. — Seus olhos se fixaram em mim, e, para que não restasse qualquer dúvida, acrescentou: — Na cama.

Abri a boca, mas parece que nada em mim estava funcionando direito.

— Sei que fui eu quem propôs um casamento platônico. — Ele falava tão depressa que eu cheguei um pouco mais perto, para não perder nada. — E você tem todo o direito de exigir que eu cumpra a minha palavra. E eu a cumprirei à risca, se for o que você quer. Mas sua reação aos meus beijos me deu esperança de que talvez você também queira algo mais. Não espero que você responda agora. Sei que é um passo importante demais para ser dado assim, no calor do momento. Mas me permita fazer uma pergunta. Você gosta quando ficamos juntos, como estivemos a caminho daqui?

Absolutamente constrangida, mirei os olhos no chão, mas assenti.

— Foi a impressão que eu tive. — Com gentileza, ele forçou meu rosto para cima a fim de que eu olhasse para ele. — Eu também gosto, Elisa. Demais! Eu a desejo tanto que estou à beira de perder o juízo.

Pisquei algumas vezes. Eu não tinha entendido errado. O que ele me propunha era que... era... Eu não sabia ao certo. Natural? Indecoroso? Um completo absurdo? A melhor coisa que podia ter acontecido?

Eu amava estar em seus braços. Ele me fazia sentir mais viva do que nunca. E as coisas que aconteceram naquela carruagem...

Mas fazia menos de cinco minutos que ele deixara claro que sentia algo por mim. Eu não sabia a natureza de seus sentimentos, mas conhecia bem os meus. Se eu permitisse que ele fosse meu marido, me colocaria em uma posição ainda mais vulnerável do que eu imaginara três anos antes, quando abri mão dele para não acabar por destruí-lo. Esse risco ainda existia? Se eu permitisse que nosso relacionamento se estreitasse da maneira que Lucas propunha, o que sobraria de mim além de ruínas quando ele partisse para a Itália? Porque ele não mencionara mudar esse arranjo, apenas o que se referia à condição platônica do nosso casamento.

No entanto, mesmo ciente disso tudo, não consegui encontrar forças dentro de mim para recusar. Meu coração tolo não se cansava de amá-lo. Eu estava ainda mais apaixonada por Lucas do que quando o conheci. Por mais que tentasse me convencer de que era forte o bastante para resistir a ele, a verdade era que eu sucumbiria ao menor dos toques. E acho que nós dois sabíamos disso. Então...

Minha nossa, eu estava realmente pensando em concordar com aquela loucura?

Ora bolas! Sim, é claro que eu estava!

Então Lucas acariciou meu queixo com o polegar e sussurrou algo que silenciou a euforia em meu coração.

— Eu sei que você queria um casamento embasado em sentimentos mais profundos, Elisa. Mas a atração mútua é mais do que a maioria dos casais que eu conheço tem a sorte de ter.

Alguém chamou seu nome. Lucas fechou os olhos diante da interrupção, a testa encrespada de tal maneira que suas sobrancelhas quase se uniram. Tomando fôlego como que para manter a compostura, ele se virou.

Aproveitei sua distração para tentar me recompor e não permitir que as lágrimas que se empossavam em meus olhos transbordassem.

Não foram sentimentos que o fizeram mudar de ideia.

— Meu bom dr. Guimarães! Que prazer vê-lo aqui!

Apenas desejo. Talvez fosse isso, afinal, tudo o que ele sentia por mim.

— Alex! — Lucas exclamou.

Forçando meu rosto a manter a fachada alegre, girei sobre os calcanhares para cumprimentar o recém-chegado. O olhar do rapaz, cinza feito metal, encontrou o meu. E então minhas pernas bambearam, meu coração começou a bater tão alto em meus ouvidos que os sons do salão se perderam e eu temi desmaiar. Minhas mãos suavam dentro das luvas. O frio na boca do estômago me deixou enjoada.

Lentamente, os lábios dele se esticaram sobre os dentes muito brancos. A cicatriz em sua testa também se espichou, sorrindo.

— Como vai, linda?
— Alexander.

## 41

Meu coração batia ensandecido. Graças aos céus as conversas e a música impediram Lucas de ouvir meu murmúrio. Alexander, no entanto, pareceu ler em meus lábios o horror que senti ao revê-lo, o que ampliou ainda mais seu sorriso.

— Alex! — Lucas o cumprimentou, um pouco mais composto. — Não esperava vê-lo aqui. Sobretudo porque recomendei que fizesse repouso.

— Já não sinto dor. Um pouco de distração vai me fazer bem. — Alexander ergueu o ombro, ajeitando a tala na tipoia, que, confeccionada em um tecido escuro, fazia seu traje branco parecer ainda mais reluzente. Ele não havia mudado nada nos últimos três anos. Nem um único fio do cabelo escuro e curto.

Ele olhou para mim com diversão.

— Não me apresenta a sua esposa, doutor?

— Claro. Elisa, este é o sr. Alex Gandalf... hã... Dumbdore.

— É Dumbledore. Eu sabia que devia ter escolhido Potter — resmungou. Lucas encrespou a testa para ele.

— Como disse?

— Que é um prazer conhecer uma moça tão bonita!

— Humm... Certo. — Lucas se virou para mim, parecendo um tanto incomodado. — Elisa, este é o cavalheiro que se acidentou na estrada perto da nossa casa.

Alexander pegou minha mão trêmula, levando-a aos lábios.

— Encantado, senhora.

Tudo o que consegui fazer foi um discreto gesto de cabeça, do contrário desabaria. Meus joelhos haviam adquirido consistência de mingau.

*O que ele faz aqui?*
— Não sabia que conhecia Henrique, Alex. — Lucas comentou.
— Conheço um amigo de um amigo de Henrique. Queria aproveitar minha última noite na região. Vou embora amanhã.
— Tome cuidado com esse braço — ouvi Lucas dizer. — Mantenha-o na tipoia durante a viagem.
— Farei isso, doutor. — Aqueles olhos cinzentos se fixaram em mim. — Então, sra. Guimarães, o que está achando do baile?

Abri a boca, mas não consegui pronunciar um único som. Eu não conseguia pensar em muito mais do que O QUE ELE FAZ AQUI?!

Alexander não passava de um mentiroso. Ele me usara da maneira mais vil, fingindo ser meu amigo. E eu, muito ingênua, acreditei nele. Sabia muito pouco sobre aquele homem, mas estava convencida de que ele era perigoso. Sua presença só podia significar problema. Para mim? Para Ian? Meu Deus, para Sofia?

Não. De jeito nenhum! Eu não ia permitir. Ninguém ia fazer mal a minha família, fosse ele o que fosse. Obviamente, ele não era uma pessoa comum. Um bruxo, um vidente, um físico poderoso, eu não sabia. Mas eu ia manter minha família a salvo, não importava o preço a pagar. Eu já tinha feito isso uma vez. Não hesitaria em fazer de novo.

— Chegamos ainda há pouco — consegui dizer, por fim. — Mas, pelo que pude notar, os Bastos deviam ser mais cuidadosos com quem entra nesta residência.

Lucas me dirigiu um olhar confuso e um tanto desconfiado. Sorri para ele da melhor maneira que pude.

Alexander, porém, gargalhou.

— Tenho que concordar. Acabei de ver um sujeito muito distinto afanar uma coxa de frango e metê-la no bolso do paletó!

— Perdoe-me, sra. Guimarães — começou Henrique, aparecendo do nada. — Terei de roubar seu marido por um instante. César não acredita na teoria de Bassi, Lucas. Eu tentei explicar a ele, mas, para ser franco, também não entendi algumas partes.

Tive a nítida impressão de que a última coisa que Lucas queria fazer era se afastar. Se devido à presença de Alexander ou porque não se sentia animado em falar de trabalho em um baile, eu não sabia. Mas eu precisava falar com Alexander sem Lucas por perto.

— Está tudo bem — garanti a ele. — Eu vou esperá-lo aqui.

Ele abriu a boca para dizer alguma coisa, mas acabou desistindo e assentiu. Depois de um cumprimento rápido, acompanhou Henrique — nada satisfeito, devo ressaltar.

— Pobre rapaz. — Alexander estalou a língua, seguindo com os olhos os dois amigos desaparecerem na multidão. — Você acaba de ferir os sentimentos dele. Lucas esperava que você lamentasse a ausência dele, sabia?

— O que faz aqui, Alexander? Se pensa que vou permitir que se aproxime de meu irmão ou de Sofia, está muito enganado!

— É mesmo? E como pretende me deter?

Eu me aproximei, encarando-o com todo o ódio que sentia.

— Tente e descobrirá. — Tudo aquilo era culpa dele. Minha situação com Lucas, as fofocas, tudo!

— Não dá para negar que você é uma Clarke, linda. — Sorriu daquele jeito que eu me lembrava: cheio de ironia e atrevimento. — Mas essa nossa conversa não pode acontecer em um salão de baile. Vem.

Caminhando sem pressa, Alexander atravessou o salão e desapareceu depois de entrar em um largo e pouco iluminado corredor.

Eu titubeei. Na última vez que acompanhei um homem para fora de um baile, acabei noiva. Alexander não era confiável, já que mentira para mim do primeiro ao último instante. Relanceei Lucas, de costas do outro lado do salão, rodeado de jovens atentos a cada palavra que dizia.

Respirando fundo, fui atrás de Alexander. Ele nem ao menos olhou para trás para confirmar se eu o acompanhava, tamanha era sua presunção. Ou talvez o repicar de meus saltos contra o mármore me denunciasse. Abriu uma porta e entrou. Ao segui-lo, me vi completamente cega pela penumbra. O sílex chiou, uma pequena faísca clareando o ambiente. Alexander acendeu um candelabro, a chama na ponta da vela refletindo na vidraça. Observei a sala; um sofá verde sobre um tapete, uma mesa mais ao lado e uma infinidade de prateleiras que iam até o teto, repletas de livros. Eu definitivamente não deveria estar naquela biblioteca.

— Com medo? — ele provocou.

— Nem um pouco. — Empinei o nariz. — Exijo que me diga por que está aqui. E que seja franco comigo desta vez.

Meu tom inflexível o divertiu, mas ele acabou anuindo.

— Muito bem. Acho que eu devo começar explicando que eu *não estou* aqui por causa do Ian e nem da Sofia. Estou proibido de chegar perto deles pelas próximas décadas se quero manter meu emprego. E, caso esteja se perguntando, sim, eu quero. Muito! E não, não adianta me perguntar sobre o meu trabalho. Não por nada, mas não é tão empolgante assim. — Deu de ombros. — Acredite.

— Acreditar em você? Depois de todas as suas mentiras? Está zombando de mim, senhor?

Ele ao menos teve a decência de parecer arrependido.

— Não tive alternativa, Elisa. Você não devia ter encontrado a máquina do tempo. Eu a enviei para o Ian. Você foi um acidente. Tudo o que fiz foi para manter você a salvo.

— Mentindo para mim?

— E de que jeito isso é diferente do que você está fazendo por Sofia? — Ele abriu aquele sorriso irritante.

— Mas é claro que é diferente. Eu... — Então me detive. Oh, meu Deus. — Como sabe disso?

Ele passeou pela biblioteca, examinando as lombadas dos livros.

— Eu poderia mentir outra vez. Mas você me pediu para ser franco. A esta altura, você já suspeita de que eu não seja um homem comum. E não sou mesmo. Sou inesquecível. — Deu uma piscadela. — Então, percebe? Não somos tão diferentes assim. Fazemos de tudo, certo ou errado, para proteger as pessoas que nos são caras.

— E Ian é querido para você? — perguntei, cética.

— Ele me deu o que eu mais queria no mundo. É claro que eu amo o Ian pra cacete.

Chegou mais perto, deixando o castiçal sobre a mesinha de apoio. A parca iluminação tocou parte de seu rosto, deixando o lado marcado nas sombras. Tive a sensação de estar encarando um anjo sombrio.

— Elisa, eu interferi na vida do seu irmão para poder salvá-lo. Eu nunca quis nada além de ajudá-lo. E a você. Se existisse outro jeito de resolver aquela história, acredite, linda, eu teria tentado. O que eu não podia deixar era que a pneumonia da Sofia estragasse tudo ou que você se machucasse por um descuido meu. Os meus métodos foram pouco ortodoxos, mas funcionaram, e por isso hoje você tem uma bela família para amar e que a ama também.

Então as suspeitas de meu irmão estavam certas. Alexander enviara aquela máquina demoníaca para que Ian pudesse encontrar o remédio que salvara a vida de minha irmã.

— Eu... — Eu queria continuar a odiá-lo. Mas não pude. Sem aquele medicamento Sofia não teria resistido. Por mais que eu condenasse seus métodos, ele permitira que Ian a salvasse. — ... agradeço. Muito. Pelo que fez por minha família.

Deu de ombros.

— Não tem nada que agradecer. O que importa é que tudo acabou bem. — Então fez uma careta. — Bom, quase. É por isso que eu vim aqui, linda. Vou te contar uma coisa: danos colaterais são um pé no saco. E dói feito o diabo! — Ele movimentou o ombro, ajeitando a tipoia.

— Perdoe-me, mas não entendo.

— Eu vim aqui te dar uma mãozinha. E, veja bem, faço isso não apenas porque minhas ações atrapalharam o seu destino, mas porque eu gosto muito de você. Sendo franco, acreditei que o acidente seria o suficiente para remediar o estrago que eu fiz na sua vida, mas vocês dois *não* colaboraram! Juro que esperei até o último minuto antes de intervir, Elisa. Tinha esperança de que o seu médico fizesse a coisa certa. E ele passou isso aqui de acertar! — Fez um gesto com os dedos. — Mas no último minuto estragou tudo. E, então, aqui estou eu! — Ele abriu o braço.

Ele só podia estar zombando de mim. Graças àquele "acidente", como ele o chamara, minha vida se transformara em uma bagunça. Desde então eu não tive mais paz. Eu teria que estar completamente louca para aceitar sua ajuda.

— Eu não compreendi mais da metade do que você disse, Alexander. Realmente agradeço por tudo o que fez por minha família, mas não quero que tente me ajudar. Como você mesmo afirmou, seus métodos são pouco ortodoxos e eu já tenho problemas demais. Mas fico contente, de certa maneira, por tê-lo visto. Apesar de suas mentiras, a amizade que eu nutria por você era verdadeira e eu estava ansiosa para saber se tinha se recuperado daquele tiro. Agora que eu sei que está bem, espero colocar uma pedra sobre este assunto e nunca mais voltar a vê-lo. Adeus, senhor. — Fiz a volta e comecei a sair da sala.

Sua mão se enroscou em meu pulso, me restringindo.

— Antes de ir, apenas me escute. Vou te dizer como as coisas vão se desenrolar se eu não fizer nada. Você vai dizer que aceita a proposta do Lucas. Apesar do que ele disse ter te ferido, você fantasia que isso possa aproximar vocês dois sentimentalmente. Só que você é diferente, Elisa. Você precisa se sentir amada, querida, não apenas desejada. Ainda esta noite, quando o Lucas for colocar o novo acordo em prática, você vai repensar sua decisão e ficar com medo de que ele possa machucá-la ainda mais. O Lucas, por sua vez, vai se sentir rejeitado de novo. E ele não aguenta mais isso. O pobre coitado vai fechar o coração. Ninguém jamais vai voltar a alcançá-lo. Nem mesmo você.

Eu o encarei, a respiração acelerada, o medo e o desespero retumbando em meus ouvidos. Não queria acreditar nele. Ele já tinha mentido para mim uma vez, e podia estar mentindo de novo. Mas no fundo eu sabia que dizia a verdade. O que ele dizia parecia bastante possível no que dizia respeito a mim. Além disso, a maneira séria como relatara tudo aquilo, como se visse tudo se desenrolar diante de seus olhos, me causou arrepios, a ponto de eu me perguntar se fora algo assim que acontecera com Ian e lhe dera aquela certeza inabalável de que o segundo filho dele e Sofia seria uma menina. Alexander lhe contara o futuro. Ele fazia o mesmo comigo agora?

Inspirei fundo, apoiando as mãos em uma prateleira para me manter de pé enquanto meu coração afundava dentro do peito.

— Então não há nada que eu possa fazer que nos aproxime de novo — murmurei. — Eu o perdi de maneira irrevogável.

— Ah, a gente não precisa ser tão dramático assim. — Colocou a mão boa em meu ombro, me encarando. — Sempre existe uma solução. Por que acha que eu vim aqui? O que você precisa é de uma grande explosão. *Cabum!*

— *Cabum?* — repeti, sem entender absolutamente nada.

— É. Um grande *cabum!* — Abriu um largo sorriso.

— E como vou conseguir esse *cabum?*

— E de que outro jeito seria, Elisa? Como em todo conto de fadas, linda! Com um beijo.

Pensei nos momentos em que estive nos braços de Lucas. De fato, por mais de uma vez eu pensei que tudo ficaria bem entre nós. Mas não ficou. E, a julgar pelo que Alexander dizia, não ficaria.

— Então eu estou perdida. — Sacudi a cabeça. — Lucas já me beijou e nós ainda não nos acertamos.

— Eu nunca disse que Lucas é quem devia beijá-la. — Uma nota de desgosto dançou por sua voz. — Desculpa, linda. É por uma boa causa.

— O que quer di...

Ele me puxou para si, a mão voou para meu pescoço e então me beijou. A surpresa me deixou paralisada por um instante, mas assim que me recuperei comecei a lutar contra ele. Eu o empurrei, soquei seu peito. Tudo o que consegui foi que Alexander apertasse ainda mais a boca contra a minha.

Levantei o joelho abruptamente e acertei sua virilha com toda a força — que meu vestido e as anáguas que eu usava permitiram. Ele não chegou a cair, mas gemeu, curvando-se. Foi o suficiente para que eu conseguisse escapar.

— Como pôde? Como pôde me enganar desse jeito outra vez? Como ousa?
— Limpei a boca nas costas da mão.
— Eu expliquei — gemeu, encolhendo-se. — Era preciso.
— Fique longe de mim! Fique longe da minha família! Nunca mais apareça! Adeus! — Abri a porta com raiva.
— Mantenha as janelas fechadas durante a noite, Elisa — falou, atrás de mim.
— Adeus, linda.
Eu o olhei por sobre o ombro.
— Não me chame de lind... — Calei-me ao constatar que falava com as prateleiras e lombadas. Olhei ao redor da sala toda, atônita. Alexander desaparecera.

No entanto, quando meu olhar passou pela vidraça, avistei uma figura em traje negro, afastando-se.

Lucas.

Ah, meu Deus. Será que ele tinha me visto ali com Alexander?

Estava tão atordoada que fiquei desorientada por um instante ao sair daquele cômodo. Olhei para os dois lados do corredor, procurando uma indicação de qual deles deveria tomar. Uma silhueta masculina seguia para a direita, de onde vinha a música e um pouco de luz.

Fui para aquele lado, andando tão depressa que meus cachos saltitavam feito um dos cavalos chucros de Ian. Ao chegar ao grande salão, no entanto, detive o passo e tentei sorrir para as pessoas enquanto esticava o pescoço, procurando Lucas.

Eu o encontrei ao lado de uma mesa, servindo-se de uma bebida.

— Eu estava procurando você — comecei.

Ele virou o uísque em um só gole antes de voltar o rosto para mim. Seu olhar percorreu meus traços, detendo-se em meu cabelo, que por culpa da corrida devia estar desalinhado.

— Diga-me, minha senhora. Pensou que eu estivesse escondido na biblioteca ou dentro da boca de seu amante? — Aquele tom implacável e frio havia retornado. — Estou confuso.

Sua fúria contida me fez recuar um passo.

Ele tinha visto Alexander me atacar e entendeu outra vez tudo errado. Pensou que eu estivesse...

Detive o pensamento quando uma suspeita serpenteou por minha cabeça, envenenando tudo.

Era isso que Alexander pretendia ao me levar para aquela biblioteca, não? Que Lucas nos flagrasse. De alguma maneira, ele previra que Lucas nos veria pela janela. Ele me atacara de propósito!

Durante todo o tempo em que passamos juntos, Alexander jamais olhou para mim com menos do que respeito, nunca me tocou, exceto para ajudar a entrar ou sair de um carro ou de um ambiente. Sua intenção esta noite era clara: ele queria que Lucas visse aquela cena por algum motivo perverso que me escapava.

— Não é o que você está pensando — sussurrei, a cabeça girando muito mais do que quando bebi toda aquela cerveja. — Ele mentiu de novo. Eu sou uma tola.

— Então somos dois. Fui tolo o bastante para achar que pudesse confiar meu... nome a você.

Eu me encolhi, magoada, o peito apertado como se Lucas tivesse as mãos ao redor de meu coração e o estrangulasse.

Devo ter deixado transparecer alguma coisa, pois ele fechou os olhos, balançando a cabeça. Então pousou o copo vazio na mesa e começou a se afastar.

— Lucas, por favor — chamei, indo atrás dele. — Me deixe explicar.

— Imagino que tenha restado muito pouco a ser explicado.

— Não, está enganado. Por favor, pare! Você está agindo da mesma maneira que há três anos. Me condenando por algo que eu não fiz!

— A diferença é que quem a beijava na ocasião era eu — falou, sem deter o passo.

Aquilo me machucou tanto que eu avancei sobre ele. E ele me surpreendeu ao se virar e me segurar pelos pulsos, girando-me para que eu ficasse entre ele e a parede.

— Pare com isso! — cuspiu, com a mandíbula trincada. — Você já fez o suficiente por uma noite!

— Mas eu não fiz nada! Você está sendo injusto de novo. Está agindo como se eu fosse uma...

— O quê? Alguém sem nenhum escrúpulo? Que não pensa duas vezes em acompanhar um estranho a uma biblioteca escura? Você estava em meus braços menos de uma hora atrás! — O desespero e a raiva duelavam em seu semblante.

— Ele não é um estranho! Não sou tola o suficiente para me colocar, ou ao nome da sua família, em uma situação dessas. Eu acompanhei Alexander porque precisava de algumas respostas! Eu não imaginei que ele tivesse...

— Alexander? — Ele me soltou de repente. E com tristeza vi suas íris se tornarem escuras e sombrias.

— Oh, por Deus, Lucas. Não é o que você está pensando!

Por quê? Por que, de todos os nomes no mundo, eu tinha de ter dito a ele que meu suposto amante se chamava Alexander?

— Não? — Sua voz não tinha qualquer entonação.

— Me deixe explicar. Ele queria que você nos flagrasse. Não faço ideia do porquê. Mas eu nunca quis que ele me beijasse. Ele me atacou!

Se é que era possível, a frieza ao redor dele pareceu se intensificar. Ele não acreditava em mim.

— Lucas, meu caro! Aí está você! — alguém chamou. — Achei realmente fascinante seu esclarecimento sobre a teoria de Bassi. Mas fiquei intrigado. Há alguma prova concreta do que ele diz?

Lucas manteve o olhar em mim. Era tão gelado quanto a neve que eu jamais vira. Ele se enganara. Neve tinha gosto de dor.

— Eu... estou interrompendo alguma coisa? — o rapaz perguntou.

Lucas quebrou o contanto, virando-se para o amigo, uma expressão alegre no rosto.

— De maneira alguma, César. Bassi apresentou um ensaio em Paris há alguns meses. Terei prazer em lhe enviar uma cópia. Mas, se quiser, posso lhe dar uma ideia geral agora.

— Ótimo! Sinto que vou enlouquecer se não resolver esse dilema. Mas não quero privá-lo da companhia de sua adorável esposa. Posso esperar.

— Não se preocupe com isso. — Seu olhar, implacável e gélido, encontrou o meu. — Nós já terminamos.

César fez uma mesura, e eu me obriguei a manejar um cumprimento. Observei, com o coração apertado, os dois se afastarem em uma camaradagem alegre que destoava das sombras presentes no semblante de meu marido.

— Querida Elisa! O que faz aí, escondida? — questionou Isabela, bem atrás de mim. — Uma beldade como você não pode ficar relegada ao canto de um salão de baile. Venha. Vou lhe apresentar a um dos irmãos de Henrique. — Passou o braço pelo meu e começou a me guiar.

Obriguei-me a me recompor. Eu não conseguiria falar com Lucas até o fim do baile. Teria de suportar as horas seguintes, sorrir, dançar e ser agradável com as pessoas, quando tudo o que eu queria era enterrar o rosto entre as mãos e liberar as lágrimas que brotavam em meu coração.

Não foi fácil. A todo momento alguém me perguntava se estava passando bem, e eu dava uma reposta vaga. Lucas se manteve distante a noite toda, falando com os amigos como se nada tivesse acontecido. Apenas seu olhar o delatava. Não conseguia esconder as sombras. Por mais de uma vez eu o flagrei me encarando, mas, assim que nossos olhares se encontravam, ele virava o rosto e ria para quem quer que estivesse falando.

Eu estava impaciente. Queria um momento de privacidade com ele, poder explicar o que havia acontecido. E isso incluía dizer que eu mentira tantos anos antes. Não sabia como o faria entender tudo sem revelar a verdadeira origem de Sofia, mas tinha de tentar. Não podia permitir que ele continuasse a acreditar naquela história ridícula de que eu me apaixonara por outro homem por nem mais um segundo.

Quando o baile finalmente chegou ao fim, Lucas foi o último a sair. Eu já estava dentro da carruagem, ansiosa. No entanto, em vez de entrar, ele foi para a parte da frente, disse algo a Eustáquio e então subiu, sentando-se ao lado do cocheiro.

— Lucas! — reclamei, mas ele estalou as guias e o veículo começou a andar.

Pareceu-me que semanas haviam se passado até a carruagem parar em frente a nossa casa. Ele foi o primeiro a descer. Inspirei fundo, tentando deter o tremor em meus dedos e reunir alguma coragem. A porta da sala se abriu e Saulo colocou a cabeça para fora, ainda em seu traje de noite. Deviam ter chegado havia pouco.

Lucas me ajudou a descer. Porém, em vez de fechar a porta e me acompanhar degraus acima, ele entrou no veículo.

— Aonde você vai a esta hora? — perguntei, alarmada.

— Tenho um assunto a resolver. — Manteve o rosto fixamente voltado para a frente.

— Lucas? — Saulo desceu alguns degraus, parecendo perturbado.

— Lucas, por f... — comecei.

— Vamos — ele ordenou ao cocheiro.

Eustáquio sacudiu as rédeas e a carruagem começou a se afastar.

Oh, meu Deus, ele não ia me ouvir. Não me deixaria explicar. Tirara suas conclusões, e nada o convenceria. Jamais iria acreditar em mim.

— Elisa, o que está acontecendo? — Saulo parou a meu lado, preocupado. — Por que está chorando? Aonde meu irmão está indo?

Eu nem tinha percebido que chorava. Levei os dedos ao rosto, tentando secar as lágrimas, mas elas caíam rápido demais.

— Não sei, Saulo! Ele está furioso comigo e... e eu...

Não foi preciso que eu dissesse nada mais. Saulo entendeu, descendo as escadas aos pulos.

— Diabos! Lucas, espere! — gritou.

A carruagem parou por um instante e ele conseguiu subir.

Dilacerada, assisti ao veículo desaparecer nas sombras da noite.

O soluço me pegou desprevenida. Foi alto e doloroso até mesmo para meus ouvidos. As lágrimas começaram a descer pela minha bochecha com mais rapidez. Meu corpo não aguentou mais aquela agonia e eu caí nos degraus, encolhida como uma bola em meio às saias vermelhas, permitindo que a dor me devorasse.

Tudo estava perdido.

## 42

— Ele está trapaceando — Lucas comentou com o irmão, apontando o cavalheiro a três mesas de distância.
— E quem se importa com isso? — esbravejou Saulo, sem se dar o trabalho de se virar. — Por que diabos estamos aqui?
Uma jovem vestida apenas com uma chemise branca e um par de meias de seda pretas parou diante da mesa deles.
— Mais Bourbon, meu querido doutor?
— Não, ele não quer! — Saulo respondeu, ao mesmo tempo em que Lucas concordava com a cabeça, o olhar perdido no salão do estabelecimento da srta. Anne Marie.
Lucas estava muito ciente de que era alvo de especulação, tanto por parte das cortesãs quanto dos cavalheiros que ali se embebedavam. E ele tinha o mesmo propósito ao ir até aquele bordel. Embebedar-se até não sentir nada abaixo do pescoço, até as imagens em sua cabeça se tornarem apenas um borrão indistinto.
Ele não estava conseguindo esquecer. A cada vez que piscava, via Elisa nos braços daquele maldito. Não devia ter saído de perto dela. Não devia ter facilitado as coisas para Alexander. E ele havia pressentido alguma coisa. Como se algo não se encaixasse. Ainda assim, acompanhara Henrique e tentara se livrar dos amigos o mais rápido que pôde.
Quando, ao voltar, não encontrara Elisa em parte alguma, um pressentimento ruim, uma espécie de déjà-vu distorcido, fizera seu estômago revirar. Fora até o balcão e vasculhara os jardins, soltando um suspiro aliviado ao não encontrar vestígio de sua esposa. Fizera a volta para entrar, mas seus olhos foram capturados

pelo tremeluzir de uma vela dentro de um dos aposentos e uma profusão de vermelho. Ficara paralisado ao ver Elisa. Precisara de um instante para entender que ela beijava outro homem.

A visão de Lucas tingira-se de vermelho e ele sentira tudo em seu corpo se retesar, como se estivesse indo para uma luta, disposto a matar ou morrer. Tinha certeza de que era o que teria acontecido se ele estivesse no mesmo cômodo que o maldito. Em sua cabeça, vira vinte e oito maneiras de matar o sujeito. Todas elas continham muito sangue e gritos. Pensava nelas antes de sair atrás do homem e desafiá-lo para um duelo quando Elisa o abordara e depois informara o nome do amante. Desde então, seu peito estava em silêncio.

Poucas horas antes, ela havia se entregado a ele naquela carruagem em um abandono comovente. Se tivessem mais tempo, estava certo de que teriam ido até o fim. Ele ousara ter esperanças de que pudessem superar as mágoas do passado e recomeçar. Mas Elisa ainda amava Alexander.

Como fora tolo em pensar que chegara perto de alcançar o coração dela. Nunca houve espaço para ele, apenas para o maldito Alexander. Lucas odiou o sujeito ainda mais. Odiou por ter conquistado Elisa, por ser quem ela queria. E Lucas se odiou por não ser Alexander.

Lucas nunca teria Elisa. Não importava que tivesse dado seu nome a ela, que lhe fizesse a corte, que o corpo dela reagisse a seu toque. Ela jamais lhe daria o que ele mais desejava: seu coração. Lucas estava condenado a viver com ela, se deixar comover por sua bondade, se permitir enfeitiçar por sua beleza — todos os malditos dias —, sem jamais ter sua afeição, consciente de que ela amava outro homem.

Precisava de muito álcool para esquecer tudo isso. Por sorte, a srta. Anne Marie tinha muito em seu estabelecimento. Essa foi uma das razões pelas quais ele escolhera ir até a cidade àquela hora da madrugada.

A outra razão era muito mais sombria.

— Lucas, meu irmão, você não devia beber tanto. Não, querida, não toque em mim. — Saulo afastou as mãos ansiosas da jovem prostituta que tentava arrancar-lhe o paletó. — Se minha mulher souber onde estou agora, pela manhã eu serei um homem morto. — E voltando a encarar Lucas. — Álcool nunca é a solução!

— Discordo. — Deixou a cabeça pender para trás, fechando os olhos.

Lucas tinha pensado que aquela noite marcaria um novo começo entre ele e Elisa. De certa maneira, estava certo Qualquer expectativa de ter uma vida feliz ao lado dela se encerraria naquela noite. Ele ia garantir isso.

— Tão tenso! — Os dedos suaves da cortesã lhe massagearam os ombros.

— Tem certeza de que não quer subir e se livrar de toda esta roupa, doutor?

— Pelo amor de Deus, minha senhora, deixe-o em paz! — Saulo reclamou, antes que Lucas pudesse dizer alguma coisa.

— O senhor não parece apreciar a minha companhia — a moça fez um beicinho —, mas seu irmão gosta da minha atenção.

— Ah, disso eu não duvido! — Saulo tomou um gole do excelente Bourbon.

— Ele não tem um pingo de bom senso em seu corpo agora. Sem desmerecer seus... belos atributos. Por favor, nos deixe sozinhos por um instante.

Quando a moça começou a se afastar, emburrada, Lucas a segurou pelo pulso

— A garrafa fica. — Pegou-a de suas mãos delicadas.

— Apenas a garrafa? — Fez um biquinho.

— Por ora, sim.

A promessa a apaziguou um pouco. Depois de uma piscadela, foi para outra mesa.

— Está certo, Lucas. — Saulo se inclinou para a frente, falando baixinho. — Não deve ser fácil ver a mulher que ama com outro homem. Mas você está fazendo tudo errado! Lute por ela!

— Não posso obrigá-la a viver comigo. — Lucas completou seu copo, deixou a garrafa ao alcance da mão, e virou tudo em um gole só.

Estava tentando odiar Elisa. Realmente estava se esforçando, mas não era capaz. Ela nunca teve escolha. Fora obrigada a aceitar Lucas e a abrir mão de Alexander e de todos os seus sonhos românticos. Lucas a condenara por amar uma vez. Não podia condená-la agora, diante da constância de seus sentimentos.

— O diabo que não pode! — retorquiu Saulo. — Você é o marido dela!

Desesperado e furioso, Lucas olhou para o irmão.

— Você não entende, Saulo. Alexander voltou e Elisa correu para os braços dele. Ela ainda o ama. Foi obrigada a se afastar dele, mas nada conseguiu matar o amor que sentia.

— E como poderia ter matado, se tudo o que você fez foi magoá-la, chamando-a de prostituta?

— Eu sei, inferno! — Lucas esfregou o esterno, tentando se livrar da dor. Parecia que a cada segundo se intensificava, como um nervo partido ao meio. — Deixei que o ciúme e o orgulho me cegassem e perdi a chance de tentar conquistá-la. Então, no fim das contas, eu nem posso condená-la, porque tudo o que eu fiz foi feri-la, caralho! — Colocou o copo na mesa com um baque surdo.

— Então lute agora! Mostre para ela quem você realmente é!
— É o que eu tenho feito nesta última semana, Saulo — confessou, exausto. — Mas não adianta. Elisa é do tipo de pessoa que ama apenas uma vez na vida. — *Assim como eu.* — Ela já tentou fugir com esse homem. O irmão dela a impediu. Não importa quantas vezes a tragam de volta, ela sempre vai correr para ele. Então me diga: como posso lutar por ela? Porque eu posso obrigá-la a ficar comigo, posso impedi-la de ver esse sujeito, mas não posso impedir que continue amando esse homem.
— Diabos! — bufou Saulo. — O que pretende fazer, então? Além de me arrastar para este bordel para vê-lo se embebedar até cair. Sabe que Tereza vai enfiar um punhal no meu peito se descobrir que estou aqui, não é?
— Eu falei para você voltar para casa.
— E abandoná-lo quando mais precisa de mim? De jeito nenhum. Apenas me diga o que vai fazer, para que eu possa tentar ajudá-lo. Ou demovê-lo de alguma ideia estapafúrdia.
— Farei a única coisa que me parece honrada no momento, meu irmão. Vou corrigir meu erro. — Pegou a garrafa e encheu seu copo até quase transbordar. — Vou dar a Elisa a liberdade que lhe neguei três anos antes.
— Não gostei disso. — Saulo fechou a cara.

Lucas também não. Mas, assim que colocasse seu plano em prática, a sociedade não condenaria Elisa por abandoná-lo. Ela estaria livre dele.

Sentiu as sombras se apossarem de sua alma enquanto virava mais um copo de Bourbon e se levantava. A escuridão o tragava de novo para aquele inferno no qual vivera até voltar ao Brasil e reencontrar Elisa. Um inferno de onde, desta vez, ele jamais sairia.

Ignorando os protestos do irmão, Lucas mirou o sujeito que escondia cartas sob o paletó e, decidido, jogou-se rumo ao destino obscuro que o aguardava.

# 43

— Minha querida, eu sei que está preocupada com o seu marido, mas esse seu vaivém está me deixando um pouco tonta — contou a sra. Guimarães, observando-me do sofá da sala, um bastidor esquecido no colo.

Eu me obriguei a parar e me sentar na poltrona. Apenas para me levantar um segundo depois e recomeçar a andar.

— Saulo está com ele — assegurou Rosália. — Não vai permitir que Lucas faça besteira. Um pouco de uísque é o melhor conselheiro de um homem em situações como essa. Não se preocupe. Lucas sempre foi o mais sensato dos meus filhos.

Eu não tinha certeza se concordava com isso. Rosália não sabia da história. Dei a entender que Lucas e eu tínhamos tido um desentendimento, e que temia que ele perdesse a cabeça. Ela ficou surpresa, mas não pareceu preocupada. Porém, o que eu tinha visto no rosto de Lucas antes da carruagem partir me dizia que ele estava à procura de problemas. Céus, e se ele tivesse ido atrás do meu suposto amante? Eu pensava que Alexander tinha ido embora para sempre, mas e se não fosse assim? E se eles tivessem se encontrado? Meu Deus. Lucas poderia desafiá-lo a um duelo!

Pensei que pudesse realmente explodir em um milhão cacos. Decidi ir até o lado de fora. Um pouco de ar fresco poderia me fazer bem, além de não perturbar a sra. Guimarães com meu vaivém. Ao descer as escadas. avistei Berta um pouco afastada da casa, olhando ao redor.

— O que foi, sra. Veiga?

— É o Samuel, senhora. Não consigo encontrar o menino em parte alguma. A senhora o viu?

— Pensei que ele ainda estivesse dormindo.

— Não. Ele pulou cedo da cama. Queria saber se o doutor já estava de pé, e não gostou quando eu contei que ele ainda não chegara em casa, mas a senhora sim. Saiu sem comer, dizendo que ia brincar até que a senhora acordasse, mas estive em todos os lugares em que ele costuma se esconder e não o encontrei em parte alguma!

Uma rajada de vento arrepiou os cabelos em minha nuca, e meu coração perdeu o compasso.

— Sra. Veiga, aquele homem esteve rondando a casa novamente? O sr. Duarte?

— Não que eu tenha visto.

Sua resposta não me trouxe alento. Ninguém vira Duarte no episódio da pedra também.

— Vou procurar Samuel — anunciei. — Peça a alguns empregados para fazerem o mesmo.

— Agora mesmo, sra. Guimarães.

Vasculhei os arredores, da estrebaria ao jardim agora trancado. Fui até a margem do riacho, na esperança de que ele estivesse ali, mas não encontrei nem sinal. Meu coração batia forte e assustado conforme eu chamava pelo menino e não obtinha resposta.

Estava voltando para casa na esperança de que alguém o tivesse visto quando a carruagem de Lucas passou por mim. Samuel estava sentado ao lado de Eustáquio. Levantei as saias e corri. O veículo parou em frente à casa.

Samuel veio correndo em minha direção.

— Você vai brigar com el...

— Nunca mais faça isso! — Eu o peguei pelos ombros, sacudindo de leve. — Nunca mais saia de casa sem me avisar!

— Mas eu só estava tentando ajudar — falou, magoado. — E encontrei o doutor no caminho.

— Você não avisou a ninguém que sairia. Quase me matou de susto! Pensei que... que algo terrível... Oh, graças a Deus você está bem! — Eu o abracei apertado, sentindo seu cheiro de menino, terra e pão doce.

Quando o soltei, ele me contemplou com olhos escuros imensos e assustados.

— Você vai me bater?

— Oh, meu querido Samuel, é claro que não vou! A violência nunca é a solução, muito menos para educar uma criança. Mas você está de castigo! Está proibido de deixar seu quarto até a hora do almoço.

Ele me olhou desconfiado.

— E o que mais?

— Não tem mais.

— Então o meu castigo é ir para aquele quarto limpinho e bonito e só ficar lá?

— Seu quarto não anda tão limpinho assim. Você é um tremendo bagunceiro. Arrume tudo.

Arriando os ombros, ele fez a volta, afastando-se sem nenhuma pressa.

— Agora realmente parece um castigo.

Depois que ele entrou em casa, minha atenção se voltou para o veículo. Saulo foi o primeiro a descer. Parecia exausto. Logo em seguida veio Lucas. Sua camisa estava entreaberta por baixo do paletó, uma parte para fora das calças, como se ele a tivesse vestido às pressas. Um olho estava inchado e rodeado por um círculo roxo. Tropeçou nos próprios pés e teve de se segurar na carruagem para não cair. Saulo passou um braço por sua cintura, resmungando alguma coisa.

— O que aconteceu? — perguntei, inquieta. — Céus, Lucas, você encontrou Alexander?

Saulo evitou me olhar, mas seu rosto adquiriu um tom rosado. Lucas até tentou mirar os olhos em mim, mas estava embriagado demais para conseguir manter o foco.

— Ah, quem dera eu tivesse tanta sorte — ele articulou, em uma voz engorolada.

— Então por que está ferido? Em que confusão se meteu?

— Era uma causa nobre! A liberdade nunca é conquistada sem uma boa briga. Não sabe disso?

— Que liberdade? — eu quis saber, impaciente.

— A sua. É uma mulher livre! Meus cumprimentos, madame. — Fez uma mesura. Desequilibrou-se e por muito pouco ele e Saulo não foram de cara no chão.

— Vamos entrar, Lucas — seu irmão aconselhou. — Você está falando um monte de baboseiras. Vamos lá, você precisa se deitar.

— Eu preciso de muita coisa, Saulo. — Afastou com um safanão os cabelos embaraçados que lhe caíram no rosto e olhou para o irmão, a expressão tomada de angústia. — Mas a que eu mais desejo não posso ter, então de que me serve todo o resto?

— E de um café bem forte. — Saulo emendou, arrastando-o para dentro de casa.

O que tinha acontecido? Se ele não encontrara Alexander, com quem andara brigando?

Os gritos de Tereza explodiram no ar. Passei pela porta a tempo de vê-la sacudir as saias e sair pisando duro. Saulo olhou feio para Lucas antes de os dois subirem em direção ao quarto.

Eu fui atrás, mas Rosália me deteve.

— Não é o melhor momento, querida. Lucas está bêbado feito um gambá. É provável que não consiga articular uma frase coerente.

— Mas eu tenho que falar com ele, Rosália.

— Mais tarde vocês poderão conversar civilizadamente.

Ao ver Lucas tropeçando ao chegar ao segundo andar, tive de dar razão a ela. Ele mal conseguia se manter de pé. E essa conversa seria decisiva para nós dois. O maldito beijo precisava ser explicado... além de todo o resto.

Isso me servia de lição. Mentir, mesmo que para proteger alguém, nunca acaba bem. Eu devia falar com ele quando a bebedeira passasse. Pela minha experiência com Ian, era a única coisa sensata a fazer.

O problema é que eu atingira o limite e estava farta de ser sensata, de me dizerem o que fazer.

Subi as escadas correndo, ignorando Rosália, que me chamava. Cheguei ao quarto dele no instante em que Saulo saía.

— Deixe-o dormir, Elisa.

— Não posso, Saulo. Eu tenho que me explicar. Houve um terrível mal-entendido. Não posso permitir que ele acredite nem mais um minuto em algo que não aconteceu.

— Um mal-entendido? — perguntou, hesitante.

— Um terrível engano! Eu tenho que falar com ele, Saulo. E precisa ser agora!

— Ah, diabos... — Afastou-se, me dando passagem.

Não perdi tempo e, depois de entrar e fechar a porta, avistei Lucas largado sobre o colchão, ainda totalmente vestido. Adiantei-me até a cama bem devagar.

— Lucas, podemos conversar?

Ele se apoiou nos cotovelos e tentou descalçar os sapatos. Teve êxito com o primeiro pé, mas o segundo lhe deu mais trabalho. Acabou desistindo.

— Humm... Este não é o melhor momento. — Puxou o paletó e conseguiu libertar um dos braços.

— Sinto muito, mas eu preciso esclarecer o que aconteceu.

— Não precisa se dar o trabalho, Elisa. Já ficou tudo muito claro. — Finalmente conseguiu tirar o paletó e o jogou na poltrona, mas errou o alvo e a peça caiu a poucos metros de mim.

— Está enganado. Permiti que isso tudo fosse longe demais. Não sei quanto você viu ontem. Acredito que não muito, do contrário saberia que eu acertei Alexander na... — Abaixei-me para apanhar o paletó. Um perfume adocicado me chegou ao nariz. Almíscar, álcool e algo mais. Jasmim, talvez.

Soltei o paletó, como se me queimasse. Ele se amontoou no chão, e algo escorregou de dentro do bolso forrado de cetim, rolando para baixo da cama. No entanto, fui capaz de identificar o belo colar de pérolas antes que desaparecesse.

— Você esteve... esteve com... uma dama? — Tentei engolir e não consegui.

Ele deu risada e mirou os olhos embotados em mim.

— Não sei se podemos chamá-las de *damas*.

Tentei bloquear as imagens em minha mente. Tentei de verdade. Mas foi inútil. Eu o via curvado sobre mulheres sem rosto, sussurrando palavras apaixonadas no pescoço delas, acariciando suas coxas nuas, como tinha feito comigo.

Outras mãos haviam tocado o corpo dele, outras bocas sentiram seu gosto, o calor de seu beijo. Ele tinha feito com elas as coisas que fizera comigo e outras tantas que eu nem podia imaginar, pois não as conhecia.

Meu coração pareceu despencar no estômago. A dor me apunhalou com tanta força que tive de me apoiar na parede para não cair.

— Vejo que entendeu — murmurou.

— Por quê?

O sorriso cínico que eu odiava, e que não tinha visto por muitos dias, deu as caras.

— Não parece óbvio, Elisa?

Não. Não para mim.

— Você disse... você disse que me queria como sua esposa. Que me desejava. Você disse...

— O que era preciso para que você aceitasse minha proposta. Admito, você é linda. — Seu olhar passeou pelo meu corpo. — Sempre foi. Eu seria um lunático se não me sentisse atraído por você. Mas é só isso. Quando eu a vi esta noite... a noite passada... com o seu amante...

— Ele não é meu amante!

— ... percebi que eu estava perdendo tempo e procurei o que eu precisava. É muito mais conveniente assim. Eu pago, elas me dão o que eu preciso. Sem complicações. Nada de corte, passeios enfadonhos a tabernas ou qualquer dessas baboseiras de que você parece gostar tanto.

Dei um passo para trás, a respiração entrecortada. Ele desdenhava de minhas lembranças mais bonitas. Lucas não teria me ferido mais profundamente nem se tivesse tentado.

Ele me avaliou por um instante, uma das sobrancelhas arqueadas, o cinismo lhe esticando o rosto.

— Você parece chocada, minha querida. Deve saber que casamentos regidos pela fidelidade são raros. A maioria é como o nosso. Cada um satisfaz seu desejo onde lhe convém. — Caiu sobre os travesseiros. — E diante da sociedade representamos o casal feliz.

— Eu não sou sua querida. — Apesar da ira, minha voz falhou.

Como eu tinha sido estúpida. Acreditei nele. Acreditei que quisesse que nosso casamento fosse de verdade. Tudo o que ele queria era um corpo quente para lhe esquentar a cama. Qualquer corpo.

— Não. — Meu coração batia rápido, mas desta vez era a raiva que me guiava.

— Não o quê, Elisa? — Ele mirava o teto.

— Não! — Minha voz saiu mais forte agora. — Não! Não vou me sujeitar a isso. Me recuso a viver assim. Você não pode me obrigar a suportar as suas... as suas...

— Libertinagens? Devassidões? Orgias?

— Suas amantes! — O que ele pretendia ao me dizer aquelas coisas? Que eu o odiasse ainda mais?

Sentando-se lentamente, ele manteve os olhos em mim como faz um predador.

— Mas eu posso, Elisa. Sou seu marido. E, como sabe, a lei me garante alguns direitos sobre você.

Aproximei-me da cama, encarando-o com toda a fúria que eu sentia.

— Você não é meu marido! Nunca agiu como se fosse. Esse maldito casamento, que não passa de um pesadelo, nunca foi consumado. Vou entrar com um pedido de anulação!

Ele ficou em silêncio por um instante, o rosto congelado em uma máscara insondável.

— Está certa disso? — perguntou, por fim.

— Como jamais estive em toda a minha vida!

Seu peito subiu e desceu, como se inspirasse aliviado. Aquilo doeu.

— Muito bem. — Sua voz não tinha entonação. — Vou providenciar a papelada.

E foi então que eu finalmente compreendi o que o levara a manter o noivado depois que eu mentira. Por que não desistira quando tivera a chance.

— Isso é o que você pretendia — percebi tarde demais. — Essa era a sua vingança. Não bastava me transformar em uma piada com aquele noivado ridiculamente longo. Você queria me destruir completamente. — E conseguira. Assim que a anulação se tornasse pública, todo tipo de especulação recairia sobre mim.

Seu olhar se prendeu ao meu, frio e ferino.

— Se há algo que eu posso afirmar, Elisa, é que você nunca compreendeu meus sentimentos. Então não tente agora.

— Você não tem sentimentos — sussurrei. — Tem um pedaço de carvão dentro do peito.

Minhas lágrimas ameaçavam transbordar, por isso corri para meu quarto, batendo a porta de ligação depois de passar por ela, levando a mão à boca para abafar os soluços, que se tornavam incontroláveis. Eu havia confundido tudo. Pensei que ele pudesse me amar. Que a última semana tivesse significado algo especial para ele, como significara para mim. Mas tudo não passou de um engano. Ele apenas queria saciar sua luxúria e concluir sua vingança.

Meu coração se partiu em centenas de milhares de cacos minúsculos. Doía tanto que meus ossos pareciam se sacudir dentro da carne, procurando uma forma de alívio.

Mas não havia uma.

## 44

O sol dançava atrás de minhas pálpebras, criando padrões avermelhados, e aquecia minha pele fria.
— Você dormiu? — perguntou Sofia.
Abri os olhos e a encarei.
— Não. Estou bem acordada.
Estávamos sentadas no banco do jardim. As crianças brincavam perto dali, enquanto Bartolomeu dormia ao lado de meu quadril.
— Eu estava falando da noite passada, Elisa. — Ela pressionou os lábios de leve. — Ouço você andando pela casa a noite toda desde que voltou.
Fazia uma semana. Uma semana desde que eu batera à porta da casa de meu irmão, com um garoto de nove anos pela mão e uma valise embaixo do braço, pedindo abrigo. Fazia uma semana que eu não conseguia fechar os olhos. Uma semana desde a última vez que conseguira respirar direito.
— Desculpe — eu disse a Sofia. — Eu não queria incomodar seu descanso.
— Não seja ridícula, Elisa. — Ela afastou do rosto uma de suas ondas douradas. — Não tô ligando pra isso. É você que tá me deixando preocupada.
— Pois não devia. Devíamos nos preocupar com Ian. Acha que ele vai quebrar o juramento que me fez? De não matar Lucas?
Ela ponderou por um instante.
— Ele não costuma voltar atrás quando promete alguma coisa.
Ainda assim, essa possibilidade andava me tirando o sono.
Meu irmão me acolhera de braços abertos, e precisei de algumas tentativas para conseguir lhe dizer que eu havia deixado Lucas. Ele ainda não tinha ouvido os boatos, mas, assim que ficara a par de tudo, quis ir atrás dele.

— Por tudo o que é mais sagrado, Ian, você não pode fazer isso! — Eu implorara, enquanto ele atravessava a casa a caminho do quarto, para apanhar sua arma no cofre. — Só pioraria tudo!

— Ele agiu como um canalha e você quer que eu não faça nada?!

— Não piore ainda mais as coisas, meu irmão. Você prometeu que ia me deixar resolver tudo sozinha!

Fora o mesmo que falar com a parede.

— Isso foi antes de o seu marido se meter em um bordel. — Ele nem ao menos diminuíra o ritmo. — Eu devia ter matado aquele sujeito quando o flagrei beijando você no jardim.

— Por favor, Ian. A anulação já será um escândalo. Não preciso de mais um.

Isso o detivera.

— Espere. Você vai pedir a *anulação*?

— O casamento nunca... chegou a ser consumado. — Eu contara, mortificada. Tinha confirmado com Sofia minhas suspeitas: o que fizemos na carruagem não foi o ato completo. Eu continuava virgem. A anulação poderia ser solicitada.

— O quê? — Meu irmão esfregara a testa.

— As coisas não andavam bem. Ele foi... gentil em não exigir que eu... você sabe. — Meu rosto esquentara tanto que eu pensei que a pele pudesse se desprender dos músculos. — Lucas não é má pessoa, Ian. Só é um marido ruim, e isso será resolvido com a anulação. Por isso você não pode ir atrás dele e matá-lo. Por favor, meu irmão, estou implorando! Não faça isso. É da minha vida que estamos falando. Me deixe resolver tudo do meu jeito!

Ele bufara feito um touro bravo. Andara alguns passos, resmungara algumas coisas antes de levantar o olhar para mim e permanecer calado.

— Ele não fez nada que outros homens não fizeram antes — eu insistira. — Ele foi apenas descuidado, na noite passada. Eu é que não estou disposta a agir como as outras mulheres. Não posso viver em um casamento sem amor. Errei ao insistir em um relacionamento que eu sabia estar fadado ao fracasso.

— Os outros homens não são maridos da minha irmã — falara Ian, entredentes.

— E Lucas deixará de ser em alguns meses. Por favor, não o mate. Eu... — Tivera de desviar os olhos outra vez. — ... não suportaria. Não querer continuar casada com ele não significa que eu não tenha sentimentos por ele. Mesmo magoada e com muita raiva, eu ainda... o amo.

Isso o desarmara totalmente. Aproximando-se, meu irmão descansara a mão sobre o nó que eram as minhas.

— O que aconteceu entre vocês dois?

Essa era a pergunta que eu temia que ele fizesse, pois não havia maneira de poupá-lo da verdade e eu sabia que se sentiria culpado. Eu não queria isso. Ian já passara tempo demais de sua vida se preocupando comigo.

— Depois daquela viagem, as coisas ficaram estremecidas entre nós. Nunca mais foi a mesma coisa.

Ele esfregara a testa com raiva.

— Por que não me contou, Elisa?

— Porque eu pensei que pudéssemos resolver sozinhos. Mas não conseguimos superar a barreira que se ergueu entre nós. — Isso era tudo o que eu podia dizer a ele. — Acho que vou aceitar sua sugestão e passar um tempo com tia Margareth. Longe do Brasil talvez eu consiga deixar tudo isso para trás e recomeçar. E, no fim das contas, minha ausência deve apaziguar os rumores que certamente respingarão em nossa família.

Claro que eu deixara de lado o restante do meu plano. Não pretendia voltar. Tia Margareth não tinha filhos, vivia com sua dama de companhia fazia anos. Eu poderia viver com elas em Londres. Seria a única maneira de manter o bom nome da família Clarke e preservar minhas sobrinhas das fofocas e dos olhares recriminadores. Partiria assim que conseguisse resolver o destino de Samuel. Só não conseguia encontrar forças dentro de mim para contar a meu irmão.

— Não me importo com isso — Ian me assegurara, com toda a firmeza de seu caráter.

— Mas devia. Pelas meninas.

Ian me encarara, os olhos negros sérios e preocupados.

— Elisa, eu sou a última pessoa a querer defender aquele sujeito. Mas se há algo de que eu não tenho dúvida é de que ele a ama.

— Você se enganou.

Assim como eu havia me enganado. Eu me apaixonara por Lucas quando ainda era uma menina. E me apaixonara de novo agora, quando já era uma mulher. Mas não havia distinção de uma época para outra em meu coração. O amor não mudara. Eu é que teria de mudar.

Sofia teve uma reação parecida com a de meu irmão. Não conseguira acreditar que meu casamento tinha chegado ao fim, assim como não conseguia acreditar que Lucas havia se envolvido com prostitutas. De toda maneira, ela me deixara chorar, me consolara e cuidara de mim da melhor maneira que pôde, incapaz de esconder a preocupação.

Exatamente como fazia agora, me encarando com as sobrancelhas retorcidas.

— Mas, pra ser sincera — falou ela —, eu também estou preocupada. Ainda bem que essa viagem surgiu. É a primeira vez que fico feliz em ver o Ian subir no lombo de um cavalo e me dizer que tem que ficar fora por alguns dias. Parecia que ele ia estourar a qualquer instante, Elisa. E, sendo *bem* honesta, o Ian não é o único que quer dar uns sopapos naquele médico safado, não.

— Oh, Sofia, não odeie o Lucas. Tudo o que aconteceu é culpa minha e daquele canalha do... — mordi o lábio. Ah, porcaria.

— Do...? — Ela quis saber.

Olhei para ela, para a irmã que a vida me dera. Não consegui encontrar forças para continuar mentindo. Não para Sofia.

— Ah, Sofia, se você soubesse...

Comecei a contar tudo. Toda a verdade, daquela noite fatídica em meu quarto, quando inventei um romance com Alexander e perdi Lucas, até o desfecho na semana passada, por mais que meu coração doesse. Ela empalideceu quando mencionei o encontro com Alexander.

— O quê? Ele está aqui?

— Acalme-se. Ele já partiu, mas esteve aqui. E tudo desandou por causa disso

— Mas por que ele esteve aqui? Ele falou alguma coisa? — Sofia agarrou minha mão. — Elisa, ele te deu alguma coisa? Joga fora! Não chega perto de nada que venha dele!

— Aquele cretino não me deu nada além de um beijo — cuspi, consternada.

— O *quê?!* — Seus grandes olhos castanhos ficaram do tamanho de pêssegos Não, de nectarinas!

— Não é o que está pensando, Sofia. Ele disse que queria me ajudar a restaurar a ordem do meu destino. Fui tola o bastante para acreditar nele.

— Restaurar seu destino? Como assim?

Ergui os ombros.

— Quem compreende as coisas que Alexander diz? — Então, expliquei o desfecho infeliz daquela noite, passando os braços ao redor do corpo para tentar afastar a dor. Não funcionou.

Ela ficou de pé.

— Elisa, por que raios não contou ao Lucas sobre a viagem no tempo? — exigiu, furiosa, andando de um lado para o outro. — Pensei que isso estivesse resolvido há muito tempo!

— Não é tão simples, Sofia. — Abanei a cabeça.

— É *muito* mais simples do que toda essa confusão que você inventou! — Ergueu os braços. — Por que não contou pra ele?

— Eu não posso colocá-la em tamanho perigo!

— Quê? — Piscou algumas vezes.

Agora que eu havia começado, iria até o fim.

— Padre Antônio me contou sobre a perseguição que algumas pessoas ainda sofrem, sob suspeita de bruxaria. Já houve boatos a seu respeito. Eu temo que, se alguém souber a sua origem, você possa estar em grande perigo. Eu não vou arriscar, Sofia. Nem mesmo por Lucas.

— Elisa, a inquisição acabou faz séculos!

— Na verdade, tem pouco mais de uma década. Alguns casos ainda são investigados.

Ela parou abruptamente, me olhando por sobre o ombro.

— Sério? — perguntou surpresa. Quando confirmei com um aceno, ela se sentou lentamente no banco. — Bom, não muda nada. Eu não sou uma bruxa.

— Creio que todos os investigados também não fossem. — Encolhi os ombros, deprimida. — Mas isso não os salvou. Padre Antônio me contou que recebeu mais de uma denúncia a seu respeito. Oh, Sofia, por favor, não ria! Não é engraçado!

— Desculpe! — Ela mordeu o lábio, tentando se controlar. — Mas é um pouco engraçado, sim. O que o padre Antônio fez?

— Ele arquivou as denúncias. Mas só porque ele a adora e sabe que não está metida com forças ocultas. Se ele soubesse que você viajou no tempo, bom, isso poderia mudar, não? Não me diga que não tem medo que as pessoas saibam disso, porque eu sei que estaria mentindo. Você ocultou esse segredo até de mim!

— Porque eu não queria que você me visse de outro jeito, já te expliquei. Eu fiquei com medo que você pensasse que eu era uma aberração ou uma...

— Bruxa? — sugeri.

— Elisa!

— Eu jamais pensaria qualquer coisa dessas. Não só porque eu a amo, mas porque a conheço. Porém, outras pessoas não a conhecem assim, Sofia. Você viu como os boatos se espalham. Nunca contei seu segredo a ninguém. E jamais vou contar.

Ela passou um braço ao redor dos meus ombros, me apertando com força.

— Eu também amo você. Mas, Elisa, ninguém pode provar que eu vim do futuro. Nem eu mesma! Tive um trabalho danado pra convencer o seu irmão.

No máximo podem me acusar de ser esquisita. Ainda não acredito na sorte que tive em vir pra cá, em conhecer você e o Ian. Sou realmente abençoada por ter vocês. — Tocou meu rosto. — E esse é o motivo pelo qual eu não consigo ficar brava com você agora, por quase ter estragado tudo entre você e o Lucas. Mas você devia contar a verdade a ele. Nada de mal vai me acontecer. O Ian e você não são os únicos que sabem de onde eu vim.

— Não? — Eu a encarei, estupefata.

— Contei ao dr. Almeida já faz muito tempo. E, como vê, eu ainda não fui queimada na fogueira.

Bem... Isso era uma surpresa. Alberto nunca deixara transparecer que sabia. Creio que ele também tenha ficado preocupado e guardara o segredo de Sofia a sete chaves. Podia apostar que ele não dividira o assunto nem mesmo com sua Letícia, caso contrário já teria comentado alguma coisa com Lucas.

— Não importa mais, Sofia.

Seu lindo rosto se contorceu com indignação.

— Como pode dizer uma coisa dessas se você ainda é louca pelo Lucas? E como pode dizer isso se esse segredo foi a causa de todos os desentendimentos entre vocês? Ele acabou com qualquer chance entre vocês dois, Elisa! Uma vez eu quase perdi o Ian por esconder coisas dele. E foi você quem me aconselhou a dizer a verdade. A base de qualquer relacionamento é a confiança. Não se pode amar pela metade, da mesma maneira que não se pode confiar pela metade.

— Seu caso era diferente. Ian não passou a noite num bordel. — Eu me encolhi.

Ela fez uma careta.

— Isso é que tá pegando. – Estalou a língua. — Por que o Lucas tinha que ser tão idiota? Eu não entendo.

— Ficar procurando respostas não vai adiantar. — Afastei alguns fios de cabelo que a brisa soprava em meu rosto. — Tenho que ir até o escritório do advogado amanhã. O documento do pedido de anulação ficou pronto.

— Beleza. Vou com você. Não vou te deixar passar por isso sozinha. Além disso, eu tenho que levar um contrato... — Então, algo a fez arregalar os olhos. — Ah, que droga! Com toda essa confusão, acabei esquecendo de dar uma olhada na papelada de um novo cliente da fábrica e eu tenho que assinar até amanhã! Você pode ficar de olho nas meninas enquanto eu faço isso?

— Claro.

Ela correu para dentro de casa, o vestido erguido até os joelhos, os sapatos vermelhos reluzindo à luz do sol. Rindo, acariciei aquela parte macia entre as orelhas do preguiçoso Bartolomeu e voltei a observar as crianças. Nina tinha um pedaço de madeira na mão que fingia ser uma espada. Analu se divertia escavando um buraco.

Elas ficaram eufóricas com meu retorno, não só porque sentiam minha falta, mas porque Samuel viera comigo. Os três se entendiam espantosamente bem. Sobretudo Samuel e Nina.

Em uma noite em que eu pouco prestava atenção ao que estava acontecendo ao meu redor, Marina parara diante de mim e então me abraçara bem apertado.

— Obrigada, tia Elisa.

— Pelo quê, meu amor?

— Por ter cumprido sua promessa e me dado um priminho. Do Sam eu gosto muito!

Antes que eu pudesse explicar alguma coisa, Marina me soltou e saiu atrás de alguma aventura. Mas o que eu poderia ter dito a ela? Que não devia amá-lo porque eu não fazia ideia do que iria acontecer com ele? Que havia a possibilidade de Duarte conseguir reivindicar o sobrinho? E que, se isso acontecesse, eu morreria, porque eu amava Sam e jamais aceitaria me apartar dele? Que nunca permitiria que ele voltasse a sofrer nas mãos daquele homem?

Alguma coisa tinha de acontecer. Não podíamos mais viver naquele limbo. Ian estava me ajudando a encontrar uma solução, mas, assim como Lucas, não tivera sucesso.

Como se pressentisse que eu pensava nele, Samuel saiu da casa e atravessou o gramado com uma revista debaixo do braço. Parecia ansioso, mas havia um sorriso quase presunçoso em seu rostinho já não tão fino.

— Eu estava me perguntando onde você estava se escondendo — brinquei.

— Estava no quarto. Acabei. — Colocou a revista em meu colo.

— Acabou o quê, Sam?

— A revista. Encontrei o A. Passei a semana toda procurando.

Na semana anterior nós havíamos suspendido as aulas. Eu não estava conseguindo me concentrar, nem pensar em uma maneira de facilitar a alfabetização de um garotinho com dificuldade de aprendizado. Samuel não precisava de um novo fracasso para desestimulá-lo.

Por isso olhei para ele com a sobrancelha franzida. Ao abrir a revista, notei que havia círculos em todo o texto da primeira página. Todas as letras A da página tinham sido assinaladas. Fui folheando as páginas, incrédula. As marcações se repetiam. Ele tinha circulado a revista inteirinha!

— Samuel! Você conseguiu! Você encontrou a letra A. Você aprendeu!

— De verdade? — perguntou, um pouco cismado.

— Sim! Eu disse que você era muito inteligente. Nós só tínhamos que encontrar o seu jeito de aprender! Eu estou tão, mas tão orgulhosa de você! — Abracei-o tão apertado que ele começou a se contorcer na tentativa de escapar. Eu sabia que ele não era uma causa perdida. Ninguém jamais é. Eu o segurei pelos ombros e olhei dentro de seus olhos. — Agora me conte como conseguiu encontrá-los.

— A amora que você desenhou junto com a letra no outro dia. Toda vez que eu pensava em uma me lembrava da outra. Foi assim que eu consegui.

— Por associação — murmurei para mim mesma. Poderíamos seguir assim. E criar mais jogos que tornassem tudo mais interessante para ele e fixassem as letrinhas em sua cabeça. Um milhão de ideias atravessaram minha mente. — Temos que retomar as aulas imediatamente, Sam!

Um brilho orgulhoso chispou em seu olhar escuro.

— Vou podê ser um doutor, então? Quantas letras faltam para eu aprendê a ler?

— Só mais vinte e cinco. E você vai ser um médico maravilhoso um dia. Ou qualquer outra coisa que quiser! Não tenho nenhuma dúvida disso.

— Vinte e cinco?! — Fez uma careta tão sofrida enquanto se sentava ao meu lado que acabei rindo. — Assim vai demorar muito pra eu ser médico, Elisa!

Acariciei os fios curtos em sua cabeça, que já começavam a se curvar nas pontas.

— Vamos retomar as lições esta tarde. Assim aceleraremos a sua ida para a escola de medicina, está bem?

Ele assentiu, muito sério, e fitou as meninas, os pés se balançando no ar.

— Quando a gente vai poder voltar pra casa? — perguntou.

— Nós não vamos, Sam. Lucas e eu não voltaremos a viver juntos. Eu já expliquei isso, lembra?

Samuel não me perguntara nada quando eu lhe disse que estávamos indo embora, na semana anterior. Quando contei que Lucas e eu iríamos nos separar, ele apenas assentira, mas não fora capaz de esconder a tristeza. Embora estivesse bravo com Lucas por ter me feito chorar, Samuel sentia falta dele.

— Por causa do que ele fez? Ter ficado bêbado igual ao meu tio?

— É um pouco mais complicado — falei, com delicadeza.

— Só porque vocês, adultos, gostam de complicar tudo. Você gosta do Lucas. Ele gosta de você. Você deixou ele bravo e ele te fez chorar. Vocês deviam pedir desculpas e resolvê tudo isso de uma vez. — Pulou do banco e chamou Marina, perguntando se podia brincar.

Enquanto eu o via cruzar o gramado, me peguei desejando que o mundo pudesse ser tão simples quanto era aos olhos das crianças.

# 45

As cortinas foram bruscamente afastadas. Lucas ergueu o braço para proteger os olhos. No entanto, uma mão agarrou seu pulso e um rosto entrou em seu campo de visão.

— Você parece miserável, doutor.

— Olá, sr. Clarke. Fique à vontade para invadir minha casa — murmurou e depois gemeu.

Estaria muito contente se seu trabalho o tivesse levado a descobrir um remédio mais eficiente para a ressaca. Tinha certeza de que sua cabeça acabaria explodindo a qualquer minuto. Ou caindo do pescoço feito uma fruta podre que se desprende do galho e se arrebenta no chão.

— Não invadi — retrucou Ian, aprumando a coluna. — Seu irmão me trouxe até aqui. Não acha que é um pouco cedo para estar embriagado desse jeito?

— Já que eu paguei pelo uísque, alguém deve bebê-lo. E deve ser tarde em algum lugar do mundo. — Ele se ergueu sobre os cotovelos e fitou o cunhado, esperançoso. — Veio aqui para me matar?

Ian não respondeu de imediato. Caminhou pelo quarto, examinando uma garrafa vazia e outra pela metade, as roupas sujas espalhadas sobre a mobília, um prato com um sanduíche intocado que Baltazar trouxera mais cedo.

— Me passou pela cabeça — disse, por fim. — Mas parece que você já está fazendo um bom trabalho sozinho.

Lucas manteve os olhos em Ian feito uma raposa encurralada. Não foi fácil, já que via três dele. Diabos, realmente não devia ter bebido tanto. O sol nem tinha se posto ainda. Ou será que tinha acabado de nascer?

Ah, quem se importava?

Seu cunhado parou ao lado da mesinha de cabeceira e analisou com a testa franzida um pedaço de papel no qual Lucas andara brincando dias antes, mas que agora era apenas um lembrete doloroso.

— Durma, minha pequena... — leu Ian.

— Isso é particular. — Puxou o papel das mãos dele e o guardou na gaveta do criado-mudo. Fingiu não ver o colar de pérolas solitário ali dentro. Outro maldito lembrete. — O que veio fazer aqui, afinal?

— Você adivinhou, em parte. Vim aqui cobrar uma explicação sobre sua noite de farra com prostitutas... e ainda pretendo fazer isso, antes de seguir viagem. Uma parte minha, a do irmão mais velho, estava certa de que atiraria antes e faria perguntas depois.

— E o que o impede?

— Aquela parte minha, a do homem. Ela se reconheceu em você. — Seus olhos foram encobertos por uma nuvem obscura. — É lancinante, não? A dor de perder a mulher que ama. — Não tinha sido uma pergunta.

Surpreso demais para dizer qualquer coisa, Lucas anuiu.

— Eu me lembro. Mesmo agora, tantos anos depois, a dor de quando Sofia partiu ainda me atormenta. — Ian colocou as mãos nos bolsos e caminhou um pouco pelo quarto. — Estou indo até uma fazenda entregar um dos meus melhores cavalos, mas decidi quebrar a promessa que fiz à minha irmã, sobre não interferir na vida dela. Elisa tentou me convencer de que você não a ama. — Ele parou de andar e deu uma boa olhada em Lucas, nas roupas amarfanhadas, na barba por fazer. O rosto de Ian se contorceu de compaixão. E empatia. — Mas ela está enganada. Por isso eu estou aqui me perguntando o que diabos você está fazendo.

Lucas esfregou o rosto. Precisava de uma bebida.

Com muito esforço, conseguiu se levantar e ir aos tropeções até a mesa onde estava o uísque. Serviu dois copos e ofereceu um deles a Ian, que recusou. Lucas teve a incômoda sensação de que o cunhado preferia se manter sóbrio quando fosse atirar nele. Não importava.

— Vou dizer o que consegui deduzir até agora. — Ian se sentou na poltrona, cruzando os braços e esticando as pernas, a cara fechada. — Você foi até a cidade e provocou um escândalo porque queria que Elisa o deixasse. O que eu não compreendo é por que fez isso.

E quem compreendia? Ele mesmo já não sabia se entendia.

Estava esgotado. Passava os dias enfiado naquele laboratório; até mesmo seus pacientes ele deixara de visitar. Mergulhara de cabeça em sua pesquisa, na tentativa de parar de pensar em Elisa. Funcionava cerca de quatro minutos por dia. As noites, porém, eram um pesadelo. O tempo ocioso fazia seus pensamentos vagarem para a casa dos Clarke. O álcool o ajudava a se manter longe de lá, mas o preço eram as terríveis ressacas das quais ele já se tornara íntimo.

Desde que Elisa o deixara, sentia dificuldade para respirar, para pegar no sono, para pensar com clareza. Encontrava um pouco de alívio no esquecimento fornecido pelo uísque, e mesmo este começava a deixá-lo na mão.

E sua família, sobretudo sua mãe...

— Não me admira que Elisa tenha deixado você, Lucas — ela comentara naquele mesmo quarto quando as fofocas chegaram a seus ouvidos. — Não consigo entender onde foi que eu errei. Você sempre foi o mais ajuizado dos meus filhos. Como foi se envolver com aquele tipo de mulher?

— Tendo Elisa em casa! — seu pai o recriminara. — Sabia que uma moça como ela não iria tolerar esse comportamento devasso! Você deve ir atrás dela. Deve implorar que o perdoe e depois rezar para que ela volte para esta casa, meu rapaz.

— Eu não vou fazer isso, pai.

Rosália olhara para Lucas em completo horror.

— Quem é você, e o que fez com o meu Lucas? Porque o meu filho jamais se portaria dessa maneira, como um libertino sem escrúpulos, sem se importar se feriria o orgulho e os sentimentos dessa moça. Ou de qualquer pessoa!

— Me perdoe, mãe. — Ele tomara suas mãos e as levara aos lábios. — Sei que não compreende e não posso explicar muito mais além de que Elisa e eu não funcionamos juntos.

— Vocês estão casados há poucos dias! — ela insistira. — Como pode ter certeza se funcionam ou não?

Desde então Lucas evitava todos eles. Sua alternativa fora se trancar no quarto. Os móveis não falavam de coisas que ele não queria ouvir. Ao menos até o sexto copo de uísque.

— Você ama Elisa — a voz de Ian o tirou da abstração.

O rosto dela surgiu atrás de suas pálpebras, sorrindo com aquelas encantadoras covinhas.

— Realmente amo, Ian.

— O que aconteceu? — insistiu em tom sombrio.

Lucas esfregou o peito para tentar se livrar da dor. Quando não funcionou, tomou um gole de uísque e foi se sentar aos pés da cama.

Ele a ferira. Atiçara Elisa até que ela pedisse a anulação. Estava feito. Ele a libertara. Uma parte dele estava feliz com isso. Mas havia a outra, lutando para se libertar feito um animal enjaulado e enraivecido, que exigia que fosse atrás dela. Que gritasse que ele havia feito tudo por ela. Que bebera, jogara, permitira que prostitutas se esfregassem nele e que isso o matara por dentro. Queria ir até Elisa e dizer que comprara aquele colar para ela dias antes, um símbolo do recomeço, um marco da vida feliz que planejara ter com ela. Queria explicar que não pôde subir para o quarto com uma das moças da srta. Anne Marie, que mal tolerara que elas o tocassem sobre as roupas. Que se atracara aos socos com aquele sujeito porque fora a única maneira que encontrara de todos acreditarem que ele não respeitava os votos sagrados do matrimônio. Lucas queria que a fofoca se alastrasse. Tudo não passara de uma encenação para que, quando Elisa o abandonasse, as pessoas tomassem o partido dela.

Ela não merecia ser condenada por amar. Ninguém deveria condená-la. Nem mesmo ele. Mas a equação não fechava. Eram três naquela história. Alguém acabaria sofrendo as consequências do arranjo infeliz que era seu casamento.

— Você deduziu grande parte — acabou dizendo. — Eu estava libertando Elisa do nosso compromisso sem que isso manchasse sua reputação. Ou manchasse o mínimo possível. — Fez uma careta, desgostoso. — Fui até o bordel e fiz todos acreditarem que eu não passo de um libertino. Inclusive Elisa. Bebi e arrumei briga com um sujeito que estava roubando nas cartas, mas não me envolvi com nenhuma cortesã. Tem minha palavra.

— E por que fez isso?

— Porque ela nunca teve escolha. — Abriu a boca para contar sobre o amor de Elisa e Alexander. Mas Ian já sabia, não? Tinha ido atrás deles anos antes. — Ela não queria este casamento. Você sabe tão bem quanto eu que ela não queria. Eu tinha que libertá-la. Não posso ser a causa da tristeza dela.

Ian arqueou as sobrancelhas, porém pareceu mais amistoso, como se Lucas tivesse dito a coisa certa.

— Sabe, Lucas, estou ficando cansado disso. Toda vez que quero esganá-lo, você tem uma boa explicação que me impede. É um bocado frustrante.

— Acredite quando digo que discordo.

Seu cunhado se levantou e andou pelo quarto, parecendo perdido em pensamentos.

— Então vai levar a anulação adiante.

Lucas correu os dedos pelo cabelo, frustrado. Desesperado. Impotente.

— É o que Elisa quer, não é?

Ian o observou por sobre o ombro por um longo instante antes de dizer:

— É o que ela diz, mas não estou certo se é o que ela quer. Você não devia estar certo disso também. Talvez ainda exista uma chance para vocês dois.

— O quê? Ela lhe disse isso?

— Até mais, Lucas. — Ele abriu a porta e saiu.

— Ian! Espere... Caralho! — resmungou ao tropeçar em sua maleta. — O que quer dizer com isso? Ian, volte aqui! — gritou para as costas do cunhado.

— Mantenha-se longe do uísque — falou, sem se deter, até sumir de vista.

Lucas tentou ir atrás dele, mas acabou trombando com o batente. Sim, talvez devesse ouvir o conselho e manter distância do álcool.

Mas o que Ian estava sugerindo? Que Elisa não queria a anulação?

Não, não era possível. Não depois de tudo o que ele fez. Ou o que fizera as pessoas acreditarem que fez. Seu cérebro encharcado de bebida devia ter perdido alguma coisa. Não havia a menor possibilidade de Elisa desistir da anulação.

Ou será que havia?

## 46

Ainda era cedo, mas eu mantinha os ombros eretos e o queixo erguido enquanto caminhava pela vila. Era a primeira vez que ia até lá desde que deixara Lucas. As pessoas me lançavam olhares curiosos, compadecidos ou reprovadores. Eu não devia ter escolhido aquele vestido turquesa. Parecia chamar atenção demais.

Àquela altura, todos na vila sabiam que Lucas brigara em um bordel por causa de prostitutas. No plural, gostavam de enfatizar.

— Você tá se saindo bem — elogiou Sofia, caminhando a meu lado.

— Não tenho essa impressão.

— Eu já teria mandado alguém ir pro inferno há muito tempo. Então eu acho que você tá indo bem demais.

Acabei rindo, um tanto nervosa. Estávamos a caminho do armazém. Sofia tinha de pegar uma encomenda e depois iríamos para o escritório do sr. Andrada.

Captei uma movimentação do outro lado da rua.

— Sra. Guimarães! Elisa! — a sra. Henrieta sacudiu um lenço, os cabelos prateados escondidos embaixo de um imenso chapéu.

— Ah, merda... — resmungou Sofia. Eu concordava com ela. Interagir com a maior fofoqueira da vila não estava em minha lista de desejos daquela manhã.

— Não pensei que teria coragem de sair de casa tão cedo — disse a sra. Henrieta ao chegar mais perto. — Como está, minha querida?

— Muito bem. E a senhora?

— Ora, não quer que eu acredite nisso, quer? — Ela estalou a língua. — Uma mulher não consegue erguer a cabeça depois de uma traição dessas. Aquele tolo!

Poderia ter mantido a vida dupla se tivesse sido um pouco mais discreto. Imagine, brigar por causa de prostitutas. No plural! — Uma expressão escandalizada lhe franziu o rosto já enrugado. — Veja o meu finado marido. Ele teve diversas amantes, mas nunca me envergonhou publicamente. Ele sempre teve muita consideração por mim! Os homens de hoje em dia, não! Nem se importam com esses detalhes. Aonde iremos parar, meu Deus? Só posso imaginar o tamanho do seu constrangimento...

Sofia bufou.

— Olha, dona Henrieta, a gente precisa ir agora. — Começou a me arrastar pela mão.

— Espere, Sofia. — Eu parei e me voltei para Henrieta. — O fato de o seu marido ter tido muitas amantes não devia ser motivo de orgulho, senhora. Eu sei que a maioria dos casamentos geralmente envolve fortunas e não sentimentos, mas tudo o que eu sempre esperei foi alguém com quem eu pudesse dividir os meus sonhos, os meus medos e as minhas alegrias.

— Então procurou no lugar errado, querida. Jamais encontrará isso tudo em um marido.

— Ué, eu encontrei. — Sofia abriu um sorriso largo.

— E mamãe também — contei. — Assim como Teodora. Então, não. Eu não estou bem, senhora. Não estou nada bem. Meu coração está partido; meus sonhos, todos desfeitos. E eu não sei o que será de mim amanhã. Mas eu tentei. Por mais que o meu coração esteja em pedaços agora, um dia eu vou olhar para trás e ter a certeza de que fiz tudo o que podia para ser feliz. Eu não tenho do que me envergonhar! E não vou! Bom dia.

Comecei a arrastar Sofia pela rua, deixando para trás uma boquiaberta sra. Henrieta. Minha querida cunhada me fez parar diante do armazém e me encarou.

— Eu estou tão, mas tão orgulhosa de você, Elisa! Estou há anos esperando por este momento. O momento em que você iria dizer um grande foda-se para o mundo!

— Mas eu não fiz isso, Sofia! — Ou fiz?

Oh, suponho que fiz, sim. Não sabia o que me levara a dizer todas aquelas coisas, mas era a verdade do meu coração. Eu jamais fizera algo semelhante. Era sempre educada demais para dizer o que se passava em minha cabeça e raramente entrava em confrontos. Exceto com Lucas.

Quer saber? Eu me sentia bem. Livre! Uma mulher dona de sua vida e de seus sentimentos.

Mas tinha aquela parte minha...

— Será que eu a magoei? — perguntei, preocupada.

— É mais provável que tenha alimentado uma fofoca. Amanhã todo mundo vai estar repetindo o que você disse.

— Não me importo mais. O que de pior pode me acontecer agora?

— É isso aí, garota! — Ela ergueu a mão e a deixou parada.

Imitei seu gesto. Sofia riu, batendo a mão na minha.

A mercearia, um prédio antigo localizado na esquina, era repleto de portas altas na fachada de tijolos vermelhos que dava para os dois lados. Sofia passou por uma delas, e eu estava logo atrás quando alguém me chamou. Minha irmã se deteve, mas, quando vi quem era, fiz um gesto de cabeça para que ela fosse em frente. Eu não queria me atrasar para a reunião com o sr. Andrada.

— Minha senhora — falou o sr. Matias assim que me alcançou. — Que grata surpresa!

— Como vai, senhor?

— Muito melhor agora. Meus dias se tornam muito mais alegres quando tenho o prazer de encontrar uma beldade como você. Mas devo confessar que me partiu o coração ouvir as notícias. Seu marido não deveria tratá-la dessa maneira. Meu Deus, se envolver com prostitutas. No plural! — Balançou a cabeça. — Consigo imaginar como deve estar se sentindo envergonhada, solitária e rejeitada depois do que ele aprontou.

Bem, não era porque eu não me importava mais que aquilo não me irritava. Abri a boca, pronta para lhe dizer que fosse cuidar da própria vida, mas ele falou antes.

— Você merece mais que isso, Elisa. Merece um homem que tenha olhos apenas para você, que beije o chão onde pisa... entre outras coisas. — Seu olhar percorreu meu corpo, me deixando constrangida e desconfortável. Ele diminuiu a distância entre nós. — Eu adoraria ajudá-la a entender isso. Serei discreto. — Seu tom mal passou de um zumbido.

Senti o rosto esquentar, irritada com seu atrevimento. Até mesmo eu, uma jovem sem qualquer experiência na arte da sedução, compreendi o que ele estava me propondo.

— Sr. Matias, o senhor é um bom homem. Imagino que não faça por mal, mas eu gostaria que parasse de flertar comigo ou me propor... essas coisas. Sei que algumas mulheres apreciam esse tipo de atenção, mas eu não sou uma delas. Agradeço a oferta, mas é melhor oferecê-la a alguém que fique tentada a aceitar.

Tenha um bom dia, senhor. — Fiz um cumprimento apressado e entrei na mercearia, sentindo o olhar de Matias fixo em minhas costas.

* * *

Quando o relógio marcava dez horas, fui escoltada por Sofia até o suntuoso escritório do sr. Andrada. Seu secretário me recepcionou com uma alegria pouco apropriada para a ocasião, mas deduzi que fosse instruído a dar as boas-vindas aos clientes.

Não demorou para que fôssemos levadas para a sala com lambris de madeira escura e fina tapeçaria.

— Tem certeza de que é o que quer, sra. Guimarães? — perguntou o advogado, sentado do outro lado da mesa, o documento em mãos. — Não quer pensar um pouco melhor no assunto?

— Não tenho nada mais a pensar.

— Bem, se é assim... assine aqui embaixo, sra. Guimarães. — Estendeu-me o documento.

— Não, peraí. Leia primeiro, Elisa. — Sofia pegou o documento das mãos do advogado e me entregou. — E depois me deixe dar uma olhada.

Assenti e comecei a correr os olhos pelas linhas, pouco compreendendo, já que meu cérebro se recusava a absorver as palavras. Contudo, ao chegar a determinado parágrafo, minha atenção foi fisgada.

— O quê?! — saltei da cadeira.

— Que foi? — Sofia quis saber.

— Lucas está deixando metade do seu dinheiro para mim.

— De fato — começou Andrada —, não é uma prática comum em uma anulação. Mas o dr. Guimarães insistiu que fosse assim.

— Por quê? — exigi.

— Desconheço as motivações dele, senhora. — O sr. Andrada ergueu os ombros. — Apenas fiz o que me foi ordenado.

— Talvez seja remorso — sugeriu Sofia.

— Com esse montante? — Entreguei o documento a ela, para que pudesse analisar. — É dez vezes mais do que o meu dote, que ele nem aceitou, ora bolas! Por que ele faria uma coisa absurda dessas?

Uma vozinha em minha cabeça começou a se tornar mais e mais barulhenta. Ela parecia saber o motivo.

Lucas não me achava capaz de cuidar de mim mesma. E pensava que eu concordaria em viver à sua custa. Ora, de jeito nenhum!

— Suspeito que seja pelo inconveniente que a anulação causará à senhora.

— O sr. Andrada cruzou as mãos sobre a barriga generosa. — Mas apenas ele poderá responder a sua pergunta, querida. Pode questioná-lo depois, se achar apropriado. Agora, se puder assinar na linha...

— Não assinarei coisa alguma! Isso não tem cabimento!

— Não achou o suficiente? — o sr. Andrada perguntou.

— Pelo amor de Deus — Sofia murmurou, olhando feio para o advogado.

— O que ele está pensando? — Comecei a andar de um lado para o outro. — Que viverei o restante dos meus dias sabendo que o dinheiro que coloca comida em meu prato veio dele? — O que ele pensava que eu era? Uma de suas prostitutas?

— Elisa, acho que não foi isso, não. Eu sabia que tinha alguma coisa errada nessa... — Sofia começou, mas se deteve, os olhos dardejando. Então algo lhe pareceu fazer sentido.

— O que foi, Sofia?

— Ah, não foi nada. — Mas senti que ela escondia alguma coisa. — Você tem razão. Lucas tá pensando que você é incapaz de se virar sozinha. Você vai aceitar isso, Elisa? Vai deixar que ele continue... humm... comandando a sua vida?

— Não. Jamais! Redija outro documento, sr. Andrada. — Peguei o papel das mãos de Sofia e coloquei sobre a mesa. — Sem esta cláusula absurda. Da maneira como está eu não assinarei nada!

Ele ergueu os olhos para mim, alarmado.

— Minha senhora — começou, cauteloso —, eu lamento, mas não posso atendê-la. Não posso remover a cláusula sem consultar o dr. Guimarães. Posso tentar explicar a ele que a senhora se mostrou ofendida...

— *Muito* ofendida — corrigi.

— Está bem, muito ofendida. Mas devo alertá-la para não alimentar muitas expectativas. O dr. Guimarães foi muito enfático quanto a esse parágrafo. Imagino que ele não vá ceder.

— Isso é o que nós vamos ver!

— É! — concordou minha irmã, animada. — Porque é muito... revoltante o Lucas querer garantir o futuro de uma mulher que ele nunca amou, que ele fez questão de afastar. Porque ele sabia que se envolver com prostitutas daria nisso. Você tá certa, Elisa. É óbvio que ele não se importa com você. Só está tentando... hã... te irritar. Você devia ir falar com ele. Tipo agora mesmo! — Apesar das sobrancelhas franzidas, tive a impressão de que ela tentava ocultar um sorriso.

— É o que eu pretendo fazer, Sofia. — Passei a mão no papel. — Posso pegar o faetonte emprestado?

— Claro. Eu alugo uma caleche mais tarde. A menos que queira que eu vá com você.

— Agradeço a oferta, minha querida irmã. — Dobrei e então guardei o contrato no bolso. Ajeitei as luvas, me certificando de que o boné estava bem preso em minha cabeça. — Mas esse assunto é entre mim e Lucas. E eu vou resolvê-lo de uma vez por todas.

# 47

Lucas esfregou os olhos, tentando aliviá-los. Não conseguia ler suas anotações. As letras se embaralhavam. Não sabia se era devido ao cansaço ou ao forte odor do álcool que usava para preparar uma tintura. Estava indo abrir uma das janelas quando um burburinho chegou a seus ouvidos. Saiu às pressas, disposto a investigar, e acabou na cozinha, onde Quinzinho e seu irmão tentavam dominar Duarte.

— Vim buscar aquele demônio. Onde está a maldita criança? — ele vociferou para Lucas.

— Longe de suas garras, isso eu posso garantir. É bastante surpreendente que volte a dar as caras por aqui, depois de ameaçar a minha família.

Duarte lutou para se libertar das mãos fortes de Saulo.

— A polícia anda me cercando. Descobri que estão procurando outro parente do fedelho! A culpa é sua e daquela maldita mulher intrometida! Eu devia ter dado uma boa surra nela quando tive a chance.

Dizer que o sangue de Lucas fervilhou seria eufemismo. Ele começou a tirar o casaco, muito calmamente.

— Todos conhecemos seu gosto por espancar pessoas menores que você, Duarte. — Jogou o paletó sobre a mesa e encarou o homem. — Mas estou curioso para ver como se sai com alguém do seu tamanho. Solte-o, Saulo.

— Ah, não, Lucas. Sabe que mamãe não gosta de briga dentro de casa.

Lucas lançou um olhar afiado ao irmão. Um pouco hesitante, Saulo soltou o sujeito. No entanto, Duarte se manteve onde estava, o que o frustrou. Lucas andava acumulando tanta raiva dentro de si que estava salivando por um pouco de ação.

— Está perdendo seu tempo. — Duarte arreganhou os dentes. — Não existe outro parente. Sou tudo que o moleque tem. Agora pare de se intrometer nessa história e me devolva o moleque. O dinheiro que me deu já acabou, assim como o nosso trato.

Lucas teve de engolir uma imprecação. Se não existia mais ninguém que pudesse assumir a guarda do menino, uma hora ou outra a justiça o forçaria a entregar Samuel àquele monte de lixo. Diabos, o que faria agora?

— Mas... — Duarte prosseguiu, aquele sorriso demoníaco ainda ali. — Eu estou disposto a negociar. Se quer tanto ficar com ele, podemos chegar a um acordo. Claro que terá que abrir bem os bolsos. Ele é o meu ganha-pão. Terá que me compensar. Ou então me devolva o moleque. Do contrário, nunca mais terá paz. Nenhum de vocês terá, sobretudo aquela menina intrometida.

Lucas não sabia o que o enfurecia mais: saber que aquele traste agredia e escravizava Samuel, se sua intenção de vender o menino como se fosse uma mercadoria ou a ameaça a Elisa. Estava prestes a dizer com os punhos quanto aquela sugestão o enojava.

No entanto, conseguiu se controlar enquanto seu cérebro corria sobre as possibilidades. Ele logo partiria para a Europa, e duvidava que Elisa permitisse que levasse Samuel. Não demoraria para que Duarte descobrisse que o menino vivia com ela. Enquanto estivesse na casa do irmão, Lucas não teria com que se preocupar. Mas e depois, quando ela resolvesse seguir com a vida? Ela e Samuel estariam em perigo constante.

— Muito bem — cuspiu, entredentes. — Vamos até o meu escritório.

— Lucas, você perdeu o juízo? — Saulo o encarou, escandalizado.

— Parece que sim. E vou precisar de você, meu irmão.

Fazendo um gesto com o braço, Lucas indicou para que Duarte fosse na frente.

Ajeitando a lapela do paletó amarrotado, o sujeitinho passou por ele, um sorriso presunçoso enquanto adentrava a casa. Ao chegar ao escritório, Lucas se sentou à mesa e redigiu uma breve carta. Depois abriu o cofre e retirou uma boa quantia. Os olhos de Duarte o acompanharam a cada passo, cada gesto. Saulo, por sua vez, mantinha a atenção em Jeremias, pronto para pular sobre aquele traste.

— Assine e o dinheiro será seu. — Lucas jogou a bolsa repleta de moedas sobre a mesa.

Ganancioso como era, Duarte não se deu o trabalho de ler e assinou o documento, ansioso por colocar as mãos no dinheiro.

— Sempre soube que aquele moleque me daria lucro. — Pegou a bolsa, avaliou seu peso e, parecendo muito satisfeito, guardou-a no paletó. — Voltarei em alguns meses para pegar o restante do pagamento. Foi um prazer negociar com você, doutor.

— Gostaria de dizer o mesmo. — Lucas pegou o papel e o dobrou antes de guardá-lo na gaveta, passando a chave. — Mas não haverá mais dinheiro, Duarte. O senhor acabou de assinar uma carta segundo a qual abre mão da guarda de Samuel e a cede para mim. Fique descansado. — Abriu um sorriso largo. — Vou providenciar a melhor educação para o menino.

— O quê? — A ira coloriu o rosto dele de vermelho. — Você me enganou! Eu pensei que fosse um recibo!

Lucas conteve a vontade de socar o sujeito. Ele *realmente* via Samuel como uma mercadoria.

— Não o enganei. Foi você quem preferiu assinar o documento sem saber do que se tratava. — Com os olhos reluzindo selvagemente, Lucas disse, em voz baixa e contida: — De hoje em diante a responsabilidade sobre o menino não é mais sua. Fique longe dele e de minha família... e de Elisa Clarke — corrigiu depressa. Ela em breve deixaria de ser uma Guimarães. — Ou eu cuidarei para que a guarda faça mais do que ficar no seu pé.

O homem começou a rir. Gargalhou até perder o fôlego. Saulo olhou para o irmão com a testa franzida, mas Lucas não percebeu, sua atenção toda no homem aparentemente desvairado.

Saindo de trás da mesa, Lucas foi abrir a porta.

— Adeus, sr. Duarte.

O sujeito bufou, os olhos chispando com fúria enquanto se dirigia para a porta. Quinzinho estava do lado de fora, como um guerreiro pronto para entrar em combate.

Ao passar por Lucas, Duarte parou para encará-lo.

— Você vai pagar por isso, garoto.

— Suma daqui antes que eu me arrependa de não esmurrá-lo por vender o próprio sobrinho.

Duarte foi esperto o bastante para ouvir o conselho, mas sorria sarcasticamente ao ser escoltado por Quinzinho para fora da casa.

— Esse homem perdeu o juízo. — Saulo falou assim que ficou a sós com o irmão caçula. — Foi muito esperto de sua parte pensar em uma carta na qual ele nomeia você tutor do menino. Mas será que ela tem alguma validade?

Lucas não sabia. Esperava que sim. Não poderia retornar à Europa sem resolver esse assunto, e apenas Andrada poderia lhe dar uma resposta. Teria de ir ao escritório do advogado de todo jeito. A papelada do pedido de anulação estava pronta.

— Vou mostrá-la ao advogado.

— Espero que funcione. Mas eu não gostei do que vi no olhar de Duarte, Lucas. Talvez devesse avisar a guarda de que ele anda criando problemas.

— É o que eu pretendo fazer. Por favor, avise Eustáquio que vou precisar da carruagem. — Mais tarde iria até a vila falar com o sr. Andrada. Mas antes passaria na propriedade dos Clarke e os alertaria sobre o homem. Tinha de avisar Elisa, ainda mais agora, quando o irmão dela estava fora.

Havia outro propósito em sua visita, que não tinha nada a ver com Duarte. O mesmo motivo pelo qual ele havia se barbeado e aparado o cavanhaque, se banhara e vestira roupas limpas. Desde que Ian deixara seu quarto na tarde anterior — e assim que a bebedeira passara —, Lucas não parava de pensar no que o cunhado tinha dito.

Seria possível que Elisa não estivesse segura quanto a pedir a anulação? Mas por quê? Por que iria perder a chance que Lucas lhe oferecia em uma bandeja, se ela nunca quisera aquele casamento?

A resposta em que conseguiu pensar era absurda e encheu seu peito oco de esperança.

Seria possível que no coração dela tivesse brotado algum sentimento por ele? Por mais insignificante que fosse? Seria possível que Elisa estivesse em dúvida quanto à anulação, devido a algo mais profundo ou apenas para não colocar o nome da família sob suspeita?

Ele tinha de saber. Se houvesse uma chance... qualquer chance, por menor que fosse, de que ela pudesse sentir qualquer coisa por ele... então tudo mudava. Ele lutaria por ela como jamais lutara por nada no mundo.

Relanceou o relógio. Ainda era cedo demais para uma visita. Diabos, como faria as duas horas seguintes passarem sem que perdesse o juízo?

# 48

Ao chegar à propriedade dos Guimarães, um misto de tristeza e saudade me tirou o fôlego, mas logo foi suprimido pela raiva. Eu teria a anulação da maneira que queria, e Lucas não iria me impedir. Eu o faria entender de uma vez por todas que não queria nada que me ligasse a ele. E deixaria isso muito claro!

— Minha senhora! — exclamou o mordomo assim que abriu a porta. — Que imenso prazer revê-la!

— É um prazer vê-lo também, sr. Baltazar. — Entreguei meu boné e minhas luvas a ele. — O dr. Guimarães está em casa?

— Sim. No laboratório, senhora. Irei avisá-lo de que a senhora está aqui.

— Não é necessário. Afinal, ele *ainda* é o meu marido. — Fui entrando, mas paralisei ao avistar Rosália no sofá com agulhas de tricô nas mãos.

Ela também me viu e arregalou os olhos, um sorriso largo e feliz lhe iluminando o belo rosto.

— Elisa! Minha querida! — Largou as agulhas e veio me abraçar. — Quanta saudade eu senti! Você está tão bonita! Que alegria vê-la de volta a esta casa! Baltazar, traga o chá, por favor. Acabei de fazer uns biscoitos de nata — ela me contou. — Acho que eu estava adivinhando que você viria. Venha, querida. Esta casa é sua!

— Eu também senti sua falta, sra. Guimarães. Mas infelizmente terei que recusar o chá. Eu tenho urgência em falar com seu filho.

O sorriso se ampliou. Oh, como doeu ver a esperança em seu rosto.

— Ah, mas é claro. Lucas tem andado tão acabrunhado desde que você o deixou que comecei a ficar preocupada. Mas ele aprendeu a lição, Elisa. Não que você deva facilitar as coisas para ele. Uma mulher tem que deixar clara sua posição. — Piscou para mim. — Agora vá! Vá, meu amor! Tomaremos o chá mais tarde.

Eu devia ter dito que ela não podia esperar que aquela conversa acertaria alguma coisa entre mim e Lucas. Devia, mas não tive coragem. Rosália era uma das melhores pessoas que eu conhecia. Magoá-la parecia muito, muito errado.

Depois de fazer uma mesura, atravessei a casa, apressada, mas me detive diante da porta do laboratório. Inspirei fundo uma vez. E uma segunda. E ainda uma terceira vez. Não estava certa do que sentiria ao ver Lucas, mas, pela maneira como meu coração se portava naquele momento, tive uma vaga ideia. Pousei a mão sobre ele, implorando que se comportasse. Quando meus batimentos se tornaram ainda mais urgentes, desisti e bati à porta.

— Entre — cuspiu, mal-humorado.

Girei a maçaneta e entrei. Lucas estava atrás da bancada, derramando um líquido quase negro dentro de um pequeno funil. Ele não usava paletó, tinhas as mangas enroladas até os cotovelos, o cabelo levemente desalinhado. Parecia abatido, como se não dormisse havia uma semana. Meu coração deu uma pirueta e ameaçou parar, para então começar a galopar. E isso foi antes de ele erguer os olhos para mim.

— Elisa! — A surpresa lhe tirou a cor do rosto, mas algo quente pareceu tremular nas íris esverdeadas.

Parecendo que não me encontrava havia uma década, Lucas analisou-me atentamente. Conforme seu olhar passeava pelos detalhes do meu rosto, aquele fogo silencioso reavivou dentro de mim. Como continuava me encarando, sua mão se moveu levemente, perdendo a mira, e o líquido escuro se derramou na bancada.

— Diabos! — exclamou, ao perceber o vazamento, pegando uma toalha para secar a bagunça. Ergueu a cabeça. — Eu ia até a sua propriedade mais tarde.

— Fico feliz em ter lhe poupado a viagem. Acabo de sair do escritório do sr. Andrada.

Ele pendurava o pano em um gancho na parede, secando as mãos, mas se deteve no meio do movimento.

— Assinou o pedido de anulação? — Manteve os olhos na toalha, exibindo aquele perfil tão diabolicamente lindo.

— Mas é claro que não!

Ele virou o rosto de imediato.

— Não? — Juro que vi algo reluzir em seus olhos, mas a raiva nublava meus sentidos e não fui capaz de identificar.

— E como poderia, se você teve a ideia absurda de deixar metade do seu patrimônio para mim? Eu não quero nem preciso do seu dinheiro. Não quero nada que venha de você. Seu advogado se recusou a remover esse item, por isso vim até aqui para discutirmos o assunto.

— Ah. — Esfregou a testa, rindo, mas era um som vazio, melancólico, quase doloroso de se ouvir. — Como eu sou tolo.

— Acredito que seja mesmo. — Cheguei mais perto da bancada e coloquei o papel ao lado de sua mão. — Porque você sabia que eu não assinaria este documento da maneira que está.

Ele se atreveu a sorrir de leve.

— O orgulho dos Clarke sempre fala mais alto, não é?

— Isso pouco tem relação com o meu orgulho. — Mais ou menos. — Eu não quero nada que me ligue a você. Quando esse pesadelo acabar, tudo o que eu quero é esquecer que um dia o conheci.

Ele endireitou a coluna, cruzando os braços.

— E como espera se sustentar? — Seus olhos eram duas fendas estreitas. — Com certeza não pretende viver na casa do seu irmão a vida toda.

— Isso não lhe diz respeito.

— Na verdade diz, sim. A notícia da anulação vai se espalhar mais depressa do que você imagina. Não se esquece uma coisa dessas, Elisa. Eu serei motivo de riso por não tê-la feito minha. E você será vista por outros cavalheiros com suspeita, já que eu não a tomei como minha mulher. — Descruzando os braços, voltou-se para a sua bancada. — Goste ou não, eu serei responsável pelo transtorno que irá enfrentar. Você me deu uma escolha anos atrás, de que eu cancelasse o noivado. Eu preferi mantê-lo. É justo que agora o meu bolso sangre. Não posso permitir que saia desse... pesadelo sem uma remuneração.

Aquilo fez meu sangue ferver.

— Uma remuneração como as que você dá às suas prostitutas, doutor?

— Precisamente — respondeu, com enervante tranquilidade, pegando o funil, como se não estivéssemos discutindo nosso futuro. Tudo o que lhe importava era a porcaria da ciência! — A cláusula será mantida. É minha decisão final. Há algo mais que queira discutir ou posso voltar ao trabalho?

Sua calma, aliada à indiferença refletida em seu rosto, produziram um grande efeito sobre minha pessoa. Aquilo que andava fervilhando dentro de mim transbordou.

Não. Não era a palavra certa. Transbordar implica atingir o limite e extravasar. O que aconteceu comigo foi muito mais violento que isso.

Foi uma explosão.

# 49

O ruído agudo de vidro se quebrando fez Lucas pular. Sua primeira reação foi colocar o corpo em frente ao de Elisa e olhar pela janela. Mas não. A vidraça estava intacta.

Ele ouviu um rosnado baixo, e o som de estilhaços se repetiu. Mais preparado agora, seu olhar recaiu sobre a fonte do ruído: sua esposa, com o olhar injetado de fúria, segurava a luneta pela ponta como se fosse um bastão e atingia qualquer coisa que estivesse ao seu alcance.

Lucas tentou contê-la, mas não foi rápido o bastante. O metal resistente encontrou um dos balões sobre a bancada, acertando-o em um ângulo torto, e apenas por isso o jarro não se espatifou. O gargalo em S não teve tanta sorte.

— Pare com isso, Elisa! Você perdeu o juízo? — Tentou tomar o telescópio de suas mãos, mas ela se esquivou com a mesma agilidade de uma gata.

— Nunca estive tão lúcida quanto estou agora! — Para comprovar seu argumento, jogou a luneta nele.

Lucas se abaixou a tempo e o telescópio passou zunindo por sua orelha, mas foi se alojar dentro do armário de medicamentos, logo atrás. Ele não precisou olhar para saber que aquele plinc-plinc-plinc vinha do que um dia foram vidros de tintura — nos quais andara trabalhando nos últimos dias.

Arfando, Elisa o encarou com o rosto tomado de fúria. Parecia um anjo vingador disposto a matá-lo.

— Por que está com tanta raiva? — ele perguntou, uma suspeita se insinuando por seus pensamentos.

— Eu não quero nada que venha de você! Quando vai entender isso?

— Por quê? Por que não pode aceitar que eu queira... — *Cuidar de você*, quase deixou escapar. Esfregou a testa para ganhar um pouco de tempo. — Se teme que outro homem vai rejeitá-la por herdar parte do meu patrimônio, está enganada. Uma boa fortuna não tem descendentes.

Ela ergueu o queixo para encará-lo. Tudo nela era delicado. Tudo nela parecia frágil. Exceto os olhos. Eles estavam em brasa.

— Como se eu fosse permitir que qualquer homem se aproxime de mim outra vez — disse. — Vocês são todos loucos!

— Isso vindo de alguém que acaba de destruir meu laboratório é um tanto irônico.

Ela grunhiu, pegou o caderno sobre a bancada e atirou nele. Lucas o pegou no ar antes que atingisse seu rosto.

E então o que ela disse penetrou em seu cérebro atordoado.

— O que quis dizer com não permitir que outro homem se aproxime? — E, o mais importante, isso incluía Alexander?

— Exatamente o que eu acabei de dizer! Vou subir para arrumar o restante das minhas coisas. Mandarei Isaac pegar tudo mais tarde.

Elisa fez a volta e saiu do laboratório com um ar tão altivo que Lucas sentiu uma fisgada no peito. Jogando o caderno em qualquer canto, ele saiu atrás dela. Não estava pensando direito.

Então ela não pretendia ir atrás de Alexander? Pretendia viver sozinha?

A fúria de Elisa lhe dizia algo em que ele queria desesperadamente acreditar. Mas já se enganara antes. Não podia cometer outro erro agora.

Ao chegar à sala, teve um vislumbre de que toda a sua família ali, observando-o, mas sua atenção estava no segundo andar.

— Lucas, meu querido... — sua mãe começou.

— Agora não, mãe. — Começou a subir a escada, saltando de dois em dois degraus. — Eu preciso entender o que está acontecendo.

— Se você não sabe, imagine nós! — Saulo zombou.

— Só não deixe que ela quebre a sua cabeça! — ouviu o pai gritar.

Lucas conseguiu alcançar Elisa e a empurrou para dentro do primeiro cômodo que encontrou. O quarto dele.

— Me solte! — Ela se contorceu em seus braços.

É claro que ele não soltou.

— Não entendo por que está tão furiosa. Tudo o que precisa fazer é assinar a porcaria do pedido de anulação e acabar com isso. Por que não assinou? Por que veio até aqui me atormentar?

— Todas aquelas joias que você me enviou da Europa. — Ela se debateu, sem parecer ter ouvido uma palavra do que ele havia dito. A agitação da jovem fez Lucas se desequilibrar e acabar com as costas contra a porta. — São lembranças de suas noitadas com prostitutas também?

— Que diferença isso faz agora, Elisa?

— Realmente, nenhuma. Vou doar todas elas a padre Antônio. Ele pode usar o dinheiro para ajudar famílias necessitadas. Se você não retirar aquela cláusula da anulação, vou doar para a paróquia tudo o que me obrigar a aceitar!

— O dinheiro é seu. Faça como achar melhor. — Ele a soltou, sentindo-se exausto e velho demais. — Que inferno, Elisa! Eu só quero lhe trazer um pouco de paz no meio do pesadelo que vai enfrentar. Só quero que seja feliz, com Alexander, com outro homem ou sozinha. O que você escolher, diabos.

Pronto, ali estava a verdade. Ele havia dito. Ela havia ouvido. Que acreditasse no pior. Que o odiasse. Mas ao menos ele tinha sido franco.

Ela olhou para cima, a fúria dentro de si ganhando ainda mais força.

— Como se eu fosse tola o bastante para um dia voltar a entregar meu coração a alguém. Eu o dei a você. E você o destruiu de tantas maneiras que não restou nada além de pó! Agora saia da frente e me deixe passar.

Lucas paralisou, perplexo, e se perguntou se seus ouvidos estavam funcionando direito.

— O... o que você disse?

— Saia!

A pulsação dele começou a retumbar nos ouvidos. Seria possível que estivesse entendendo direito? Ela tinha mesmo dito que lhe dera seu coração?

Deus do céu. Seria possível que ela sentisse alguma coisa por ele?

Elisa se aproveitou da confusão de Lucas e fez a volta, indo para a porta que ligava os dois quartos. Antes que pudesse abri-la, porém, o rapaz despertou e agiu rápido, colocando-se entre ela e o painel.

Ele estivera tão certo de que ela amava Alexander que fizera aquele espetáculo para poder libertá-la de um casamento sem amor. Mas ela entrara em seu laboratório, o destruíra e atirara coisas nele para em seguida dizer que ele havia partido seu coração... Ela *agia* como se fosse isso o que acontecera.

Lucas olhou para ela, encontrando aquele olhar turquesa. Tudo o que ele andava mantendo adormecido na última semana à custa de muito uísque e força de vontade despertou. Aos diabos com sua honra. Aos diabos com fazer a coisa certa.

Elisa devia ter lido a nova resolução em seu semblante, pois os olhos dela se arregalaram e sua respiração acelerou.

— Lucas, por favor — suplicou, em voz baixa —, não faça i...

Mas ele já abaixava a cabeça para beijá-la.

# 50

Eu realmente não esperava que ele me beijasse. Estávamos discutindo segundos antes!

Não sei ao certo como fui capaz de perceber a mudança em Lucas em meio à ira que me dominava, mas o fato é que eu notei, por exemplo, que a névoa deixou seu olhar e no lugar dela surgiu uma faísca quente. Também percebi que seus ombros pareciam mais eretos e que seu queixo esculpido à perfeição estava trincado, como se ele tivesse acabado de tomar uma grande decisão.

Quando me dei conta de qual era essa resolução, já era tarde demais, e sua boca buscava a minha, meu corpo cativo em seus braços.

Lutei contra ele. Mas não da maneira que se esperaria. Eu devia tê-lo empurrado, socado, chutado, como havia feito com Alexander. Mas algo dentro de mim queria outro conflito. Um confronto mais carnal. Então eu correspondi ao beijo com violência, cravando as unhas em seus ombros para impedi-lo de se afastar, empurrando-o contra a porta. Eu era movida pela rejeição, pela raiva, pela mágoa de saber que ele havia entregado seu corpo a outra.

Em vez de tentar resistir, Lucas aceitou o desafio, correspondendo da mesma maneira selvagem. Nenhum beijo jamais foi como aquele, tão cheio de paixão, despido de reservas e subterfúgios. Era aflito, urgente, lascivo.

O tecido macio de sua camisa era fino a ponto de eu sentir cada detalhe de seu peito, seu calor quase incendiário sapecar minha pele. Mas não queimava o suficiente, então levei os dedos aos botões da camisa e abri um deles. Ainda me recordava da visão que tivera daquele tórax em nossa noite de núpcias. Eu queria vê-lo por inteiro, sem nada para atrapalhar. Estava prestes a abrir o segundo botão quando suas mãos envolveram meus pulsos, me contendo.

Recuei de imediato, o coração ameaçando explodir. No entanto, ele não me deixou ir longe, mantendo minhas mãos unidas sobre seu coração — que batia ensandecido.

— Eu me encontro no limite, Elisa. — A tortura dominava seu rosto, como naquela vez na carruagem, a caminho da casa dos Bastos. — Se continuar a me tocar por mais um minuto, eu a jogarei naquela cama e farei amor com você até o sol nascer. — Levou uma de minhas mãos aos lábios, beijando cada um de meus dedos. — E, se isso acontecer, você perderá a chance de pedir a anulação.

Eu podia entender isso. Não naquele momento, certamente, mas podia compreender. Lucas estava me dando a chance de sair daquele relacionamento e ganhar a liberdade.

Algo em minha mente chacoalhou, embrenhando-se por meu cérebro.

"Que liberdade?", eu tinha perguntado a Lucas na manhã seguinte ao baile dos Bastos. Após ele ter passado a noite em um bordel e arrumado confusão com um dos clientes por causa de cortesãs.

"A sua", ele respondera. "É uma mulher livre! Meus cumprimentos, madame."

E se...

E se ele tivesse feito de propósito? E se ele tivesse ido até aquele bordel por saber que, assim que descobrisse, eu o abandonaria? Ele tinha me visto nos braços de outro. Um homem que ele *achava* que eu amei um dia.

E se Lucas pensou que eu ainda amasse? E se tivesse criado um escândalo para que eu pudesse sair daquele casamento sem manchar minha reputação? E se tudo o que ele fizera tivesse o intuito de me libertar do nosso compromisso, para que eu pudesse ir atrás de meu suposto grande amor?

Olhei para Lucas.

— Você não esteve com aquelas prostitutas. — Não foi uma pergunta.

Pesar, arrependimento, dor. Seus olhos refletiram tudo isso.

— Não.

— Por qu... — Minha voz falhou. Clareei a garganta. — Por que me fez acreditar que esteve?

Ele fechou os olhos, a cabeça pendendo para trás até colidir contra a porta.

— Foi a única maneira que eu encontrei de deixá-la livre, Elisa.

— Por quê?

Meu coração gritou uma resposta realmente estúpida. Mas não podia ser isso. Lucas não me amava mais. Tinha deixado claro que tudo o que sentia por mim era atração. Mas por quê, então, teria tido tanto trabalho em enlamear o próprio nome apenas para salvar o meu?

A única resposta que parecia fazer algum sentido era... o grito do meu coração.

Ele endireitou a cabeça e fixou os olhos em mim, profundos e intensos como eu jamais os vira.

— Porque eu a amo, Elisa — disse, em completo desalento.

— M-me ama? — Prendi o fôlego.

— Nunca deixei de amar. Eu não dormi com prostituta alguma. Eu não conseguiria ir para a cama com outra mulher, Elisa. Fui até aquele bordel disposto a criar um escândalo que pudesse justificar a anulação do nosso casamento. Depois de vê-la nos braços daquele... — Uma sombra escura ameaçou dominar seu olhar, mas ele a combateu com muito esforço. — Enfim, pensei que fosse o que você queria. Eu não lhe deixei escolha antes. Três anos atrás, eu teimosamente mantive o noivado porque estava com raiva e muito ferido. Pensei que casar comigo seria uma boa maneira de castigá-la por ter partido meu coração.

Então eu estivera certa o tempo todo. Ele tinha mantido o noivado por vingança.

No entanto, ele continuou falando.

— Mas o tempo se encarregou de me mostrar que eu havia cometido um erro. Vê-la todos os dias, estar tão perto de você, só me fez enxergar que, por mais que eu tenha me esforçado, nunca consegui deixar de amá-la. E foi por isso que eu fui até aquele maldito prostíbulo na semana passada. Tudo o que eu queria era lhe dar a escolha que eu não dei três anos antes. Ouça-me, Elisa. — Ele tomou meu rosto entre as mãos. — Não posso impedi-la de sair desta casa, nem da minha vida, se for o que deseja. Mas não posso mais fingir. Não posso mais ocultar o que eu sinto. Eu preciso dizer que desde o primeiro instante, desde que nossos olhares se encontraram quando nos conhecemos, não houve um único dia em que eu não pensasse em você. Em que eu não a amasse.

Eu não devia ter apertado tanto o espartilho naquela manhã. O ar não estava entrando em meus pulmões!

— Mesmo quando estive em outro continente e tudo o que eu queria era esquecê-la, não consegui deixar de amar você. — Abriu um sorriso desamparado. — Não sou capaz, Elisa. Você está dentro de mim, e é impossível tirá-la daqui sem que eu morra. Não consegui na época e não sou capaz agora. — Seus polegares roçaram de leve minhas bochechas, demorando-se um pouco mais em minhas covinhas. — Desde que a conheci, eu sinto o mundo com muita intensidade. Você me faz sentir o mais sortudo dos homens ou o mais miserável deles. Extremamente vivo ou excepcionalmente ferido. Contentíssimo ou imensamente infeliz. Desde você, tudo é superlativo.

Eu não conseguia falar. Suas palavras e seu olhar me lançaram em uma espiral vertiginosa de sentimentos, até eu não conseguir identificar o que sentia. Alívio, alegria, mas dor e remorso também. Meu corpo todo pulsava no mesmo ritmo do meu coração.

— Eu jurei a mim mesmo — continuou, aqueles lindos olhos agora escuros com a intensidade das emoções atraídos para os meus — que faria tudo o que estivesse ao meu alcance para você ser feliz. Mesmo que eu não faça parte dessa felicidade. Se Alexander for o que você quer, então eu sairei do caminho. Se você for viver sozinha, juro que não a importunarei. Mas, se existir uma chance, Elisa... qualquer chance, mesmo que ínfima... de que eu possa reconquistar sua afeição, por favor, me diga.

Soltando meu rosto, Lucas pegou minhas mãos e as pressionou contra o peito, no ponto exato de seu coração urgente.

— Juro por minha honra que aceitarei sua decisão, seja ela qual for. Apenas me diga se é capaz de me perdoar por todas as vezes que eu a magoei. Se acredita que pode vir a me amar um dia ou se seu coração está perdido para mim para sempre.

Foi demais. As lágrimas vieram em um fluxo tão intenso que não houve nada que eu pudesse fazer para detê-las.

— Não! Não, Elisa. Não chore. — O mais puro horror lhe dominou as feições. — Vê-la chorar é uma tortura. Me dói. Bem aqui. — Apertou ainda mais minhas mãos contra seu peito. — Não chore, por favor.

Mas eu não conseguia parar. Todos aqueles sentimentos agitados dentro de mim, colidindo e se misturando, explodindo em minha cabeça. Eu o machucara profundamente, e ainda assim ele continuou a me amar. Eu tinha tentado protegê-lo da dor, e tudo que consegui foi fazer com que doesse mais. Eu tinha quebrado a alma daquele homem três anos antes. Eu o machucara além do suportável, do admissível, e ainda assim seu amor sobrevivera, se mantivera constante.

Meu Deus, o que eu tinha feito a nós dois?

— Não chore. — Ele colou a testa na minha e fechou os olhos. Seu rosto contorcido em agonia. — Por favor, Elisa — murmurou, beijando minha pálpebra. — Por favor. Por favor... — Ele alternava beijos ternos e súplicas sussurradas. — Por favor — falou baixinho, contra o cantinho da minha boca. — Por favor, não chore assim.

— Me p-perdoe, Lucas. M-me perdoe! — Foi tudo o que consegui gaguejar. Havia tanta coisa a ser dita, tanto a ser explicado, mas naquele momento eu temi que palavras pudessem estragar tudo.

Eu não sabia o que aconteceria no dia seguinte. Tanta mágoa, tantos desentendimentos deixaram cicatrizes em nós dois. Ainda havia muitas feridas abertas. Mas o amanhã parecia tão distante... Tudo o que eu desejava era permanecer naquele instante infinito, nos braços dele, sendo abraçada por ele, beijada por ele. Amada por ele.

Foi por isso que, em meu desespero, eu busquei sua boca, sem qualquer inibição, dúvida ou reserva. Lucas ficou parado, os olhos muitos abertos, como se não soubesse o que fazer. Porém, sua hesitação durou apenas um instante. Seus olhos se fecharam, os braços cingindo minha cintura lentamente. Abaixei as pálpebras também conforme me perdia no calor dele, na intensidade do momento. Aos poucos o beijo foi evoluindo de uma carícia inocente para uma espécie de dança sensual que me fez enredar os dedos em seu cabelo e puxá-lo para mim, porque parecia que eu nunca conseguiria ficar perto o bastante.

Não demorou para que eu estivesse sem ar, mas sua boca permaneceu em meu rosto, traçando a linha do meu maxilar, subindo para a orelha. Eu me contorci quando ele capturou o lóbulo sensível entre os dentes. E pensei que fosse desmaiar assim que começou a descer pelo meu pescoço, mordiscando a curva em meu ombro enquanto suas mãos desciam para meus seios.

Mas então ele me afastou de súbito, arfando, os olhos faiscando em vermelho.

— Não posso fazer isso. Eu não posso seduzi-la agora. Você vai me odiar amanhã! Não posso perder essa segunda chance de fazer a coisa certa. — Correu as mãos pelo cabelo, unindo os dedos na nuca, no rosto o mais completo desespero.

E ele tinha razão. A vida... o destino... o que quer que fosse, nos dava uma segunda chance. E desta vez eu iria fazer a coisa certa!

Afastei-me de Lucas apenas alguns passos, ficando de frente para a cama e de costas para ele.

— Elisa, eu... — Sua voz morreu quando levei as mãos às costas. — O que está fazendo?

Abri o primeiro botão do vestido e, por sobre o ombro, olhei para seu rosto perplexo.

— Estou tomando as rédeas da minha vida, Lucas.

Um a um, com os dedos trêmulos, libertei os botões de suas casas. Ouvi Lucas prender a respiração quando todos estavam abertos e eu abaixei a parte superior do traje. Tive alguma dificuldade para soltar os laços das anáguas em minha cintura, mas, quando consegui, o tecido se amontoou a meus pés. O vestido também foi ao chão. Dei um passo para o lado, saindo daquele pequeno vulcão de tecido turquesa, e comecei a desfazer o penteado, as mechas caindo em ondas sobre meus ombros, as pontas balançando na base da minha coluna. Tomei fôlego uma vez. E mais outra. O medo do desconhecido me sacudia por dentro e por fora, mas naquele instante eu estava resolvida a não me deixar dominar por ele. Não mais.

Inspirei fundo, pronta para me virar, quando ouvi o farfalhar das roupas de Lucas conforme ele atravessava o quarto e parava atrás de mim.

Em algum lugar no fundo de minha mente, percebi que, apesar de estarmos em outro cenário, já havíamos vivido aquela cena três anos antes, na noite em que nosso relacionamento se perdera. Era como se tivéssemos voltado no tempo, uma nova chance se desenrolando a nossa frente feito um tapete tecido com novas escolhas.

— Eu sonhei com você assim, como está agora, tantas vezes. — Sua voz estava embargada. — E mais ainda foram as vezes que eu desejei poder permanecer ali com você, nos sonhos. Mas, sempre que eu ia tocá-la, acabava despertando.

Foi nesse instante que meu medo recuou, até não restar nada além de um eco fraco. Eu me virei para ele, buscando seus olhos. Revelavam paixão e calor, mas dor também.

— Você não está sonhando agora — sussurrei.

— Receio estar. — Franziu a testa. — Temo que, assim que eu a tocar, vou acordar e você terá ido embora.

Estendi o braço e segurei sua mão, guiando-a até meu rosto. Ele trincou o maxilar, as sobrancelhas unidas, como se esperasse pelo pior.

— Eu ainda estou aqui, Lucas. — Inclinei a cabeça em direção a sua palma quente.

Ele encaixou a mão livre no outro lado do meu rosto e me olhou, deslumbrado.

— Sim. Você está.

Então chegou mais perto, curvando-se até seu rosto pairar a centímetros do meu, sua respiração se misturar à minha. Elevei o rosto para o dele, fechando os olhos. Quando o beijo veio, foi delicado, profundo e doce, como entrar em uma banheira de água morna depois de um dia fatigante, como chegar em casa depois de uma longa viagem. Eu poderia viver cem anos — cem vidas —, e jamais esqueceria aquele beijo. Como poderia, se cada movimento imprimia uma marca indelével em minha alma?

Espalmei as mãos no peito dele; meus dedos curiosos desbravaram a musculatura firme sob a camisa, tocando tudo o que podia, trabalhando nos botões na frente de sua camisa. Quando estava totalmente aberta, Lucas envolveu minha cintura, puxando-me para si. Sua pele febril e os pelos em seu peito arranhavam de forma prazerosa a pele do meu colo. Meus dedos brincaram com as mechas sedosas, e, enquanto eu o descobria, Lucas trabalhava em meu espartilho, sem jamais deixar de me beijar. Ele foi hábil, soltando as tiras e abrindo a peça em menos de um minuto.

Quando tudo o que restou entre sua pele e a minha foi a chemise de alças, ele interrompeu o beijo para passá-la por cima de minha cabeça. Com um puxão firme, desfez o nó que prendia meu culote à cintura e empurrou o tecido para baixo; as meias e as ligas ganharam o mesmo tratamento. Dando um passo para trás, ele me observou com o olhar em chamas. Eu devia ter me escondido, devia sentir vergonha da minha nudez. Mas o que vi em seu olhar não permitiu que o constrangimento chegasse à superfície. Não consegui encontrar nenhum traço de embaraço dentro de mim. Eu queria que ele me visse como eu era, sem qualquer artifício.

Suas íris se inflamavam conforme absorviam minhas curvas, cada detalhe de mim. Minha pele se arrepiou em resposta, ao passo que meu estômago deu uma cambalhota. Seus dedos trabalharam nos botões de sua calça. Eu quis admirá-lo também, conhecer seu corpo, mas não pude, porque, enquanto ele tirava as próprias roupas, manteve os olhos nos meus e algo realmente intenso acontecia entre nós.

— Eu estou aqui — disse ele, com a voz rouca, quando mais nada lhe cobria a pele —, diante de você, despido de qualquer disfarce, orgulho ou artifício, incapaz de esconder o quanto eu a desejo. E, se me permitir, gostaria de mostrar como eu a amo.

Nós nos encaramos por um instante interminável. Meu coração batia ensandecido, e um nó na garganta não me permitiu responder. Eu estava despida, mas não de tudo. Ainda escondia de Lucas coisas importantes. Eu devia ter interrompido aquela loucura e contado a verdade. Devia. Mas não pude. Então, concordei com a cabeça.

Algo chispou em seus olhos. Uma emoção tão forte que me arrepiou por inteiro. No instante seguinte Lucas se colava a mim, me beijando com paixão, e não demorou para que minha cabeça estivesse girando. Era pele demais, calor demais. Eu precisava vê-lo. Ter as imagens em minha cabeça daquele corpo pressionado contra o meu. Comecei a explorá-lo com a ponta dos dedos, admirando cada pedacinho que podia; os ombros generosos e firmes, os braços rijos e musculosos na medida certa, a penugem que lhe recobria o peito, os miúdos mamilos, a barriga achatada com aquela trilha de pelos castanhos que terminava em um ninho em sua virilha, de onde um imenso...

Oh, minha nossa! Aquilo não podia estar certo.

Quer dizer, eu já tinha visto estátuas que exaltavam a beleza do corpo humano, e nelas as coisas eram... bem... diminutas. Sofia dissera que algumas partes do homem se expandem quando estão excitadas, mas não imaginei que pudessem atingir proporções tão... que pudessem se alongar a ponto de... que fossem tão... superlativas!

Eu estava prestes tirar as mãos do corpo dele, mas então um gemido grave reverberou por aquele tórax largo, provocando um arrepio violento que começou em minha coluna e culminou em minha nuca. E esqueci meus receios.

Não sei ao certo como acabamos na cama — acho que ele nos deitou nela —, e mesmo então ele continuou a me beijar como se disso dependesse sua vida. Suas mãos se moveram timidamente, acariciando minha cintura. E então deram início a uma exploração audaciosa que me fez contorcer sob ele, arfando, tremendo, perdida em todas aquelas sensações novas e intensas. E isso foi antes de ele começar a me explorar com a boca.

Lucas rolou para cima de mim, separando minhas coxas com os joelhos. Eu me retesei, no entanto tudo o que ele fez foi continuar a beijar meu pescoço, morder de leve minha clavícula, a língua quente e úmida provocando um mamilo, o umbigo, seus dedos subindo pela minha coxa até encontrar o cerne latejante e, oh... as coisas que ele fez ali!

Voltando a se esticar sobre mim, tomou meu rosto entre as mãos e me beijou, tão profunda e intensamente que eu me senti dissolver naquele beijo. Então, aquela parte dele que tanto me assustara pressionou o núcleo da minha agonia e foi abrindo caminho para dentro de mim. Prendi o fôlego diante da invasão.

Lucas ergueu a cabeça e me encarou. Parecia alarmado, maravilhado e algo mais que não tive tempo de descobrir, pois a agonia de estar sendo preenchida além do limite me fez gritar.

— Eu sinto muito — suplicou naquele tom enrouquecido. — Não há maneira de poupá-la, mas prometo que logo a dor irá embora.

Assenti, prendendo o fôlego. Com um movimento curto e decidido, ele transpôs a barreira. Eu gritei conforme ele me rasgava ao meio (ou ao menos era o que parecia), cravando as unhas em suas costas.

— Eu sinto muito — ele sussurrou, beijando meu pescoço. — Você não devia sofrer assim. Eu sinto muito, Elisa. Gostaria que houvesse outra maneira...

Eu sinto muito. — Ele beijou meu ombro, meu rosto, minha boca, mantendo os quadris muito imóveis, sustentando o próprio peso com os cotovelos.

E então, como ele tinha prometido, a dor começou a ceder. Ainda era incomodo e estranho tê-lo dentro de mim, mas já não me dilacerava. Ele ergueu a cabeça, o maxilar trincado, gotas de suor brotando em sua testa, como se ele estivesse fazendo um tremendo esforço.

— Você está bem? — perguntou, com a voz instável.

— Estou. Nós... acabamos?

Lucas meio gemeu, meio deu risada.

— Mal começamos, Elisa. Mas posso parar se você quiser. Posso esperar.

— Eu o esperei por todos esses anos, Lucas. Por favor, não me faça esperar mais.

Ele trouxe o rosto para junto do meu, sua boca a centímetros da minha.

— Nem mais um único segundo. — Ele me beijou. Lenta e profundamente, até minha cabeça girar e eu me esquecer de todo o resto.

Então ele voltou a se mover, bem devagar. De início, doeu um pouco. Porém logo fui lançada ao centro de uma tormenta onde desejo e prazer se misturavam à ansiedade. Aquilo foi crescendo, me engolindo, cada centímetro de mim se agitava. Eu sentia tudo: os pelos macios do peito dele beijarem a pele delicada dos meus mamilos, seu ventre achatado e contraído roçar em minha barriga agora sensível, suas estocadas lentas, porém profundas, possuírem muito mais que meu corpo.

— Lucas... — comecei, assustada com o que estava sentindo.

— Eu sei. Eu sinto também. — Sua mão grande e quente buscou a minha, os dedos atrelados aos meus, enquanto voltava a me beijar.

Ele intensificou as investidas, indo mais rápido, mais profundamente, até que senti que cheguei ao limite e por um instante maravilhoso o mundo desapareceu. Mas então aquela explosão que eu havia experimentado na carruagem me atingiu com força, ainda mais intensa dessa vez, sacudindo-me violentamente, conforme cores cintilantes dançavam atrás de minhas pálpebras. Ao longe, ouvi o gemido gutural de Lucas e seu corpo convulsionando sobre o meu. Eu o abracei apertado, confortando-o naquele instante tão sublime e tão vulnerável onde a alma se libertava da matéria.

Agora eu entendia por que chamavam aquilo de fazer amor. E não sei por que tive medo algum dia. O que tínhamos acabado de fazer era belo, precioso, quase sagrado. Dar-se completamente ao outro — tudo o que se tem, tudo o que se é —, despidos de roupas e do mundo.

Seus braços se renderam e ele caiu sobre mim, completamente sem ar, a cabeça enterrada em meu pescoço, os dedos ainda entrelaçados aos meus.

Minha nossa, ele era pesado feito um tronco de árvore.

Percebendo que eu ainda tinha dificuldade para respirar, ele rolou para o lado e me puxou para si. Deitei a cabeça em seu peito, ouvindo seu coração bater forte e descompassado. Eu o beijei ali, então descansei o rosto naqueles pelos macios e fechei os olhos bem apertado, rezando para que aquele sonho nunca terminasse.

— Elisa, você está bem? — Ele correu dois dedos pela base da minha coluna, subindo e descendo bem devagar. — Eu a machuquei muito? Por favor, seja franca.

— Estou perfeitamente bem. — Mais do que isso: eu estava em êxtase!

Ouvi Lucas inspirar fundo. Apoiei o queixo em seu esterno e virei a cabeça, sorrindo para ele. O que vi em seu rosto, porém, fez minha alegria vacilar.

— Por que mentiu para mim, Elisa?

## 51

— Por quê... por que acha que eu menti para você? — Eu me sentei, puxando o lençol para cobrir minha nudez.

Suas sobrancelhas se abaixaram conforme ele se erguia sobre os cotovelos.

— Você ainda é virgem. Era virgem — corrigiu, acomodando-se melhor até recostar as costas na cabeceira da imensa cama. — Você não fugiu com Alexander. Não da maneira como deu a entender.

Ah, porcaria. É claro que ele saberia que eu ainda era virgem se fizéssemos amor. No que eu estava pensando?

— Nunca tive a intenção de enganá-lo, Lucas.

— E mesmo assim enganou. Por quê, Elisa?

— Eu lhe disse na época. É um segredo que não me pertence. E eu tinha que proteger... — Mordi o lábio. Deus, como eu o faria entender sem lhe dar toda a verdade? Senti como se tivesse voltado no tempo outra vez. Para aquela fatídica noite em meu quarto.

— Proteger Sofia. Isso eu já entendi.

Eu o encarei, surpresa, e concordei com a cabeça.

— Venha cá, Elisa. — Estendeu a mão.

Hesitei. Estar tão perto dele nublava meus pensamentos, e eu precisava tomar muito cuidado com o que diria a seguir. Cautelosa, coloquei a mão na dele e permiti que ele me puxasse para perto até meu rosto ficar a pouca distância do seu.

— Conte-me o que for possível contar — suplicou. — Não vou obrigá-la a quebrar uma promessa, ou seja lá o que a impede de ser franca. Apenas me diga alguma coisa. *Qualquer* coisa, ou vou acabar enlouquecendo.

— Não posso trair Sofia, Lucas. E temo que, se deixar de lado tudo o que se refere a ela, você não compreenda nada. Ou, pior ainda, pense que eu estou mentindo.

— Prometo que não vou pensar isso. Apenas tente — implorou.

O que ele me pedia parecia justo. Se a situação fosse inversa, eu também teria perdido a cabeça pensando no motivo que o fizera desaparecer no dia seguinte em que pedira minha mão. Mesmo que ele parecesse desolado, ainda que isso estivesse me dilacerando por dentro, não consegui me obrigar a revelar a origem de minha irmã. Por isso, prestando muita atenção a cada palavra, tentei seguir outro caminho. Um caminho que havia muito tempo eu cogitara trilhar.

— Está bem. — Inspirei fundo. E mais uma vez. E outra. Aquela conversa não seria fácil para nenhum de nós. — Eu passei cinco longos e terríveis dias na cidade onde Sofia viveu antes de ela se casar com Ian. Não menti quanto a isso. E minha cabeça não funcionava direito, eu me esquecia das coisas. Quando estava lúcida, me perguntava se estava realmente lúcida e...

— Por que sua cabeça não funcionava direito? — Ele endireitou os ombros, o rosto dominado pela preocupação. — Você sofreu um acidente? Bateu com a cabeça? Teve algum desmaio ou sonolência? Alguém a examinou? O que o médico...

— Acalme-se, doutor. — Sorri com tristeza. — Eu estava fisicamente bem. Não sofri nenhum acidente, mas fui examinada por um médico. Ele afirmou que eu estava tendo uma crise nervosa. E tinha razão...

Contei a ele que me senti sozinha e desamparada ao chegar àquele lugar, e que o desespero quase me dominou. E então contei sobre Alexander, que tinha sido um bom amigo e me ajudado quando mais precisei.

— Mas foi só isso! — Apressei-me ao vê-lo enrugar a testa. — Eu juro, Lucas, Alexander jamais agiu de maneira inapropriada até o baile na semana passada.

Embora eu tivesse visto muitas perguntas relampejar em seus olhos, ele as guardou para si, mas não conseguiu esconder a irritação que o nome de Alexander ainda lhe causava.

— E por que ele não a trouxe para casa? — ele quis saber.

— Porque não era possível. A cidade onde Sofia morava é... de difícil acesso.

— E este lugar onde você esteve... que não se parece com nada que conhece... — tentou.

— É por isso que eu não posso lhe contar tudo, Lucas — adiantei-me antes que ele me pressionasse e a conversa terminasse aos gritos. — Você percebe? Não estamos mais falando de nós dois, mas de Sofia. Esse segredo pertence a ela. Por favor, acredite em mim desta vez.

Um V se formou entre suas sobrancelhas, mas ele não disse nada. Encarei aquilo como um sinal para que eu prosseguisse.

— Também é verdade que o parente dela ficou doente — continuei. — Eu não o conheci, mas Ian sim. E gostou muito de Rafael. Foi assim que meu irmão conseguiu aquele remédio que salvou a vida de Sofia e que deixou você tão... intrigado. Por isso Ian foi tão categórico em lhe dizer que era impossível conseguir mais dele. Nem mesmo Sofia sabe como voltar para sua terra natal. Nós tivemos muita sorte em conseguir voltar para casa. E, quando voltamos, nós três tentamos dizer a verdade tanto quanto era possível. Mas você não acreditou.

— Como poderia, Elisa? — Soltou uma pesada lufada de ar. — Eu encontrei Ian na casa da sua tia à sua procura. Nem mesmo seu irmão sabia onde você estava. Ninguém sabia! Tudo o que pude pensar foi que a ideia de se casar comigo era tão repulsiva que você se viu obrigada a fugir.

— Mas eu não fugi! — Quando ele iria acreditar em mim? — Fui curiosa, mexi onde não devia, e por causa disso estou pagando até hoje.

Ele esfregou a testa, como se ela lhe doesse.

— Eu não entendo. O que mexer em alguma coisa tem a ver com o seu sumiço?

— Eu sinto muito. Sei que está confuso, mas não posso explicar muito mais. Se o segredo de Sofia cair em mãos erradas, a vida dela correrá perigo, Lucas. — Desviei os olhos para o lençol. — Por isso não pude explicar o meu desaparecimento naquela época e tampouco posso agora.

— E então mentir para mim pareceu a solução? — Ele até tentou, mas não conseguiu esconder a amargura em suas palavras.

Eu me encolhi, também ferida.

— Você desconfiava que eu tivesse fugido com outro homem. Pensei que, se eu confirmasse, você me rejeitaria e romperia o noivado. Assim eu poderia manter Sofia a salvo. Parecia a única saída. Eu a amo, Lucas, e faria qualquer coisa para protegê-la. Da mesma maneira que ela fez tudo para me proteger quando me perdi no mundo dela. Sofia não pensou duas vezes para ir ao meu socorro, sem qualquer garantia de que conseguiria voltar para Ian e Marina. Como posso não amá-la? Como posso não fazer tudo o que estiver ao meu alcance para mantê-la em segurança?

Havia compreensão em seu semblante, mas também mágoa e algo mais. Uma vulnerabilidade que me doeu intensamente.

— E quanto a mim, Elisa? — perguntou. — Por que me fez pensar que tinha entregado seu coração a outro homem? Por que me machucar desse jeito?

— Por quê... — Abri o braço, desamparada. — Até a noite em que você partiu para a Itália, nunca tinha falado comigo sobre seus sentimentos. Depois da maneira como pediu minha mão, eu pensei que não tivesse nenhum, que eu me enganara. Mas então você se declarou, e ouvir tudo o que me disse... Oh, Lucas, meu coração quase explodiu de tanta alegria. Tudo o que eu queria era correr para você e dizer as palavras que o fariam se sentir da mesma maneira.

Ele ouvia tudo com o rosto impassível, tão quieto que tive que desviar o olhar.

— Mas eu não podia, Lucas — prossegui. — Não sem trair Sofia. E então eu pensei que a nossa vida seria daquele jeito para sempre, com meias palavras, segredos e esse abismo que cresceu entre nós. Eu iria magoá-lo dia após dia enquanto mantivesse minha lealdade, e não podia suportar isso. Eu o amava demais para permitir que alguém o destruísse, mesmo que essa pessoa fosse eu.

Lucas inspirou fundo. Não ousei olhar para ele quando voltei a falar.

— Por isso eu menti dizendo que eu tinha me apaixonado por outra pessoa. Era o que você acreditava que tinha acontecido. — Passei os braços ao redor do corpo conforme me recordava, com muita exatidão, da dor e desespero que senti naquela noite. — Negar o que eu sentia por você foi uma das coisas mais dolorosas que eu já fiz. Me doeu fisicamente. Eu parti seu coração naquela noite, mas também parti o meu.

Ele permaneceu calado, mas sua mão ainda estava na minha. Se simplesmente não notara ou se aquilo era um sinal de que desta vez ele realmente me dava crédito, eu não sabia.

— Sei que nada pode justificar o que fiz, Lucas. Mas, por favor, não faça mau juízo de mim. Tudo o que eu fiz foi por amor a minha família e a você.

O silêncio recaiu sobre o quarto como um manto pesado e sufocante. Esperei, com o coração aos pulos, que ele dissesse alguma coisa. Qualquer coisa.

Estava tão tensa que me sobressaltei quando seus dedos tocaram meu queixo, me incitando a olhar para ele.

Depois de hesitar, temendo o que encontraria ali, inspirei fundo e ergui o rosto. Seu olhar era tão sério que me vi prendendo o fôlego. Não fui capaz de adivinhar o que ele estava pensando; seus olhos não devolviam nada. Minha agonia pareceu se prolongar por um século inteiro antes de seus lábios começarem a se mover.

— Se existe uma coisa ainda mais irritante do que o maldito orgulho dos Clarke — falou ele —, é a lealdade dos Clarke.

Pisquei, surpresa. Não era exatamente o que eu esperava.

— Por mais que me doa admitir.. — Afastou com os dedos uma mecha de cabelo que me caía no rosto. — ... e que tenha me doído esses anos todos, o que você fez foi admirável, Elisa. É preciso ter muita integridade para manter tamanha lealdade. E coragem também.

Soltei uma pesada expiração, um tanto desconcertada por ele interpretar minhas ações daquela maneira.

— Eu não me sinto nem um pouco corajosa, Lucas. Na verdade, me sinto miserável por toda a destruição que causei a nós dois. Acha que um dia será capaz de me perdoar?

— E você? Vai conseguir me perdoar? — Seus olhos fulguravam, atrelados aos meus. — Você errou em mentir para mim, mas eu também errei em não acreditar em você, Elisa. Você não confiou em mim para me explicar o que tinha acontecido. Eu não acreditei em você quando me disse que não tinha fugido com outro homem. E não sabe quanto eu me odeio por isso. Você nunca deixou claros os seus sentimentos, mas nunca me deu motivos para duvidar do seu caráter.

Meu coração começou a bater forte nos ouvidos, e temi que estivesse escutando tudo errado.

Ele fixou aquelas íris, agora reluzentes, em mim.

— Acha que um dia conseguirá me perdoar por eu ter sido tão idiota? — ele quis saber. — Por tê-la feito sofrer tanto nos três anos em que estive longe? Por eu ter sido orgulhoso a ponto de que, sempre que passava em frente a uma joalheria e via um par de brincos de turquesa ou um colar de pérolas, vislumbrava-os em você e então entrava na loja e comprava a coisa mais espalhafatosa que meu dinheiro pudesse pagar, apenas para fingir que eu a esquecera?

— Era por isso que me comprava aquelas joias vistosas? — perguntei, atônita.

— Sim. Meu orgulho não me permitia comprar nada de que você pudesse gostar. Exceto aquela pulseira que comprei no cais. — Abriu um meio sorriso envergonhado. — Passei a viagem toda antecipando o prazer que veria em seus olhos quando eu a colocasse em seu pulso. Mas por que perguntou? Que motivo pensou que houvesse?

— Apenas bobagens. — Balancei a cabeça.

— E esse assunto me lembra outro

Soltando minha mão, ele se esticou na cama e abriu a gaveta do criado-mudo. De lá pescou um longo cordão reluzente, as bolinhas brancas cintilando à luz do entardecer. Uma folha de papel se enroscou entre as pérolas e caiu nos lençóis. Lucas não percebeu, já que tinha os olhos nos meus.

— Eu comprei este colar um dia depois de irmos à taberna. Foi por isso que eu a provoquei quando encontrei aquela concha, enquanto perambulávamos pela propriedade. Pretendia dá-lo a você naquela tarde, no piquenique que nunca aconteceu porque descobrimos o jardim apavorante de Miranda. Eu o levei comigo ao baile na propriedade de Henrique. Pensei que aquela noite poderia ser um novo começo para nós dois. Imaginei que, se você não me desse um belo soco de esquerda por lhe fazer aquela proposta indecorosa e me aceitasse em sua cama, talvez eu pudesse encontrar o caminho até o seu coração.

— Ah, Lucas... — gemi, desolada. — Eu pensei a mesma coisa. Como conseguimos nos desencontrar tanto assim?

— Não sei. Francamente. O que eu sei é que isso jamais voltará a se repetir.

— Então suas bochechas adquiriram um suave rosado. — Se você escolher viver a meu lado. Você não teve opção uma vez e acabou se casando comigo porque estava prometida. Não quero que pense que o que acabou de acontecer vai impedi-la de ser uma mulher livre. Quero que fique comigo, Elisa, mas porque me escolheu.

Não pude evitar sorrir. Ele me dava o presente mais bonito de todos. Creio que o amor seja feito disto: liberdade. Todos os dias ter diante de si inúmeras alternativas, mas acabar fazendo sempre a mesma escolha. E eu o escolhia. Escolhi no passado, escolhia agora e escolheria no futuro.

— Está enganado, Lucas. Eu não me casei com você porque estava prometida. Me casei por estar apaixonada.

— Isso é verdade? — perguntou, a voz repleta de descrença e esperança.

— Irrevogavelmente apaixonada. Eu o escolhi quando não passava de uma menina e o escolho agora. Eu sempre vou escolher você.

— E eu escolhi você, Elisa Clarke, para dividir minha vida, minhas tristezas e alegrias, as lágrimas e as risadas. — Ele passou o colar por minha cabeça, e se inclinou para beijá-lo em meu pescoço com reverência. — Prometo que irei honrá-la, apoiá-la, protegê-la e amá-la. Seja neste mundo ou em qualquer outro.

Então trouxe o rosto para perto do meu, selando aquele juramento sagrado com um beijo demorado e lento que nos deixou arfando. Arrastei-me para mais perto, procurando o calor de seu corpo, mas um farfalhar atraiu minha atenção. Interrompi o beijo e peguei o papel que havia se enroscado ao colar. Pensando se tratar de um documento importante, eu pretendia colocá-lo sobre a mesa de cabeceira e retomar de onde havíamos parado, mas algumas palavras naquela folha um tanto amassada atraíram meus olhos.

— Ah... eu acho melhor você me dar isso. — Lucas tentou pegar a carta, mas eu me afastei dele, escorregando pelo colchão até estar aos pés da cama.

Comecei a ler.

*Durma, minha pequena.*
*Descanse a cabeça em meu peito,*
*Mas me permita ficar aqui;*
*Enrolado a teu corpo cálido*
*Tão adorado,*
*Amando-a em segredo.*

*Sossegue, minha pequena.*
*Velarei seu sono tal qual um guerreiro*
*Disposto a enfrentar o inferno,*
*A desafiar o céu*
*Para preservar a paz de seu descanso.*
*Eu permanecerei aqui,*
*Amando-a em sigilo.*

*Durma, pequena, durma.*
*Porque, enquanto repousa,*
*Com a cabeça sobre meu coração,*
*Sei que é capaz de ouvir*
*Os gritos desesperados*
*Ecoando por meu peito apaixonado*
*Enquanto eu a amo em silêncio.*

*Adormeça em meus braços, minha doce Elisa,*
*Mas me carregue para os seus sonhos*
*Quando despertar.*

— Você escreveu uma ode para mim?! — Olhei para ele, completamente atônita.

Suas bochechas adquiriram um tom rosado.

— Não sei se podemos chamar de ode. Nem mesmo de poesia, já que eu ignorei todas as regras, aparentemente. Mas, quando você dormiu em meus braços, voltando da taberna... Eu estava tão desesperado para explicar como me sentia e não conseguia encontrar uma maneira. Então eu pensei que talvez alguns versos pudessem me ajudar. — Relanceou o papel. — Mas é inútil. Consigo discorrer a respeito de uma doença por dez páginas inteiras, mas não sou capaz de explicar meus sentimentos. Eu nem sequer consegui encontrar as rimas.

Eu tinha dificuldade para mirar os olhos dele, pois os meus estavam marejados.

— Acho as rimas superestimadas, Lucas.

— A maioria dos poetas discordaria. — Fez uma careta. — Já me conformei com minha falta de jeito para expressar com palavras quanto eu a amo.

Meu coração discordava. Oh, meu coração discordava completamente!

Voltei para junto dele, enredando os dedos naquela cabeleira macia, até nossos rostos estarem a centímetros um do outro. O lençol que me cobria escorregou, embolando-se em minha cintura.

— Então me mostre — sussurrei.

— Você é bastante mandona, moça — murmurou, com a voz enrouquecida, os olhos em chamas, um dos braços serpenteando por minha cintura. — Quem você pensa que é para me dar ordens dessa maneira?

— Sou sua mulher.

Acariciou meu rosto com o nó dos dedos. Deslumbramento, incredulidade, adoração. Tudo isso exposto naquelas lindas íris.

— Sim, você é.

Então, com um movimento rápido e preciso, rolou para cima de mim e me mostrou, daquela maneira quase sagrada, a profundidade de seus sentimentos.

\* \* \*

Não poderia existir noite mais perfeita que aquela. Tudo parecia mágico e lindo, de um jeito quase irreal.

— O que é isso? — Lucas perguntou, deitado no meio da cama, a cabeça sobre minha barriga.

— Isso o quê?

Virando a cabeça, ele me beijou naquele ponto um pouco acima do umbigo que só agora eu descobria que era tão sensível.

— A música que você está cantarolando.

— Mas não estou cantarolando. — Ou estava?

— Ah, está sim. Onde é que eu já a ouvi... — Então seu rosto se iluminou e ele se arrastou pelo colchão até o rosto ficar na mesma altura do meu. — A música que você estava tocando na noite em que nos reaproximamos. A música que mexeu tanto comigo e que depois eu me obriguei a odiar porque pensei que você a tocava pensando em Alexander.

— Bem, era em você que eu pensava. — Afastei alguns fios que lhe caíam nos olhos e não resisti a afundar a mão naquela massa sedosa. — Sempre que eu a ouvia, era em você que eu pensava, mesmo quando estive longe.

O sorriso que ele abriu, meio tímido e exultante, fez meu coração errar uma batida. Ele abaixou a cabeça para me beijar, e então meu estômago, muito inapropriadamente, roncou alto.

Lucas ouviu e acabou dando risada.

— Vou pegar alguma coisa para você comer. — E sapecou um beijo em minha boca.

— Ah, não, Lucas. Não é necessário.

— É extremamente necessário cuidar de você. E acho que devíamos enviar uma mensagem para a casa do seu irmão avisando que você passará a noite aqui. Não quero deixá-los preocupados.

— Oh, sim! Isso é muito atencioso de sua parte. — Eu devia ter pensado nisso antes, mas como poderia, com Lucas fazendo todas aquelas coisas deliciosamente indecentes comigo? — Vou escrever um bilhete explicando tudo para Sofia. Se bem que, ao me recordar da expressão dela no escritório do sr. Andrada... uma indignação forçada, quase fingida... ela já sabia, não? Minha irmã entendera o que estava acontecendo antes que eu pudesse, por isso me incitara a falar com Lucas. Ah, Sofia...

— Algo em especial a apetece? — Lucas quis saber. — Posso preparar para você.

Olhei para ele, surpresa.

— Você sabe cozinhar?

— Quando se mora sozinho por tanto tempo, se aprende um truque ou dois. Sei preparar uma omelete muito boa. Mas não conte para a minha mãe. Não quero ferir os sentimentos dela.

Deixei escapar uma risada.

— Seu segredo está seguro.

Ele pegou a mão que eu mantinha em seu cabelo, apertou os lábios em minha palma e então desceu da cama. Meu corpo choramingou sua ausência, sentindo frio. Eu me cobri com o lençol enquanto o observava pegar as roupas do chão e as vestir com displicência.

— Você não parece muito alinhado — constatei enquanto ele enfiava os pés sem meias dentro dos sapatos. — Sua família e os empregados vão suspeitar que nós estivemos fazendo o que... fizemos — terminei, um pouco enrolada.

— Ótimo! — Abriu um imenso sorriso. — Me poupa o trabalho de ter que contar a eles.

— Lucas!

— O quê? Quero que todos saibam, Elisa. Meu desejo agora é sair correndo pelo mundo, gritando aos quatro ventos que a mulher que eu amei a vida toda também me ama. — Seus olhos em brasa percorreram minhas pernas nuas. Pensando bem, esse é o meu segundo desejo. O primeiro é beijar cada centímetro de você outra vez, até conhecer cada pedacinho do seu corpo de cor.

Corei com a lembrança ainda tão fresca, mas meu corpo reagiu de maneira muito diferente, se inflamando para ele. Embaraçosamente, meu estômago resmungou outra vez, estragando o momento.

— Voltarei logo. — Ele se inclinou e colou os lábios nos meus.

Assim que ele saiu, deixei-me afundar nos lençóis, incapaz de parar de sorrir. Entendia tantas coisas agora. Tanto enganos... Quantos mal-entendidos poderiam ter sido evitados se eu tivesse sido franca com Lucas a respeito de meus sentimentos, pelo menos. Quantos desencontros teriam deixado de existir. Toquei o colar em meu pescoço e jurei que jamais permitiria que isso se repetisse.

Nunca imaginei que meu ataque de fúria terminaria daquela maneira, que minha explosão pudesse acertar tudo entre mim e Lucas, e que...

Franzi a testa. Alexander dissera que precisávamos de uma explosão. Era isso? Por isso ele tinha me beijado? Ele previra tudo? As ações de Lucas e as minhas? No fim das contas, Lucas e eu conseguimos nos acertar graças a ele e seus métodos pouco ortodoxos?

Comecei a rir, e a raiva que eu sentia por ele desapareceu.

Com um suspiro, obriguei-me a me sentar. Eu precisava escrever uma mensagem antes que Ian aparecesse ali com uma arma na mão. Tinha de dizer a Sofia que ela estava certa, que havia mesmo algo errado e lhe contar tudo o que acontecera, e pedir a Samuel para arrumar as malas outra vez, pois voltaríamos para casa. Enquanto ficava de pé, apertando o lençol ao redor do corpo, admirei o quarto de Lucas, da mobília castanha às cortinas ocre. Era isso? Eu tinha encontrado o meu lugar no mundo?

Eu não sabia, mas esperava que sim.

Então, vi a mancha rubra que se destacava na brancura do lençol sobre a cama. Acabei corando e me perguntando o que a sra. Veiga pensaria.

Um ruído vindo do quarto contíguo atraiu minha atenção. Lucas tinha esquecido alguma coisa?

Enrolada ao lençol, decidi averiguar, mas assim que abri a porta avistei o brilho alaranjado vindo da janela aberta. A barra da cortina estava em chamas.

— Meu Deus!

Disparei para o toucador em busca do jarro de água. No entanto, assim que passei pelo guarda-roupa, senti uma mão grande e firme agarrar meu cabelo. No instante seguinte, eu voava contra o armário. Minha cabeça se chocou contra a madeira. Fiquei tonta e caí no chão feito uma boneca de pano.

Lustrosas botas marrons se aproximaram até parar a centímetros do meu rosto. Tentei olhar para cima, ver o rosto, mas o movimento fez meus olhos se revirarem e o mundo girar, desfocado. A consciência começou a me escapar.

Então um novo clarão laranja explodiu em algum lugar. Fraca, tentei proteger os olhos com o braço, mas não consegui ir muito além de cerrar as pálpebras. Abri os olhos a tempo de ver as botas sobre o récamier turquesa antes de desaparecerem pela janela.

A cama agora também queimava. Eu tinha de sair dali. Tinha de alertar todos na casa sobre o fogo e o invasor, mas meus membros não respondiam ao comando.

— Socorro — tentei gritar, mas tudo o que saiu foi um murmúrio abafado.

O fogo faminto aumentava a cada segundo, expelindo uma fumaça escura que ardia em meus olhos, pesava em minha garganta, embotava meu discernimento até que conseguiu dominá-lo por completo e eu perdi os sentidos.

## 52

Lucas tinha certeza de que seu rosto partiria ao meio se não parasse de sorrir. Mas como poderia se conter, se a maneira como se sentia era algo semelhante a ter descoberto a cura de todas as doenças do mundo?

Enquanto se movia pela cozinha, flagrou-se pensando em tudo o que acabara de acontecer. Elisa o amava. Desde o início! Como tinha sido idiota. Deixou-se cegar pelo orgulho e pela insegurança. Ele sempre a vira como algo inalcançável, perfeita demais, quase etérea. Mas agora a enxergava como realmente era: uma mulher obstinada e leal, que faria tudo para proteger aqueles que amava. Como poderia condená-la, se ele mesmo havia feito algo semelhante, na tentativa de salvá-la de um casamento infeliz?

Diabos, quanto tempo perdido! Se tivessem sido honestos um com o outro, jamais teriam se perdido assim. Mas haviam se reencontrado, e nada nem ninguém voltaria a separá-los. Lucas estava tão certo disso quanto de que, para continuar vivo, seus pulmões tinham de continuar a inflar.

Ele não imaginou que ele e Elisa pudessem ir tão longe. Ao arrastá-la para aquele quarto, tudo o que pretendia era fazer com que ela lhe revelasse o que a tinha enfurecido tanto. Agora sabia e, ah, como estava grato por ela ter destruído seu laboratório!

A doçura de Elisa escondia o vulcão apaixonado que ele — e apenas ele — conhecia. Ainda o atormentava pensar no que acontecera a ela naqueles cinco dias em que desaparecera. Pensar que pudesse ter sofrido, que isso ainda a feria, o enchia de uma raiva quase selvagem. Ela não explicara tudo, mas dissera o suficiente para que ele pudesse conviver com isso.

O fogão ainda ardia com as panelas do jantar que havia muito tempo terminara. Estava tão faminto que podia comer lenha, pensou ao espiar o conteúdo das panelas. Porco assado, molho de maçã, batatas coradas e legumes. Perfeito.

Sua família já se retirara, assim como os criados. Melhor assim. Dessa maneira ele poderia voltar para perto de Elisa mais depressa, ponderou, enquanto procurava uma bandeja e dois pratos. Não era tão bom com a apresentação dos pratos, e esperava que Elisa estivesse com tanta fome que não notasse a maneira displicente como amontoaria a comida sobre a porcelana portuguesa... Assim que encontrasse as malditas louças! Pelo amor de Deus, como um homem podia não saber onde ficavam os pratos em sua própria casa?

Foi surpreendido ao ver Saulo entrar na cozinha.

— Eu estava preocupado — seu irmão foi dizendo. — Todo aquele quebra-quebra parecia que terminaria mal. Mamãe discordou, é claro. Quanto mais altos os gritos, mais esperançosa ela ficava.

Lucas esperava fervorosamente que Saulo estivesse se referindo à briga no laboratório e não ao que acontecera depois, em seu quarto.

— Parece que eu vou poder voltar para casa, afinal. — Saulo recostou os quadris na mesa.

— Sabe que é bem-vindo aqui. — Lucas encontrou a bandeja. Humm... eles iriam precisar de guardanapos?

— Agradeço, mas sei que você vai querer ficar a sós com sua esposa pelo máximo de tempo que puder agora que se acertaram. Além disso, se eu ficar aqui, terei que ver esse seu sorriso idiota o tempo todo e tenho certeza de que meu estômago não suportaria. Acredito que Elisa vai conseguir tirar você daquele laboratório, afinal.

— Muito provável que sim, já que não existe mais laboratório. Elisa o destruiu — contou, com um sorriso largo. Ah, ali estavam os quadrados de linho. Onde estavam as porcarias dos pratos? — Mas você está certo. Quero recuperar o tempo perdido. Talvez nós possamos viajar. Só preciso resolver a questão da guarda de Samuel antes.

Não podia permitir que o menino voltasse a viver com aquele sujeito desprezível por inúmeras razões, mas a mais forte delas era que não conseguia aceitar a ideia de não tê-lo por perto, seguindo-o para cima e para baixo e o enchendo de perguntas.

O cheiro de fumaça chegou ao nariz de Lucas. Ele relanceou o fogão. Deixara cair alguma coisa sobre a chapa quando abrira as tampas?

Não. Tudo parecia em ordem.

Espiou pela portinhola e cutucou as brasas ali dentro.

— O que foi? — Saulo quis saber.

— Está sentindo esse cheiro? — perguntou, fungando.

— De paixão? Sim, estou. Você está empesteando o ar.

Lucas revirou os olhos. E então viu as finas línguas escuras serpenteando pelas frestas das tábuas que sustentavam o segundo andar. Seu esqueleto chacoalhou dentro da carne. Meu Deus! A casa estava em chamas!

— Fogo! — gritou.

— O qu... — Então seu irmão também viu a fumaça. — Ah, meu bom Deus!

— Pegou uma panela vazia e a colher de pau preferida de sua mãe.

— Acorde todos os outros! — Lucas estava correndo antes que se desse conta. — Leve-os para fora! Fogo! — urrou de novo.

Seguindo seu exemplo, Saulo começou a bater a colher na panela e a gritar como um alucinado.

Lucas esmurrou a porta da sra. Veiga.

— Todos para fora! Incêndio!

Não esperou que ela respondesse. Seguiu em frente, berrando a plenos pulmões. Conforme subia as escadas de dois em dois degraus, a fumaça ficava mais densa, escura e quente. A porta do quarto onde seus pais dormiam se abriu. O rosto sonolento de sua mãe surgiu entre o painel e o batente.

— Lucas, meu querido, o que está...

— Para fora, mãe. Agora! A casa está pegando fogo!

Lucas viu quando o horror atravessou o rosto dela. Ele queria ajudar os pais a sair, mas a fumaça parecia vir de seu quarto.

— Minha Nossa Senhora! — ouviu-a exclamar. — Alfredo! Acorde, homem de Deus!

*Por favor, por favor, por favor,* Lucas implorava, em compasso com as batidas frenéticas de seu coração, quando a fumaça se tornou mais densa e fez seus olhos lacrimejarem. Deixara Elisa acordada. Ela devia ter ouvido a algazarra. Por que não tinha saído do quarto ainda?

Jogou-se contra a porta, meio abrindo, meio arrombando. A bruma escura que havia tomado todo o cômodo o fez engasgar.

— Elisa — chamou, com a voz pastosa.

Não obteve nenhuma resposta além do estalar da madeira sendo consumida. Cego e aos tropeços, conseguiu encontrar a cama e tateou os lençóis frios. Onde ela estava?

Então viu que a porta do quarto dela estava aberta, e que ali era o foco do incêndio. Tentou se aproximar, mas a bruma escura o engoliu, seus pulmões quase entrando em colapso. Ele se agachou, então avistou o pulso delicado de Elisa tombado de encontro ao chão.

— Meu Deus, não! — Lucas engatinhou até ela. Sua pele lhe pareceu fria demais em contraste com o calor que engolia o quarto.

Uma língua de fogo lambeu o lençol que a cobria. Lucas o apagou com tapas frenéticos e imediatamente passou os braços por baixo de seu corpo desfalecido. Foi com dificuldade que a suspendeu, tentando se manter abaixado para protegê-la da fumaça e das chamas.

— Está tudo bem. Eu peguei você — murmurou para ela.

Protegendo-a do calor com o próprio corpo, ele a levou para fora dali, seguindo a nuvem negra às cegas — a fumaça sempre busca o ar fresco para escapar.

Conforme a bruma foi se dispersando, conseguiu ver o rosto inconsciente de sua mulher. Elisa estava pálida demais em contraste com a fuligem que a recobria. Engolindo em seco e a ajeitando melhor nos braços, não se permitiu pensar em qualquer coisa. Tudo o que tinha de fazer agora era tirá-la dali.

Conseguiu encontrar a escada. Ao chegar à sala, chutou a porta de entrada, quase arrancando as dobradiças. Uma lufada de ar puro tocou seu rosto e sacudiu os longos cabelos de Elisa.

Havia muita gente ali fora, alguns correndo com baldes, outros gritando, mas tudo isso pareceu um borrão para ele. Lucas atravessou o gramado sem ver onde pisava, foi além da grande árvore, onde o ar parecia fresco o bastante, e a deitou na grama, com cuidado.

— Meu Deus! Ela está bem? — ouviu a voz de Saulo perguntar.

— Aqui, meu filho. — Seu pai lhe estendeu o xale que a mãe trazia ao redor dos ombros.

Cobrindo o peito de Elisa, Lucas se apressou em tomar os sinais vitais. Os dedos dele não tinham a firmeza que ele gostaria, e piorou muito quando percebeu que ela não respirava e seu coração batia fraco, como se estivesse desistindo da luta.

— Ela está... ela está... — a voz de sua mãe sumiu.

— Não! E não vai! — Ele não iria perder Elisa!

Os empregados tentavam apagar o fogo, as chamas agora escapando pela janela, mas Lucas não viu nada disso. Nem viu o homem que se aproximava a cavalo rapidamente. Estava concentrado demais, inclinando a cabeça de Elisa para trás e soprando em sua boca uma vez. Duas. Três. Suas bochechas inflaram, mas seu peito continuou inerte. Ele afastou a manta e estendeu os braços dela acima da cabeça. Posicionou as mãos no centro do peito de Elisa e começou a bombear seu coração.

— Elisa! — alguém chamou. No instante seguinte, Ian caía de joelhos ao lado dela, tocando-lhe a mão. — Elisa. Elisa, fale comigo. O que fez com ela? — Fitou Lucas com algo entre desespero e raiva.

— Sr. Clarke, foi um terrível acidente... — Tereza começou.

Houve mais conversa, mas Lucas ignorou todos eles. A única coisa que importava agora era Elisa. Apenas ela.

— Por favor, fique comigo — sussurrou. — Não vou deixar que vá embora. Lute, Elisa. Está me ouvindo?

Voltou a trabalhar em seu coração, a inflar suas bochechas, a implorar entre uma ação e outra. Por vinte vezes ele alternou as manobras que aprendera na escola de medicina. Porém, por mais que se esforçasse, que seus braços tremessem com o esforço e o medo, que fizesse tudo exatamente como lhe fora ensinado, ela não reagia.

— Lute! Vamos! — esbravejou, uma lágrima rolando por seu rosto.

Ele não havia percebido que chorava. Não percebia nada além do tórax inerte da garota pálida deitada na grama, que se resumia a todo o seu mundo. A gota dançou por seu rosto, pendurando-se em seu queixo e caindo caprichosamente sobre o olho de Elisa, antes de escorrer por sua bochecha deixando um rastro pálido por entre as cinzas, dando a impressão de que ela também chorava.

— Por favor, fique comigo. Volte para mim. — Ele massageou o peito dela com mais vigor, em completo desespero. Ficaria ali, ajudando o coração dela a bater pelo resto da vida se isso a impedisse de partir. — Eu preciso que volte, Elisa. Lute! É uma ordem!

Precisava contar dos planos que fez para eles dois. Dos filhos que imaginou que teriam, das coisas que queria lhe mostrar. Precisava que ela respirasse para que ele pudesse respirar. Que o coração dela batesse para que o dele continuasse a pulsar.

Lucas sentiu um suave tremor sobre sua palma. Olhou para o rosto dela, e foi como se o mundo tivesse voltado a girar no instante em que a viu entreabrir os lábios, buscando ar.

— Elisa!

— Graças a Deus! — ouviu o coro atrás deles.

No entanto, a tosse a dominou e ele a tomou nos braços, segurando-a de lado, mantendo seus cabelos longe do rosto.

— Preciso de água! — gritou para ninguém em específico, pois Elisa tinha problemas para sugar o ar, como se estivesse em meio a uma aguda crise de asma.

Sustentando o corpo dela, Lucas sussurrou palavras de conforto, tentando acalmá-la. Quanto mais nervosa ela ficasse, mais dificuldade teria.

Um balde pesado foi colocado perto do joelho dele. Ao erguer os olhos, viu Ian.

— Obrigado — murmurou. Seu cunhado respondeu com um aceno firme de cabeça. — Ajude-me, Ian. Segure-a para mim. — A última coisa que Lucas pretendia era soltar Elisa. Mas ela precisava de seus cuidados.

Assim que Ian tomou seu lugar, mantendo Elisa na posição, Lucas saltou diante dela, puxando a camisa pelo colarinho. Derramou um pouco de água no tecido, empapando-o, e o aproximou do rosto dela. Os instintos de Elisa a fizeram agarrar o pano e levá-lo ao rosto. Conforme respirava a umidade, a tosse foi cedendo e a respiração tornou-se menos áspera.

Enquanto isso, Lucas tomou uma das mãos dela e começou a banhá-la. Elisa se deixou cair contra o irmão, a mão que segurava a camisa pendendo na grama. Ele pegou a camisa, jogando um pouco mais de água no tecido antes de usá-lo para limpar aquele rosto que tanto amava. Ela abriu os olhos vermelhos.

— Lucas...

— Shhh... Não se preocupe com nada. Me deixe cuidar de você.

— Ela vai ficar bem? — a voz grave de Ian perguntou.

— Sim. — Porque não havia outra opção na cabeça de Lucas.

Elisa virou o rosto e encarou o irmão com um esboço de sorriso.

Lucas praguejou baixinho quando tentou rasgar um pedaço da camisa e seus dedos instáveis não permitiram. Seu cunhado o encarou, questionando. Tudo o que pôde fazer foi balançar a cabeça.

— Saulo! — chamou Lucas. — Vá até a vila. Diga a Almeida que preciso dele aqui. Não! Fale para ele nos encontrar na propriedade dos Clarke — corrigiu. — Diga que é uma emergência.

— Mas a casa...

— Que se dane a casa! — ele interrompeu. — Eu preciso de um médico para cuidar de Elisa!

— Mas você é médico! — Saulo rebateu, confuso, o balde balançando em seu cotovelo.

— Não agora. — Abanou a cabeça em desespero. — Não serei capaz de cuidar dela sozinho. Eu temo que meus sentimentos possam atrapalhar o exame. Além disso, minha maleta está ardendo em algum lugar naquele inferno.

Elisa voltou os olhos abatidos para Lucas.

— É claro que consegue cuidar de mim, doutor. — Sua voz mal passava de um fraco zumbido. Como a casa toda estalava, as pessoas gritavam, ele aproximou o rosto para conseguir ouvi-la — Basta imaginar que sou uma cortina que você quer muito manter.

— Uma cortina feita do mais precioso material. — Ele deixou escapar um riso nervoso, afastando seus cabelos para longe do rosto, e beijou a testa de Elisa. — Mas não consigo manter as mãos firmes o bastante. Você tem um galo bem grande perto da orelha. Deve ter batido a cabeça quando desmaiou. Preciso que Almeida a examine.

A testa dela se enrugou enquanto seus olhos perdiam o foco. Em seguida, ficaram largos como pires e o contemplaram em completo horror. Ela tentou se sentar. Ian, graças a Deus, tinha mais bom senso e a obrigou a ficar deitada.

— Não bati a cabeça ao cair, Lucas. Eu caí porque bati a cabeça. — Sua voz saiu um pouco mais alta. — Tinha alguém no meu quarto. O incêndio não foi um acidente. Foi proposital!

— O quê? — ele e Ian perguntaram, em uníssono.

— Eu não consegui ver o rosto — começou a falar, agitada. — Havia muita fumaça e eu estava zonza, mas tinha alguém lá. Ele me jogou contra o guarda-roupa. Foi quando eu bati a cabeça. Depois tudo ficou confuso, mas tenho certeza do que vi. Um homem calçando botas marrons escapou pela janela.

Duarte. O nome ressoou pela cabeça de Lucas com a suavidade de uma mar reta. O filho da mãe tinha dito que não deixaria as coisas como estavam. Provavelmente tinha ido atrás do documento que Lucas o forçara a assinar e depois incendiara a casa.

Algo violento preencheu seu estômago. Jamais sentira tanto ódio em toda a vida.

— Vou matá-lo! — cuspiu, entredentes.

— Quem? — Ian quis saber. A fúria no rosto do cunhado espelhava a sua.

— Jeremias Duarte, o tio de Samuel. Ele esteve aqui esta tarde. Eu o irritei e ele jurou que se vingaria. — E da maneira mais perversa.

— Oh, meu Deus! — Se é que era possível, achou que Elisa ficou ainda mais pálida. — Então Samuel pode estar em perigo também!

## 53

Tentei me levantar, mas meu irmão me impediu. Ora, mas que inconveniente estar fraca a ponto de mal conseguir mover os braços.

— Acalme-se — Lucas ordenou.

Me acalmar? Eles tinham ouvido uma palavra do que eu havia dito? Como eu poderia ficar ali deitada e me acalmar se Samuel podia estar em perigo? Se aquele homem fora capaz de atear fogo na casa depois de me atacar e me deixar ali, entregue à própria sorte? Ele sabia que Samuel não estava ali dentro? Ou simplesmente não se importara?

Eu disse isso a eles.

— Elisa tem razão — Ian, graças aos céus, concordou. Mas ainda me forçou a ficar sentada. Ora bolas. — Vou para casa alertar os empregados. Mandarei alguns aqui, para ajudar a apagar o incêndio. — Inclinou-se para beijar minha cabeça. — Você ficará bem com ele? — sussurrou.

— Oh, Ian. Não pense mal do Lucas. Há tanto a ser explicado...

— Realmente. Mas agora não é o melhor momento. Eu a vejo em casa.

Com muito cuidado, ele me entregou a Lucas. No instante seguinte, tirou o paletó e o colocou sobre meus ombros, antes de subir no cavalo e disparar, sumindo na escuridão.

Delicadamente, Lucas ajeitou o xale sob o paletó para que apenas meu pescoço ficasse exposto à brisa fria do inverno. Não notou que a falta da camisa o deixava desprotegido, que sua pele estava arrepiada e adquiria um tom azulado.

— Você precisa se cobrir — murmurei.

— Estou bem. — Assim que achou que eu estava protegida o bastante, me pegou no colo e tomou o caminho da estrebaria sem olhar para trás. Mas eu olhei, sentindo um aperto no coração ao observar as chamas laranja que destruíam a casa, erguendo-se em direção ao telhado.

* * *

Quando chegamos, a residência dos Clarke estava quase toda acordada. Apenas as meninas e, graças a Deus, Samuel dormiam, guardados por Madalena e uma vassoura. Não havia qualquer sinal de Duarte.

Minha chegada foi marcada por uma verdadeira comoção. Todos ansiavam por notícias, e Lucas foi paciente, permitindo que minha família entrasse no quarto e fizesse algumas perguntas antes de ele perder a calma e educadamente colocar todos para fora. Usou uma toalha para limpar meu corpo, e depois passou uma camisola por minha cabeça para só então vestir ele mesmo a camisa de Ian que Sofia tinha trazido.

Foi nesse instante que dr. Almeida chegou.

— Graças a Deus! — Lucas foi dizendo assim que o homem entrou. — Quero que a examine de novo. Posso ter deixado passar alguma coisa. Ela demorou a voltar do desmaio. Não sei quanto tempo esteve desacordada. Havia muita fumaça escura. Os pulmões parecem estar comprometidos. Há um galo perto do osso temporal no lado esquerdo. Não senti nenhuma anomalia, mas talvez eu não tenha examinado com a devida atenção. Posso ter me equivocado quanto...

— Lucas! — chamei da cama.

Ele estava tão nervoso que não compreendeu a repreensão. No instante seguinte, estava do meu lado, me observando com seu olhar de cirurgião.

— Sim? O que foi? Sente alguma coisa diferente?

Almeida colocou sua maleta sobre o colchão, sorrindo de leve.

— Suspeito que sua esposa queira que você segure a mão dela enquanto eu a examino.

— É isso? — Sua mão envolveu a minha antes que eu pudesse dizer qualquer coisa.

— Sim. — Ao menos assim eu poderia acalmá-lo um pouco.

Meu antigo médico foi cuidadoso em seu exame. Lucas não saiu de perto de mim um só instante, segurando minha mão com força.

Seu diagnóstico estava correto. Apesar de dolorida, minha cabeça estava em ordem. Mas meus pulmões haviam sido afetados. Um chá de verbasco e gengibre foi preparado, e a recomendação de que eu não deixasse aquela cama foi comunicada pelos dois médicos. No entanto, foi desnecessário. Antes que o dr. Almeida saísse do quarto, o esgotamento tomou conta de mim e eu adormeci, ainda segurando a mão de Lucas.

# 54

Elisa dormia pacificamente. Lucas a observava com atenção, seu lado médico procurando algum sinal de que ela pudesse estar sofrendo. O chá fizera bem a ela, conjecturou ao notar que seu peito subia e descia com mais facilidade. Ela estaria totalmente recuperada dentro de três ou quatro semanas, se seguisse as recomendações. E ele iria garantir que ela as seguiria.

A madrugada já havia avançado muito quando ouviu uma suave batida na porta. Engolindo uma imprecação, soltou a mão de Elisa e, pé ante pé, foi ver quem era.

Ian, limpo e vestido para sair, fez um meneio de cabeça, desculpando-se pelo adiantado da hora.

— Minha irmã está bem? — perguntou, sem rodeios.

— Sim. O verbasco parece já estar fazendo efeito, limpando os pulmões dela. Ela respira melhor.

Seu cunhado soltou uma pesada lufada de ar que soou como um "graças a Deus".

— Se era só isso... — começou Lucas.

— Não, Lucas. Eu quero falar com você. Não levará mais de um minuto.

Praguejando, Lucas encostou a porta para não perturbar Elisa. E um passo depois perguntou:

— O que quer, Ian?

— Não posso dizer que é uma surpresa vê-los juntos outra vez. Sofia me disse que Elisa foi até a sua casa esta manhã e não voltou.

Lucas esfregou a testa.

— Ela foi até lá para debater uma cláusula da anulação. Discutimos novamente e no calor do momento... bem...

— Não precisa entrar em detalhes. — Ian ergueu as mãos, fazendo uma careta. — Minha irmã vestia apenas um lençol. Eu entendi.

— Nós finalmente conseguimos derrubar as barreiras que nos separavam. E desta vez eu juro que nada irá estragar a nossa felicidade. Nem eu e nem ela. Não vou permitir qualquer mal-entendido entre nós. Tem minha palavra. Agora posso voltar para perto de minha esposa?

Ian apoiou a mão no ombro dele e apertou de leve em um gesto de camaradagem, como se partilhassem da mesma angústia. Recordando-se da época em que Sofia esteve doente, da maneira como Ian quase enlouqueceu, Lucas acreditou que partilhassem mesmo.

No entanto, o olhar de seu cunhado mudou subitamente, tornou-se duro.

— Eu vou atrás de Duarte — Ian anunciou.

— Não — objetou Lucas. A raiva ameaçou dominá-lo. — Aquele bastardo é meu.

— Aquele homem não pode ficar solto nem mais uma hora. Elisa e Samuel continuarão correndo perigo enquanto ele não for preso.

Lucas concordava com ele, em parte. Duarte não podia ficar solto nem mais um segundo. Todos eles corriam perigo. Mas havia aquela parte dele que tinha sede de vingança, que queria pegar o calhorda pelo pescoço e surrá-lo até transformá-lo em nada além de hematomas e feridas. O problema era que para isso teria de deixar Elisa.

Levou as mãos ao cabelo e o afastou para trás, fechando os olhos, como se com isso pudesse clarear a mente. Tudo o que viu atrás de suas pálpebras foi o rosto de Elisa, pálido e sujo de fuligem. Sua decisão pareceu mais simples do que imaginou. Entre a vingança e o amor, ele escolhia Elisa.

— Está bem — bufou. — Tudo o que eu quero é que sua irmã possa viver sem medo de que algo saia das sombras para atormentá-la. Mas faça o que for preciso para que aquele covarde nunca mais volte a ver a luz do sol.

— Eu tinha certeza de que era um homem razoável. — Ian deu dois tapinhas em suas costas. — Vou até a sede da guarda prestar queixa e só sairei de lá quando esse homem estiver atrás das grades.

— Ótimo. Vou voltar para perto dela agora. No momento, tudo o que eu quero é manter sua irmã naquela cama.

Os olhos negros do cunhado se tornaram duas fendas estreitas.

— Para que não se resfrie! — Lucas se apressou, sem graça.

Ian tentou manter a expressão, mas deixou escapar a risada, que fez Lucas desejar socá-lo.

— Ora, Ian, vá para o inferno! — bufou. Ainda ouvia seu cunhado rir quando entrou no quarto e fechou a porta.

## 55

Abri os olhos, um tanto desorientada, e a primeira coisa que vi foi o rosto de Lucas.

Do meu marido.

— Oi. — Ele tocou minha bochecha e manteve a mão ali. — Está com fome? Sede? Tem algo a incomodando? Como está sua cabeça? Sente alguma dor? Sua visão está estável ou está com dificuldade para...

— Poderia pedir para o médico ir embora? — brinquei. — Ele me apavora um pouco.

— Desculpe. — Ele soltou o ar com força. — Só estou preocupado com você. *Muito* preocupado.

— Eu só estava brincando. — Sentei-me na cama. — E estou bem.

— Tem certeza?

— Absoluta.

Apesar de meus pulmões estarem pesados e não parecerem inflar como de costume, os olhos irritados e a garganta arranhada como se cinquenta gatinhos tivessem dado um baile ali, eu me sentia bem.

Olhei para o quarto onde passara a vida toda. Para as cortinas diáfanas brancas e flores cor-de-rosa, a cômoda laqueada com puxadores de cobre, alguns objetos que eu tinha deixado para trás, o toucador, a mancha negra sobre ele em decorrência da vela tombada anos antes... Acabei estremecendo. A casa toda podia ter se incendiado naquela noite.

Lucas passou os braços ao meu redor, preocupado.

— Não é nada — garanti a ele. — Estava pensando no que aconteceu neste quarto na noite da sua partida. Que poderia ter tido o mesmo destino que a sua casa.

— Elisa... — Ele se afastou para me encarar, mas manteve as mãos em meus ombros, me acariciando lentamente. — Sei que não é o melhor momento, e vou entender se preferir falar sobre isso outra hora, mas eu gostaria que me contasse tudo o que aconteceu depois que eu saí do quarto ontem.

Eu não queria reviver aquelas lembranças — por mais falhas que fossem — em qualquer momento. Achei melhor acabar com aquilo logo, então comecei a contar tudo de que me lembrava. Quando terminei, o rosto de Lucas parecia tranquilo, não fosse por aquele sutil apertar de olhos.

— Seu irmão foi para a vila nesta madrugada — contou. — Como ainda não retornou, imagino que ele e a guarda estejam atrás de Duarte. É provável que você precise falar com as autoridades.

— Qualquer coisa que deixe Samuel a salvo. Não me importo, Lucas.

Ele acariciou meus cabelos, anuindo.

— Vou pedir para que preparem seu banho. Quanto ao café...

Uma suave batida na porta ecoou pelo quarto.

— Só um instante — ele disse, pegando meu velho roupão. Assim que me ajudou a vesti-lo, foi atender a porta.

Sofia entrou no quarto.

— Desculpa, Lucas, eu não quero atrapalhar. Só precisava ver... — Então me viu e seu rosto foi tomado de alívio. — ... Elisa de olhos abertos.

Estendi o braço para ela. Em seis passos, minha irmã estava me abraçando.

— Ah, Elisa. Eu fiquei tão assustada quando a vi chegar daquele jeito, meio grogue. Você tá bem?

— Odeio saber que ficou tão preocupada, Sofia. Estou perfeitamente bem.

— Jura? — Ela me segurou pelos ombros e correu os olhos pelo meu rosto. — Jura mesmo que tá bem?

— Eu juro.

— Odeio aquele homem, Elisa. Pelo que fez com Samuel e pelo que tentou fazer com você. Aposto que ele teria pensado duas vezes antes de fazer qualquer coisa se a cadeira elétrica já tivesse sido inventada..

— Cadeira elétrica? — Lucas inclinou a cabeça para o lado.

Prendi o fôlego, lançando a Sofia um olhar preocupado. Ela não pareceu se dar conta de seu deslize e seguiu em frente.

— Eu sei. Tô exagerando. — Deixou escapar um suspiro. — E que eu estou com tanta raiva daquele sujeito, por ele ter tentado ferir a Elisa e... e eu não pude fazer nada para impedir. — Seus olhos marejaram.

Ah, Sofia...

— Mas ele não conseguiu. — Eu a abracei outra vez. — Estou bem de verdade.

— Ainda bem — murmurou em meu ombro.

Lucas ainda a observava, a testa enrugada, como se tentasse encontrar sentido no que havia ouvido. Por sorte, voltaram a bater na porta, e isso o distraiu.

— Já acordou, querida? — Rosália colocou a cabeça para dentro do quarto. Ao ouvir a voz dela, Sofia se endireitou. — Lucas, por que não me avisou? Sabe que eu estou preocupada com minha norinha. Não aguentava mais arranjar desculpas para ficar zanzando neste corredor.

— Ela acabou de acordar, mãe.

— Eu estou bem, sra. Guimarães — respondi ao notar a aflição em seu semblante. — Não há razão para que fique...

— Tia Lisa! Tia Lisa! Tia Lisa!

— Analu, me espera!

E então dois borrões ligeiros passaram pela porta, escalaram a cama e pularam em meu pescoço.

— Cuidado com a tia Elisa! — Sofia se apressou. — Ela tá dodói.

— E precisa de descanso e *pouca agitação* — sussurrou Lucas, em um desamparo tão absoluto que me fez rir.

— Está tudo bem. — Beijei a testa suada de Marina e a bochecha quentinha de Laura. — O amor dessas duas é tudo de que eu preciso para me recuperar.

— A gente trouxe pra você! — Marina me olhou com aqueles imensos olhos castanhos e me estendeu uma margarida.

Um orgulho desproposital me fez sorrir de orelha a orelha.

— Nina! — exclamei. — Você usou a concordância correta!

— Onde? — Olhou para o seu vestido, procurando, e eu acabei rindo.

E engasgando, para preocupação de Lucas. Ele já se curvava em minha direção quando fiz um gesto para acalmá-lo.

— Ah, não. A minha *quebô*! — Laura olhou com tristeza para a florzinha amassada pelo calor do seu abraço, e que agora encarava o chão.

— Não tem problema. — Peguei a flor e beijei seus dedos gordinhos. — Assim ficará perfeita para que eu a use nos cabelos, se alguém me ajudar a trançá-los mais tarde. Sabem de alguém que gostaria de fazer isso?

— Sim! — Marina pulou na cama. — A gente! Podemos enfeitar ele agora? A gente pegou muitas flores... Cadê o Sam? — Olhou para trás.

Acompanhando seu olhar, encontrei o menino espiando pelo batente. Seus olhos estavam vermelhos, como se tivesse chorado. Oh, Samuel.

— O que faz aí, tão longe? — perguntei. — Lucas não me deixa sair da cama. Venha logo me dar um abraço.

Ele não precisou de outro convite, mas, diferentemente de minhas sobrinhas, sentou-se na ponta do colchão. Precisei pegá-lo e o puxar para mais perto.

— O que foi? — sussurrei em seu ouvido. — Por que esteve chorando?

— Porque eu fiquei com medo que ele tivesse feito algo ruim com você. Ele. Seu tio.

Olhei para Lucas. Ele também ouvira e pareceu surpreso.

— Quem... lhe contou que Duarte foi o responsável pelo incêndio, Samuel? — meu marido quis saber.

— Eu ouvi o sr. Guimarães e o Saulo conversando nos estábulos. — O menino se encolheu, corando. — Eu sei que não devia ter ouvido a conversa deles, mas é que ninguém quis me contar nada, Elisa!

— Por uma boa razão. — Acariciei sua bochecha macia. — Isso é um problema para os adultos resolverem. Não quero que fique preocupado. Nem triste! Ou eu acabarei ficando também.

Com um esforço que demandou mais força de vontade que qualquer outra coisa, ele exibiu os dentes.

— Oh, minha menina querida, você acordou! — Madalena disse ao entrar.

— Graças a Deus! Eu já estava perdendo o juízo de tanta preocupação.

— Eu que o diga — resmungou o sr. Gomes, logo atrás. E depois veio Saulo, o sr. Guimarães, Tereza e minha querida Teodora, de braço dado com o primo Thomas. Tia Cassandra estava às costas dela, de mãos dadas com Thomas Clarke III, os cachos ruivos como os da mãe saltitando. O cômodo tinha se tornado pequeno para tanta gente.

Para tanta família, quero dizer. Até aquele instante, eu não havia percebido quanto ela crescera. Antes éramos só eu e Ian. Agora havia tantas pessoas que o quarto começou a ficar abafado enquanto elas me enchiam de perguntas, para desespero de Lucas, que murmurava com frequência que eu não devia falar muito. Faltava apenas meu irmão ali.

Como se adivinhasse que eu pensava nele, Ian passou pelo batente, parecendo exausto, mas sorriu assim que me viu.

— Eu estava me perguntando por que você ainda não tinha vindo me ver — reclamei.

Com algum esforço, ele se espremeu entre as pessoas até conseguir contornar a cama.

— Estava resolvendo um problema. Como está se sentindo?

— Muito bem, Ian. Não quero que se preocupe comigo.

— Como se eu fosse capaz disso... — Abriu um meio sorriso.

— E então? — Lucas perguntou a ele, os olhos tomados por uma sombra.

— Conseguiu pegá-lo?

— Hã... ei, por que não vão buscar mais flores para enfeitar meus cabelos? — sugeri a minhas sobrinhas. — Levem os meninos para ajudar. Vamos precisar de muitas flores. Meu cabelo está muito comprido.

Como nenhuma delas parecia interessada na conversa dos adultos, logo Marina, Laura e o pequeno Thomas corriam porta afora. Samuel, porém, manteve-se onde estava. Não o obriguei a sair. Aquilo dizia respeito a ele também. Eu o abracei com mais força quando Ian começou a falar.

— A guarda encontrou Duarte na taberna — contou. — Estava bêbado, e mesmo assim tentou fugir. Não acharam nada com ele que o ligasse ao incêndio. Ele negou que tivesse qualquer envolvimento. Juro que pensei que ele se safaria. Mas, depois de uma revista, os guardas encontraram um saco de joias em seus bolsos. A sra. Henrieta havia dado queixa do roubo três noites antes. — Ele encarou Lucas. — Duarte está preso.

Meu marido fez um discreto aceno de cabeça.

— Ainda não sei até quando ficará na cadeia — continuou Ian. — Espero que seja pelo tempo suficiente para que a guarda encontre uma prova que o ligue ao incêndio.

— Não achei nada estranho quando examinei a casa — contou Saulo. — Depois que conseguimos apagar as chamas, entrei para avaliar o estrago. Restou muito pouco do andar superior, mas não vi nada suspeito.

— São bem-vindos aqui — Sofia se adiantou. — Temos um montão de quartos. Cabe todo mundo.

— E ficaríamos contentes em recebê-los em casa — Thomas ofereceu. — As portas estão abertas.

— Eu adoraria ter parceiros para jogar gamão — falou tia Cassandra. — Thomas está sempre cansado demais e minha querida nora sofre de dor de cabeça sempre que sente o cheiro do baralho.

— Ficamos gratos com tanta hospitalidade — disse o sr. Guimarães. — Mas creio que iremos partir dentro de alguns dias. Já nos demoramos demais.

— Sim. Preciso retornar à vinícola. — Saulo ergueu as pestanas. — Os porcos só engordam sob os olhos do dono.

— E as crianças estarão de volta na semana que vem — lembrou Tereza.

— Estávamos apenas esperando que Elisa e Lucas se entendessem. — Rosália olhou para mim. — Agora preciso deixá-los em paz para que me arranjem um netinho!

Samuel ergueu os olhos para mim, medo e ansiedade duelando em seus olhinhos escuros.

— Você ouviu, Sam? — sussurrei. — Ele não poderá fazer mal a mais ninguém agora.

— Sim, mas e quanto a mim?

Lucas chegou mais perto, agachando-se ao lado dele.

— Você confia em mim? — meu marido quis saber. Assim que o menino confirmou com a cabeça, ele prosseguiu: — Então vá brincar e deixe que eu me preocupe com os problemas.

Parecendo um tanto inseguro, Samuel se desprendeu de meu abraço e saiu do quarto com os ombrinhos um tanto arriados. Tínhamos de resolver a situação dele quanto antes. Samuel não podia viver nessa incerteza por muito mais tempo. No entanto, ao mesmo tempo em que eu queria vê-lo sorrir sem medo, com a segurança de um futuro e um guardião que o tratasse com ternura, não conseguia imaginar não tê-lo mais por perto.

Lucas se sentou a meu lado, a mão apertando a minha, como se tivesse percebido alguma coisa.

— Confie em mim — falou baixinho. — Vou dar um jeito nisso.

Assenti para ele.

— Bem, parece que tudo foi resolvido — concluiu Teodora, com um suspiro aliviado. — O sr. Duarte está preso e não irá incomodar mais ninguém. Tudo acabou bem.

Era o que eu pensava também. No entanto, minha amiga e eu não podíamos estar mais equivocadas. Aquela história ainda estava longe de terminar.

# 56

No dia seguinte, a vida tentava estabelecer uma nova rotina. Lucas viu sua família ser bem acomodada na residência dos Clarke. Baltazar, sempre eficiente, trouxera pela manhã alguns itens pessoais que foram resgatados dos escombros. Não era muita coisa, mas o que importava era que todos estavam bem. Sobretudo Elisa, que acordou bem-disposta e corada — o que quase fez Lucas dançar de alegria.

Infelizmente, não houve nada que ele pudesse dizer que a fizesse permanecer na cama.

— Lucas, ficar deitada parece piorar minha respiração — objetou, enquanto tomavam café na sala de jantar. Os outros já haviam acordado fazia tempo, de modo que estavam sozinhos. — Eu preciso me exercitar um pouco... Muito pouco! Quase nada! — ela se apressou ao ver os olhos dele quase saltarem das órbitas. — Ora, alguns passos não irão me prejudicar, e nós dois sabemos disso!

— Está bem — acabou cedendo, com um suspiro exasperado. — Mas, pelo amor de tudo o que é mais sagrado, Elisa. Não se esforce na minha ausência.

— Você vai sair?

— Preciso ir até em casa. — Terminou o café e limpou a boca com o guardanapo. — Quero dar uma olhada no que restou dela antes de falar com o mestre de obras. Vou ter que esperar a guarda terminar as investigações para dar início à reforma. Seu irmão tem sido muito generoso, mas não quero abusar da hospitalidade dele.

Sua esposa bebericou o chá de gengibre e verbasco, os olhos azuis reluzindo na direção dele. Aquela fisgada no peito o fez sorrir. Mas então ela perguntou:

— Posso ir com você?

— Obviamente que não pode. — Ele a beijou de leve e se levantou

— Mas, Lucas, por que não? — Ela estava logo atrás. — Que mal pode haver?

— De fato, que mal pode haver em levá-la para passear em um monte de escombros e cinzas...

O rosto dela murchou feito uma planta em terra seca.

— Mas eu não queria ter que me separar de você. Tudo o que aconteceu me deixou um pouco assustada. Não queria ficar sozinha. — Passando os braços ao redor do corpo, ela tentou bravamente manter o medo longe do rosto

Lucas quis socar alguma coisa. Na verdade, uma coisa chamada Jeremias Duarte.

— Com a quantidade de pessoas nesta casa, arrisco dizer que não conseguiria ficar sozinha mesmo se quisesse. — Ele a abraçou, numa tentativa de confortá-la e manter o medo longe.

— Mas nenhuma delas é você — murmurou, os olhos turquesa implorando

Ele não queria que Elisa se esforçasse para pegar um copo de água, que dirá ir até uma casa que mal passava de destroços. No entanto, ela parecia tão frágil e desamparada naquele antigo vestido rosa-claro, tão inocente e pálida, que o coração dele quase não aguentou.

— Diabos, Elisa! Pegue um chapéu. E um xale! E já disse para tirar essa porcaria de espartilho! Você não vai usar essa indumentária por um bom tempo Seus pulmões precisam de espaço.

— Está bem. — Ela sorriu, contente, ficando na ponta dos pés para beijá-lo antes de disparar em direção ao quarto.

— E, pelo amor de tudo o que é mais sagrado, não corra! — gritou ele.

Ela diminuiu o passo até dobrar o corredor. Mas, ao sair de vista, ele ouviu os pés da esposa batendo em ritmo acelerado contra o assoalho.

Pressionou a ponte entre o nariz com o polegar e o indicador. Era melhor levá-la com ele. Era a única maneira de garantir que ela seguiria suas recomendações. Alguém deveria incluir nas aulas de fisiologia um capítulo destinado ao tratamento de pacientes teimosos. Ou um volume todo!

Pensou que Samuel também lhe daria trabalho e insistiria para acompanhá-los, mas o menino estava muito entretido no estábulo, assistindo a Sebastião, um dos empregados dos Clarke, trocar a ferradura de um dos cavalos.

Então eles partiram e a viagem foi lenta — por ordem de Lucas. A primeira visão que ele teve da casa parcialmente destruída ao adentrarem a propriedade fez seu estômago se retorcer. Elisa se encolheu também, provavelmente partilhando da mesma sensação. Ele enlaçou a mão na dela, dizendo-lhe, sem palavra alguma, que não estava mais sozinha.

Assim que o veículo parou, Lucas a ajudou a descer e não permitiu que ela subisse os degraus da escada, rapidamente a levando para dentro a fim de que o sol não a cansasse. Os sapatos dele chapinharam em uma poça de água e cinzas.

— Cuidado — alertou ao colocá-la no chão. — O piso está um pouco escorregadio.

— Não parece tão ruim do lado de dentro. — Ela suspendeu a saia até os tornozelos para não molhar o vestido.

— Humm... — Foi tudo o que ele conseguiu responder, observando o corrimão da escada parcialmente chamuscado.

Ele a carregou escada acima e, conforme iam subindo, o cenário foi se alterando: o papel de parede se desprendera em alguns pontos, e em outros estava tão queimado que se tornara um agrupado de fuligem; o chão recoberto por uma espécie de lama de cinzas fazia seus sapatos escorregarem. Assim que chegaram ao segundo andar — em frente ao quarto dela — e Lucas achou que era seguro, colocou Elisa sobre os próprios pés. Ele não queria que ela entrasse ali, mas tinha de averiguar. Essa era a verdadeira razão daquela visita.

Ele a viu prender o fôlego e passar os braços ao redor do corpo para deter um tremor. Lucas abraçou Elisa pela cintura.

Manejando um arremedo de sorriso que partiu o coração dele, ela assentiu e, como a mulher corajosa que era, endireitou os ombros, inspirou fundo e entrou no cômodo. Lucas fez o mesmo, apertando os olhos, buscando nos cantos e entre os destroços qualquer coisa que pudesse ajudar a incriminar Duarte. Mas Saulo tinha razão: pouco havia sobrado para contar a história. A estrutura que prendia a cortina havia caído. Não sobrara muito do tecido cinza além de retalhos presos às argolas.

— Tudo queimou, mas esta coisa escapou intacta. — Ela espanou com os dedos a fuligem sobre a tampa da caixinha de prata.

— Mas não há como negar que é de excelente qualidade.

Lucas a observou parar diante do que um dia fora seu guarda-roupa, abaixando-se para pegar um pedaço de alguma coisa rosa.

— Bem, parece que isso encerra a discussão sobre os meus vestidos novos. — Não conseguiu ocultar a tristeza em seu tom.

— Faremos novos vestidos para você. Os mais infernais que o dinheiro puder comprar.

— Não é por causa dos vestidos que eu estou triste. — Ela enrugou o adorável narizinho fitando o destroço rosa. — Mas pelas cartas. Guardava todas as que você me enviou dentro da caixa de caramelos. Eram meu tesouro.

Ele atravessou o cômodo até estar ao lado dela, pegou sua mão e a colocou sobre seu peito.

— Eram apenas papel e tinta, Elisa. Os sentimentos ainda estão todos aqui. Escreverei centenas delas, se a agradar.

— E uma nova ode? — perguntou, ansiosa. — Porque eu suspeito de que ela tenha queimado também.

Ele não conseguiu esconder o sorriso.

— Se prometer que não irá correr atrás de mim com a luneta na mão quando terminar de ler, sim, eu prometo.

Ela deu risada. Era assim que ele a queria.

— Venha. — Beijou-a brevemente. — Vamos pegar minha maleta e sair daqui. Acho que a deixei no laboratório.

Ela fez que sim, olhando uma última vez para seus pertences destruídos. Os dois desceram as escadas de mãos dadas, indo para a parte da casa onde o fogo não se atrevera a tocar. Lucas abriu as portas do laboratório e...

— Argh! — Elisa levou a mão ao nariz. — Alguma coisa morreu aqui dentro?

— É o que parece. — Pulando uma pilha de cacos de vidros, Lucas abriu a janela. O fedor diminuiu um pouco, mas não desapareceu. Talvez um rato tivesse entrado ali e lambido os remédios que o ataque de Elisa destruíra. Ou então...

Ele olhou para a bancada. O líquido dentro dos três balões intactos permanecia translúcido e límpido, como no dia em que os fervera. Mas o que tivera o gargalo quebrado pelo telescópio aparentava uma coloração leitosa e amarelada. Lucas pegou o balão e o aproximou do rosto.

— Por Deus! — Tossiu ao encontrar a fonte do mau cheiro.

Colocou o jarro na bancada e se curvou, deixando os olhos na mesma altura dos outros. Não, ele não se enganara. Estavam límpidos, exatamente como tinham estado na última vez que os analisara.

— O que foi? — Elisa abaixou-se ao lado dele, procurando.

— O balão quebrado. O caldo está podre.

— Ah. — O mais delicioso cor-de-rosa se espalhou por suas bochechas. — Eu sinto muito, Lucas. Eu estava com raiva. E você parecia tão... Não tinha a intenção de arruinar seu experimento. Nem seu telescópio. Nem aquele armário e... os vidros de remédio e... o laboratório todo. — O rosa se intensificou. — Realmente, sinto muito. Muito mais do que eu posso dizer.

Aprumando-se, ele tomou o rosto dela entre as mãos.

— Não, Elisa! Nada está arruinado! Ao contrário! Não percebe o que isso significa?

Ela piscou, confusa, e negou com a cabeça.

Claro que ela não compreendia. Mas ele sim.

Seu coração começou a bater rápido enquanto a soltava e contornava a bancada, retirava o paletó e enrolava as mangas da camisa. Pegou um tubo e, fazendo uma careta, despejou um pouco do fluído fétido ali dentro. Em seguida, usando uma pinça, mergulhou no líquido um pedaço de fita limpo antes de colocá-lo no microscópio e analisá-lo. Havia micro-organismos por toda parte. Centenas, milhares deles haviam se proliferado em três dias.

Para se certificar de que não estava se deixando levar pela empolgação, não hesitou em pegar outro balão e quebrar o gargalo. Analisou uma amostra dele também. Estava puro, sem qualquer ser vivo, como no dia em que o fervera, semanas antes.

— Minha teoria está certa — murmurou atônito, esfregando o rosto. — Eu acho... acho que consegui prová-la com esse experimento, Elisa!

Segurando-a pela cintura, suspendeu-a e começou a rodopiar sobre os cacos de vidro espalhados por todo o assoalho, rindo feito um maluco. Mas quem se importava? Aquele caldo apodrecido mudava tudo o que ele conhecia. Tudo o que todos conheciam!

— Que... maravilha! — Ela sorriu largamente, embora um pequeno V tivesse surgido entre suas sobrancelhas.

Ele a colocou no chão, encarando-a com um meio sorriso.

— Você não está entendendo a enormidade disso, não é?

— Nem uma pequena parte. Lamento — confessou, frustrada.

Lucas fazia ideia. Inteligente como era, algo não lhe fazer sentido devia ser revoltante para ela.

— Venha cá. — Pegando-a pela mão, levou-a até a bancada. — Já expliquei sobre a teoria miasmática, lembra?

— Do ar pestilento que causa doenças, e você não concorda com isso.

Ele fez que sim.

— Então, depois de acompanhar Bassi de perto e de Saulo enfrentar problemas com o vinho, algo começou a martelar em minha cabeça. Se a doença do bicho-da-seda não é causada pelo ar, mas por micro-organismos que vivem nele, como Bassi já provou, por que não aconteceria o mesmo com o vinho? Ou com os seres humanos? Veja bem, Elisa. Se você colocar uma taça de vinho azedo, repleto desses micro-organismos, em um barril de vinho bom, em dois dias todo o tonel estará perdido. O mesmo vale para a cerveja, o leite... Compreende o que estou tentando explicar aqui?

— Acho que sim. Esses... micro-organismos, uma vez que entram em contato com a bebida, contaminam toda a produção.

— Exato. Eles se proliferam muito depressa. E não só as bebidas: um único bicho-da-seda doente pode contaminar as larvas de uma lavoura inteira. Por isso que tudo me levava a crer que as doenças contagiosas tinham causas similares. Não o ar, certamente, mas as partículas e os minúsculos animais suspensos nele. Só que eu não conseguia pensar em uma maneira de manter a poeira longe dos balões. Então, depois de discutir o assunto com o dr. Almeida, ele teve a ideia de criar estes com pescoço de cisne.

A testa dela encrespou.

— Mas, não entendo. Se o gargalo tem uma abertura e o ar passa, essas partículas não entram também?

— Sim e não. O ar passa pela abertura, mas as partículas de poeira que carregam esses microanimais são mais pesadas e não conseguem transpor esta curva — Indicou com o dedo a curva em S no gargalo. — E estas gotículas que se formaram aqui depois que eu fervi o caldo funcionam como uma espécie de peneira, filtrando o ar. Os micro-organismos ficam presos nesta curva.

Ele ainda não conseguia acreditar. Funcionara! Tinha diante de si uma prova real de que aqueles minúsculos seres vivos eram capazes de adoecer o caldo. O vinho de Saulo. Sua irmã Rebeca.

— Como pode ter certeza disso? — questionou Elisa. — Quer dizer, de maneira alguma quero estragar seu contentamento, mas como pode saber que o líquido não azedou ao acaso?

Ele a encarou por um instante.

— Bem, vamos ver. — Pegou um dos balões intactos e sacudiu vigorosamente. — Agora vamos ter a prova. A poeira e os micro-organismos presos na curva do gargalo entraram em contato com o líquido. Vamos ver o que acontece nos próximos dias.

— Dias?!

Ele deu risada e não resistiu a serpentear o braço pela cintura estreita de Elisa e beijar aquela boca polpuda contorcida em um biquinho adorável.

— A ciência é a infinita arte de esperar, Elisa. Seja paciente. Mas acredito que amanhã o líquido estará tão leitoso quanto o outro. E, se eu estiver certo, a doutrina da geração espontânea jamais irá se recuperar deste simples experimento. Se as minhas suspeitas se confirmarem, eu poderei ajudar Saulo e outros produtores de vinho a diminuírem o prejuízo das safras, porque o processo de fervura mata os micro-organismos da bebida e... e... — E então ocorreu a ele que não apenas os alimentos se beneficiariam disso. Ele encontrara os tais micro-organismos! Tinha um ponto de partida para... — Elisa, se isso tudo for verdade, então apresentarei minha tese para a comunidade médica. Sabe o que isso significa?

— Que juntos vocês podem descobrir uma maneira de ferver os micro-organismos que causam doenças nos humanos?

— Isso! — Bem, de maneira bastante abrangente.

Ele levou as mãos à cabeça, empurrando o cabelo para trás e segurando-o assim enquanto andava de um lado para o outro. Um sorriso imenso lhe esticava a boca e enrugava a pele ao redor dos olhos. Uma ínfima parte do mistério daquele folheto acabava de ser resolvida. Ainda tinha todo o restante, e podia apostar que seria um longo e exaustivo caminho até conseguir chegar ao remédio que salvara a vida de Sofia Clarke. Se um dia conseguisse. Mas a dificuldade não o impediria de tentar, mesmo que tivesse de dedicar sua vida inteira a isso.

— Tenho de escrever para Bassi imediatamente. E para Snow. E tantos outros cirurgiões e cientistas de quem agora não me recordo. — Então, parou diante de Elisa e a puxou para um beijo demorado e quente. — Obrigado.

Suas sobrancelhas expressivas se contraíram.

— Pelo quê?

— Por ter quebrado todo o meu laboratório. Sem a sua interferência eu levaria meses... talvez anos! ... para chegar a essa conclusão.

— Ah, bem... — Ela brincou com o botão de sua camisa. — Não posso dizer que não me diverti.

Ele deu risada e a beijou outra vez.

— Preciso fazer algumas anotações, Elisa. Se importa de esperar um instante? Prometo que não irei demorar

— Claro que não me importo. Tome o tempo que precisar.

# 57

Lucas me beijou outra vez antes de voltar para sua bancada e pegar no chão o caderno que eu havia jogado nele dias antes. Estava tão contente que era impossível não me deixar contagiar por sua alegria e esperança, embora eu não entendesse exatamente o que tudo aquilo significava. Mas eu tinha a sensação de que estava diante de algo imenso, que mudaria o mundo que nós conhecíamos.

Na afobação de colocar tudo o que me disse no papel, Lucas não percebeu que uma nota tinha caído de dentro do caderno. Abaixei-me para pegá-la. Não pretendia bisbilhotar, mas meus olhos foram capturados pela mancha escura de sangue seco em um dos cantos do papel.

*Fique longe de assuntos que não lhe dizem respeito ou lamentará pelo que está por vir.*

Era a ameaça de Duarte... mas franzi a testa diante da caligrafia. Onde é que eu a vira antes?

Com um clarão de lucidez, a compreensão se assentou em meu cérebro. Coloquei o bilhete no bolso do vestido discretamente.

— Se importa se eu esperar lá fora? — perguntei. — O cheiro aqui está terrível.

Lucas deteve a pena e arqueou uma das sobrancelhas.

— Se prometer que ficará quietinha.

— Eu juro, Lucas.

Saí dali o mais calmamente que pude, o coração pulsando alto em meus ouvidos. Assim que o laboratório ficou fora da vista, comecei a correr. Subi as escadas apressada, suspendendo as saias, sentindo um pouco de falta de ar, mas não diminuí o ritmo. Parei apenas quando estava diante do que sobrara de meu toucador e apanhei a caixinha de prata. O papel dentro dela escapara do fogo. Meus dedos tremiam quando soltei a caixinha sobre a madeira chamuscada e desdobrei o papel. Pegando a nota no bolso, comparei as caligrafias.

Era a mesma.

Minha pulsação ameaçou enlouquecer, dificultando minha respiração enquanto as coisas se encaixavam em minha cabeça. Lucas tinha entendido tudo errado. O bilhete que fora atirado pela janela não era para ele, e sim para mim. Duarte estava sempre bêbado e se vestia com pouco cuidado. Mesmo que fosse mais zeloso com sua aparência, jamais poderia comprar as botas caras de couro que assombravam meus pensamentos. Mas o homem que escrevera aqueles bilhetes, sim.

— Ah, meu Deus! — Levei a mão à testa que começava a latejar. Não tinha sido Duarte quem me atacara e ateara fogo à casa. Foi... — Diógenes Matias!

— Sabia que cedo ou tarde você chegaria a essa conclusão. — A voz sombria veio do outro quarto.

Eu me virei, o coração aos pulos, a tempo de ver o sr. Matias passar pelo batente. Seu rosto estava obscurecido por uma maldade que, desta vez, ele não conseguiu camuflar.

— Era você! — arfei. — Neste quarto, duas noites atrás. Era você!

— Sim. É uma surpresa eu não ter sido bem-sucedido. Não costumo cometer erros tão primários, como pôde testemunhar anos atrás. E essa é a razão pela qual eu terei de matá-la. — Ele deu um passo à frente. E mais outro.

Recuei, batendo o quadril no que restara do toucador.

— Anos atrás? — Assim que a pergunta deixou meus lábios, a imagem de Diógenes Matias, um garçom na época, colocando o chá diante de Adelaide Albuquerque, me veio à mente. Lucas havia suspeitado de que Miranda pudesse ter subornado algum criado da casa. Ele estava certo. Apenas errara a localização.

Eu não estava diante do garçom. Estava diante de um homem de posses, que usava um anel com um grande rubi no dedo anular e botas caras de couro. A herança que ele alegava ter recebido na verdade era o pagamento pela morte de Adelaide. Oh, meu Deus. Era por isso que Miranda extorquira Walter!

— Você matou a sra. Albuquerque. Envenenou o chá dela.

— Sim. — Um sorriso cruel se abriu em seu rosto. — Miranda jamais teria tido coragem. Se eu não tivesse feito nada, hoje ela ainda seria apenas a amante daquele velhote, vivendo de migalhas.

Meus pensamentos se embaralhavam. Diógenes assassinara Adelaide. E tentara fazer o mesmo comigo. Por quê?

— Como entrou aqui? — Mas a pergunta mais importante era "Como eu ia sair dali?"

— Pela janela.

Diógenes devia ter escalado a árvore, como fizera aquele esquilo. "Mantenha as janelas fechadas durante a noite", dissera Alexander. Ah, por Deus! Ele tinha previsto que aquilo ia acontecer também? Eu não sabia se um dia voltaria a ver Alexander, mas de uma coisa estava certa: prestaria atenção a tudo o que ele dissesse. Mesmo que parecesse não fazer sentido.

No entanto, eu não tinha tempo para pensar nisso agora, pois estava diante de um assassino. O medo crescente deixava minhas pernas muito instáveis, e meus pulmões machucados não me permitiam respirar direito. Eu precisava sair dali, mas tinha a impressão de que Matias me alcançaria antes que eu chegasse à porta.

Tateei sobre o que restara do toucador, procurando a pesada caixinha de prata.

— Por quê? — perguntei, tentando distraí-lo. Enquanto estivesse falando, ele não teria tempo de me matar. Ao menos eu achava que não. — Por que matou Adelaide? Miranda não pode ter pagado tão bem assim.

— O que acha que eu ganhei? Olhe para mim! — Abriu os braços. — Roupas caras, comida da melhor qualidade, dinheiro para gastar com o que eu quiser! Mulheres refinadas como você batem as pestanas para mim. Eu finalmente tenho uma vida!

— À custa de outra!

— O que a faz pensar que eu me importo com isso? — Deixou escapar uma gargalhada sombria que fez meus pelos se eriçarem. — A velha não passava de um inconveniente. Tudo o que eu fiz foi abrir caminho para que aquele maldito se cassasse com Miranda. E qual foi a paga que eu tive? — Apontou para o peito com o indicador. — Aquela vagabunda fugiu de mim, levando meu filho embora! Mas isso não vai ficar assim. Eu vou atrás dela tão logo consiga descobrir em que fim de mundo ela está se escondendo.

O homem na floresta com Miranda tantos anos antes. Eu não vira seu rosto, apenas as costas. Moreno, pele bronzeada e alto, como Diógenes. Pensando agora, o pequeno Félix se parecia um pouco com ele. Como, em nome de Deus, não desconfiei disso antes?

— Ou foi aquele maldito! — prosseguiu. — Deve ter descoberto alguma coisa e levou minha mulher e meu filho. E é por isso que eu tenho que matar você,

Elisa. Devia ter feito isso há muito tempo, logo que a ouvi contando para a sua amiga que desconfiava de que o menino não era filho daquele velhote. Felix irá herdar tudo um dia. Eu me deixei comover por esses seus olhos azuis do demônio e acreditei que não mexeria nessa história. Mas você simplesmente não consegue ficar longe dos assuntos dos outros, não é? — Trincou a mandíbula.

Meus dedos se fecharam em torno da caixinha.

— Não sei do que você está falando.

— Não? — Ele apontou para os bilhetes sobre o móvel. — Só depois que atirei a pedra é que me dei conta de que você poderia reconhecer minha letra, por causa do bilhete com o paradeiro de Samuel, mas você não pareceu notar meu deslize, e tive esperança de que houvesse queimado um deles. Seu marido me encontrou na estrada. O idiota estava atrás daquele bêbado do Duarte. Como se o homem fosse capaz de enfrentar alguém do tamanho dele... — Sacudiu a cabeça, rindo. — E eu percebi que você não tinha feito a relação. Mas depois ouvi você e seu marido conversando e... bem... vocês chegaram perto da verdade. Perto demais.

Experimentei dar um passo, mas ele imitou o gesto, me cercando. Ele não havia se perdido quando eu o encontrara saindo de meu quarto dias antes. Estava estudando a casa. Precisava saber onde eu dormia. E eu, muito tola, mostrei o lugar a ele.

— Eu realmente preferia que você tivesse morrido no incêndio, Elisa — continuou. — Vou cuidar do doutor sem qualquer remorso, mas matar uma mulher bonita como você, assim, frente a frente, não vai ser agradável. Se você ao menos tivesse sucumbido ao meu charme... — Chegou mais perto, os olhos dominados por um sinistro pesar. — Poderia ter uma morte tão mais serena do que eu planejo fazer com você agora.

Ele avançou sobre mim. Esperei que estivesse perto o suficiente para então, com toda a força de que dispunha, acertar sua cabeça com a caixinha de prata.

Matias cambaleou, e foi o tempo de que eu precisava para sair dali. Disparei escada abaixo e tomei a direção do laboratório, correndo tão rápido quanto podia. O problema é que meus pulmões ainda falhavam. Logo eu estava arfando, manchas escuras começando a dançar em meus olhos.

Bruscamente, a mão de Matias se agarrou a meu cabelo, puxando-me para trás. Gritei de dor, perdi o equilíbrio e caí no chão molhado. As botas que eu via toda vez que fechava os olhos se aproximaram até ele parar perto do meu quadril.

— Essa é a beleza da vida, não? — Matias se agachou, os raios de sol que entravam pela janela fazendo reluzir a faca que ele balançava em uma das mãos.

— Sempre nos presenteando com uma segunda chance.

Eu concordava, de certa maneira.

— A diferença é que desta vez eu não vou desmaiar! — Com um movimento rápido, acertei um chute na lateral de seu rosto.

Ele caiu para o lado, e eu não esperei para saber se o havia nocauteado ou apenas o enfurecido mais. Saí dali aos tropeções, tão depressa quanto meus pulmões fracos permitiam. Minhas saias, agora encharcadas de água suja, dificultaram meu progresso. Olhei por sobre o ombro. Matias estava se levantando e sorria para mim de um jeito demoníaco.

— Urf! — Colidi com uma muralha.

Eu ricocheteei, e braços ágeis e firmes me seguraram pela cintura. Ao olhar para frente, me deparei com o rosto de Lucas, mas seu olhar estava no fim do largo corredor, em Matias.

— Não foi... Duarte... Corra! — falei, sem ar.

Nunca acreditei que Lucas realmente fosse me dar ouvidos. De fato, pensei que teria de arrastá-lo comigo. Claro que esperei que ele fosse correr para o lado oposto ao de Matias, não em sua direção.

Matias estava armado. Lucas não.

— Meu... Deus.

Usando o pouco ar que me restara, consegui passar pela sala de música e chegar ao escritório de Lucas. O fogo havia feito pouco estrago ali. Puxando o ar em golfadas dificultosas, abri uma das gavetas de sua mesa enquanto sons de luta reverberaram pela sala.

# 58

Lucas não sabia ao certo o que estava acontecendo quando ouviu Elisa gritar, mas seu corpo reagiu de imediato. Estava correndo no instante seguinte. Não foi muito longe até trombar com ela no corredor. Seu primeiro pensamento foi lhe dar uma bronca por não seguir sua orientação. Mas então viu o homem atrás dela, erguendo-se do chão, empunhando uma faca, e compreendeu tudo. Ou o suficiente. Não tinha sido Duarte. Fora aquele maldito quem tentara ferir sua Elisa.

Não se recordava de ter se movido, nem de como alcançou Matias, mas, assim que estava à distância de um braço, armou o soco e o desferiu naquela cara presunçosa. Matias revidou tentando cravar a faca em seu braço direito, mas Lucas foi rápido e se esquivou, embora a lâmina o tenha atingido de raspão, rasgando a camisa e as primeiras camadas da derme. Movido pela raiva mais selvagem que já experimentou, Lucas não sentiu dor alguma e continuou a bater no sujeito até os dedos de sua mão estalarem. Ouviu o barulho da lâmina caindo no chão.

Aquele filho da mãe havia tentado matar Elisa. Apostava sua vida como Matias tinha ido ali terminar o serviço. A raiva parecia ter fortalecido Lucas. Ele acertou o queixo do sujeito. Depois o nariz. E continuou atacando, libertando a fúria desmedida misturada ao medo por quase ter perdido Elisa, a raiva por aquele traste tê-la feito correr quando mal devia andar.

Matias, percebendo que perdia terreno, quebrou a regra mais sagrada entre dois cavalheiros e o acertou na virilha. Lucas se curvou diante da dor, mas conseguiu passar o braço no pescoço de Diógenes. Os dois acabaram no chão. Mas o filho da mãe conseguiu levar vantagem, ficando por cima.

— Está bem. Eu cuido de você primeiro, doutor. — As mãos dele se enrolaram ao pescoço de Lucas feito um torniquete.

Ainda cego de raiva — e pelo ar que começava a lhe faltar —, começou a socar o fígado do sujeito.

Uma explosão ecoou pela casa toda. A pressão em seu pescoço diminuiu. Os olhos de Matias se arregalaram, as sobrancelhas se arqueando, como se não entendesse. Lucas conseguiu ver o buraco no ombro dele, o sangue fluindo a uma velocidade inquietante. Aproveitou a distração do sujeito e desferiu um golpe certeiro em seu queixo. Os olhos de Matias reviraram nas órbitas e então o homem tombou para o lado feito uma árvore.

Assim que Lucas conseguiu se sentar, avistou sua esposa correndo a toda a velocidade, a arma ainda soltando fumaça em uma das mãos. Ela se atirou sobre o marido, abraçando-o com força pelo pescoço.

— Você está... bem? — perguntou, sem ar. — Ele o fe... riu? Está ma... chucado?

— Estou bem. Estou bem. — Ele acariciou suas costas. — Por favor, se acalme. Você precisa se acalmar agora e respirar devagar.

Ela se afastou apenas o suficiente para encará-lo. A arma que segurava esbarrou na orelha dele. Lucas chiou ao sentir o aço ainda quente.

— Eu o matei? — Seu olhar estava tomado do mais puro horror. — Não queria... Só pretendia acertar... no ombro. Ele está...

— Desacordado. Respire, Elisa. — Lucas tomou a arma dela e a abraçou outra vez, tentando deter o tremor que a percorria. — Você está bem?

— Oh, Lucas, eu... não sei. Pensei que ele... fosse matá-lo. Fiquei com tanto...

— Eu sei. — Ele a beijou no ombro. — Eu também temi que ele a machucasse.

Havia água no chão, e ele notou que as saias dela estavam ficando ainda mais ensopadas. Com algum esforço, conseguiu erguer a eles dois, depois passou um dos braços por baixo dos joelhos dela, pegando-a no colo.

Foi nesse instante que ouviu passos apressados vindo da direção oposta. Ao se virar, sentiu um profundo alívio.

— Quinzinho. Eustáquio. Graças a Deus. — E, abençoadamente, seu cocheiro tinha uma arma na mão.

— Estávamos em casa — explicou Eustáquio. — Ouvimos gritos, depois um tiro.

Não duvidava. A colônia não ficava longe da casa principal.

— Preciso que chamem a guarda e fiquem de olho neste... — Olhou para sua esposa à beira do pânico e se deteve. — Fiquem de olho neste sujeito. Foi ele quem incendiou a casa. Acredito que a perda de sangue o manterá desacordado, mas é bom ficar atento. Se ele por acaso acordar e tentar fugir, atire, Eustáquio.

— Por nada neste mundo eu vou deixar ele escapar vivo, doutor. — Pela maneira como os olhos do homem brilhavam, Lucas tinha certeza disso.

— Vou levar minha mulher para um lugar mais limpo.

— Por que não a leva até a minha casa? — sugeriu Eustáquio. — Minha esposa pode ficar com ela quando a polícia chegar e o doutor tiver que falar com eles.

— Fico muito grato, Eustáquio. Farei isso, mas acho que Elisa terá que conversar com eles também.

Acomodando-a melhor, Lucas começou a atravessar a casa, indo pelos fundos. Elisa fungou baixinho, mordendo o lábio inferior para conter as lágrimas que transformaram seus olhos em duas joias cintilantes.

— Não chore — ele disse suavemente contra seus cabelos. — Sabe que me parte o coração vê-la chorar.

— Oh, Lucas. Estou tentando, mas não sei se consigo me controlar agora. Foi ele. Miranda não envenenou a sra. Albuquerque. Foi o sr. Matias. Diante de todo mundo! De mim! E eu não pude detê-lo.

As pernas de Lucas se atrapalharam, perdendo o compasso.

— O quê? Tem certeza disso?

— Ele me contou tudo.

Elisa repetiu o que tinha ouvido, palavra por palavra. A raiva ameaçou dominá-lo outra vez, mas a manteve sob controle com algum custo. Não pôde fazer nada para ocultar seu pesar, porém.

— É tudo tão horrível! — Elisa escondeu o rosto em seu pescoço. — A pobre Adelaide foi assassinada por causa da ambição desse rapaz. O menino é filho dele, não do sr. Albuquerque. Como reunirei coragem para contar isso tudo a Valentina?

— Da maneira mais simples que puder. Estarei a seu lado para o que precisar.

— Obrigada. — Ela olhou para ele, repleta de amor e gratidão, correndo os dedos por seu braço. — Nós dois estávamos em perigo e nem sabíamos disso Desvendamos um assassinato e encontramos o assassino sem ter consciência de quem ele era, mas ele sabia que nós... — A mão que o acariciava se deteve. Elisa a aproximou do rosto, e seus olhos se arregalaram ao vê-la suja de sangue. — Oh, Lucas Me coloque no chão. Você está sangrando!

Ele olhou para o ferimento em seu bíceps. Não era grande coisa.

— Lucas, me ponha no chão — reclamou, agitando-se em seus braços. — Você não pode me carregar com esta ferida. É profunda? Precisa de uma sutura?

Ele arqueou uma sobrancelha.

— Está se voluntariando?

Ela deixou escapar uma risada nervosa.

— Eu realmente preferia não repetir a experiência, se não se importar. Além disso, já atirei em um homem hoje. Meu estômago não suportaria se eu tivesse que costurar outro.

A gargalhada de Lucas ecoou pela propriedade conforme passavam pela porta da cozinha. O ar limpo e fresco carregando o suave perfume de eucalipto balançou os cabelos dele.

— Falo sério, Lucas. Sou capaz de andar.

— E sou capaz de carregá-la até o fim do mundo se for preciso. — Sapecou um beijo naquela boca rosada retorcida em reprovação. — Você já se exercitou demais por um dia. E é um corte à toa. Mal o sinto.

Fazendo questão de mostrar sua irritação, ela bufou, mas deitou a cabeça em seu ombro enquanto ele tomava a trilha de terra batida rumo à pequena colônia.

— Ainda bem que não matei Matias. — O indicador dela contornou o botão de sua camisa, sujando-a com seu próprio sangue. — Jamais me perdoaria se tivesse tirado a vida de alguém, mesmo que a vida de um monstro.

Lucas não tinha a mesma opinião quanto a Matias estar vivo, mas achou melhor não assustá-la. Em vez disso, comentou:

— Eu fiquei bastante surpreso que você soubesse manejar uma pistola. E muito alarmado que tivesse tão boa pontaria. — Arqueou uma sobrancelha. — E nem estava carregada.

— Ian me ensinou a usar uma arma já faz muitos anos. — Deu de ombros. — Foi na época em que teve que fazer algumas viagens longas. Ele achou que eu deveria saber me defender, caso precisasse. E, bem, eu sou uma Clarke. A boa pontaria é um dos grandes talentos da minha família.

— Acho melhor eu nunca me esquecer disso. — Ele riu, beijando-a brevemente. — Agora deixe-me ver... Você invadiu uma casa para resgatar um garotinho, enfrentou um bêbado brutamontes, se embriagou em uma taberna, destruiu meu laboratório, testemunhou um assassinato, encontrou e atirou no assassino... esqueci alguma coisa, minha linda esposa?

Ela franziu a testa.

— Bem, você se esqueceu dos pontos que eu dei na sua perna.

— Claro que não esqueci. Como poderia, Elisa, se foram os pontos mais bonitos que eu já vi em todos estes anos de medicina? — Ele olhou para ela, os cantos da boca levemente curvados. — Acho que me apaixonei por você outra vez quando os vi.

Ela gargalhou gostosamente, amolecendo em seus braços conforme a pequena colônia de casas surgia no horizonte. Enquanto carregava a esposa nos braços e eles deixavam todo aquele horror para trás, Lucas sentiu que também abandonavam todas as mágoas do passado. E, de uma maneira que não conseguia explicar, mas que sentia no fundo da alma, ele teve certeza de que a vida deles voltara ao caminho ao qual havia sido destinada. Finalmente!

# 59

Fui despertada por suaves beijos na palma da mão.

— Humm... só mais um segundo, Bartô — resmunguei, sonolenta.

— Devo entender isso como uma sugestão para que eu apare a barba?

Abri os olhos, sorrindo, e encontrei o olhar de Lucas, quente e verde, reluzindo com diversão. Uma de suas mãos estava em meu quadril, o polegar preguiçosamente traçando um círculo lento que fez minha pele se arrepiar.

— Não apare, por favor — pedi. — Gosto dela assim. Do toque macio do seu cavanhaque quando beija meu pescoço.

Apoiando-se em um cotovelo, arrastando-se para ainda mais perto, ele se debruçou sobre mim e abaixou a cabeça para colar os lábios na depressão atrás da minha orelha, as pontinhas do cavanhaque roçando a pele sensível, provocando um vibrar lento e insistente em minhas entranhas.

— Assim? — murmurou ali.

— Humm... Exatamente assim. É como as bolhas do champanhe. Nem sei de qual dos dois eu gosto mais — provoquei.

— Você acaba de ferir o orgulho do meu cavanhaque. — Ele riu em minha pele, fazendo um frisson que àquela altura eu já conhecia tão bem me desestabilizar, de modo que eu sempre acabava afundando os dedos naquela cabeleira cor de areia tão sedosa. — Permita-me apresentar uma defesa.

Gemi baixinho quando sua boca capturou a minha. E era tão, tão melhor do que champanhe! Fazia cócegas, me deixava inebriada, quente e ofegante. Não demorou para que eu estivesse gemendo baixinho.

Puxando-me para mais perto até meu corpo se encaixar perfeitamente ao dele, Lucas intensificou o beijo. Aquela parte dele que havia muito não me assustava mais pressionou minha barriga, arrancando-lhe um gemido. Então, ele deitou as costas no colchão, me puxando para cima de seu corpo.

A porta se abriu de repente.

— Tia Elisa, você tem que...

— Nina! Não pode entrar no quarto sem bater! — ralhei, ao mesmo tempo em que Lucas murmurava um palavrão.

Rolei para o lado, puxando rapidamente o lençol para me cobrir. Lucas precisou colocar o travesseiro sobre os quadris para ocultar a tenda nada modesta que se formara ali.

— É que um potro acabou de nascer. Pensei que você gostaria de ir comigo conhecer ele. O que vocês estavam fazendo? — Arqueou uma sobrancelha bem desenhada.

— Nós estávamos... — Minha pele pegou fogo. Sobretudo a do rosto. — Humm... bem... eu... engasguei! — improvisei. — O tio Lucas estava me ajudando a desengasgar.

— Meu Deus, Elisa! — Ele começou a rir.

— E por que você precisou tirar a roupa? — Os olhos escuros de Nina se estreitaram como os de Bartolomeu.

— Humm... porque... é assim que...

— As mulheres adultas desengasgam — ele ajudou entre risos.

— Verdade, tio Lucas?

— Em alguns casos, como os da sua tia, esse é o único jeito.

Ela ponderou por um momento, a testa levemente enrugada.

— É melhor eu não engasgar, então — concluiu. — Não vou querer que um menino veja minhas roupas de baixo.

— Continue pensando assim até ter trinta anos, Nina. — Tive a sensação de que ele não estava brincando.

— Nina, meu amor, eu vou adorar ver o potro — eu disse. — Mas vá indo na frente. Nós a encontraremos lá daqui a pouco.

Depois de hesitar por um instante, ela assentiu e saiu do quarto, encostando a porta. Embrulhei-me no lençol e corri para passar a tranca.

— Engasgada, Elisa?

Eu me virei para Lucas, que agora ria livremente.

— O que eu poderia dizer a ela? — perguntei, ofendida.

— Que tal que estávamos tentando fazer um priminho para ela e Analu?

— Oh, sim! — Revirei os olhos, voltando para a cama para me sentar no colchão. — Não conhece Nina? Ela iria sair gritando isso aos quatro ventos e eu morreria de tanto constrangimento.

— Por quê? — Ele ergueu os braços, dobrando-os atrás da cabeça, e apoiou as mãos na nuca, brindando-me com a bela visão daquele peito largo bem definido e daqueles mamilos pequeninos que eu adorava. — O que há de errado em um marido apaixonado amar a própria esposa com seu coração e seu corpo? Não me parece nada constrangedor.

Bem, quando ele colocava a coisa daquela maneira...

— Mas confesso que mal posso esperar para que a reforma termine — continuou. — Gosto muito da sua família, Elisa, principalmente agora que seu irmão parece não querer me matar o tempo todo. Mas estou louco para tê-la só para mim. A todo momento alguém precisa da sua ajuda ou deseja ter sua companhia. Agora que minha família voltou para o interior, minhas chances vão melhorar exponencialmente.

Fazia algumas semanas que os Guimarães tinham retornado para casa. Foi muito mais difícil dizer adeus a eles do que eu tinha imaginado. Sobretudo a Rosália e Saulo. Havia aprendido a amar cada um deles. Lucas me consolara prometendo que em breve nós os visitaríamos na vinícola. Eu mal podia esperar.

— O sr. Domingos lhe deu um prazo para a entrega da obra? — perguntei.

— Não, mas adiantou que não será rápido. O telhado foi afetado e terá de ser trocado. Imagino que serão necessários uns seis meses até que possamos voltar. — Ele não conseguiu ocultar a melancolia.

— Está sentindo falta do seu laboratório, não é?

Ele franziu o cenho.

— Um pouco. Mas tem me sobrado tão pouco tempo ultimamente que eu não conseguiria trabalhar nele. Nunca pensei que teria tantas cartas para responder. Parece que o mundo todo tem perguntas a me fazer.

— É compreensível. Você fez uma descoberta e tanto, Lucas.

Sua teoria se confirmara. O jarro que ele havia sacudido estava completamente azedo no dia seguinte, assim como o outro, que ele quebrara propositalmente para analisar uma amostra. O "chá" no jarro que ainda estava intacto continuava límpido.

Mas Lucas teve dificuldade para transcrever seu experimento. Não por falta de inspiração, mas de tempo. A prisão de Matias fizera os dias passarem rápidos demais.

Ainda estávamos na casa de Eustáquio e sua mulher, Vera — que fora muito atenciosa comigo me oferecendo chá, comida e sais para me acalmar —, quando a guarda chegara. Eu relatara tudo o que Matias tinha dito sobre a morte da sra. Albuquerque, a noite em que o vi em meu quarto, e sua tentativa de me matar naquela manhã. Um dos guardas, ao averiguar a casa, encontrara os bilhetes com a caligrafia de Matias, além da faca que ele usara para ferir Lucas e me ameaçar. O chefe da guarda decretara a prisão de Diógenes. Entretanto, eu tive de permanecer com Vera um pouco mais, já que Lucas acompanhara a guarda até nossa casa. Seu rosto estava inexpressivo quando ele me contara que precisava fechar a ferida que eu abrira no ombro de Matias, e havia um brilho perigoso em seus olhos que me deixou inquieta. Mas minha preocupação foi infundada. Por mais que Lucas quisesse matar Matias, manteve o juramento que havia feito na escola de medicina, de jamais negar socorro a quem quer que fosse.

Lucas falara outra vez com o chefe da guarda sobre suas suspeitas de envenenamento na época da morte de Adelaide. O dr. Almeida poderia confirmá-las.

E confirmou.

O problema foi que alguém da família da sra. Albuquerque deveria prestar queixa sobre o assassinato, e ninguém conseguiu contatar Walter. Tia Cassandra tinha conseguido falar com Doroteia, e em poucos dias a mulher estava na vila, arrasada como se tivesse perdido a irmã outra vez, formalmente prestando queixa contra Matias. Eu a visitara algumas vezes, sempre especulando sobre Valentina, mas a sobrinha não tinha enviado nenhuma notícia a ela também.

Matias dissera que Miranda estava se escondendo dele. Pelo silêncio de Valentina, era o que parecia. O que me trazia um pouco de alento era saber que o sr. Albuquerque nada tinha a ver com a morte da esposa. Matias confessara que havia feito tudo sozinho. Que descobrira as plantas no jardim por acaso e que Miranda não sabia que eram venenosas; apenas as achava bonitas. Quando compreendera o que o amante havia feito, ela tentara romper o caso e ele então passara a chantageá-la. O julgamento dele aconteceria dali a algumas semanas, e Ian achava que ele não voltaria a andar pelas ruas nas próximas décadas.

Com tudo resolvido, Lucas pôde então se dedicar ao relatório de seu experimento. Um documento de dezoito páginas que explicava passo a passo tudo o que ele havia feito e os resultados obtidos. O dr. Almeida foi o segundo a ler. Lucas insistiu que eu lesse antes de qualquer pessoa. Mesmo não tendo qualquer conhecimento médico, ele discorrera de maneira tão brilhante que acabei compreendendo a enormidade de sua descoberta.

E juro que vi lágrimas se empossarem nos olhos do mentor de Lucas ao dizer a ele:

— Desde que pus os olhos em você, sabia que estava destinado a algo grandioso.

Depois disso, eu o ajudei a redigir um documento menos denso que foi publicado em um periódico e enviado a alguns amigos que o ajudaram a chegar até àquele resultado. Desde então, todo santo dia o sr. Bregaro aparecia com uma dezena de envelopes de todas as partes do mundo. Lucas dedicava longas horas a responder todas as cartas, entretanto sempre arranjava um tempinho para me convidar para um piquenique, um passeio pelo jardim, uma volta pela vila.

Nunca pensei que diria isso, mas graças aos céus meus dias voltaram a sua rotina. Nada de invadir casas, costurar pessoas, atirar em assassinos. Apenas coisas seguras como bordar, tocar piano, ler livros. As aulas com Samuel, no entanto, me ocupavam toda as tardes.

Samuel e eu estávamos cada vez mais ligados. Apesar das dificuldades, Samuel aprendeu a ler e a escrever. Usei tudo o que pude: música, jogos, brincadeiras. Dessa maneira seu cérebro conseguia gravar a lição. Ainda trocava algumas letras, invertia outras, e alguns fonemas o atrapalhavam muito. Tinha dificuldade para compreender um texto, mas, se eu lesse para ele em voz alta, absorvia cada palavra. O mesmo valia para a matemática. Ele se confundia para fazer as contas no papel, mas as fazia de cabeça com uma facilidade impressionante. Eu estava tão, tão orgulhosa dele!

Meu menino havia mudado tanto: seu vocabulário se ampliara, ganhara peso, andava limpo — ou limpo o bastante para um garoto de nove anos —, seu olhar perdera aquela desconfiança que tinha do mundo. Acredito que Duarte tivesse alguma coisa a ver com isso. Ele fora inocentado das acusações de tentativa de assassinato, mas continuava preso, pois teria de responder pelo roubo das joias da sra. Henrieta.

O futuro de Samuel ainda era incerto, e isso estava me tirando o sono. Pensar que a qualquer momento alguém de sua família apareceria e o levaria embora fazia meu coração doer. Lucas me acalmava dizendo que estava cuidando de tudo, que eu só precisava ser paciente, mas como poderia, se a vida de uma criança estava toda de cabeça para baixo?

Muito se especulou na vila sobre mim e os últimos acontecimentos — a noitada de Lucas, a tentativa de assassinato de Matias, sua prisão, o tiro que eu acertara nele. Meu nome e o de Lucas corriam à boca pequena com frequência. A cada vez que aparecíamos na vila, éramos alvo de olhares e cochichos.

— Olhe, Ofélia! Parece que Elisa perdoou o marido pela noitada com *aquelas* mulheres.

— Menina tola! Ouvi dizer que o libertino foi flagrado amarrado à cama com seis ou sete mulheres, Henrieta! Um verdadeiro pervertido!

— Dizem que agora ele se endireitou. Também, pudera! Parece que Elisa o ameaçou com uma arma e jurou matá-lo se o vir perto de uma *daquelas* moças.

— Será verdade o que andam dizendo? Que o tal sr. Matias pretendia assassiná-la desde o começo e que a pobre Adelaide tomou o chá que era destinado a Elisa?

— Só pode ser, Ofélia. Adelaide nunca fez mal a uma mosca. Imagino que Elisa tenha brincado com o coração daquele rapaz e ele jurou vingança. Ela não é a moça recatada que nós pensávamos.

— Ela nunca me enganou, Henrieta.

Nesses momentos, Lucas pegava minha mão e a levava aos lábios, me assegurando de que estava ali comigo, que enfrentaríamos aquilo juntos. Foi então que deixei de me importar. Sim, eu ainda me preocupava com o bom nome de minha família, com o futuro das meninas, mas aprendi algo muito importante: as pessoas só conseguem feri-lo se você permitir. Quando compreendi isso, passei a me divertir com as fofocas descabidas. E então — talvez porque não me importasse mais —, os boatos começaram a morrer.

Sempre tentei ser aquilo que esperavam de mim. Fiz o melhor que pude para corresponder às expectativas, e, mesmo sem nunca ter feito nada que pudesse comprometer minha honra, ela acabou comprometida, porque estranhos decidiram especular sobre minha vida. Mais de uma vez me perguntei por que eu dera tanto poder àquelas pessoas. Por que me esforçava tanto para ser o que elas esperavam que eu fosse. Minhas convicções não mudaram; a diferença era que agora eu as expressava. Tinha liberdade para ser eu mesma. E para ser amada pelo mesmo motivo. Fora isso que aprendera com Lucas. Ele se apaixonara pela ilusão que eu representava, mas amara o meu verdadeiro eu. Sem máscaras ou disfarces, com todos os meus defeitos e minhas qualidades.

Lucas me ensinara outras coisas também. Havia comprado um novo telescópio, e muitas vezes saímos pela propriedade de meu irmão caçando estrelas. Ele me mostrou mundos maravilhosos, coisas que eu jamais teria sonhado que existiam — e não me refiro só a planetas com anéis ou nebulosas coloridas repletas de mistérios, mas a algo que fazia meu coração palpitar e meu rosto ficar todo quente e vermelho.

Pela maneira como ele me olhava agora, a interrupção de Nina não o tinha desestimulado e parecia disposto a me levar até um mundo de paixão naquele exato momento.

No entanto, tornaram a bater à porta. Gomes avisou que o sr. Andrada esperava Lucas no escritório de meu irmão.

— Diga que estarei lá em dez minutos. — gritou. Então olhou para mim de cara amarrada. — Estou pensando seriamente em nos mudarmos para a pensão até a reforma ser concluída. — E saiu da cama, murmurando uma imprecação que me fez rir.

— Por que o sr. Andrada veio aqui? Algum problema? — perguntei, preocupada.

— Espero que seja a solução — foi tudo o que disse.

Cerca de quinze minutos depois, deixamos o quarto, mas não fomos muito longe. Gomes vinha correndo, quebrando todos os protocolos, com uma carta balançando em uma das mãos.

— Chegou para a senhora. Pensei que gostaria de ser informada imediatamente.

Apanhei o envelope e observei o nome do remetente. Meu coração deu um salto. Eu conhecia aquela caligrafia quase tão bem quanto a minha. Rasguei o lacre às pressas.

*Querida Elisa,*

*Imagino que esteja preocupada com o meu silêncio. Tanta coisa aconteceu desde que nos vimos pela última vez que acredito que não me reconheceria agora. Eu mesma não me reconheço mais. Mas, tranquilize-se: eu estou bem! Não quero que se preocupe comigo. A casa onde vivemos tem uma bela vista para o mar, mas o acesso é difícil, por isso suas cartas chegam com muito atraso, e imagino que você também demore para receber as minhas.*

*Tanta umidade afetou a saúde de papai, e uma terrível crise de asma o atacou. Tive que cuidar dele, já que Miranda pouco fez além de mandar chamar um médico e lhe preparar algumas infusões. Mas ele parece se recuperar bem. Estou confiante de que em algumas semanas terá se curado totalmente. Por causa da doença, mal tive tempo de conhecer a região, mas parece ser agradável. Soube que Najla, a sobrinha do sr. Estêvão da joalheria, e o marido são nossos vizinhos, mas ainda não tive a sorte de encontrá-la. Quem sabe nesta semana eu consiga ir visitá-la.*

*Estou aguardando, ansiosa, por notícias do seu casamento. Espero que tenha sido tão bonito quanto sonháramos enquanto crianças.*

*Sinto muito sua falta, querida Elisa. Espero que em breve possamos nos rever.*

*Sempre sua,*
*Valentina*

— Graças aos céus! — Soltei um aliviado suspiro, olhando para Lucas. — É de Valentina. Ela está bem. Estão morando em um lugar meio afastado, no litoral, por isso a correspondência demora a chegar.

— Menos mal. — E juro que vi alívio em seus olhos também. — Vá indo na frente, Elisa. Já nos atrasamos demais. Sua sobrinha já deve estar impaciente para lhe mostrar o potro.

— Lucas, espere — a voz de trovão de meu irmão ressoou pelo corredor.

Ian vinha em nossa direção, abotoando o punho da camisa sob o paletó, os cabelos molhados e um sorriso torto que me disse que andara aprontando alguma coisa.

— Pensei que estivesse no estábulo — falei assim que nos alcançou.

— Acabei me sujando. Só vim trocar de roupa, mas já que os encontrei quero lhes mostrar uma coisa — indicou a porta da sala de artes.

Os dois homens se afastaram para o lado para que eu entrasse primeiro. A sala bem iluminada e muito arrumada — coisa realmente impressionante com três crianças por perto — era um de meus lugares preferidos na casa. Embora pensasse o contrário, Ian era um grande artista. Eu nunca me cansava de admirar suas obras.

Ele e Lucas mal tinham pisado na sala quando eu parei de repente, os olhos presos no quadro apoiado na mesa, a bela moldura dourada capturando os raios de sol e os refletindo como um prisma.

— Ian! — arfei, levando a mão ao rosto, os olhos ainda na tela. — Meu Deus! É lindo!

No retrato de meio-corpo, Ian me imortalizara usando o vestido de noiva de mamãe, o véu encobrindo parte de meus cabelos, as mechas negras se destacando contra a palidez do tecido. Meu rosto estava levemente de lado e meu olhar abaixado, fitando o buquê de amores-perfeitos em minhas mãos. Os cantos de meus lábios se curvavam em um sorriso secreto, minhas covinhas aparentes. A meu lado, Lucas, tão real que era como se houvesse dois dele naquela sala, olhava para mim com uma expressão apaixonada, os olhos cintilando como duas estrelas.

— Esplêndido! — concordou Lucas, aproximando-se da pintura e a analisando atentamente. — Você a retratou com perfeição. É tão real que estou aqui prendendo o fôlego, esperando que o sorriso dela se amplie.

— Considerem um presente de casamento um tanto atrasado — meu irmão falou.

Eu me virei para ele e o abracei com força.

— Oh, Ian, é o presente mais perfeito do mundo. Obrigada, meu irmão.

— Não me agradeça, Elisa. Foi mais que um prazer pintar este quadro. Foi um alívio retratar aquele momento. Creio que isso encerre qualquer dúvida quanto ao seu futuro.

Eu o soltei e ergui o rosto para poder encará-lo. Havia triunfo em seu semblante, quase como se tivesse vencido uma batalha, o que me deixou muito confusa. E ele não ia explicar nada, a julgar pela maneira como contraiu as sobrancelhas e balançou a cabeça de leve. Mas me olhou daquele jeito que eu conhecia tão bem, que dizia que eu não precisava temer mais nada.

— Obrigado, Ian. — Lucas atravessou a sala e estendeu a mão para meu irmão. — De fato, não poderia ter me dado um presente que eu apreciasse mais do que um retrato de Elisa.

— Apenas continue a fazer minha irmã feliz. — Ian apertou sua mão, ao passo que Lucas fazia um aceno firme de cabeça.

— Um retrato nosso — corrigi Lucas.

— Nosso? — A surpresa estampou o rosto de meu marido e ele virou a cabeça, observando o quadro. — Ah. Sim, agora vejo.

Ian e eu acabamos rindo.

Lucas então foi falar com o advogado, e eu desci até o estábulo com meu irmão.

— Suponho que não vá explicar sobre o significado daquele retrato — comentei.

— Não é nada. Apenas uma coisa que vi quando estivemos no futuro e que me atormentou por muito tempo. Mas que, agora eu sei, não vai acontecer já que você se casou com Lucas.

Não fazia ideia do que Ian tinha visto e, a julgar pelo alívio que vi assentar em sua expressão, achei melhor não saber.

— Tia Lisa! Papai! — Analu veio correndo tão logo nos viu chegar. Bartolomeu, deitado na grama, levantou-se quando minha sobrinha passou por ele, seguindo-a. Ela pulou sobre mim e eu deixei escapar um *urf!*

— Venha cá, srta. Ana Laura Alonzo Clarke. — Ele a pegou pelos braços e, com um giro que a fez gritar de deleite, encaixou-a nos ombros.

Sofia, debruçada na cerca, acenou. Nina imitava sua postura e não tirava os olhos do potro, como era de esperar. Ian colocou Analu no chão quando nos juntamos a elas, e a caçulinha correu para perto da irmã e de Samuel.

— Elisa, você está bem? — Sam me estudou com o olhar preocupado. — Marina disse que estava engasgada.

Eu enrubesci, evitando olhar para meu irmão.

— Estou ótima. Que tal o potro? — eu quis saber, louca para mudar de assunto.

— É bonito. E muito esperto. Meio desajeitado, mas já consegue ficar de pé sozinho. Venha ver! — Ele me pegou pela mão e começou a me puxar para perto do cercado.

— É de Lua? — perguntei a Sofia ao parar ao lado dela, pois o potro tinha a mesma pelagem da égua dela.

— E de Storm — contou, orgulhosa. — É o terceiro deles. Acho que estão apaixonados de verdade. — Então, analisou meu rosto com atenção e um sorriso deslumbrante se abriu. — E eles não são os únicos.

Cheguei um pouco mais perto dela.

— O que você viu realmente aconteceu, Sofia. Eu encontrei o meu "felizes para sempre", do jeito que você disse que eu encontraria. — Eu nunca devia ter duvidado.

— Com algumas surpresas indesejadas. — Fez uma careta. Então se inclinou e cochichou: — Mas esse é só o começo do seu "felizes para sempre". — E me deu uma piscadela.

Quem precisa de uma fada madrinha quando se tem uma irmã como a minha?

— Melhorou, tia Elisa? — Nina ergueu aqueles olhos escuros para mim.

— Estou bem. — Corei de novo.

— Já engasgou assim, mamãe? De ter que tirar a roupa para melhorar?

Oh, por Deus. Não sei qual foi a reação de Sofia nem a de Ian, já que mantive os olhos fixos no potro, mas a voz de Sofia parecia bastante divertida ao dizer:

— Algumas vezes.

O que fez meu rosto já quente se incendiar e meu irmão ser dominado por uma crise de tosse.

— Cadê o Lucas? — Samuel se pendurou na cerca outra vez.

— Aqui. — Veio a voz logo atrás. Ao me virar, me deparei com aquele sorriso iluminado. A reunião devia ter sido boa. Sorri de volta, contente por vê-lo feliz. — O que eu perdi?

— O *poto* não conseguia *ficá* de pé, tio Lucas. — Analu começou, animada.

— Aí ele conseguiu, mas *temia* muito. Aí a mamãe dele lambeu ele.

— O papai explicou que ela estava dando banho — esclareceu Nina.

Samuel fez uma careta.

— Banho de lambida deve ser pior do que banho de banheira!

— Aí o potro tentou andar — continuou Nina, subindo para a tábua de cima —, mas parecia a Analu no começo. Caía toda hora. Mas aí ele aprendeu a se equilibrar e não caiu mais. Mas a mamãe dele ainda tá meio desconfiada e fica ali perto. Agora ele tá mamando.

— Parece que eu perdi tudo, afinal — lamentou Lucas.

Samuel abaixou os olhos para as mãos enroscadas na cerca, e depois de um momento pulou no chão.

— Sam! Aonde você vai? — Marina quis saber ao vê-lo se afastar, os ombros curvados e a cabeça baixa.

Eu e Lucas nos encaramos por um breve instante, e então saímos atrás dele.

— Samuel — chamei. — Espere!

Mas ele não esperou. Tive de correr para acompanhá-lo. Lucas vinha logo atrás e, com as pernas mais longas que as minhas, logo me ultrapassou. Samuel entrou em casa, seguindo a esmo pelos corredores. Lucas conseguiu alcançá-lo quando passava em frente ao nosso quarto e o empurrou para dentro.

— Não é justo, Elisa. — O menino reclamou, os olhos enevoados de lágrimas, assim que eu entrei e fechei a porta. — Até o potro tem uma família. Só eu que não. — Ele se sentou aos pés da cama.

Olhei para Lucas. Ele exibia um sorriso largo, que destoava totalmente do momento.

— Isso não é verdade, Sam. — Eu me sentei junto dele, passando o braço pelos seus ombros. — Você tem a mim e ao Lucas.

— Nina, Analu, o sr. e a sra. Clarke, minha família... — completou Lucas ao se acomodar do outro lado do garoto.

— É diferente. — Ele cruzou os braços.

— Só se você quiser que seja diferente. — Acariciei seus cachos macios — Algumas vezes nós nascemos em uma família, como aconteceu comigo. Em outras, nós a escolhemos, como aconteceu com a Sofia.

— E eu e Elisa escolhemos você. — Lucas puxou um papel de dentro do paletó, entregando-o ao menino, o sorriso ainda ali.

Samuel o abriu e leu algumas linhas, então ergueu os olhos para mim. Eu conhecia bem aquele olhar.

— Bem, deixe-me ver. — Peguei o papel e meu coração falhou uma batida. Era um documento oficial, assinado pelo juiz Guilhermino Carvalho. O nome de Duarte vinha logo depois do cabeçalho. — Jeremias Duarte, residente neste Estado, único parente consanguíneo vivo do menor Samuel Duarte de Castro, de nove anos de idade, elegeu como guardião do menor o sr. Lucas Guimarães, também residente neste Estado... — Encarei Lucas, o coração batendo tão alto em meus ouvidos que eu mal conseguia ouvir o mundo. Seus olhos me sorriram.

— Eu não sei se entendi direito, Elisa. Samuel buscou meu olhar, mas Lucas abaixou o rosto para ele.

— Este documento faz de mim o seu guardião de hoje em diante, Samuel — contou. — Serei responsável por você até que chegue à maioridade. Mas, se você quiser, nunca mais terá de deixar esta família. A escolha será sua.

— Mas o tio Jeremias deixou eu ficar para sempre? — perguntou, desconfiado, mas havia uma faísca de esperança em seu rosto.

— Muito alegremente. — Sua expressão vacilou. Samuel não pareceu notar. — Você não tem mais que se preocupar com ele. Eu disse que cuidaria de tudo.

Meu coração se inflamou naquele instante, tanto e tão violentamente que eu pensei que pudesse parar.

— Você não mentiu para mim! — Samuel passou os braços ao redor da cintura de Lucas, afundando a cabeça em seu peito, os olhos apertados.

Lucas deu risada, abraçando o menino com força, mas o olhar estava em mim. "Obrigada", fiz com os lábios.

"Sempre que precisar", devolveu.

O menino o soltou, apenas para laçar meu pescoço com os braços.

— Você ouviu isso, Elisa? Ouviu o que o Lucas disse? Meu coração está tão feliz que parece que vai explodir!

— O meu também, Sam! — Nunca mais teríamos de nos separar.

Afundei o rosto em seu ombro, sentindo seu cheirinho de menino, suor e terra. Eu amava Samuel. E Lucas e eu cuidaríamos dele, o amaríamos, daríamos tudo o que ele quisesse e merecia: uma vida feliz.

— Parece que agora você vai ter que desistir da ideia de que precisa ajudar em alguma coisa para morar conosco — zombou Lucas.

— Mas eu não posso fazer isso — rebateu, me soltando e encarando Lucas muito a sério. — Tenho os meus pacientes para visitar.

— Seus pacientes? — Achei graça.

— Se eu ajudo o Lucas, então eles são meus pacientes também, Elisa. — Revirou os olhos. — Vou poder continuar a visitá-los, certo?

Lucas brincou com seus cachos crescidos.

— Desde que só eu manuseie o bisturi pelos próximos dez anos.

— Eu imaginei que diria isso. — O menino olhou para o alto, resignado. — Mas está tudo bem. Ainda posso escolher ser cavalariço. Agora eu tenho que contar a novidade para a Marina!

No instante seguinte, ele saía do quarto correndo como se as roupas estivessem em chamas. A gargalhada de Lucas reverberou pelo aposento.

— Já percebeu que, de cada quatro palavras que ele diz ultimamente, duas são Marina?

— Eles se adoram. Como conseguiu que Duarte assinasse este documento? — eu quis saber.

— Eu o fiz assinar uma carta passando a guarda de Samuel para mim. Mas achei melhor resolver esse assunto de maneira mais... civilizada, por assim dizer. Não queria que você e Samuel vivessem com medo de o sujeito aparecer a qualquer momento. Então, quando estive na sede da guarda prestando queixa contra Matias, Duarte soube disso e mandou me chamar. Ele me fez uma proposta. Sua liberdade pelo menino. Ele está livre agora. Assim como Samuel — murmurou, em tom sombrio.

Cheguei mais perto e o beijei sem pressa até que algo saiu de controle — suponho que tenha sido eu —, e ele me afastou com delicadeza, rindo.

— Não me desconcentre assim agora, Elisa. Há mais um assunto que eu gostaria de discutir com você.

Eu me endireitei, observando-o com atenção. Parecia ansioso e um pouco inseguro. Foi até a porta e a fechou, o que fez uma sineta vibrar em minha cabeça. O que era agora?

Ele voltou a se sentar na cama — o colchão afundando levemente sob seu peso — e então me encarou.

— Elisa, eu vou para a Europa e..

— O quê? — atalhei, o coração ameaçando afundar em meu estômago. — Mas... mas eu pensei que... depois que nos acertamos... que você tivesse mudado de... que não pretendesse mais...

Ele colou um dedo sobre meus lábios.

— ... e quero que você venha comigo.

Coloquei a mão sobre o peito, tentando acalmar a palpitação.

— Uma faculdade em Paris me convidou para apresentar minha tese — contou, libertando minha boca. — A carta chegou na semana passada. Não respondi ainda porque queria definir o destino de Samuel antes. Mas, agora que tudo se resolveu, eu gostaria de aceitar o convite. E gostaria que você viesse comigo.

— A Paris?

— Na verdade, iremos a Paris depois. — Ele pegou minha mão e entrelaçou nossos dedos. — Ficaremos algumas semanas em Veneza.

— *Veneza*?! — engasguei.

— Sei que não é muita coisa comparado a uma bela caneca de cerveja em uma taberna... — brincou —, mas pensei que você gostaria de continuar a ampliar um pouco mais os seus horizontes. Na verdade, quero lhe mostrar o mundo todo. Quero colocá-lo a seus pés, Elisa.

— Oh, Lucas! — Ele não percebia que já havia feito isso? Que cada vez que olhava para mim eu sentia como se o mundo todo me pertencesse?

Segurando meu rosto entre as mãos, ele colou a testa na minha.

— Venha comigo.

— Mas é claro que eu vou, Lucas. Até a taberna ou a Veneza. Eu quero estar com você, pouco importa onde.

— Pouco importa. — Ele inclinou meu rosto levemente para cima e reivindicou minha boca.

De começo, o beijo foi suave e delicado, com carícias lentas e profundas. Mas então algo deu errado — nós dois, desta vez — e logo eu estava arfando, o coração aos galopes e a pele arrepiada. Quando Lucas se afastou, choraminguei um protesto.

— Minha nossa, acho que estou sendo negligente! — Ele tirou o paletó e o jogou em algum lugar. — Você ainda me parece engasgada!

— Pareço?

Seus dedos começaram a trabalhar nos botões na frente de meu vestido.

— Você parece *perigosamente* engasgada. Mas não se preocupe. Sei exatamente o que fazer em uma emergência como esta. — Ele se curvou sobre mim, forçando-me a deitar, e aplicou beijos molhados e demorados em meu pescoço enquanto começava a me despir.

— Lucas...

— Humm... — resmungou contra a pele de meu ombro, a mão subindo pelas minhas costelas.

— Nós precisamos... — Mas eu me perdi quando ele escorregou a manga do vestido pelo meu braço e me beijou ali. Ah, aquele cavanhaque em minha pele...

— Eu sei. Eu sei, Elisa. — Ele ergueu a cabeça e me encarou com intensidade, o rosto tomado de desejo... e amor. — Sei exatamente do que precisamos.

## 60

Assim que Lucas abriu a porta e se afastou para que eu entrasse, uma coisinha de pouco mais de um metro começou a saltitar diante de mim.

— Como foi? Como foi? Ele gaguejou? — Samuel quis saber, fazendo sua camisola de dormir balançar ao redor do corpo.

— Por que ainda está acordado? — ralhei, entrando em nosso apartamento no hotel Le Meurice. — Onde está a sra. Veiga?

— Roncando! — Ele revirou os olhos. — E eu estava esperando porque chegou uma carta para você. — Estendeu-me um envelope. Sofia me escrevera.

— Era o que você deveria estar fazendo também. — Lucas encostou a porta, ao mesmo tempo em que se livrava da gravata.

— Eu sei. — Samuel encolheu os ombros. — Mas eu preciso saber se a Marina mandou algum recado para mim. E também estava preocupado se você ia conseguir falar diante de toda aquela gente. Você conseguiu?

Lucas pareceu comovido com a preocupação. Mas não era para menos. Ele ficara extremamente ansioso desde que chegamos a Paris, e até mesmo Samuel tinha percebido. Mas nada se comparava ao pequeno ataque de pânico que o dominara no pátio daquela importante universidade, a poucos minutos de entrar no auditório para falar sobre seu experimento a centenas de cientistas.

— Sou um péssimo orador, Elisa — ele reclamara, correndo os dedos pelo cabelo. — Ainda mais se fico nervoso. Não se lembra de quando nos conhecemos?

— Isso é completamente diferente. Você vai falar sobre um assunto que domina. Conhece cada mínimo detalhe. Não há motivo para ficar inquieto dessa maneira.

— Mas e se eu me esquecer?

Deliberei por um instante, pegando sua mão e apertando seus dedos frios.

— Então finja que está falando só para mim.

E ele fez isso. Ou quase isso. Iniciara seu discurso mantendo os olhos nos meus, como se mais ninguém existisse. Aos poucos, ganhara confiança e expusera seu experimento e argumentos magistralmente, me enchendo de orgulho. Lucas discursara com paixão e fora aplaudido com euforia. Depois disso, participamos de um animado jantar, no qual ele aproveitou a distração dos convidados quando o champanhe começara a ser servido e me arrastara para trás de um imenso vaso, me beijando com força, cheio de saudade, como se estivesse esperando por aquilo a noite toda.

— Fiquei um pouco inseguro — Lucas contou a Samuel, pousando a mão no ombro do menino e o empurrando até as poltronas forradas de tecido verde e de um pálido creme, onde se deixou cair. — Nunca tinha falado para tantas pessoas. Mas acredito que tenha ido bem.

— Foi mais do que bem! — Eu me sentei no braço da poltrona que Lucas ocupava. — Ele foi aplaudido por mais de cinco minutos quando terminou, Sam!

— Tudo isso? — Seus olhos se arregalaram.

— Sim. E depois diversas pessoas quiseram se apresentar a Lucas. E ele ganhou um prêmio pela contribuição à ciência.

Lucas mirou em mim aqueles olhos iridescentes repletos de diversão.

— Você parece mais animada com isso que eu.

— E estou! Perdi as contas de quantas vezes eu disse esta noite "oh, sim, eu sou a esposa do premiado dr. Guimarães." Eu estou muito, muito orgulhosa de você, caso ainda não tenha percebido.

Seu olhar se tornou quente, vibrante, me fazendo promessas silenciosas.

— E eu também! — Samuel pulou no colo dele. — Você é o médico mais esperto que eu conheço.

— Ora, obrigado. — Bagunçou seu cabelo. — Mas agora chega de adulação e vá para a cama. Teremos um dia cheio amanhã, e você parece um esquilo que tomou uma jarra de café.

— Com muito açúcar. — Dei risada. — Vamos, Sam.

— Mas eu preciso saber se a Marina me mandou um recado! Vou ter que esperar até *amanhã*? — E me olhou com aqueles imensos olhos escuros ansiosos.

Um suspiro derrotado me escapou conforme eu rompia o lacre da carta.

— Está bem. — Comecei a correr os olhos pelas linhas. — Sofia diz que todos estão com saudades, que Valentina escreveu algumas vezes, e quer saber se a torre Eiffel já existe.

Ela também perguntava na carta se por acaso eu já tinha ouvido falar em um bolseiro chamado Louis Vuitton e se poderia comprar uma de suas criações para ela. Não tinha ouvido falar dele ainda, mas havíamos chegado a Paris fazia apenas quatro dias.

— Se *já* existe? — Lucas virou a cabeça, me encarando com um brilho perigoso. — Sua cunhada sempre faz esse tipo de comentário. Se *já* existe ou se *ainda* não foi inventada tal coisa... É bastante curioso. Como se ela soubesse o que irá acontecer.

Oh-oh.

— Sofia é muito brincalhona. — Forcei um sorriso

— É quase como se ela tivesse dado uma olhada no futuro. Ou tivesse vivido nele. — Seus olhos se apertaram imperceptivelmente. — Imagino quão única seria uma viagem dessas, pelo tempo. Seria capaz de deixar uma pessoa confusa, questionando a própria lucidez.

A cor deixou meu rosto, meus dedos perderam a firmeza e a carta caiu no chão. Ele descobrira. Por Deus, Lucas sabia sobre a viagem no tempo!

— Mas alguns poderiam achar que é algo extraordinário. Um curioso ou um cientista... poderia ficar tentado a investigar. É claro, seria muito perigoso para o viajante do tempo. — Ele se curvou, mantendo o olhar no meu, e apanhou a carta. — Muitas complicações poderiam surgir. Muitas suspeitas. Talvez uma situação que o colocasse em risco de vida, como fanáticos religiosos ou a própria Igreja. O mundo não está preparado para algo assim.

— Não — murmurei, e mesmo assim minha voz tremeu. — Não está.

Ele sustentou o olhar pelo que me pareceu um século inteiro, minha respiração suspensa. Eu não sabia como ele tinha descoberto. Imaginei que sua mente ágil tivesse juntado todos os fatos, mesmo que eu tivesse sido tão cuidadosa ao explicar sobre meu desaparecimento. A possibilidade de que ele pudesse fazer disso seu novo projeto me causou um nó no estômago, a ponto de eu sentir náuseas, as mãos suando frio.

— De fato, consigo ver quanto seria tentador querer investigar. Ou apenas tentar entender. — Seu olhar, intenso, ainda estava no meu. Ele foi capaz de ler em meu rosto as respostas às perguntas que eu vi espiralar em seus olhos. Tenho certeza disso porque sua expressão foi tomada pela incredulidade, e logo foi substituída pelo deslumbramento. E preocupação.

Ele pigarreou antes de continuar.

— Mas isso, digamos... no caso de um médico... seria impossível. Eu, por exemplo não poderia. O juramento de Hipócrates me impediria. "Sobre aquilo que vir ou ouvir respeitante à vida dos doentes, no exercício da minha profissão ou fora dela, e que não convenha que seja divulgado, guardarei silêncio como um segredo religioso" — citou, estendendo-me a carta.

Soltei o ar com força, o alívio me deixando tonta, e tive de me apoiar no espaldar para não me desequilibrar em meu assento estreito.

— Vocês podem falar de alguma coisa que eu entendo? — falou Samuel, impaciente. — Por exemplo, se a Marina me mandou algum recado?

Recompondo-me o melhor que pude, peguei a carta da mão de Lucas e, ainda mexida, li o restante. Minhas mãos ainda tremiam, mas não pude deixar de sentir como se o peso do mundo tivesse deixado minhas costas. Eu amava Lucas enlouquecidamente, e queria dividir com ele tudo: meus pensamentos mais loucos, meus medos e meus desejos, minha vida toda. Aquele era meu único segredo, a única parte de mim que eu escondia dele. E agora Lucas o conhecia.

Depois de satisfazer a curiosidade de Samuel — sim, Nina mandara um recado: esperava que ele voltasse um pirata com tapa-olho —, eu o obriguei a ir para a cama. Minhas emoções estavam em frangalhos, e, pela maneira como Lucas me observava, ele tinha algumas perguntas. Eu não fazia ideia do que lhe diria.

— Mas eu não estou cansado, Elisa. — Samuel bocejou.

— Vamos, Sam. Agora. Ou nada de passeio ao museu de arte amanhã.

— Ah, está bem. — Resmungando, ele ficou de pé e começou a ir para o quarto murmurando um "boa-noite, Lucas" desanimado.

Com algum custo, consegui colocar o menino agitado, mas muito exausto, na cama. Depois de cobri-lo e lhe dar um beijo, soprei a vela e comecei a sair do quarto, mas o ouvi me chamar. Voltei para perto dele, me sentando na beirada da cama.

A claridade que vinha da sala iluminou parte de seu rosto. Ele não tinha mais as bochechas encovadas nem as olheiras. Seu cabelo estava longo, em belos anéis que lhe caíam nos olhos e sobre as orelhas.

— Sabia que eu pedi você para a minha mãe? — ele perguntou.

— Como assim? — Afastei um cacho escuro para longe de seu rosto.

— No dia em que eu trombei nas suas saias, tinha acabado de sair da igreja e rezado para a minha mãe me ajudar a achar um anjo da guarda, porque o tio Jeremias andava sendo muito mau comigo. Aí ela me mandou você.

— Ah, Sam... — falei, piscando para deter a umidade em meus olhos, mas não pude fazer nada com o aperto no peito. — Certamente foi o que aconteceu.

Eu amava tanto aquele menino! E não sabia como ele me veria. Uma amiga? Uma irmã mais velha? Uma tia? Algo próximo de uma mãe? Não importava.

Tudo o que eu queria era que ele fosse feliz e me permitisse fazer parte de sua vida

Depois de lhe dar outro beijo de boa-noite, voltei para a sala, mas Lucas não estava mais lá. As cortinas que davam para o balcão balançavam suavemente com o sopro da brisa que entrava pela porta aberta. Eu o encontrei ali, admirando o belíssimo Jardim das Tulherias. O bosque se estendia por várias quadras, margeando o rio Siena até chegar à majestosa fachada do Museu Central das Artes, no antigo Palácio do Louvre.

Aproximei-me de Lucas até parar ao lado dele, mantendo os olhos no bosque.

— Como descobriu? — murmurei, sem coragem de encará-lo.

— Sofia não é tão cuidadosa com o próprio segredo quanto você ou Ian.

Não, ela não era.

— E você acredita? — perguntei.

Pelo canto do olho, vi sua boca se curvar de leve.

— De início, não. Mas como eu poderia ignorar a existência daquele medicamento, Elisa? Comecei a prestar atenção às coisas que ela dizia, e então foi a única conclusão a que pude chegar. De quanto tempo estamos falando? Vinte anos? Cinquenta?

— Quase duzentos. — Apoiei as mãos na balaustrada que rodeava a sacada.

— Duzentos. — Riu, abismado. — Então ainda teremos um mundo em duzentos anos? Alguns cientistas garantem que o fim chegará antes da virada do século vinte.

Seu bom humor me acalmou um pouco.

— Não é o mesmo mundo, Lucas. Quase nada remete ao que nós conhecemos. Então, de certa forma, acho que eles estão certos.

Ele se virou para mim e me encarou por um logo tempo. Vi tantas dúvidas, tantas perguntas espiralarem em seu rosto, misturando-se ao fascínio e deslumbramento, mas a emoção mais proeminente era a ansiedade.

— Elisa, eu entendo tudo sobre um juramento — ele começou, a voz baixa e macia. — Por causa de um, eu me vi obrigado a cuidar do homem que tentou assassinar a minha mulher. Mas preciso lhe fazer uma pergunta. Apenas uma.

— Eu sei. Você quer saber se existirá a cura para o tifo.

Ele assentiu uma vez, absurdamente sério.

— Sim, Lucas. Existirá cura e apenas uma minúscula parte dos doentes não sobreviverá. Foi uma das primeiras coisas que eu tentei descobrir sobre aquele mundo. Imaginei que você fosse gostar de saber.

Ele inspirou fundo, como se o peso de toda a humanidade tivesse deixado suas costas, e olhou para o céu. Pela maneira como seus olhos reluziram, fixos em um ponto qualquer, os cantos da boca curvados de leve, tive a impressão de que não admirava o firmamento. Ele falava com Rebeca.

Voltei a contemplar o bosque, tentando lhe dar um pouquinho de privacidade.

— Então... — perguntou, um tempo depois. — Iremos ao museu amanhã?

— Prometi a Samuel. Ele viu um pintor no jardim, hoje mais cedo. Quando eu contei que o museu também é uma escola de artes, ele ficou realmente interessado. Me disse que talvez possa ser um médico marinheiro artista quando crescer.

— Em mais um ano ele terá escolhido tantas profissões que precisará fazer uma lista para não esquecer nenhuma. — Lucas deu risada.

— Seja lá o que ele escolher, estou certa de que será um profissional brilhante. — Porque o que lhe faltava em habilidade para aprender Samuel compensava com dedicação. — E confesso que também estou ansiosa para conhecer o museu. Ian me fez prometer que vou relatar tudo que vir em uma longa carta. Mas visitaremos o museu apenas à tarde. Pela manhã vou receber a esposa do dr. Lambert.

Heloise, uma dama muito bonita e sorridente, era esposa de um físico bem-educado, mas um tanto austero. Ela era um pouco mais velha, e nutria a mesma paixão por música que eu. Acabamos conversando por muito tempo durante o jantar daquela noite.

— Não me lembro qual deles era Lambert. — Lucas fez uma careta.

— Um de bigodes largos, virados para cima. Usava óculos...

— Humm... — Ele coçou o queixo. — Você acaba de descrever metade dos homens que conheci esta noite.

— Talvez você se lembre de Heloise quando a vir amanhã. Ela me contou que anda com problemas na alfabetização do filho. O dr. Lambert está um tanto frustrado e quer mandar o menino para um internato. Acha que ele não corresponde às expectativas porque a educação não é adequada. Por tudo o que Heloise me disse, tive a impressão de que o garoto tem a mesma dificuldade de Samuel para compreender a palavra escrita. Vou explicar os jogos e brincadeiras que Sam e eu criamos. Quem sabe pode ajudá-los também.

Esticando o braço, Lucas me puxou para perto, o sorriso tão largo que quase lhe chegava às orelhas.

— Tem alguma ideia do quanto estou orgulhoso de você, Elisa? Nesta noite você falou com toda aquela gente com uma desenvoltura que me causa inveja. Seu francês é tão bom que tive de explicar para mais de uma pessoa que você não é francesa. Sua alegria quebrou a seriedade monótona que sempre aparece quando dois homens da ciência se juntam. E todos os avanços que fez com Samuel, meu Deus! É inacreditável!

— Ele só precisava encontrar uma maneira diferente de aprender.

Seus braços cingiram minha cintura, prendendo-me a meu lugar favorito no mundo: seu corpo.

— Não. — Beijou minha testa. — Ele precisava encontrar *você*. Com nada além de amor e paciência você mudou a vida desse garoto. Deixou uma marca no mundo dele que ninguém jamais vai conseguir apagar. E fez o mesmo comigo — acrescentou, em um tom rouco.

— Da mesma maneira que você marcou o meu, Lucas. — Eu o abracei pela cintura, colando meu ouvido em seu coração, escutando aquele tum-tum-tum tão familiar agora, sentindo-me absurdamente feliz.

Nunca procurei notoriedade. Jamais desejei fama ou ambicionei reconhecimento. Tudo o que eu queria era deixar algo meu no mundo, uma marca que provasse minha existência, que lhe desse sentido. E consegui isso, deixando minha marca em Lucas e Samuel, da mesma maneira que eles deixaram suas marcas em mim. Não é preciso ser um herói ou uma heroína e salvar o mundo todo. Basta mudar o mundo de alguém. Beca fizera isso com Lucas. E ele fizera o mesmo comigo. Transformara meu mundo irrevogavelmente. O mesmo acontecera com Sam. E talvez um dia alguém diga: "A srta. Elisa Clarke Guimarães? Oh, sim! Que grande dama! Sabe arrematar um bordado como ninguém! Assim como saber amar. Ninguém jamais se entregou ao amor como ela!" Parecia um bom jeito de ser lembrada.

— Então, sobre a programação de amanhã... — Lucas falou em meus cabelos. — Seu encontro com a sra. Lambert, depois o museu de arte. E quanto à noite?

Ergui o rosto.

— Não tenho nada planejado.

— Ótimo. — Ele sorriu. — Porque eu tenho.

— É mesmo? E o que tem em mente?

— Fazê-la sorrir como quando estivemos em Veneza. — Aqueles olhos com o mais quente e vibrante tom de verde se voltaram para os meus. Um arrepio me subiu pela nuca.

Veneza era ainda melhor do que eu havia imaginado! Passamos tanto tempo conhecendo a cidade e seus canais que acabei me bronzeando um pouco. E as noites... oh, as noites! Lucas me levava para jantar em restaurantes charmosos, onde um trio cantarolava baladas que falavam de amor, íamos ver peças cujo figurino me deixava maravilhada. Ele me levou três vezes ao grande teatro La Fenice, e eu o achei ainda mais esplêndido do que tia Margareth havia descrito. Não havia acústica melhor em todo o mundo! Depois voltávamos para o hotel, onde fazíamos amor até o amanhecer. Foram três semanas mágicas que, tenho certeza, ficaram marcadas em meu coração para sempre.

— Fazê-la sorrir todos os dias é o meu novo projeto — contou. — Na verdade, todos os meus projetos incluem você, Elisa.

— Isso significa que em algum momento eu vou ter que destruir seu laboratório com uma luneta outra vez?

— Provavelmente. — Ele gargalhou alto.

Tapei sua boca com a mão, resmungando um *shhhh*, temendo acordar a sra. Veiga e Samuel. Ele achou que seria mais eficiente se, em vez da mão, eu usasse minha boca para calá-lo, então empurrou meus dedos com delicadeza e grudou os lábios nos meus. Um método infinitamente mais prazeroso, devo ressaltar.

Quando minha respiração voava e meu coração pulsava, frenético, Lucas se afastou para me olhar. Deixou os olhos percorrerem cada linha de meu rosto, descerem para o vestido azul-turquesa que eu comprara para aquela ocasião especial, acompanhando o decote em formato de coração com as pontinhas dos dedos, as mangas que deixavam os ombros à mostra, o delicado bordado que adornava a cintura. Verdadeiras labaredas inflamaram suas íris.

— Este vestido é diabolicamente infernal, Elisa.

— Que bom que gostou. Comprei uma dúzia deles. — Meu novo guarda-roupa, assim como minha vida, agora tinha cor, detalhes interessantes e uma infinidade de possibilidades.

Seu sorriso se ampliou.

— Excelente! Mal posso esperar para amaldiçoar cada um deles. — Afagou meu rosto com as costas da mão, aquele brilho incendiário fazendo meu sangue voar nas veias. — Você está tão linda que quase tenho pena de beijá-la e estragar tudo.

Antes que eu pudesse me opor à ideia, ele se curvou e deu início a uma trilha de beijos que começou em meu pescoço, seu nariz resvalando com reverência nas pérolas em minha garganta, o cavanhaque arranhando de leve a pele sensível. Uma de suas mãos se manteve em minha cintura, me segurando junto a ele, mas a outra se prendeu em minha nuca enquanto me mordiscava a orelha.

— Mas só *quase* — sussurrou ali, e então me beijou com urgência.

Eu me perdi naquele beijo — em Lucas —, como sempre acontecia, e não percebi que em algum momento ele se abaixou para passar um braço atrás de meus joelhos e me tomou em seus braços, me carregando para o quarto como um príncipe de conto de fadas carrega sua princesa depois de trilhar uma longa jornada para chegar até ela.

Por muito tempo nós nos perdemos um do outro, vagando pelo mundo aos tropeções. Quando finalmente nos reunimos, mesmo entre mentiras, segredos e desavenças, algo sublime e mágico aconteceu. O amor encontrou um jeito de fincar suas raízes em um coração orgulhoso e em outro ferido. Escolhi Lucas para ser parte de mim, da mesma maneira que ele me escolheu para preencher os vazios que tinha em si. Juntos conseguimos construir algo maior que nós. Tão maior que nós.

Ele me colocou sobre a cama com muito cuidado, deitando-se a meu lado e me olhando com adoração, como se estivesse diante da mais perfeita criação.

Meus olhos marejaram; não pude evitar.

Por muito tempo eu me senti vazia, incompleta e tão pequena quanto um grão de areia, tentando entender onde era o meu lugar neste mundo. Agora eu sabia. Não era feito de paredes nem tinha mobília, muito menos era um pontinho marcado no globo. Era onde eu me sentia segura e protegida, onde era aceita e amada da maneira que era.

Fiz de Lucas o meu lar. E não importava para onde iríamos, quanto tempo demoraríamos ou os problemas que teríamos de enfrentar. Nós estaríamos juntos porque assim escolhemos. Porque todos os dias nos escolhíamos. Não havia nada mais belo que isso.

— Se pudesse compreender o que eu sinto quando olho para você, Elisa. — Encaixou a mão em minha nuca, o polegar acariciando meu pescoço. — Não apenas por causa da sua aparência. Você é linda! Mas é o que eu vejo dentro dos seus olhos que me comove dessa maneira, que mexe tanto comigo. Eu a amo. Da maneira certa, da maneira errada e de qualquer outra que exista.

— Então, mostre — sussurrei, afastando com os dedos as mechas claras que lhe caíam nos olhos.

Ele abriu aquele meio sorriso que eu amava.

— Estava torcendo para que me dissesse isso.

Com os olhos cintilando paixão e deslumbramento, ele me puxou para ainda mais perto, abaixou a cabeça, colando os lábios nos meus, e atendeu meu pedido com muita eloquência.

# Nota da autora

Toda a tecnologia e os avanços de que hoje dispomos foram acontecendo aos poucos, com a contribuição de tantas pessoas que, se eu fosse citar todas elas, acabaria escrevendo outro livro. Alguns nomes, porém, foram de suma importância para a ciência, e você os encontrou na história de Elisa. Como na ficção tudo é permitido, ignorei a linha do tempo e juntei três grandes cientistas em um mesmo período.

Começo por Agostino Bassi, entomologista italiano: o primeiro a provar que doenças são causadas por micro-organismos. Depois de vinte e cinco anos conduzindo uma série de pesquisas, em 1835 ele conseguiu comprovar que a muscardina (doença que calcifica os bichos-da-seda) é provocada por um fungo, hoje denominado *Beauveria bassiana*.

Em seguida apresento John Snow (não, não aquele!): médico inglês considerado um dos pais da epidemiologia moderna. Snow liderou a prática da higiene na medicina, o uso da anestesia e também conseguiu identificar o foco do cólera e controlar o surto da doença, na Londres de 1854.

Por fim, apesar de Louis Pasteur não ser citado ao longo do livro, ele está em cada página. O grande químico e microbiologista francês é reconhecido pelas extraordinárias descobertas no que concerne às causas e à prevenção de doenças. Ficou mais conhecido por ter criado a vacina contra raiva e desenvolvido a técnica de tratamento do leite e do vinho para evitar contaminação microbiana, um processo que todos conhecemos: a pasteurização. Ele é um dos fundadores da bacteriologia, ao lado de Robert Koch e Ferdinand Cohn. Pasteur apresentou seu experimento na Academia Francesa de Ciência, em 1862, onde afirmou: "A doutrina da geração espontânea jamais vai se recuperar do golpe mortal deste simples experimento", pondo assim um ponto-final na teoria da geração espontânea. Tudo isso soa familiar, não? Pois é: o experimento de Lucas foi totalmente inspirado no trabalho desse grande cientista, que mudou a medicina para sempre e ajudou a fazer do mundo um lugar melhor para todos nós.

# Agradecimentos

Escrever este livro foi uma aventura deliciosa, e não posso deixar de agradecer àqueles que me ajudaram nesta experiência tão divertida. Muito obrigada a:

Minha editora, Raïssa Castro, que sempre confiou nos meus livros e lutou — luta — por eles, e à sua equipe maravilhosa, que faz minhas histórias chegarem às mãos dos leitores com tanto brilho: Ana Paula Gomes, Anna Carolina Garcia, André Tavares, Gabriela Adami e Ligia Alves.

Meu cunhado, músico talentoso, Beto Garja, pela fantástica ajuda com a parte musical.

Denise Souza, uma *apaixonada* pela série Perdida, pela sugestão tão perfeita de incluir a flor de ipê na carta do Lucas.

Meus queridos leitores, que a cada dia me incentivam e me apoiam com tanta ternura. (Vocês colocam um sorriso no meu rosto todos os dias, pessoal. Espero fazer o mesmo por vocês.)

Meu trio beta fantástico: Cinthia Souza, Joice Dantas Viera e Raquel Areia, sempre com os conselhos certos.

Um beijão para o pessoal da Universal Music — em especial para Tatiana Alves. E a Guilherme Filippone, a quem tenho a sorte de poder chamar de amigo.

Um imenso obrigada à banda OneRepublic, por criar as melhores músicas, aquelas que sempre me inspiram. Este livro foi praticamente todo escrito com suas músicas ao fundo. You guys rock!

Papai, mamãe e minha irmã, Carla, obrigada pelo incentivo e por acreditarem tanto em mim!

Por fim, à minha Lalá (sem você e seu entusiasmo, eu jamais teria conseguido concluir este livro... ou qualquer outra coisa. Me sinto abençoada por ter você a meu lado) e ao meu Adri (sou tão, tão grata por ter te encontrado! Obrigada por sonhar junto comigo! Você faz com que eu me sinta mais forte, com que o caminho pareça mais curto e suave!). Sem vocês, nada disso seria possível ou faria sentido para mim. Por isso, como sempre, este livro é para vocês.